CIEMNO,
PRAWIE NOC

CIEMNO, PRAWIE NOC

JOANNA BATOR

Bóg tkwi w szczegółach,
a diabeł jest wszędzie.

Carlos Ruiz Zafón, wywiad dla „Le Nouvel
Observateur", 3 września 2009 roku

podłużny przedmiot, jak kostka zwierzątka albo dziecka. Tym kluczem zamknęłam drzwi domu z widokiem na Zamek Książ i wyjechałam z miasta. Do niedawna nie było w Wałbrzychu nic, co skłoniłoby mnie do powrotu czy choćby krótkich odwiedzin. Domem zajmował się Albert Kukułka, nasz sąsiad i przyjaciel ojca, smutny samotny mężczyzna w skórzanej pilotce, który uśmiechał się tylko wtedy, gdy grał na skrzypcach. Kiedy byłam dzieckiem, pracował jako ogrodnik w wałbrzyskiej palmiarni i odwiedzałam go w tropikalnym wnętrzu szklarni, a on pokazywał mi bananowce, euforbie, wybujałe aż pod szklany sufit araukarie, mięsożerne rosiczki i świecący mech. Brał mnie na ręce i unosił ku bujnej zieleni drzew, gdzie widziałam własne pomniejszone odbicie w kroplach wody na liściach. Oczarowana powtarzałam nazwy, których mnie uczył: araukaria, cantedeskia, euforbia. Gdy wyjechałam po śmierci ojca, wysyłałam panu Albertowi pieniądze, mimo iż nie chciał ich brać, prosiłam, by od czasu do czasu kosił trawę w ogrodzie, wietrzył pokoje, oprócz tego największego na parterze, który na moje życzenie pozostawał zamknięty. Ojciec spędził w nim ostatnie lata życia. Zostały po nim niezliczone mapy podziemi Zamku Książ i listy zakupów, na jakie przeznaczy skarb, którego nie udało mu się znaleźć. Na ciężkim poniemieckim biurku stała tam fotografia: ojciec, matka i dwie córki na tle sławnej budowli, zatopieni w letnim popołudniu sprzed prawie czterdziestu lat jak muchy w bursztynie. Zostałam tylko ja i zamek. Nie chciałam, by pan Albert zaraził się smutkiem, który zalegał w pokoju ojca jak ektoplazma. Ektoplazma. Substancja, z której zrobione są duchy, jak mówiła moja siostra Ewa. „A z czego jest zrobiona ektoplazma?", pytałam. „Z węglowego pyłu i łez!". Pan Albert zajmował się też duchami, bo dbał o groby moich bliskich, co pewnie robiłby bez mojej prośby, ale skoro go poprosiłam, mogłam się czuć mniej winna. Nie wróciłam do Wałbrzycha przez piętnaście lat, chociaż w myśli wracałam co dzień, doszukiwałam się topografii tego mam włosy w wielbłądzim kolorze, i nazywała mnie Wielbłądką, a ja już wtedy czułam, że będzie to najpiękniejsze słowo, w jakie ktokolwiek ujmie przeciętność mojego wyglądu. Niezależnie od tego, czy akurat byłam czarna, blond czy ruda, zawsze czułam się niepozornie wielbłądzia i w pociągu do Wałbrzycha zastanawiałam się, czy ojciec będzie w domu i czy postawi na stole talerz nieporadnie przygotowanych kanapek z żółtym serem i dzbanek gruzińskiej herbaty, byśmy przez chwilę cieszyli się iluzją normalnego rodzinnego życia. Najczęściej ojca jednak nie było albo pogrążony w rozpaczy ukrywał się w swoim pokoju, z którego wychylał się tylko, by powiedzieć „Alicja?", zawsze z takim smutnym zdumieniem, jakby zamiast mnie mogła pojawić się tam jakaś inna, bardziej wyczekiwana córka. Odpowiadałam „tata?" i być może on też słyszał rozczarowanie w moim głosie.

W połowie drogi krajobraz pofałdował się jak wzburzona wiatrem woda. Zaczął padać deszcz, szarość za oknem stała się gęstą organiczną masą. Wjechaliśmy do krainy, gdzie noce są czarniejsze, a zima przychodzi już w listopadzie i nadal trwa, gdy wszędzie indziej kwitną krokusy i forsycje. Naprzeciwko mnie siedziała cicha studentka z notatkami na kolanach i starsza kobieta z taką miną, jakby czuła bardzo nieprzyjemny zapach i nie była pewna, czy to my śmierdzimy, czy ona. Trzymała na podłodze między nogami plastikową kraciastą torbę, która wyłaniała się spomiędzy jej ud w legginsach jak właśnie narodzona. Legginsy, napięte i połyskliwe, miały wzór zebry, ich właścicielka czytała kolorowe pismo i zatrzymała wzrok na wizerunku sławnej blond piosenkarki, której żadnej piosenki nie potrafiłabym rozpoznać. Gwiazda wypinała w naszą stronę sztuczne piersi, masywne jak wepchnięte pod skórę połówki arbuza. „Szok! Co ona teraz zrobi?", przeczytałam nagłówek. Moja sąsiadka pośliniła palec i w końcu odwróciła stronę, nitka śliny zaśniła między jej ustami a obdrapanym z różu paznokciem. Zassała, cmoknęła. Jak z głębi wałbrzyskiej sztolni wyszło z jej ust węglowe „ojbożeboże". Na kolejnej stronie też była piosenkarka. Dużą czcionką oznajmiała, że zawsze będzie sobą, a jej wargi nadymały się jak dwie opony tuż przed eksplozją, która zalałaby cały wagon lepką substancją. Cicha studentka, może zainspirowana, wyjęła z kieszeni błyszczyk i nie odwracając wzroku od notatek, zalepiła sobie usta mazią o zapachu syntetycznych malin. „Ojbożeboże", znów westchnęła kobieta w legginsach i podniosła na mnie wzrok z taką pewnością, jakby nagle rozpoznała we mnie kogoś znajomego. Miała nogi zebry, ale oczy raczej kozie.

– Kiedyś proszę panią wszystko było jak SantorEleni jak Boney M lepiej było się żyło jak się żyło tych lat nie odda nikt.

Milczałam, ale Zebrokoziej to nie zrażało, ciągnęła bez znaków przestankowych:

– Boney M w Sopocie SantorEleni żywność bez genów latem na wczasy ogóreczki śledziki wesoło z radością jedziemy na wczasy w te zielone lasy ogóreczki bez genów SantorEleni autobus cały rozśpiewany dzieci na kolonie nad morze polskie czy może w góry polskie podśmiechujki w kolejce za mięsem za kośćmi o GierkuGomułce się żyło się chciało marzyło a teraz nogi w dupę mękamamęka. – Zebrokozia przyjrzała mi się takim wzrokiem, jakby wybierała w mięsnym kości na zupę. – Pani też blada wygląda zmęczona.

Przytaknęłam na odczepnego, bo to chyba było pytanie.

– Sama pani widzi! – Ucieszyła się i nabrała wigoru. – Zmęczona! Zamęczona! Jak z krzyża zdjęta! Chcą nas wykończyć. Zamęczyć cały naród polski. Albo włosy. – Stuknęła paznokciem w sztuczne włosy piosenkarki.

– Włosy? – powtórzyłam zaskoczona.

– Dawniej trwała się rok trzymała farba nie zmywała – wyjaśniła Zebrokozia i popędziła dalej. – Szampon jajeczny jak kogel-mogel aż się kogla-mogla chciało się coś słodkiego zachciewało z kakałkiem ukręcić czy żółtko na włosy w chustkę zawinąć potrzymać pochodzić jak moja mamusia w deszczóweczce na raka w męczarniach deszczóweczkę do balii trzustka całkiem przeżarta deszczóweczkę. Deszczóweczkę? – powtórzyła Zebrokozia, zdziwiona chyba brzmieniem tego wyrazu, cmoknęła, wzruszyła ramionami i wróciła do artykułu o piosenkarce.

Cicha studentka ruszała nabłyszczonymi ustami jak ryba, w jej notatkach był zresztą przekrój jakiejś ryby z opisem po łacinie. Starszy mężczyzna w swetrze z owczej wełny westchnął ciężko, jakby skosił pole. Szum głosów w wagonie narastał, bo po posiłku wszyscy nabrali sił i chęci do rozmowy. Pociąg odrobinę przyspieszył, poczułam zapach alkoholu.

– Straszna śmierć, straszna, głęboko w ziemię wbite – powiedział ktoś za moimi plecami.

– Krew, strzępy same, strzępy na strzępy rozerwane – dodał ktoś inny litanijnym starczym dyszkantem, a wtedy pociąg szarpnął i zatrzymał się tak gwałtownie, że pospadały pakunki z górnych półek, zakwiliło dziecko, „ojbożeboże", zajęczała Zebrokozia i wcisnęła gazetę do wypchanej torby w kratę, jakby miała zamiar wstać i zabrać się stąd w dawne czasy, za którymi tęskniła.

Przechodzący przez wagon wysoki mężczyzna w ciemnym płaszczu potrącił mnie, ale nie przeprosił i znikł za rozsuwanymi drzwiami. Zauważyłam tylko jego ucho z okrągłym kolczykiem, który rozciągał płatek ciała, tworząc obsceniczną czarną dziurę. Poczułam się tak, jakby mnie wessała. Światło w wagonie zamrugało i zgasło, ogarnęła nas noc tak gęsta, że nic, co żywe, nie wytrwałoby w niej długo.

Koty w piwnicach – powiedział ktoś – koty w piwnicach wytruć trzeba.

Coś załomotało w dach wagonu i zanim znów zrobiło się jasno, przeżyłam moment irracjonalnego lęku, bo odniosłam wrażenie, że kiedyś już doświadczyłam takiej dusznej ciemności i nie wyszłam z niej bez szwanku.

Gdy dojechałam do Wałbrzycha, byłam wyczerpana i przez chwilę stałam na opustoszałym, tonącym w lodowatym deszczu peronie, wdychając zapach węglowego pyłu. Patrzyłam na ludzi szybko znikających w podziemnym przejściu i ogarniało mnie poczucie samotności tak dojmującej, że z trudem zmusiłam się, by ruszyć w kierunku dworca. Budynek w środku okazał się wymarły. Na ścianie ktoś napisał: „Górnik chuje" i „Górnik pany", może przyjezdny sam miał dokonać wyboru, by przypieczętować swój los, zanim jeszcze wyjdzie w miasto. Na zewnątrz pod ścianą dworca przycupnął bezdomny albo pijak, a ja pomyślałam, jak kupa szmat, i uczepiłam się tego wyświechtanego określenia niczym ostatniej deski ratunku w zalewającym mnie smutku. Nie miałam siły, by podejść i zapytać, czy nieznajomy potrzebuje pomocy. Lodowaty deszcz padał z taką zaciętością, że wydawał się nierealny niczym filmowa scenografia porzucona w popłochu przez aktorów. Zarys masywnego budynku z łukowato zwieńczonymi oknami i wieżyczką na szczycie, w którym kiedyś mieściła się fabryka kalkomanii, odcinał się na tle stalowego nieba. Gdy fabryka działała, powietrze wokół miało chemiczny, słodkawy zapach, taki sam jak namoczone w wodzie kartki z obrazkami, którymi moja siostra ozdabiała drzwi w naszym domu. Fiołki i konwalie z kalkomanii, przejrzyste i delikatne jak naskórek, Ewa z dłońmi zanurzonymi w wodzie. Uderzyła mnie siła tego obrazu, który nagle pojawił się pod moimi powiekami niczym duch z węglowego pyłu i łez.

Na postoju pod dworcem stała jedna taksówka, rozpaczliwie wyglądająca stara łada, a gdy wsiadłam i podałam adres, kierowca spojrzał na mnie przez ramię z pretensją albo przyganą. Może wolałby pojechać gdzie indziej. Miał twarz kogoś, kto tuż przed snem je odsmażane mięso i śni koszmary, a potem budzi się o czwartej rano, by zapalić papierosa w pokoju o zaciągniętych zasłonach, pełnym ciężkich mebli i kurzu.

– Mocniej! – warknął i ponownie trzasnęłam drzwiami.

Matka Boska powieszona pod lusterkiem drgnęła, gdy włączył silnik. W domu, do którego jechałam, był jeden maryjny wizerunek, pocztówka z Matką Boską Bolesną z wałbrzyskiego kościoła pod jej wezwaniem, i mimo że nigdy nie chodziłyśmy na msze i lekcje religii, to Ewa wymyślała rymowane modlitwy, których uczyła mnie wieczorami. Ich adresatką była właśnie Matka Boska Bolesna, patronka naszego miasta. Klękałyśmy, a siostra mówiła: „powtarzaj za mną, Wielbłądko, matka boska kura nioska co ma skrzydła dwa pod skrzydłami pod kołdrami niech pochowa nas". Co było dalej?

– Ciulu jeden! Pani ciula widziała? – Taksówkarza zdenerwował klakson innego samochodu. – W dupę sobie, ciulu, potrąb, w dupę! W dupę! – powtórzył z satysfakcją, odbiło mu się i chyba odczuł ulgę, bo zamilkł.

Jego twarz w kolorze żuru ze szkolnej stołówki poczerwieniała, miał duży okrągły nos, tak porowaty, że można by na nim sadzić ziemniaki. Nasze spojrzenia spotkały się w lusterku.

– Pani chyba z daleka. Do rodzinki?

Przytaknęłam bezgłośnie.

– Z rodziną to najlepiej się wychodzi na zdjęciu! – Taksówkarz zaśmiał się, jakby sam wymyślił to powiedzenie.

Pomyślałam o zdjęciach naszej rodziny, nielicznych i na ogół niezbyt udanych, na nich też nie wyszliśmy najlepiej. W starej ładzie było duszno od papierosowego dymu i potu, które wgryzły się w tapicerkę i chroniące ją obrzydliwe koce. Widziałam wiele mieszkań, w których w ten sposób osłaniano przed zniszczeniem sprzęty od nowości brzydkie, pokraczne i niewarte chronienia, a wszystkie te narzutki, pokrowce, ceraty i stopy wycięte ze starych wykładzin budziły we mnie współczucie i trwogę, że jeden fałszywy krok i tak może wyglądać moje życie, zmarnowane wśród nieładnych przedmiotów i źle ukierunkowanej dbałości. Patrzyłam na uśpione miasto, a każde miejsce, które pozostało niezmienione, budziło we mnie jednocześnie niechęć i satysfakcję, jaką daje rozpoznanie po latach pejzażu nieszczęśliwego dzieciństwa: kino Apollo z obdrapaną fasadą w jagodowym kolorze, cukiernia Oleńka wciąż oferująca pączki i torty okolicznościowe, resztką sił trzymające się w pionie romskie kamienice przy ulicy Pocztowej. Matka Boska pod lusterkiem kierowcy hipnotyzowała mnie miarowym ruchem, jej twarz na odpustowym obrazku w złotej ramce była żółta, oczy dziwnie skośne. Kierowca czknął i wytłumaczył: zgaga. Matka Boska Japońska z Wałbrzycha, opiekunka nocnych taksówkarzy cierpiących na niestrawność, patrzyła na mnie koso. Obok niej wisiało coś jeszcze, kawałek drewna albo kości zawiązany biało-czerwoną wstążką. Kierowca znów złapał moje spojrzenie w lusterku.

– Wierzy pani w cuda?

– Nie.

– Ha! – ucieszył się, jakbym udzieliła właściwej odpowiedzi. – Ja też nie wierzyłem. Ale cuda, proszę panią, się zdarzają. Wystarczy, że się uwierzy.

– W co?

– W to, co trzeba, proszę panią. W jakąś siłę wyższą, która tym kieruje, daje nam, Polakom, znaki. Jak ten opłatek, co się zamienił w ciało parę lat temu w Sokółce. Słyszała pani?

– Słyszałam.

– To pani opowiem. Z wycieczką tam byłem, proszę panią, w kościele się można zapisać, autokarami, z prowiantem, obiad w cenie. Ksiądz na mszy ten opłatek upuścił i jest taki zwyczaj, że jak upuści, to musi do wody w kielichu wrzucić. I patrzą po tygodniu, a tam czerwono, woda w krew się przemieniła. Krew, proszę panią, i coś jak skrzep w niej pływa.

– Skrzep?

– Pani poczeka! Wylali to na serwetkę białą, a tam nie żaden skrzep, tylko najprawdziwszy kawałek mięsa. Dali do zbadania DNA i grupę krwi i wie pani, co wyszło?

– Co?

– Że to kawałek serca Chrystusa!

– To naprawdę cud – zgodziłam się, ale taksówkarza nie interesowało moje zdanie.

– Cud! – powtórzył. – Ja, na ten przykład, miałem chory żołądek, co zjadłem, bóle takie, bieganie wte i wewte, że, za przeproszeniem, na drugą stronę mnie przewracało. Chodziłem w Wałbrzychu do przychodni, jeździłem do Wrocławia, do profesora, leki takie srakie diety pierdoły samą marchew jak królik miałem jeść skażone wszysko spaprane piwo wódkę z proszku teraz robią zamiast chmielu czy żytka proszek sypią pani pójdzie do gorzelni zobaczy siostrzeniec tam robi i mówi proszek sypią mieszają takie porządki w naszym kraju jak tu być zdrowym poszłem do przychodni mówią ciąć to do Wrocławia do profesora ciąć a ciąć to wiadomo proszę panią pociąć można pociąć łatwo każdy się do cięcia rwie ale co potem potną i nogami do przodu wywiozą już niejeden dał się pociąć no to ja do ordynatora a bez koperty do ordynatora nie pójdziesz mówię panie ordynatorze jakby się może coś bez cięcia dało wziął popatrzył i ciąć mówi bez cięcia nie da rady ajanatopanieordynatorze.

Wyłączyłam się. Umiejętność odcinania się od tego, co dzieje się wokół, opracowałam jeszcze w dzieciństwie i często korzystałam z niej jako dorosła kobieta na nudnych zebraniach i przyjęciach. Nigdy nie zawiodła mnie umiejętność ponownego włączenia uwagi wtedy, gdy pojawiała się ważna informacja, jakaś część mnie pozostawała czujna, gotowa do ataku lub ucieczki. Minęliśmy z lewej strony Piaskową Górę, blokowisko, ojciec patrzył na nie z pogardą, ale Ewa zabrała mnie tam kiedyś na

włoskie lody, pierwsze w mieście. Lizałyśmy jednego na spół-
kę, bo jak zwykle brakowało nam pieniędzy, i spacerowałyśmy,
podziwiając swoje odbicia w szybach wystawowych. „Wyobraź
sobie, że jesteśmy w Paryżu, Wielbłądko, na bulwarze nad Sek-
waną, na Polach Elizejskich!". Przypomniałam sobie waniliową
słodycz i podszyte zazdrością uczucie dumy, że moja piękna siostra przyciąga wszystkie spojrzenia. Nie chciałam dzielić swojego
wspomnienia z taksówkarzem, ale gdybym miała tu swoją wier-
ną wysłużoną toyotę, którą tuż przed wyjazdem zdewastowali
mi w Warszawie bandyci, przejechałabym teraz wzdłuż tamtego mrówkowca, gdzie była lodziarnia.

– Oszuści! – wrzasnął nagle i wyrwał mnie z zamyślenia. –
Na oko jak prawdziwe ale prawdziwe tylko jeden człowiek wie
gdzie znaleźć proszę panią i to jest człowiek na którego czeka-
liśmy od dawna człowiek wielki człowiek prawy kupiłem przyłożyłem na noc przykładam do żołądka do tego siemię siemię
mielone zaparzone a ciżeciąćwdupętamciąć. Wdupe – podsu-
mował taksówkarz i w końcu zamilkł.

W miarę jak zbliżałam się do domu, ogarniała mnie coraz
większa senność i wysiadłam w stanie nieomal transu, szumiało
mi w uszach i bolała mnie głowa. Po chwili, która wydała mi
się nienaturalnie rozciągnięta w czasie, łada ruszyła i znikła
w uśpionej uliczce. Dom mojego dzieciństwa stał przede mną
ciemny i opuszczony. Przypomniałam sobie niedawną wizytę
w podwarszawskim schronisku dla zwierząt. Mój kolega z redakcji wybierał psa i w końcu zatrzymał się przy kilkuletniej suce,
melancholijnym mieszańcu rottweilera i Bóg wie czego, sądząc
po uszach, nietoperza, a ja potem nie mogłam przestać myśleć
o tych niewybranych zwierzętach, na próżno oczekujących za
kratami boksów. Tego poniemieckiego domu o małych wstydli-
wych oknach, przygniecionego czapą dachu z pokrytych mchem
dachówek, nie wybrałabym nigdy, a jednak należał do mnie i nic

na to nie mogłam poradzić. Wyjęłam klucz. W ostatnim wysiłku, do jakiego byłam zdolna tej nocy, weszłam po schodach do pokoju, który przed laty dzieliłam z siostrą, a zanim zapadłam w twardy sen, zdążyłam tylko zauważyć, że pan Albert posłał moje łóżko. Tak jak stałam, w kurtce i szalu, wtuliłam twarz w poduszkę pachnącą świeżo wypranym płótnem, spod którego przebijał odór pleśni i rozkładu.

Śnił mi się ojciec. Widziałam go wyraźnie, ale nie słyszałam jego głosu, patrzyłam na usta formułujące słowa, twarz wykrzywioną z wysiłku, jednak otaczała mnie cisza. Ojciec wyglądał tak jak w ostatnich miesiącach życia, był szary i wychudzony, z oczami płonącymi gorączką. Miał na sobie ortalionową kurtkę i poprzecierane na kolanach stare spodnie, traperskie buty kupione przed laty w Czechosłowacji, w których zapuszczał się do podziemi pod Zamkiem Książ w poszukiwaniu skarbu. „Tato", wołałam go, „tatotato", mój oddech unosił drobinki kurzu duszno kurzupełno ciężki kurz ziemiaugóry jakbym była gdzieindziejniż niżej niesa ma jakbym zaglądała tańczące przez dziurkę drobiny kurzu mała ma ciemnocie niebójsięniebójsię które tańczyły w smudze światła jakby ktoś obok mnie był blisko bliżejschowajtwarz trzymał mnie niemnie niewidaćnie cichocicho nieoddychanienie usłyszyboskakuranioska ona ale nie widziałam kto tam jeszcze jest strach jakbym już miała siędowiedzieć gdziejestemkto kołomnie cojazro biłam biła z drugiej stronyciemności onakto nas nie chcę „tato tato", krzyczałam, „jestemta togdziejes teśtatota, tato!", krzyknęłam, „tato, słyszę cię!", zawołałam jeszcze raz albo chciałam zawołać, bo ciszę przerwało moje imię. Obudziłam się mokra od potu i przerażona, ale to nie był głos ojca.

W pierwszej chwili nie wiedziałam, gdzie jestem, dlaczego zamiast kojącego mroku i ciepła mojej warszawskiej sypialni budzi mnie światło i chłód. Wałbrzych, stary dom, w którym wychowywałam się u stóp Zamku Książ. Kaflowe piece, podwójne okna, uszczelniane na zimę watą, i drewniane podłogi pełne szpar, z których wydłubywałam poniemieckie igły, guziki, paznokcie i włosy. Przechowywałam te znaleziska w pudełkach po zapałkach, nie mając pojęcia, dlaczego to robię. Ewa krzywiła się, „znów wygrzebałaś Niemca z podłogi, Wielbłądko". Szpary jak groby, kto tak mówił? Szpara, grób, brud, w mojej nie do końca jeszcze przytomnej głowie błysnęły trzy słowa i umknęły pod spód dnia, gdy zerwałam się z łóżka. Potknęłam się o szal, zbiegając po schodach, by otworzyć drzwi, nie mogłam uwierzyć, że nie rozebrałam się do snu i zasnęłam bez kąpieli.

– Alicja – powiedział pan Albert, a ja zobaczyłam staruszka zamiast potężnego mężczyzny, którego obraz miałam w pamięci.

Jak to możliwe, że te ramiona podnosiły mnie aż w korony egzotycznych drzew? Pan Albert skurczył się, był teraz niższy ode mnie. Jego twarz pełna rys i wgłębień wyglądała jak zjadana od środka przez żarłocznego pasożyta, brwi mu zdziczały. Tylko skórzana pilotka była taka sama. Pociemniała od potu, połatana niezdarnie skrawkami niepasujących do siebie materiałów, wyglądała jak zrośnięta ze skórą jego głowy. Nigdy nie widziałam pana Alberta bez tej czapki i gdy byłam mała, myślałam, że taki się urodził, a pilotka rosła wraz z nim. Stał we mgle, która unosiła się nad ogrodem, tak że drzewa wydawały się płynąć, pozbawione korzeni, w mlecznym morzu za jego plecami. Przestało padać, ale powietrze było przesycone lodowatą wilgocią.

– Wróciłaś.

To nie było pytanie, ale postanowiłam odpowiedzieć.

– Przyjechałam do pracy. Mówiłam panu przez telefon. Mam napisać reportaż o zaginionych dzieciach. Potem wracam do Warszawy.

Pan Albert popatrzył na mnie i pod tymi strasznymi brwiami starego Miłosza jego oczy były wciąż takie, jak pamiętałam. Smutne oczy basseta.

– Urosłaś.

– Miałam dużo czasu na rośnięcie.

– Przyjechałaś sama.

To na pewno nie było pytanie, ale potwierdziłam.

– Wszędzie jeżdżę sama.

– Czytałem wszystkie twoje reportaże.

Poczułam dumę jak wtedy, gdy bezbłędnie wymieniałam nazwy roślin z palmiarni, a pan Albert chwalił mnie, „zuch--dziewczyna".

– Araukaria, cantedeskia, euforbia – powtórzyłam więc, a moje słowa wsiąkły w zimne powietrze. Araukaria, cantedeskia, euforbia, niczym imiona z włoskich oper, zawsze budziły we mnie delikatny smutek, jaki rodzi się w obliczu pewności, że żadna nazwa, nawet najpiękniejsza, nie oddaje do końca istoty rzeczy.

– Jabłka z twojego ogrodu – powiedział pan Albert i podał mi foliowy worek. Zapach był tak mocny i świeży, że zakręciło mi się w głowie. – Nazbierałem dwie skrzynki. Stara jabłoń przy studni zaczęła rodzić. Pamiętasz która? – Pokiwałam głową. – Trzeba ją zaszczepić na wiosnę. Pomogę ci. To dobre drzewo.

– Nie będzie mnie tu wiosną.

– Nigdy nic nie wiadomo.

– Ja wolę wiedzieć.

Pan Albert poprawił pilotkę i uśmiechnął się, a ja poczułam, że upieram się przy swoim dlatego, że się boję. Tego domu, listopada i ciężkich snów, które tu mocniej łączą mnie z przeszłością.

Na drzewie, którego owoce przyniósł mi pan Albert, zasadzonym jeszcze przez niemieckich właścicieli, chowałam się w dzieciństwie i przez jego gałęzie obserwowałam świat. Omszała staruszka rodziła niewielkie jabłka, żyłkowane wewnątrz na czerwono i tak soczyste, że ugryzienie powodowało eksplozję słodyczy. Czerwone żyłki przypominały mi pajączka na policzku zaczęła lecieć, wąż od prysznica nie wytrzymał i pękł na dwoje. „Zrobimy glazurę i terakotę", obiecywał ojciec, „a może zamiast banalnej terakoty podłogę z cedrowego drewna? Do tego jacuzzi, będziecie taplać się w wodzie jak foczki z wrocławskiego zoo, co wy na to? A może sprowadzimy z Francji mosiężną wannę na lwich łapkach?", zastanawiał się i hojnie szafował wyimaginowanymi pieniędzmi. Bieżące naprawy przy tak wspaniałych planach nie wydawały mu się warte zachodu. Napuściłam wody do tej strasznej wanny i zanurzyłam się wraz z głową, jak w dzieciństwie, gdy moja siostra siedziała obok i pilnowała, bym się nie utopiła. Fascynowały mnie wówczas podwodne odgłosy: pukanie, zgrzyt metalu o kamień, nawoływanie w różnych językach, pohukiwania i jęki. To był świat, do którego schodził nasz ojciec i za który w końcu zapłacił życiem. Niezależnie od tego, gdzie akurat się znajdowaliśmy, wskazywał palcem w dół, pod nasze stopy, i tonem kogoś, kto wierzy, mówił: „On gdzieś tu jest. Jest. Gdzieś. Tu. Skarb. Gdy go odnajdę, a mam teraz mapę wyjątkowej wartości i z pewnością prawdziwą, nasze życie zmieni się nie do poznania. Uszczęśliwi nas tak, że będziemy musieli poznać się nawzajem od nowa". Gdzieś pod starą wanną, w której rozbrzmiewały odgłosy podziemnego miasta, był skarb, którego szukał nasz ojciec w znoszonych czechosłowackich butach, oświetlając sobie drogę górniczą czołówką. Próbowałam zrozumieć, dlaczego woli być tam niż tutaj, ze mną i Ewą. „Proszę państwa", żartowała moja siostra, „oto Alicja Tabor, wodna Wielbłądka, badaczka mórz i oceanów, które odwiedza, gdy zmęczy ją pustynia! Jedyna w swoim rodzaju Wielbłądka płetwiasta i skrzelowata. Gatunek rzadki. Pod ścisłą ochroną. Opowie państwu dziś o tym, co widziała i słyszała w podwodnym królestwie naszej wanny". Zabawa polegała na tym, że ja mówiłam zgodnie z prawdą, że dziś słyszałam pukanie, odliczanie po niemiecku i w jakimś języku podobnym do niemieckiego, gdzie zamiast *ein* było *eins*, i dźwięk szklanki upuszczonej na kamienną podłogę, a Ewa dopowiadała resztę. Wymyślała historię, bo to potrafiła robić najlepiej. Ja umiałam słuchać.

Pomyślałam, że być może myliłam się, sądząc, iż jestem już na tyle silna, że nie porani mnie ten dom pełen śmierci i duchów. Wiedziałam, że nie mogę ulec strachowi, i dlatego zatrzymałam się tu, a nie w hotelu zarezerwowanym przez redakcję, w której nikt nie miał pojęcia, że jestem właścicielką starego domu w Wałbrzychu. Niechętnie mówiłam o przeszłości i rzadko nawiązywałam z ludźmi kontakt na tyle bliski, by oczekiwano ode mnie zwierzeń. „Nie mam rodziny", odpowiadałam, gdy padało pytanie o rodziców i rodzeństwo. Moi znajomi bardzo je lubili, godzinami mogli rozprawiać o doznanych krzywdach, traumach i sposobach radzenia, a raczej nieradzenia sobie z nimi na ciągnących się latami terapiach. Ja przez całe dorosłe życie zbierałam siły, jak przygotowuje się zapasy na długą zimę, i wydawało mi się, że jestem nieźle przygotowana na tę podróż. Gdy w Wałbrzychu zaczęły znikać dzieci, wiedziałam, że nadeszła odpowiednia chwila i że to ja, zwana przez kolegów z redakcji Alicją Pancernikiem, muszę o nich napisać. Teraz tu byłam i dom, do którego klucz nosiłam zawsze przy sobie, kłapał na mnie spróchniałą poniemiecką szczęką.

Po kąpieli i podziemnym koncercie postanowiłam obejść wszystkie pomieszczenia, by przekonać się, na co stać tę ruderę i na co stać mnie, Alicję Pancernika. Na piętrze były dwie sypialnie, jedna należała kiedyś do mnie i Ewy, i tu, na starym dwuosobowym łóżku z dębową ramą i wiekowym materacem, zamierzałam nadal sypiać podczas tego pobytu. Stolik, przy którym kiedyś odrabiałyśmy lekcje, dwa krzesła, pusta szafa, dywanik z gałganków, nic więcej. Druga sypialnia była od lat pusta, stało tam tylko pozbawione materaca metalowe łóżko, smutne jak wrak łodzi porzucony na mieliźnie. Kiedyś, w czasach, których nie pamiętam, dzielili je rodzice, ale potem ojciec przeniósł się na dół i od tamtej pory gabinet pełnił jednocześnie funkcję jego sypialni, jadalni i kryjówki przed światem. Tam poszłam w następnej kolejności, po schodach tak skrzypiących, że bałam się, iż zapadną się pod moim niewielkim ciężarem. Irytowała mnie banalność rozpadu, bo może w głębi duszy oczekiwałam, że ten dom będzie umierał w jakiś ciekawszy i mniej przewidywalny sposób. Gdy otworzyłam drzwi pokoju ojca, zgęstniały czas uderzył we mnie jak fala. Za oknem Zamek Książ wyrastał z bukowego lasu i gdy ojciec pracował przy biurku, zawalonym stosami zakurzonych papierzysk i książek, widział tę budowlę, podnosząc oczy znad historycznych opracowań, map i planów. Teraz ja, jego młodsza córka, patrzyłam na Zamek Książ, na kłębiącą się pod jego murami mgłę. Należał on do tych nielicznych rzeczy, które nadal wydawały mi się tak samo wielkie, piękne jak w dzieciństwie. Wprawiłam w ruch stary ścienny zegar i gdy zakołysało się wahadło, poczułam, jak rusza uwięziony tu czas. Coś kliknęło, jakby czas tego domu i mój splotły się dopiero teraz. Pokryta płową skórą kanapa, na której siadałam jako dziecko w tych rzadkich chwilach, gdy ojciec nie był zajęty poszukiwaniami skarbu i czuł się gotów stawić czoło ojcowaniu, wydała pod moim ciężarem dźwięk podobny do westchnienia. Przez chwilę trwałam w bezruchu, starając się nawet nie oddychać, ale nie czułam nic prócz smutku. Skóra kanapy była szorstka i popękana jak pięta starego człowieka, pogłaskałam ją na przywitanie. Potem zajrzałam do kuchni tonącej w szarym blasku, jakby była wypełniona wodą, woda rzeczywiście kapała z kranu, spływając do zlewu z małego stalaktytu, który utworzył się przez te lata. Od drzwi prowadzących stąd do ogrodu ciągnął chłód, mgła napierała na szyby. Stół i cztery krzesła wyglądały jak szkielety dawno wymarłych zwierząt, których nikt nie zdążył nazwać ani polubić.

Przede mną została już tylko piwnica. Gdy otworzyłam drzwi pod schodami, stęchły zaduch buchnął mi w twarz, zgromadzone tam powietrze było jak ektoplazma pod ciśnieniem. Ektoplazma, jak moja siostra lubiła to słowo! „Gdy oddychasz na mrozie, Wielbłądko, z twoich ust wychodzi specjalny rodzaj pary, która nie znika, lecz gromadzi się w mysich dziurach, kocich uszach i opuszczonych gniazdach wron. W białych jagodach śnieguliczki, w mleku ze złotym kapslem i białej czekoladzie Milka z Enerefu". „Po co?". „Jak to po co! Powstaje z niej ektoplazma", mówiła. „Wystarczy domieszać trochę łez, dosypać węglowego pyłu i gotowe". Gdy las koło naszego domu tonął we mgle, która podchodziła aż pod mury Zamku Książ, jak dziś, mówiła scenicznym szeptem: „Patrz, Wielbłądko, bój się, siuśmajtko, to kipi ektoplazma, rodzą się duchy". Ewa wszędzie czuła obecność czegoś spoza zwykłego świata, w którym żyła większość śmiertelników. Bez wahania zeszłaby ze mną do piwnicy, przed którą stałam teraz nieco wytrącona z równowagi, bo światło nie działało, i przez moment wydawało mi się, że znów słyszę podziemne pukanie. Na schodach prowadzących w mrok zapytałam „jest tu kto?", jakbym grała w kiepskim filmie o nawiedzonym domu i bojaźliwej kobiecie. Zrobiłam krok do przodu, i następny, świecąc sobie latarką. Pod ścianami piwnicy piętrzyły się stosy papierzysk zbite w brunatną masę: roczniki czasopism, które prenumerował ojciec, nieprzydatne notatki, mapy prowadzące donikąd, listy, które wymieniał z innymi poszukiwaczami skarbu ukrytego pod Zamkiem Książ. Mój wzrok wyławiał z mroku kolejne porzucone sprzęty, z których część pozostawiona została przez niemieckich właścicieli domu, gdy w pośpiechu opuszczali miasto po wojnie: maszyna Singer z metalowym szkieletem i napisem „Waldenburg", obrazek z Aniołem Stróżem wiodącym dzieci przez kładkę nad przepaścią, brzydkie porcelanowe figurki pasterek i myśliwych pokryte tłustym kurzem. Nasze rzeczy osiadły na tych wcześniej porzuconych jak kolejna warstwa zostawiona przez cofający się lodowiec i niszczały teraz razem z nimi. Pralka Frania wypełniona butami, dziecinna metalowa wanienka, stary akumulator, kilka walizek napuchniętych od wilgoci, lampa z abażurem ze sznurka w kolorze popiołu i wielka drewniana skrzynia malowana w wyblakłe smoki i kwiaty, która wzbudziła we mnie fizyczną wręcz niechęć. Obok niej stała toaletka z lustrem tak zniszczonym i brudnym, że nie rozpoznałam w nim swojego odbicia i przestraszyłaby mnie ta blada twarz o wielkich oczach, zupełnie do mnie niepodobna, gdybym kątem oka nie zobaczyła czegoś bardziej przerażającego. Duża głowa, rozrzucone ręce i nogi. Niech to nie będzie dziecko, poprosiłam nie wiadomo kogo. Przedarłam się przez zgęstniałe powietrze. Miś. Pluszowy rudy miś. Ukucnęłam i zaświeciłam w jego szklane oczka.

Tego misia wielkości dwulatka ojciec przywiózł dla mnie z NRD. Pojechał tam na jedną ze swoich wypraw, z których wracał po kilku dniach albo tygodniach uboższy o parę złotych i bogatszy o kolejną mapę podziemi Zamku Książ, lepszą od poprzedniej, z pewniejszego źródła, jak nas zapewniał. We wschodnim Berlinie spotkał się wtedy z Niemcem z Argentyny, a może z Boliwii. „O, ten wie takie rzeczy, że włos się jeży!", opowiadał nam podekscytowany. „Dzięki tej mapie jestem w domu", cieszył się i błyszczały mu oczy, a ja nie śmiałam sprostować, że jego dom jest tu, z nami, a nie pod ziemią. Wkrótce ojciec ruszał z nową mapą na poszukiwanie skarbu, pełen animuszu machał do nas ze ścieżki prowadzącej do zamku i wracał raz jeszcze pokonany. Nazwałyśmy rudego misia Hans i wieczorami Ewa opowiadała mi historie Hansa, Niemca z NRD, zamiast bajek o księżniczkach i książętach. *„Guten Abend, meine kleine!"*. Stawała się Hansem moja piękna siostra, mówiła grubym głosem z niemieckim akcentem i opowiadała o przygodach Hansa na froncie, o jego jej na powierzchni. Gdy w obliczu nowego planu ogarniał go dobry nastrój i nadzieja, opowiadał nam historię ostatniej pani na Zamku Książ i wtedy wyjątkowo miałyśmy wstęp do jego pokoju. Siadałyśmy przytulone na starej skórzanej kanapie, o której ojciec mówił, że ma wielbłądzi kolor, a ja uwielbiałam ją dlatego, że wielbłądy kojarzyły mi się z podróżą, bezkresem i ruchem, tym wszystkim, czego pragnęła Ewa, a co w końcu stało się moim losem. Ojciec opierał łokcie na biurku, „dawno, ale nie tak bardzo dawno temu", zaczynał, „w angielskim pałacu urządzono bal". Jego opowieść pełna była wyrazów zbyt trudnych dla dziewczynki, kandelabry, fraki, kotyliony, turniury, muślin i mitenki, lambrekiny, ale sam dźwięk słów upajał mnie tak, jak Ewę wydarzenia i przygody. Przywierałam mocniej do ramienia siostry, bo bałam się, że to, co czuje, słuchając opowieści ojca, oddala ją ode mnie i od tego domu tak bardzo, iż nie zdołam jej dogonić nawet na wielbłądzie w wielbłądzim kolorze. „Księżna Daisy naprawdę nazywała się Teresa Olivia Cornwallis-West i była córką pułkownika brytyjskiej armii królewskiej", opowiadał nasz ojciec. „Cornwallis-West", powtarzała nabożnym szeptem Ewa. „Młoda Angielka już wówczas olśniewała urodą", wzdychał ojciec, a moja siostra prostowała się, przechylała kokieteryjnie głowę, chcąc pokazać to, co wkrótce wielu zauważy: że i ona olśniewa, a więc oczywiste być musi, że jej piękno stanie się początkiem równie pięknej opowieści. „Teresa Olivia Cornwallis-West w wieku osiemnastu lat poślubiła ostatniego właściciela Zamku Książ, Jana Henryka V von Pless, cóż to była za piękna para. Bale, kandelabry, krepdeszyny, tafty, kotyliony", opowiadał dalej ojciec. „W podróż poślubną pojechali do Paryża, a stamtąd do Egiptu, gdzie z pewnością widzieli wielbłądy", dodawał specjalnie dla mnie, bo wiedział, że fascynowały mnie te stworzenia, niepiękne wprawdzie, ale uparte i silne. Moja siostra, podobnie jak księżna Daisy, lubiła koty, które we mnie zawsze

Ulubiony przez Ewę fragment opowieści ojca dotyczył wyprawy księżnej Daisy do Egiptu. „Słuchaj, Wielbłądko! Egipt, zatoka Aden. Jest tak gorąco", Ewa wachlowała się z teatralną przesadą, jakby do Wałbrzycha nagle dotarła fala egipskiego upału, „jest tak gorąco, że można jajka gotować w piasku. Twoje ukochane wielbłądy w wielbłądzim kolorze żrą daktyle pod palmami, a poganiacze śnią w cieniu o zimnej pepsi-coli i Eskimoskach. W Egipcie, siostrzyczko, słońce jest pięć razy większe niż tu, a w południe od jego promieni dżentelmeni zapalają fajki. Pyk, pyk, puszczają dym, który pachnie jak świeże basie z bitą śmietaną". Basie, najlepsze na świecie ciastka z kawiarni Madras w wałbrzyskim rynku, basiowy dym, łykałam ślinę, a moja siostra mówiła o Daisy: „Ubrana na biało księżna stała na brzegu morza osłonięta chińską parasolką. Patrzyła na egipskich chłopców, którzy nurkowali z nożami w zębach. Smagli chłopcy, noże w zębach, zęby jak perły, siuśmajtko, skup się. Łowili dla niej perły, dla pięknej Daisy, a ona kręciła parasolką na bambusowej rączce". Opowieść mojej siostry za każdym razem bogatsza była o nowe szczegóły. Ale puenta ta sama. Po jakimś czasie Daisy zaczęło się nudzić w prowincjonalnym porcie, może dopadła ją pierwsza fala melancholii i chciała ruszać dalej w nadziei, że uda jej się przed nią uciec. Ponaglała więc męża, a książę von Pless poganiał wynajętych poławiaczy i w gorące noce przekonywał młodą żonę, że czeka ich piękne życie na Zamku Książ, a smutek to nic więcej, tylko zmęczenie podróżą i obcym klimatem. Nie chciał słuchać wyjaśnień poławiaczy, że na taką głębokość nie można schodzić raz po raz bez ryzyka, że chłopcy potrzebują więcej wypoczynku. Brakowało jeszcze kilku pereł, by sznur miał idealną długość sześciu metrów. „Sześć metrów", powtarzała zafascynowana Ewa i pytała, czy to sobie wyobrażam, sznur pereł jak dwa wielkie pytony z wrocławskiego zoo, jak sześć siostrzyczek w wielbłądzim kolorze postawionych jedna na drugiej. Ostatniego dnia połowów Daisy udała się na przejażdżkę łódką, by raz jeszcze popatrzeć z bliska na pracę poławiaczy. Jeden z nurków, ten, który zawsze wyławiał najokazalsze perłopławy, wynurzył się ostatkiem sił z ogromną muszlą. Rzucił ją księżnej do stóp i coś powiedział, patrząc jej prosto w twarz. Zanim ktoś zareagował na to zuchwalstwo, z ust nurka popłynęła krew i skonał. Podobno egipski poławiacz pereł przeklął księżną i wszystko, co stało się potem z panią na Zamku Książ, było konsekwencją jego klątwy. „Klątwa klątwa klątwa", powtarzała Ewa, a ja miałam wrażenie, że samo to słowo, którego wymówienie wymaga przyklejenia języka do podniebienia, powtarzane szaleńczo brzmi jak kląskanie jakiejś nieludzkiej istoty i ma w sobie straszną moc. Perły i klątwa, obsesja mojej siostry, gwiazdy sceny i ekranu, po którą miał przyjechać pociąg do Hollywood. Sześciometrowy sznur pereł został uwieczniony na słynnym zdjęciu Daisy, jego reprodukcja stała na naszym stoliku do odrabiania lekcji. „Jestem do niej podobna, prawda?", pytała Ewa i przykładała fotografię księżnej do twarzy. „Jestem do niej podobna?", szturchała w brzuch Hansa i domagała się potwierdzenia. „Podobna", przytakiwałam, ale mnie Ewa wydawała się o wiele piękniejsza.

Moja siostra była pewna, że perły księżnej Daisy są nadal w Wałbrzychu i trzeba je odnaleźć, by położyć kres klątwie. „Jedna osoba nie da rady i jeśli zatrzyma naszyjnik dla siebie, umrze w straszny sposób, rozszarpana od środka. Dlatego sznur trzeba rozciąć i rozdzielić klejnoty. To bardzo ważne!". Pewność Ewy wydawała się niezachwiana. Byłam ciekawa, kto dostanie perły księżnej Daisy. „Czy my także?". „Dostaną je strażnicy pereł", tłumaczyła Ewa i lśniły jej oczy. „Kim są?". „Strażnicy pereł to osoby, które mają szczególną właściwość: siłę mogącą zrównoważyć klątwę poławiacza". „A jeśli nie uda nam się odnaleźć pereł księżnej Daisy, to co wtedy?". „Co jakiś czas będzie się tu działo coś bardzo złego". „Jak złego?", chciałam wiedzieć. „Tak złego, że w najlepszym człowieku otwierają się przejścia, przez które zło wchodzi do środka i wtedy jest zgubiony". „Którędy?". Przytulała mnie i łaskotała, „przez nosek, uszka, pod paszkami, między paluszkami, właśnie tędy". „Trzeba temu zapobiec!". „Dlatego musimy znaleźć perły i wynieść je na słońce, ale koniecznie w ciemnych okularach, bo w przeciwnym razie oślepi nas ich blask". „Położymy je w ogrodzie pod porzeczkami, tam nikt ich nie znajdzie", proponowałam. „Utopmy je w Zagórzu! Niech znikną na zawsze. Albo zamieńmy je na jedzenie dla kotów z Zamku!". Byłam praktyczną dziewczynką i w porównaniu z Ewą pozbawioną wyobraźni. „Nie możemy, Wielbłądko, nie należą do nas. Ale wejdziemy w Zagórzu na wiszący most, rozhuśtamy go z podbitką jak huśtawkę w ogródku jordanowskim, chcesz?". Taka była Ewa: zamęt, perły i rozhuśtany most.

Kucałam w piwnicy nad zniszczonym pluszowym misiem z NRD i opłakiwałam moją utraconą siostrę. Miała siedemnaście lat i wiedziała, że odchodzi. Każda opowieść Ewy kończyła się tak samo. Dzięki mapie od księżnej Daisy nasza dzielna trójka poszukiwaczy skarbów, my i rudy Hans z NRD, przedarła się przez labirynt tuneli, pokonała wrogów, jakich nie powstydziłby się agent 007, odgadła sekretny kod i otworzyła wrota, za którymi sznur pereł lśnił w ciemności. Byliśmy blisko, ale zawsze w ostatniej chwili pojawiali się oni. „Kto?". „Musimy ich nazwać, Wielbłądko?". „Tak". „Dlaczego?". „Bo wszystko jakoś się nazywa, nawet ektoplazma i duchy". „Dobrze, w takim razie oni to kotojady. Ale z małej litery, bo na dużą nie zasługują". „Kotojady?". „Właśnie tak!". „Dlaczego kotojady?". „Nienawidzą kotów i koty wyczuwają ich pierwsze, prychają, stroszą sierść i umykają kocimi ścieżkami. Najbardziej czułe na obecność kotojadów są koty mieszkające pod Zamkiem Książ. To niezwykłe zwierzęta!

Są czułe jak sejsmografy. Zostawiła je tu na straży księżna Daisy. Niektóre są tak wrażliwe, że gdy zbliżają się kotojady, umierają". „Na śmierć?". „Niestety, Wielbłądko, nieodwołalnie", odpowiadała moja siostra. „Jakie są kotojady?". „Ich skóra jest zimna i gruba, oddech zatruwa powietrze i mąci myśli, sprawia, że człowiek robi się pusty, jakby wyjedzony od środka. I zimny, siuśmajtko, zimny jak trup. Ten, w kogo weszły kotojady, jest zimny jak cała zamrażarka mrożonek z supersamu!". „Kiedy przychodzą?". „Kiedy są otwarte wejścia. Zazwyczaj w listopadzie". „Jak wyglądają kotojady? Są z Polski, Związku Radzieckiego, czy może z Egiptu?", dopytywałam się, bo zawsze miałam pragnienie wiedzy konkretnej i pewnej. „Kotojady", mówiła Ewa, „są wszędzie, za każdym razem przybierają inną postać, Wielbłądko. Są wytrzymalsze od wielbłąda, silniejsze od nosorożca. Żarłoczniejsze niż rekin ludojad. Trwają i żrą. Przenikają przez ściany, przez ciała, a gdy dostaną się do środka, sprawiają, że wszystko gnije i wypełnia się cuchnącą mgłą, jakby zepsuła się cała tona rokpola. Czają się w rurach łazienkowych, w lustrach, w króliczych norach, w kominach i dziurkach w nosie. Pod łóżkami siostrzyczek w wielbłądzim kolorze!". „Jak je rozpoznać?", nie ustępowałam. „Trzeba zapytać: raz, dwa trzy, czyś ty dobry, czyś ty zły?", odpowiadała Ewa, ale to już był żart. Rudy Hans z NRD rzucał się na mnie, łaskocząc tak, że krztusiłam się ze strachu i śmiechu jednocześnie. Wierzyłam, że Ewa obroni mnie przed kotojadami, bo oprócz niej nie miałam nikogo. Nie rozumiałam, jak bliskie było niebezpieczeństwo nawet wtedy, gdy moja siostra przestała jeść i spać, gdy stała nago w otwartym oknie naszej sypialni i powtarzała: „W tym czarnym czarnym domu był czarny czarny stół w tej czarnej czarnej trumnie był biały biały trup na trupie pereł sznur wielbłądko siuśmajtko módl się do matki boskiej kury nioski czarny dom czarna trumna biały trup". Powtarzała tak szybko, że zaczynałam płakać, bezradna

z historii mojej siostry. A więc po kolei. W styczniu spłonęło prywatne schronisko dla zwierząt w dzielnicy Rusinowa na obrzeżach miasta. Nieoficjalne przytulisko prowadziła w swoim domu Małgorzata Felis, lat sześćdziesiąt siedem, emerytowana archiwistka i miejscowa dziwaczka, samotna. Ktoś nocą oblał budynki benzyną i podłożył ogień. Zginęła właścicielka i niemal wszystkie koty, które zimą spały w zamkniętych pomieszczeniach. Sto dwadzieścia siedem kotów, jak skrupulatnie policzono, a ja wyobraziłam sobie sto dwadzieścia siedem zwęglonych ciałek wielkości noworodków i dym unoszący się ze zgliszczy ubogiego domku z pustaków. Do tej pory nie znaleziono sprawców i ta zbrodnia nie budzi wielkich emocji, bo kogo obchodzi stara wariatka i gromada niechcianych zwierząt? „Smród stamtąd ciągł", krzywi się mieszkaniec Rusinowej, z którym na zamieszczonym w sieci filmiku rozmawia blond dziennikarka lokalnej telewizji, Sandra Pędrak-Pyrzycka. „Smród ciągł od sierściuchów". Mieszkaniec marszczy nos, ale wygląda na istotę myjącą się o wiele rzadziej niż przeciętny kot. Zaczepiona przez tę samą blondynę młoda kobieta z dzieckiem jest zdania, że Małgorzata Felis powinna raczej wspierać matki i dzieci, a nie bezdomne zwierzęta. Bo matkom się należy bardziej. A zwłaszcza matkom małych dzieci. Sprawa spalonego domu szybko więc cichnie. W mieście narasta za to niezadowolenie z powodu biedy i bezrobocia. W poniemieckiej dzielnicy Sobięcin, jednej z najbiedniejszych w tym niebogatym mieście, spod ziemi wydobywa się siarkowodór, a mieszkańcy peerelowskich blokowisk i starych kamienic narzekają na plagę karaluchów, jakiej nie było od lat. W kwietniu ginie pierwsze dziecko, dziewczynka. Dwa miesiące później chłopczyk. I tuż przed moim przyjazdem następna dziewczynka. Policja nie natrafiła na żaden ślad i śledztwo utknęło w martwym punkcie. Andżelika, Patryk, Kalinka po prostu zapadli się pod ziemię. Rozpłynęli się w powietrzu. Przepadli jak kamień w wodę. Znikli jak kamfora. Takich słów używają ludzie, mówiąc o zniknięciach dzieci, a miasto pogrąża się w panice i rozpaczy. Dochodzi do bijatyki w dzielnicy romskiej, gdzie paru bandytów demoluje samochody i wybija szyby. W sierpniu na arenie wydarzeń, a dokładnie w wałbrzyskim rynku, przy nowej fontannie z czarnego kamienia, pojawia się Jan Kołek, były górnik. W biedaszybie przemówiła ponoć do niego Matka Boska Bolesna. Przez chwilę patrzę na ciemną chudą twarz wizjonera. Jan Kołek stoi na tle fontanny, która na zdjęciu wygląda jak sarkofag. Chudy i przygarbiony mężczyzna ma na sobie staroświecki, zgrzebny garnitur, nie wygląda ani na wariata, ani na hochsztaplera. Przypomina trochę pana Alberta. Jan Kołek przekonywał ludzi, że to Matka Boska Bolesna zabrała dzieci do siebie, i do końca życia trzymał się swojej wersji.

Pierwsza przepadła sześcioletnia Andżelika Mizera z Nowego Miasta. Powtórzyłam na głos jej imię i nazwisko, kliknęłam plik ANDŻELIKA i na ekranie pojawiło się legitymacyjne zdjęcie: duża okrągła buzia, blisko osadzone oczy, jasnobrązowe włosy niedbale spięte wsuwką z motylkiem. Zaniedbane zęby w wymuszonym uśmiechu. „Jak kanfora, proszę panią", na filmiku, który ściągnęłam z sieci, mówi sąsiadka Andżeliki, starsza kobieta o wypukłym lśniącym czole. Ma zapadnięte usta, jakby silny cios wgniótł je w głąb twarzy, i może tak właśnie było, bo jej lewe oko zdobi wyraźny siniec. „Latała tu se latała po dworze po papierosy do kiosku łubudu po schodach tam siam łubudubu na staw zima lato latawiec z niej był taki łubudu po schodach i nagle jak kanfora jak kanfora proszę panią. Może Cygany?", kobieta spojrzała pytająco w stronę niewidocznej w kadrze dziennikarki, ale ta też nie znała odpowiedzi. Dotknęłam na ekranie twarzy Andżeliki, była miękka, ale zimna, elastyczna powłoka ugięła się i odkształciła jak skóra. Otworzyłam plik, w którym podsumowałam okoliczności zniknięcia dziewczynki. Drugiego kwietnia tego roku od rana padał śnieg i Andżelika poszła pod wieczór na sanki z młodszym bratem i psem. Brat Oskar, pies Pirat. Zjeżdżali z górki niedaleko swojej kamienicy, przy stawie otoczonym zaroślami czarnego bzu i karłowatych modrzewi, który dobrze pamiętam z dzieciństwa. Mogłam sobie wyobrazić mokry kwietniowy śnieg, podobny do tego, który spada w tym mieście już w listopadzie, zapowiadając długą zimę, płozy sanek grzęznące w burej brei, obłoczki pary i ślady stóp. Gdy dzieci nie wróciły do domu, rozpoczęto poszukiwania. Dokładnie nie wiadomo, kiedy zauważono ich nieobecność, ale brata dziewczynki znaleziono dopiero rano, błąkał się w okolicach pomnika górnictwa na placu Grunwaldzkim. Chłopiec, ponoć opóźniony w rozwoju, nie potrafił powiedzieć, co stało się z jego siostrą i psem i jak znalazł się tak daleko od domu. Trzymał w ręce czapkę Andżeliki. Różowa czapka z wizerunkiem Hello Kitty, której zdjęcie zamieściła gazeta, była wszystkim, co zostało po dziewczynce. Idiotyczny kotek z Japonii na czapce małej wałbrzyszanki wydał mi się dziwnie wymowny, nie miał ust, a w jego czarnych oczach czaiła się groza.

W czerwcu przepadł bez wieści Patryk Miłka, jedyny chłopiec w tym towarzystwie, niedosłyszący pięciolatek wychowywany przez babcię na Sobięcinie, która ponoć tylko na chwilę spuściła go z oczu w supermarkecie Real. Mimo iż dziecko znikło w biały dzień w ruchliwym sklepie, nie ma świadków, a kamery nie zarejestrowały niczego podejrzanego, co więcej, na nagraniu widać podobno, jak babcia tego dnia wchodzi i wychodzi sama, a nie z wnuczkiem, który rzekomo zgubił się jej w dziale ze słodyczami, przy ulubionych jajkach z niespodzianką. Niestety nagranie potem uległo przypadkowemu zniszczeniu, policja przeprasza za zaniedbania, obiecuje wyciągnąć, zbadać i ukarać, ale tymczasem w niczym nie pomaga to Patrykowi Miłce z Sobięcina, piegusowi o bystrym spojrzeniu i spiczastych, elfich uszach, trochę podobnych do moich. Jego babcia, Zofia Socha, patrzy na mnie ze zdjęcia z trudnym do rozszyfrowania wyrazem twarzy, który nie jest rozpaczą, a przynajmniej nie tylko, i ku mojemu zdumieniu słowem, jakie przychodzi mi na myśl, jest „głód". Fotografię wnuka trzyma przed sobą jak tarczę, a jej twarz wydaje mi się znajoma niczym szczegół w po raz pierwszy widzianym pejzażu, który nagle budzi poczucie trudnej do określenia bliskości. Patryk nie miał więcej szczęścia niż Andżelika. „Jak kamień w wodę", wzdycha Zofia Socha i martwi się, czy tam, gdzie jej wnuczek teraz przebywa, dają mu odpowiednie posiłki, czy, jak się wyraża, dobrze tam chociaż karmią dzieciaka. Po zniknięciu chłopca plotka o porywającej dzieci cygańskiej szajce z ulicy Pocztowej była wystarczająco dojrzała, by rozsypać się jak makówka. Jak wyraziła się zagadnięta przez dziennikarkę duża kobieta z wąsikiem: „A kto niby powiedział, że Cygan nie może być pedofilem czy innym?". Wielu mieszkańców miasta podzielało zdanie wąsatej i składało donosy. Policja przesłuchała dwie kobiety romskiego pochodzenia, siostry Luludię i Donkę S., przeszukała mieszkanie niejakiego Albina K. z tej samej romskiej dzielnicy na Starym Zdroju, ale nie natrafiono na żaden ślad. Sandra Pędrak-Pyrzycka wybrała się tam, by porozmawiać z Romami osobiście, ale Luludia S. uchyliła tylko drzwi i najwyraźniej nadal urażona podejrzeniami, poradziła jej: *Tchy magie pe minć.* Skocz mi na pizdę, w wolnym przekładzie. W tym czasie na Pocztowej, głównej ulicy ubogiego romskiego zakątka, doszło do bijatyki, w której ucierpiało dwóch Romów i tyluż intruzów z kijami bejsbolowymi.

Brak postępów w śledztwie doprowadził do ogólnego zniechęcenia i media z ulgą zwróciły się w kierunku nowej sensacji, w której był przynajmniej trup. Trup Jana Kołka. „Azaliż ja szary obywatel i robak nędzny ten honor dostałem z niebiesiech że przenajświętsza Matka Boska Bolesna na posłańca swych słów mnie wybrała nędznego robaka", tak brzmiał początek proroctw Jana Kołka, które wygłaszał w wałbrzyskim rynku. Podobała mi się chuda ciemna twarz Jana Kołka, intrygująca jak książka z dobrym tytułem, i byłam gotowa uwierzyć, że przeżył coś niezwykłego z lokalną Matką Boską, gdy przysypało go pod ziemią na trzy dni i noce. Z czegoś takiego nikt nie wychodzi bez szwanku i z pewnością Jak Kołek mógł spotkać w biedaszybie mniej przyjaźnie nastawione postaci, na przykład żądnych zemsty żydowskich więźniów obozu Gross-Rosen, których tu pomordowano i zakopano gdzieś w lesie pod Zamkiem Książ.

Gotycka figurka Matki Boskiej Bolesnej przechowywana jest w niewielkim, przysadzistym kościele pod jej wezwaniem w centrum Wałbrzycha, przy placu Kościelnym. Świątynia, mimo iż gruntownie przebudowana w osiemnastym wieku, zachowała swoją pierwotną przyziemną krągłość i obie z Ewą lubiłyśmy to miejsce. Według legendy tu, gdzie teraz stoi kościół, biło niegdyś źródło, wokół którego powstała pierwsza wałbrzyska osada. Górnicy w drodze do pracy pili z niego wodę i wierzono, że chroni ona przed złem, które czyha na nich pod ziemią. Matka Boska Bolesna napoiła Jana Kołka tą właśnie wodą, którą podała mu w złożonych dłoniach. „Zaprawdę woda ta była jak życie", chwalił jej smak, gdy wykopali go z biedaszybu. Ewa mówiła o Matce Boskiej Bolesnej „mamusia" z ironią i tęsknotą, którą pokrywała śmiechem, i gdy nie miałyśmy chęci na Bibliotekę pod Atlantami, a na basie z Madrasu brakowało nam pieniędzy, szłyśmy do mamusi. Przed południem oprócz nas często nie było w kościele nikogo i mogłyśmy podejść blisko, by do woli przyglądać się figurce ponurej kobiety z martwym Jezusem na kolanach. Moja siostra utrzymywała, że Matka Boska wyglądałaby o wiele lepiej z kotami niż tym smętnym trupkiem, jak określała Bożego syna. Kiedyś Ewa postanowiła zajrzeć za ołtarz, a ja jak zawsze poszłam za nią, i zobaczyłyśmy murowaną studzienkę, która była wprawdzie sucha, ale ucieszyłyśmy się, że źródło istniało naprawdę. Może górnicy wypili wszystką wodę, choć bardziej prawdopodobne, że to górnictwo wysuszyło studnię, tak jak zniszczyło dawne mineralne źródła na Starym Zdroju. Twarz Matki Boskiej Bolesnej nie podobała się Ewie, „brzydka ta nasza mamusia", narzekała, ale ja ją lubiłam, bo przypominała mi kobiety, jakie codziennie widywałam na ulicach miasta, zmęczone żony górników, kontrolerki biletów z brwiami narysowanymi kopiowym ołówkiem, ponure ekspedientki w sklepach oferujących byle jakie towary, kelnerki w Madrasie, bibliotekarki. Nie miałam nic przeciwko temu, żeby taką zwykłą twarz miała moja matka, bo w przeciwieństwie do Ewy tęskniłam zawsze raczej za dobrocią niż pięknem.

Tę właśnie Matkę Boską Bolesną zobaczył Jan Kołek, bezdzietny wdowiec po pięćdziesiątce, który wcześniej nie słynął z pobożności ani w ogóle z niczego. Był bezrobotny i jak wielu innych po zamknięciu wałbrzyskich kopalni codziennie wyruszał z domu z parcianym workiem i schodził pod ziemię w biedaszybie, by szukać węgla, bo nic innego nie umiał. Za sprzedane bryłki kupował chleb, kaszankę i kiszoną kapustę, a czasem butelkę taniego alkoholu. Gdy wyjątkowo mu się poszczęściło, prosił ekspedientkę o dwadzieścia deka kukułek i zjadał je na ławce pod fontanną, a potem popijał napojem alkoholowym „Amarena". Jan Kołek nie miał przyjaciół, a sąsiedzi z kamienicy wiedzieli tylko, że w niedzielę lubił oglądać filmy przyrodnicze, bo głośno nastawiał odbiornik i musieli słuchać lwich ryków i galopu bizonów podczas transmisji mszy z Watykanu. Tamtego dnia jak zwykle ruszył do biedaszybu, ale przedtem kupił sobie eklerek w cukierni na dole swojej kamienicy, co było sporym odejściem od rutyny jego skromnego życia. Właścicielka, chuda kobieta o takiej minie, jakby sam widok słodyczy przyprawiał ją o mdłości, zapamiętała, że Jan Kołek zawinął torebkę z ciastkiem w dodatkowy worek foliowy i westchnął w sposób bardzo znaczący. Okazało się, że będzie tę historię musiała opowiadać nie raz i w końcu jej skrzywiona twarz złagodnieje, bo opowieść miała w sobie słodycz, jakiej chuda ekspedientka nie znalazła w cukierni. Wkrótce zwykłe eklerki, które sprzedawała całe życie, przechrzciła na eklery Jana Kołka, w skrócie kołki, i obroty sklepiku wzrosły.

Jan Kołek wyszedł spod ziemi czarny od węglowego pyłu, ale nieuszkodzony. Przebrał się, wykąpał, włożył ślubny garnitur, bo innego nie posiadał, i zaczął opowiadać o spotkaniu z Matką Boską Bolesną. Na początku nie zwracano na niego uwagi, nie miał ani odpowiedniej prezencji, ani potoczystej wymowy proroka, ale wkrótce jego upór zaczął przynosić efekty. Ludzie gromadzili się, bo wokół niepozornej postaci w niemodnym garniturze potężniała z każdym słowem jakaś energia i przyciągała kobiety z torbami pełnymi zakupów, emerytki z pustymi portfelami, matki zamartwiające się o dzieci, licealistów na wagarach, bezrobotnych bez nadziei, złych i tych, którzy już nie mieli siły się złościć. Zaczęli słuchać słów Jana Kołka, a im więcej ludzi stało wokół niego, tym więcej napływało, wieść o proroku z wałbrzyskiego rynku dotarła do dalszych dzielnic i przekroczyła rogatki miasta. Autobusami podmiejskimi z okolicznych wiosek przyjeżdżały kobiety w chińskich poliestrach, z których sypały się iskry, gdy biodro dotknęło biodra, ramię potarło o ramię. Mężczyźni przystawali z pogardliwie zaczepną miną, dając w ten sposób do zrozumienia, że nie biorą tego poważnie, ale w miarę słuchania ich twarze łagodniały. W końcu ktoś miał odpowiedź na to wszystko, co się działo w mieście, i znał los zaginionych Andżeliki i Patryka. Matka Boska Bolesna powiedziała Janowi Kołkowi, że zabrała dzieci do siebie. Dlaczego? Aby ukarać ludzi za grzechy, aby się ocknęli i stanęli do walki z szatanem. Ma zamiar zabierać następne tak długo, aż się ludzie opamiętają. Dlaczego upodobała sobie akurat to miasto, dlaczego akurat wałbrzyskie dzieci?

Mieszkańcy Wałbrzycha zostali wybrani i wkrótce będą Matce Boskiej Bolesnej dziękować za ten honor. Tak jak jego pod ziemią, przyjdzie i ich napoi, a z każdą kroplą wody będą odzyskiwać nadzieję i siły. Miasto powstanie i będzie piękne jak nigdy dotąd. Co robić? Modlić się i słuchać słów Matki Boskiej Bolesnej, które posiane zostały w Janie Kołku, szarym obywatelu i nędznym robaku. Dzieci zostaną zwrócone, całe i zdrowe, gdy mieszkańcy miasta zaczną żyć tak, by jej się podobało ich życie. Gdy ten, co ukradł, odda i przeprosi. Ten, co krzywo świadczył, słowa swe wyprostuje. Skąpiec odnajdzie w sobie hojność, zawistnik polubi ludzi. Nienawidzący wybaczy. Gdy morderca przyzna się do winy, obżarty zaś podzieli się z głodnym. I tak dalej. Najdziwniejsze było, że gdy w pobliżu pojawiała się wycieczka zza zachodniej granicy, Jan Kołek zmieniał język na niemiecki, którego wcześniej nie znał. Teraz posługiwał się nim biegle, choć jego słownictwo było archaiczne, a podrzędnie złożone zdania zbyt ozdobne. Sława Jana Kołka wzrosła, gdy do grupy Francuzów jakby nigdy nic przemówił po francusku, a – i to przekonało największych niedowiarków – do Czechów po czesku. Włosy mu urosły i przestał się golić, jego garnitur zmoczył deszcz i osrały gołębie. Wychudł i tylko czarne oczy świeciły węglowym blaskiem, co wydawało się tym dziwniejsze, że ci, co go znali, pamiętali, że przedtem oczy miał szare i pozbawione szczególnego połysku. Jan Kołek stał koło fontanny i przemawiał, nieczuły na zaczepki, zmiany pogody i wyzwiska.

Prorok z wałbrzyskiego rynku zyskiwał coraz liczniejszych zwolenników, a zwłaszcza zwolenniczek, które u jego stóp zmawiały modlitwy w intencji zaginionych dzieci i własnych strat. Zaczęły się nocne czuwania i śpiewy, palenie świeczek, ale Jan Kołek nawet w kręgu zniczy cmentarnych w kształcie serc, aniołów i krzyży pozostawał obojętny i skupiony. Stawał codziennie rano na swoim stanowisku pod fontanną i nie robiło na nim wrażenia nawet to, że mu panie czyściły marynarkę z gołębich kup, wtykały do ust kawałki chleba z szynką i wiązały na szyi własnoręcznie wydziergane szaliki. W pobliżu rozwinęła się sprzedaż dewocjonaliów, którą ksiądz z pobliskiego kościoła potępił w słowach tak mętnych i mało przekonujących, że je po prostu zignorowano i nadal ludziom przybywającym posłuchać Jana Kołka handlarze wciskali wymyślone na poczekaniu katolickie amulety. Grupa wyznawczyń nie odstępowała proroka z biedaszybu na krok, rosła w siłę i zyskiwała pewność siebie. Wkrótce pojawiły się wieści, że w szumie wody w fontannie można usłyszeć szept Matki Boskiej Bolesnej potwierdzającej słowa Jana Kołka. Szeptała jednak tylko do wybranych i nie co dzień. Na jednym ze zdjęć zamieszczonych w tym czasie w lokalnej prasie jakaś kobieta w białej bluzce pochyla się nad fontanną i nasłuchuje. Powiększyłam i wyostrzyłam obraz. Spod grubych okularów jej oko błysnęło jak szprotka uwięziona w lodzie. Twarz kobiety wydawała mi się znajoma, ale nie mogłam sobie przypomnieć, gdzie już ją widziałam.

W opozycji do zwolenników Jana Kołka uformowała się inna grupa, mniej zorganizowana i oddana sprawie, ale też liczna. Jej członkowie wyśmiewali wizję górnika i koczujące przy fontannie kobiety z krzyżami, obrazami i kanapkami. „Kołki i oszołomy won z Wałbrzycha", „Oddajcie ludziom fontannę", „Krzyże na cmentarz, kołki w płot", z takimi transparentami pojawiali się w rynku, ale szybko tracili zapał i obsiadali okoliczne kawiarnie, by pić piwo. Młodzież licealna pod przewodnictwem ambitnego instruktora teatralnego zrobiła ekologiczny i antyglobalistyczny happening pod hasłem „Nie bądź kołek", podczas którego ułożono figurę Matki Boskiej Bolesnej z puszek po coca-coli, gotowano wegetariańskie dania i rozdawano ulotki tłumaczące korzyści z recyklingu. Zwolennicy i przeciwnicy Jana Kołka wyśmiewali się nawzajem i obrzucali wyzwiskami, a na początku

fontanną urządzono wielką demonstrację popierającą ten pomysł i przekonywano, że wyszedł on od samej Matki Boskiej Bolesnej z widzenia Jana Kołka. Już kiedy ukazała mu się w biedaszybie, wyraziła swą wolę w tej sprawie. Chciała figury tu, w wałbrzyskim rynku, i to jak najszybciej. Głosy tych, którzy przypominali, że Jan Kołek nigdy nic nie mówił o żadnej figurze, zostały zagłuszone. Ten, kto był przeciw figurze, bluźnił przeciw Janowi Kołkowi, a kto wrogi Janowi Kołkowi, ten wrogiem Matki Boskiej Bolesnej. W tym czasie zwolennicy figury mieli już swojego lidera. Nazywał się Jerzy Łabędź i uważano go za duchowego spadkobiercę Jana Kołka. Zorganizował zbiórkę funduszy na figurę Matki Boskiej Bolesnej i był jej najgorętszym orędownikiem. Oprócz tego nie wsławił się wcześnej niczym szczególnym.

Tej właśnie nocy, gdy trwała demonstracja w sprawie figury, znikło ostatnie z trojga dzieci, i to w najbardziej przerażający sposób, jeśli wydarzenia tak straszne można stopniować. Siódmego listopada po dobranocce pięcioletnia Kalinka Jakubek poszła spać na drugim piętrze Domu Dziecka „Aniołek". Dzieliła pokój z pięciorgiem innych dzieci, ale rano tylko jej łóżeczko było puste. Zapadła się pod ziemię. Jak kamień w wodę. Nie znalazłam żadnych informacji o biologicznej rodzinie Kalinki, która przebywała w placówkach opiekuńczych od urodzenia. W lokalnych archiwach i urzędach taka rodzina i taka dziewczynka nie istnieją. Z materiałów, jakie zgromadziłam, wynikało, że pojawiła się znikąd i od razu trafiła pod opiekę ludzi niebędących jej rodzicami. Kalinka lubiła bawić się w chowanego z wychowawcami i nieraz już szukano jej przez parę godzin, dlatego najpierw sądzono, że to jedna z jej sztuczek. Policja została zawiadomiona dopiero po południu. Dyrektor domu dziecka, wyglądający na wstrząśniętego, duży, mocny mężczyzna, trochę podobny do schyłkowego Andrzeja Leppera, pokazał do kamery maskotkę, która została po Kalince. Pluszowy szary kot. „Tak potrafiła wleźć, w kulkę się zwinąć, że godzinami jej szukaliśmy. Kalinka! Kalinka! A ta nic. Do bębna pralki raz weszła, a jak mówiłem: «jeszcze cię ktoś upierze», to się tylko śmiała. Czasem zasnęła gdzieś schowana i dopiero była zabawa", opowiada dyrektor Domu Dziecka „Aniołek" w zamieszczonym w sieci wywiadzie. „Zawsze chowała się ze swoim kotkiem, wyświniony był, wymiędlony, ale innego nie chciała, do jedzenia go brała, do kąpania". Słowa dyrektora o dziecku ukrytym w ciemności tuż obok szukających go dorosłych zrobiły na mnie z jakiegoś powodu ogromne wrażenie i wiedziałam, że będę musiała uważać, by nie skupić uwagi na tej jednej czarnookiej dziewczynce.

Po zniknięciu trzeciego dziecka skumulowane emocje w końcu wybuchły i pokryły Wałbrzych ciemną chmurą niczym smogiem, który okrywał miasto, gdy jeszcze działały kopalnie i koksownie. Dopiero przy Kalince Jakubek groza naprawdę dotarła do mieszkańców miasta i otworzyła śluzy nagromadzonego strachu i gniewu, dzieląc ludzi bardziej, niż wcześniej łączyła ich rozpacz. Podwórka opustoszały. Rodzice przyprowadzali dzieci do szkół i odbierali je, nerwowo wypatrując swoich pociech. W pozostałych przypadkach winę łatwo było zrzucić na niedbałych opiekunów, którzy nie dopilnowali dzieci, ale Kalinka zniknęła ze swojego łóżka. Autorka projektu figury Matki Boskiej Bolesnej, Stanisława Bryś, dodała jeszcze jedno dziecko, które doszczętnie zaburzyło i tak nie najszlachetniejsze proporcje całości, a plotka o cygańskiej szajce, która pojawiła się, gdy znikła Andżelika i Patryk, przy Kalince odżyła z nową siłą. Na ulicy Pocztowej doszło do nowych utarczek między romską młodzieżą a grupą uzbrojonych wyrostków. Podpalono dwa sprawne samochody i małego fiata, który służył jako kurnik, wybito parę szyb w romskich domach, krew polała się po obu stronach.

Jeszcze raz przejrzałam zgromadzone materiały i ułożyłam w jednym oknie fotografie trojga zaginionych dzieci: Andżelika,

Patryk, Kalinka. Uderzyło mnie to, jak skąpe były informacje, jak niewiele zdjęć miały te dwie dziewczynki i wielkouchy chłopiec. Może oprawca celowo wybierał ofiary, po których zostaje mało śladów: dzieci Matki Boskiej Bolesnej z Wałbrzycha. Andżelika Mizera z Nowego Miasta mieszkała z piątką rodzeństwa i bezrobotną matką, jej ojciec siedzi w więzieniu. Patryk Miłka, piegus o wielkich uszach, wychowywał się u schorowanej babci, porzucony najwyraźniej przez rodziców. O najmłodszym dziecku, Kalince Jakubek, dowiedziałam się jeszcze mniej. Ze zdjęcia na tle choinki patrzyła na mnie poważna buzia otoczona ciemnymi włosami. Miała przepastne czarne oczy. Dlaczego nikt nie adoptował takiego dziecka? Dlaczego nikt jej nie chciał? Mam w redakcji koleżankę, która przez kilka lat starała się o córkę lub syna i okazało się, że do zdrowych noworodków spragnieni rodzicielstwa ludzie stoją w kolejkach, a ich predyspozycje są sprawdzane tak, jakby aplikowali o stanowisko naczelnego dowódcy NATO. Bez czekania i łapówki oferowano dzieci starsze albo chore, jak towar w drugim gatunku dla mniej wymagającego klienta. Gdyby tak samo sprawdzano wszystkie pary, zanim pozwoli się im wyprodukować dziecko, ludzkość by wymarła w ciągu dwóch pokoleń, ja i Ewa też nie przyszłybyśmy na świat. Patrzyłam na twarze trojga zaginionych dzieci, o których miałam napisać, i czułam, jak w przytłaczający mnie smutek wkrada się ekscytacja niezbędna, bym mogła pracować. Muszę odwiedzić trzy domy i spotkać się z opiekunami tych dziewczynek i chłopca, zobaczyć na własne oczy scenerię trzech nieszczęść, niewyobrażalnie bolesnych nawet dla kobiety, która nigdy nie pragnęła być matką. Nasza szefowa w redakcji od początku wiedziała, że nadaję się na reporterkę od spraw beznadziejnych, i gdyby wysłała mnie tam, gdzie stało się coś dobrego, i tak znalazłabym rozczarowaną staruszkę albo przejechanego kota i uczyniła ich głównymi bohaterami opowieści. Robiłam w tym roku reportaż o piętnastolatce, która zabiła swoje nowo narodzone dziecko, wepchnęła je do plecaka, a potem poszła na dyskotekę. I o starszym mężczyźnie, który po śmierci dziewięćdziesięcioletniej matki zamurował ją pod kuchennym parapetem, by w kobiecym przebraniu odbierać jej rentę. Zło nigdy mnie nie zaskakuje, ale zawsze dziwi. Nigdy nie przestanę się dziwić i dlatego umiem zadawać właściwe pytania. Kieruję się w życiu zasadą, która mogłaby być reklamą jakiegoś szwajcarskiego banku: trzeba robić to, co się umie najlepiej. Jeszcze lepiej. Ułożyłam plan pracy w punktach, byłam gotowa. Jutro rano ruszę do pracy, ale muszę dotrwać do świtu w tym domu, z rudym Hansem i ektoplazmą zalegającą w piwnicy.

Przerwany sen

Obudziłam się nagle. Była trzecia, pora duchów, samobójców i złodziei. Zawsze miałam lekki sen, jakaś część mnie pozostaje w stanie czuwania, i dlatego nie przepadam za spaniem w towarzystwie. Śpiące obok ciało, zatrzaśnięte w sobie, bezwładne i ciche, napełnia mnie niepokojem, bo wydaje się podobne do martwego. Nie udało mi się uchwycić ani skrawka śnionego przed chwilą snu, ale pamiętałam odgłos, jaki mnie z niego wyrwał. Trzask suchej gałązki. Nawet zimą śpię przy uchylonym oknie, nie potrafiłabym spędzić nocy w pomieszczeniu, gdzie wszystkie otwory w ścianach są zamknięte. Dnia też nie. Z tego powodu klęską zakończyła się jedna z nielicznych szans, jakie miałam w dzieciństwie, by zbliżyć się do innych dzieci. Podczas pierwszej zbiórki zuchów w dusznej szkolnej piwnicy, gdy druhna zamknęła drzwi i zasłoniła jedyne okienko, by zrobić nastrój, posikałam się i zemdlałam. Moje szanse na zdobycie zuchowych sprawności i włączenie w grupę zostały w ten sposób pogrzebane i nie odważyłam się wrócić do tego grobowca ze sztucznymi polanami płonącymi na elektrycznym ognisku. „Płonie ognisko i szumią knieje, a siuśmajtka jest wśród nas", śpiewała mi Ewa i chyba wiedziała, jak bardzo czułam się upokorzona, gdy odebrała mnie z gabinetu szkolnej pielęgniarki owiniętą kocem. Niedługo potem przyszła do naszego domu pani z opieki społecznej, nasłana zapewne przez zaniepokojoną druhnę, i uznała ten niemal pusty pokój bez firan i zasłon za nieprzytulny. „Ach, właśnie dałyśmy do szycia zasłony z różowego lureksu, podpinane kokardami po bokach, z falbaniastym lambrekinem! Takimi zasłonami zasłynęła księżna Daisy, gdyby nie ona, moda na lureks nigdy by nie nadeszła, zapewne słyszała pani o tym?". Ewa omotała ją i skołowała tak, że kobieta więcej nie wróciła, a my nadal zasypiałyśmy na wprost odsłoniętego okna w pozbawionym ozdób pokoju.

Nie zapalając światła, podeszłam do okna, przez które wlewała się zimna listopadowa noc. Pod jabłonią, w oparach mgły, która parła od strony lasu z takim impetem, jakby chciała zatopić całe miasto, jakiś mężczyzna stał i patrzył w moją stronę. Wysoki i nieruchomy, w ciemnym płaszczu, przypominał tego z kolczykiem, którego widziałam w pociągu z Wrocławia. Czułam jego wzrok, ale nie mogłam dojrzeć twarzy. Nie przestraszysz mnie! Otworzyłam okno i krzyknęłam w wilgotną ciemność, zawirowało powietrze, pod jabłonią nie było już nikogo. Obserwowałam ogród przez kilka kolejnych minut, ale pojawił się w nim tylko pręgowany kot, który popatrzył na mnie złotymi oczami, od niechcenia polizał sobie łapę i zniknął. Może był jednym z kotów czułych jak sejsmografy, które księżna Daisy zostawiła tu na straży. Zamek Książ sprawiał wrażenie wymarłego, jego potężna sylwetka wydała mi się jednak uspokajająca. Wizyta nieznajomego i chłód, tak przenikliwy, jakbym zanurzyła się w lodowatej wodzie, wybiły mnie ze snu na dobre. Nie mam skłonności do halucynacji, nie ulegam mrocznym nastrojom, bo można powiedzieć, że na co dzień żyję w mroku. Bez wątpienia ktoś był w moim ogrodzie. Nie byt utkany z ektoplazmy, ale człowiek, który najprawdopodobniej nie miał dobrych zamiarów. Wiedziałam, że już nie zasnę.

Zaparzyłam więc sobie dzbanek ulubionej zielonej herbaty i włączyłam komputer, by poczytać, co dzieje się na lokalnym forum po zniknięciu Kalinki Jakubek. W sieci nie zapada noc. Słowa, które kiedyś wsiąkłyby w błoto, tu przybierają kształt trwały jak folia i trwają uwiecznione w martwym blasku. Od dawna zastanawiam się, czy i w jakich okolicznościach to nieopierzone zło słów mogłoby przekształcić się w realną przemoc. Który z internautów ukrytych pod idiotycznymi pseudonimami pierwszy rzuciłby kamieniem? Który z nich zrobiłby to własnymi rękoma, własnym ciałem innemu ciału? W ten sposób ćwiczę się w rozumieniu. Dobrze trafiłam. Akurat zamieszczono na lokalnym portalu nowy materiał. Tej nocy znów wybuchły zamieszki na ulicy Pocztowej na Starym Zdroju. Chuligani skandowali rasistowskie hasła, wybijali szyby, podpalili śmietnik i okradli sklep z alkoholem. Któryś z nich widział podobno jasnowłose dziecko w oknie jednej z kamienic, inny w samochodzie prowadzonym przez Roma. Internauci rzucili się na informację jak wygłodzona sfora na padlinę.

Bluzg I

Krysia 02:35

!!!!!!11111111!!@#$ PIErwSza !!!

GościuBezWąsa 02:41

nie zsraj się Kryska

GościuZwąsem 02:41

cygany dziecko zaj*balyyyyyyy

Benek 02:43

Bij cygana tnijmu pejsy

PoliszKamikadze 02:44

odstrzal takich jednostek jest wskazany ... place podatki kto-
rych niechc eplacic .. nic ztego niemam i takie cos za moje
siano u3muja ...

Studentka 02:45

Rasista c*pa z blokowiska

NormalnaNiunia 02:45

Ja osobiście Rasistką nie jestem, ale „obcych" nie lubię.

Zagłoba 02:46

Szacun Niunia ja też

NormalnaNiunia 02:46

Te ich "występy" w autobusach z dzieciakami na reku... i „rzę-
polenie" na harmonii. Nie wiem dlaczego kierowcy pozwalają
im tak jeździć w kółko, a my się wręcz „katujemy" tą meką.

Ostatnio dla przykładu takie dziecko weszlo w kontakt z moim. Nie ma na to sposobu?!

ZwykłyGość 02:49

Ja bym matki karał

RozaliaJasna 02:50

A ja zapraszam serdecznie na mój blog dotyczący rzeczy nadprzyrodzonych, jasnowidzenie, szukanie zaginionych. itp.: rozaliawidzijasnoscdusza.blogspot.com

ZwykłyGość 02:51

Ale czy dobrze przeszkala ich policja? Ja znam taka historie babka mi mówiła ze u nich na wschodzieraz dzieko zginęło. Akurat tabor przyjechal dowsi, poszli z kijami, siekierami, szyukaja, nic. To jeden mowi, pod spudnice cygańskim babom zajrzec tzreba i się znalazlo

Zagłoba 02:53

Ale tak zasmierdlo ze je utopili buahahaha

ZwykłyGość 02:53

szmata nie matka dziecko do bidula oddala

Zagłoba 02:54

wszystkim babom powinni zamontować w ci*skach chipy i było by wiadomo z kim i ile razy i po problemie

Benek 02:55

ale jaja W c*pach c*py!!1!!1

PoliszKamikadze 02:55

Wytrzebic jak swiniedla dobra reszty społeczeństwa które za to placi....

Benek 02:56

Wykastrooowac i wy*ebac!!!11!!!dh z miasta

NormalnaNiunia 02:56

Chodzi o to ze ja dla przykładuCałe dzieciństwo mieszkałam na podwórku „razem" z Cyganami. Co weekend podwórko opustoszało, dopiero wieczorami dosłownie „tabunami" pojawiali

się cyganie obładowani róznymi „drogocennymi" przedmiotami. Wśród nich nie brakowało złotej biżuterii, klejnotow,
garków, pawich piór, patelni,pięknych ubrań, róznego rodzaju
obuwia,dywanów, sprzętów „AGD i RTV" oraz... niezliczonych
wprost ilosci KUR. Nie jest to normalne

Zagłoba 02:59
Chyba Koorw nie Kur buaha

PoliszKamikadze 03:00
cyganow powinno sie wysiedlic z Polski bo ciekawe gdzie stoi
jakis kosciol w kraju muzułmańskim czy cyganskim?

PoliszKamikadze 03:01
I za czyja kase?..........

Bella 03:02
My POLACYjestesmy zawistnym narodem moze dlatego tak
twórczym tak wielkim i jednoczesnie destruktywnym ☺

GłosPrawdy 03:03
!!!Módlcie się do Matki Boskiej Bolesnej scierwo szatańskie
hordo porozwsciekana!!!!!!!!

NowyGość 03:06
Ale o co chodzi bo nie kminie? Kto porywa dzieci?

Zagłoba 03:06
UFO buahahaha

Benek 03:07
zydki na mace

A-theista 03:09
szajka ksiedzy pedofilow

SexyRacjonalistka 03:09
Tych dwoch co wczesniej za*ebali księżyc

Jan Kołek 03:10
Ja

Stańczyk 03:10
A ja na tym forum slysze strzaly

ZwykłyGość 03:11

Ja bym matki karał

NiezadowolonyPolak 03:11

polki to qrwy caly swiat to wie nawet pakolom w jukeju daja

Benek 03:13

Je*ac asfaltow ciapatychcyganow!11!11

PolkaLondon 03:14

Ja tam wolę każdego słitasnego czarnuszka niż pijaków z Sobiecina

Studentka 03:15

durna p*pa blachara

Zagłoba 03:15

P*pa to po Hebrajsku po naszemu kooooorwa buahahhaa

Benek 03:16

A skad ty znasz hebrajzki utne ci pejsy

Stańczyk 03:17

Wiecie czego nie można mieć by dostac się do polskiego rzadu? Napletka.

NiezadowolonyPolak 03:18

POLKI to najwieksze ladacznice w swiecie ! "bija" NAWET bulgarki na 100%

PoliszKamikadze 03:19

może same mendy dzieci schowaly żeby kase wyciągnąć z moich podantkow...

Bussinesmanuĸ 03:20

Mieszkam wLuton ponieważ posiadam tu „interesik" i rodzinkę(polską nie jakiś mieszańców☺). Polki nie muszą się sprzedawać, jak widzą kolorowego to dostają dzikiego szału...w oczach „kurwiki"...tak tak polskie kobiety to największe bitch na świecie... aa i przestańcie pisać na forach drogie panie, że polscy mężczyźni nie dbają o higienę, są grubi i tylko piją wóde.Trochę się pozmieniało w naszej mętalności, wielu facetów chodzi na siłkę i kręcą niezłe interesy.

Studentka 03:22

Interesik sobie krecisz buahahahaa

PoliszKamikadze 03:23

....głupie c*ipy pościągają nam na głowy terrorystóow. Będziemy mieć "billadenów" z polskim obywatelstwem zyjacyc za nasze podatk....

Bella 03:25

I znowu obciach na cały świat. :(a kiedyś Polska była taka wielka od morza do morza

Benek 03:25

Wszyscy nas POLAKOW olewaja

Zagłoba 03:25

Z góry lejom Olewaja

MatkaPL 03:26

Dzieci pedofilom Bułgarskim sprzedają

ZwykłyGość 03:26

Ja bym matki karał

Bella 03:27

Polki slyna na swiecie z urody i nie wiem jak inne ale ja brzydze się brudasow Matka tejKalinki z bidula tez pewnie był CYGAŃSKI WYTŁÓK!!!! Nie wiadomo z kim się puszczal

ProfessorHab. 03:28

Ja to nazywam tępotyzm i „bezmóżdż ludzkiej rasy zdegenerowanej" i powiadam: lepiej byc WILCZUREM niż kundlem.... Nie zyjcie w ciemności.... POLACY otwórzcie oczy....Na temat naukowych matactw zaciemniających prawdziwe FAKTY na temat ras i ich wrodzonych róznic wiele można mówić.... Nasz świat ludzki się na tym opiera i widac to czarno na białym w naszej Ojczyźnie polskiej. Zobaczcie na youtube Naukowa kwestia rasy czyli zagłada aryjczyków(z polskim lektorem)

Gość 03:29

Hau hau

Gość 03:29

Hau hau

NormalnaNiunia 03:30

A „znielubiłam" ich normalnie jeszcze bardziej w ostatni weekend w Świdnicy... Na lody idziemy z rodzinka a cyganicha na chama wyciąga od mojego meza mojegokase – pan da na herbatę, pan da!! – i straszy mnie „klątwą"! Prawie dostała kopa w d*pe..,

Benek 03:31

Je88bać pandy!!!!11!

ZwykłyGość 03:31

Ja nie widzę w tym nic dziwnego że człowiek nie lubi innych.

NormalnaNiunia 03:32

Abo drugi przypadek ze jade autobusem a tu cyganicha z „pozyczonym" dzieckiem ja nie wiem może nawet porwanym bo jakis jasny taki znow drze morde ze chce kase bo "dziecko glodne" potem ja widze elegancka babeczka z rodzinka kremik w Rossmanie kupuje...to ta sama cyganka! Czy to jest normalne? gdzie tu jest sprawiedliwość??????????????

Napalony 03:33

MatkaPL napisał/ła:
Dzieci pedofilom Bulgarskim sprzedają
Matka PL nie bodz taka PISda niewydymka

Studentka 03:34

J amyślę, że chodzi o sposób życia mniejszości cygańskiej, a nie o to, kim są sami z siebie. Byłam świadkiem takiej oto sceny w hali dworca we Wrocku. Uwijało się tam stadko cyganeczek z niemowlakiem ryczącym. Biegały od kasy do kasy żebrząc "na mleko". Atakowały kupujących bilety z agresją. Ludzie zwykle dawali monety z reszty ciężko zapracowane, ja tez, żeby już nie wąchać tych „zapachów".

NiezadowolonyPolak 03:35

Kawka papieroski a MY na nich pracujemy

Studentka 03:35

Nie mylcie cyganów z Rumunami nieuki. Ci drudzy to bardzo porządni choc biedni ludzie.

ProfessorHab. 03:36

MITOCHONDRIALNA EWA tonasza wspolna matka..... Wszyscy jesteśmy bracmi, każdy człowiek czy istota ludzka to brat jakiegos brata. Współczesne badania naukowe potwierdzają wszystko co do slowa i przecinka w Biblii.... Jestesmy bliskimi, dlaszymi lub bardzo dalekimi bracmi ale to nie jest na reke złym ludziom, którzy dla zysku poroznili nas z powodu nieopanowanej checi zysku i odwiecznego ich planu zawładnięcia swiatem. Sprawdzcie tu jest wszystko: GOOGLE : ludzie to bracia informacja zawarta w przyrodzie , spisek swiatowego żydostwa, Wikipedia BIBLIA a NAUKA, youtube : Mitochondrialna Matka (z polskim lektorem).

PoliszKamikadze 03:38

.....Żaden pedalski cygan nie będzie mi bratem .....wystarczyze nanich podatki place

GościuZwąsem 03:38

Nic innego nie umieja jak tylko krasc, zebrac i chandlowac wczesniej porwanymi polskimi dziewczynami

PoliszKamikadze 03:40

Gwalca, kradna i rabuja

GościuBezWąsa 03:40

Nigdzie nie pracują a jeżdżą mesiami!!!!!!

MatkaPL 03:41

dzieci pedofilom Bułgarskim sprzedają

Bella 03:42

Brudasy ciapate leniwe

ZwykłyGość 03:42

Ja nie widzę w tym nic dziwnego że człowiek nie lubi innych.

Benek 03:43

TRZEBA POWYRZUCAĆ TEN gNÓJ!!!!1!!!!!!!!!!!!!!!

NowyGość 03:44

Żenuła ide spac

Benek 03:44

Studentka napisał/-a:
Nie mylcie cyganów z rumunami. Ci drudzy to bardzo porządni ludzie.
Dawałaś im d*py ze wiessz?

A-theista 03:45

a ty Benek kiedy dawałeś ostatnio Przy spowiedzi?

SexyRacjonalistka 03:45

Tak go czarny przenicował, że jeszcze usiąść nie może

Benek 03:45

Zaj##bie cie suuuuuko cipolizko pedale111kelhdgcwqcw

WqrwionyPilot 03:47

!!!!!A u mnie na klatce nocuje bezdomny cygan i złośliwie robi wielka smierdzaca KUPE!!!!! Na strarz dzwone pisze dospoldzielni OLEWAJA mnie!!!

Benek 03:48

Wszyscy nas POLAKOW olewaja

Zagłoba 03:48

Z góry lejom Olewaja

MatkaPL 03:48

Dzieci pedofilom Bułgarskim sprzedają

PoliszKamikadze 03:49

.....A może by ktoś napisał jakie przywileje państwo Polskie daje cyganom, różnego typu wyprawki, zapomogi itp...... które nie przysługują uczciwe i ciezko pracującym POLAKOM w kraju i zagranica......

Gość 03:50

szacunCzeczeni, Rumuni itp itd wynocha nie pracuja a wiecej kasy maja od nas ! A rząd jeszcze im płaci !!!!!!!!!!!!!!!!!!!!!! cygan w palacu a POLSCY bezdomni śpią pod mostem!!!!!!!!!!!!!!!!!!!!!!!1

NormalnaNiunia 03:51

„Szejki" big maki kremik w Rossmanie a kto za to placii my za to placimy

ProfessorHab. 03:51

....Europa a zwlaszczajej CENTRUM POLSKIE przypomina mi cesarstwo rzymskie na kilka lat wstecz przed wielkim upadkiem. Myślę, że niedługo w Europie będzie jak w Pakistanie, Bangladeszu, czy innym państwie afrykańskim tylko przez jakiś czas pozostanie infrastruktura zbudowana przez... BIAŁYCH MĘŻCZYZN, ale i ona z czasem się rozleci.... muzułmanie i cyganie nas przerosną liczbą ludności a potem zamkną Europejczyków Chrześcijan w Gettach....Za to może wreszcie europejskie kobiety będą przeszczęśliwe dobrze wydupczone przez dzikei hordy... Sprawdźcie youtube: UPDADEK BIAŁEJ KOBIETY (bez lektora, ale wszystko widac)

Benek 03:52

rece precz od naszych kobiet!!!!!11

Polakzcroydon 03:53

Miałem tak nieprzyjemna pzrygode ze mi si kobieta puściła i to z Czechem

Krysia 03:53

do czech to ja mam za darmo

ZwykłyGość 03:54

Ja nie widzę w tym nic dziwnego że człowiek nie lubi innych

Homar 03:55

ludzie jak my

Benek 03:55

Może ty cyganie cioto żydoska!!!1!11

GościuZwąsem 03:55

Nigdzie nie pracują a jeżdżą mesiami

GościuBezWąsa 03:56

Nic innego nie umieja jak tylko krasc, zebrac i chandlowac wczesniej porwanymi polskimi dziewczynami

Benek 03:56

Wszyscy nas POLAKOW olewaja

Zagłoba 03:56

Z góry lejom Olewaja

MatkaPL 03:57

Dzieci pedofilom Bułgarskim sprzedają

Zagłoba 03:57

zydoskim

Benek 03:57

na organy

PoliszKamikadze 03:58

Na organy chińczykom...

NiezadowolonyPolak 03:59

A na ch*j kitajcom organy?

Zagłoba 04:00

kitajec psa wsiamie zeżre i organy buahaha

Gość 04:00

Hau, hau

StudentPolibudy 04:01

Wiecie moze dgzie jest jakis dobry chińczyk w Walbrzychu?

Zagłoba 04:01

dobry chinchyk to martwy chinczylk buahahaha

NormalnaNiunia 04:03

Ja jestem osobiscie przeciwna jakims obcym „dietom", chińczykom nie chinczykom naprawde nie wiadomo, co ludzie jedza zamiast normalnego jedzenia jakies „wydziwiajstwa" i tylko się dzieci trują

MatkaPL 04:03

Dzieci pedofilom Bułgarskim sprzedają

GłosPrawdy 04:04

!!!Módlcie się do Matki Boskiej Bolesnej scierwo szatańskie hordo porozwsciekana!!!!!!!!

A-theista 04:05

czuc tu starego śledzia

SexyRacjonalistka 04:05

Weź się moher przebij drutem

BussinesmanUK 04:06

Ta pani druta od półwieku nie widziała ☺

Studentka 04:06

Leiej pilnuj swojego interesiku w Luton

NiezadowolonyPolak 04:07

kawka papieroski a MY na nich pracujemy

Bella 04:07

Brudasy ciapate leniwe

Bydlądynka 04:08

oj dała bym cipeczki takiemu cygankowi czy arabkowi mmm-mrrrr mrrrrrrrrrrrrrrrrrrrrrrrrrrrrrrrrrrrrrrrrrrr

Zagłoba 04:08

obciąg mi blondyna jestem cygan buahahaha

Benek 04:09

qrwaaaaa!!!! a w żopu bierzesz?

ZwykłyGość 04:09

Szmacisko wytłuk cyganski

Homar 04:09

giną

ProfessorHab. 04:11

Kontrolujacy nas UKŁAD ....zawala nasza Ojczyzne śmieciami materialnymi, jak na przykład odpadami radioaktywnymi, żywnością modyfikowana genetycznie, truącymi barwnikami, ale również ODPADKAMI LUDZKIMI z Azji i Afryki takimi jak Cyganie albo romowie. ..Nasza rasa ginie i jesteśmy świadkami jej tragicznego w skutkach końca.... Azjatycka żółta fala dotarła az do naszego miasta. Masońska gazeta Daily Jomiuri wydawana w Japonii przedstawia szczegóły ....tego SPISKU. W dniu dzisiejszym obecnie co dwunasty mieszkaniec kuli ziemskiej jest.... BIAŁY!!! Sto lat temu wstecz był co trzeci! Quo vadis, Polsko!? jest o tym na you tube po polsku.

Nawalilemsie 04:12

i brdzo dobze nipozwole sobie aby naszom historie esczierwa nisczyli cygny kopy bedom as bedom pekaly czaszki tylko polacy dla polkuw jedna rasa biala

KateFromEssex 04:13

A ja jestem rasistka-stwierdzam dzisiaj ze zdziwieniem za sprawa sąsiadów i się tego nie wstydze. Mieszkam w UK. Nie trawie Ruskich, Ukraincow, Litwinow, Lotyszy- wszystkich z bloku wschodniego. Nie trawie Muzulmanow a zwlaszca wyznawcow islamu. Nie chca i nie potrafia sie przystosowac do Europy i ich zasad. Upieraja się dla przykładu przy swojej religi i kulturze Ale czy to można nazac kultura. Stad na ulicach UK jest brod i syf! W mojej dzielnicy tez zainstnial przypadek ze dziecko zniklo i znalazlo się gdzie??? Pod stolem w muzułmańskim domu!!!!!!!

Studentka 04:15

Jak bys się uczyla, to bys nie musiala mieszkac w slumsach

KateFromEssex 04:15

Studentka tata cie znow zmolestowal?

KateFromEssex 04:15

i jeszcze dodam, ze te labedzie, co mowili ze Polacy to w jukeju to cyganie zjadaja WSZYSCY o tym wiedza

polakNAobczyśnie 04:16

Hejka A ja tez jestem rasistą,,,,ale wynika to z doświadczenia a nie uprzedzenia do nich. Napatrzałem się na cyganowwszędzie...i u nich w domu i tam gdzie przebywają. Inne zwyczaje i religia wystarczą abym nie chciał ich za sąsiadów .... dobrej nocy wszystkim zyce z słonecznego Dublina☺

Polakzmadrytu 04:17

młodzi cyganie terroryzują na ulichach Madrytu młodych Hiszpanów w celu grabieży pieniędzy. Gdy Hiszpan sie obroni, cygan nadciąga ze zgrajqa podoibnych mu oberwańców i wszczynaja bójki. Czas zrobić z tym porządek,. Jak w hiszpani cygani ukradna dzicko to problem się robibo trudno odróżnić

NormalnaNiunia 04:18

To się sprzeciwia kryminałowi

GłosPrawdy 04:18

!!!Módlcie się do Matki Boskiej Bolesnej scierwo szatańskie hordo porozwsciekana!!!!!!!!

NormalnaNiunia 04:19

10 lat temu gangi Cyganek atakowały ludzi w w „biały dzień"... Dzis słynne sa porwania dzieci w galerii handlowej idzie dziecko siku i poetm „nie ma" dziecka. Ja swoje zawsze trzymam i innym radze trzymac

MatkaPL 04:19

Dzieci pedofilom Bułgarskim sprzedają

PoliszKamikadze 04:20

.....Polska i nasz rza d powinna zadbać o milionyPolaków mieszkających w Kazachstanie,którym dzieje się krzywda.Rumunie niech jadą swoimi mercedesami żebrać do Romlandii... albo do mosków itam kradna dzieci...

MatkaPL 04:21

Kradną kobiety i dzieci!

Homar 04:22

ludzie jak my

Bella 04:22

Moży ty jestes taki sam, my Polacy jestesmy

PoliszKamikadze 04:23

....Tego co dzieci porwal za chu*ja i na sznur, w rynku wałbrzy-skim egzekucja jak w Chinach Aż szkoda, że Hitler przegrał wojnę. On by problem zlikwidował :/...

Zagłoba 04:23

Szacun

ZwykłyGość 04:24

Szacuj

SexyRacjonalistka 04:24

Ciebie by pierwszego hitlersprzątnał, katotalibański debilu, bo upośledzonych tez się pozbywal. co rok prorok u polskich katoli, a potem wyrasta bezmózgowiec rasista z fiutkiem jak fistaszek... Ciemnogród dzieci robi, pomnikistawia, a potem upilnowac nei umi, powinni wam w kościołach święcone gumki rozdawać... ale taki debil jak ty by zeżarć i popil winem z Biedronkji

PoliszKamikadze 04:25

....zal ze ciebie cyganska matka nie wyskrobala....

Studentka 04:25

No nie mogę. Takim jak wam buraki nieuczone potrzeba nowego hitlera, jestem przekonana, że gdyby taki zaistniał w obecnych czasach dzięki takim jak wy powstały by obo-zy zagłady. Jesteście buraczanym rasistowskim ścierwem Europy, wstyd Polsce przynosicie i to was powinno sie eks-terminować... nienawidzę was, co za ćwoki yak was nienawi-dzeeeeeeeeeeeeeeeeeeee

PoliszKamikadze 04:27

.....to nie rasizm!to patryjotyzm! brudasy won z Polski!!!....

Benek 04:27

Je****bac bruDasóww

Zagłoba 04:27

Studentki wielkie rozklapichy buahahaa

Polakzcroydon 04:28

A najbardziej się tupooszczaja wlasnie studentki na polaka nawet nei espojra

Polkazcroydon 04:29

Znam takich smieci jak ty wstyd nam tu przynosicie normalnym polakom brudasy bzykajcie sobie murzynki jak będą was chcialy hahahaha

Benek 04:30

Wszyscy nas POLAKOW olewaja

Zagłoba 04:30

Z góry lejom Olewaja

Bydlądynka 04:30

Komu okazać cipeczkę mruuuu?

NormalnaNiunia 04:31

Przez takie jak ty normalne kobiety gwałcą

RozaliaJasna 04:32

A ja zapraszam serdecznie na mój blog dotyczący rzeczy nadprzyrodzonych, jasnowidzenie, szukanie zaginionych. itp.: rozaliawidzijasnoscdusza.blogspot.com

Benek 04:32

Rozalia widzisz dupa? a chcesz w kakało?

WqrwionyPilot 04:34

!!!!!A u mnie na klatce nocuje bezdomny cygan i złośliwie robi wielka smierdzaca KUPE!!!!! Na strarz dzwonie pisze dospoldzielni ze trzba problem zlikwidowaCOLEWAJA mnie!!!!!!!!!!!!!!!!!!! !!!

ProfessorHab. 04:35

Rząd ŚWIATOWY zdecydował, że Polaków ma być 15 mln i to zdrowych pachołków żydowskich.... Tych którym zależy na ZAGŁADZIE POLSKI poznać można bardzo łatwo.... Ich dane są w numerach PSL.... SZUKAJCIE siódemek i zwłaszcza dziewiątek, a otworzą wam się OCZY. Dziś mamy w Polsce jedynie zaledwie niespełna 29% prawdziwych zdrowych Polaków. Znikniecia rdzennie POLSKICH DZIECI nie sa bez swojej przyczyny. Dosięgly nas macki, giniesz nękana Polsko! Zobaczcie na youtubie MASONSKI spisek W PESELACH (po polsku).

WqrwionyPilot 04:36

A KUPE kto posprząta?!?1?1?1!?!/1/1!/?//////???? Trzy LISTY- do spółdzielni beez odpowiedzi!!1 to się nazywa ignorancja uczciwego człowieka!!!!!!!!!!!!!!!!!!!! !!!!!!!!111

PoliszKamikadze 04:37

....ja bym te zydowkiza giry pzrywiazal do samochodu i ciągnął az by sie przysnaly do uprowadzenia...

PoliszKamikadze 04:37

....cyganów na ruszt spalic i zniszczyc ten syf yganie to smrud i zaraza Polski odnowic trzeba w ocyźnie NASZEJ przednówek chrzescianstwa. ....

Nawalilemsię 04:39

aja tylko się wypowiem zenienawidzę rusów ale to wóda prze- zarte bynawet kota porwac nei umialo

Zagłoba 04:40

Czarny kot mi przebieg droge ach co to za pech wyrwe kotu z dupy noge niech biegnie na trzech

Benek 04:41

zydy cygany siersciuchy do gazu

Homar 04:41

ocalić

ProfessorHab. 04:42

Jest jednakże faktem naukowym zeCygan jednak nie morduje tak jak Żyd. Terropryzm, napady na statki humanitarne, po- wodz w Pakistanie, TSUNAMI w Japonii kastrofa chalengera, plajta banków, AIDS, WTC........ można by wymieniać. Cala prawda o domniemanych polskich mordach będzie w mojej książce..... Drzyjcie zdrajcy OJCZYZNY Wiecj na ten temat GOOGLE spisek żydowski światowyalbo żydowskie matactwa (tylko po polsku]

Benek 04:43

Zydoska maca żez niewiniatków

Napalony 04:43

Już ja cie Benk wymacam

Benek 04:45

Won do palestyny pi*do cyganska!!!11

Zagłoba 04:45

Cygany Zapraszamy na grilla!!!!1!1!buahaha

PoliszKamikadze 04:46

..kopa w d*pe i do piachu pPrawo.... Dawrina

Benek 04:47

Do gazu ich do gazu

WqrwionyPilot 04:48

A KUPE kto posprząta?!?1?1?1!?!/1/1!/?/////????? Dzwonie, pisze, że potrzebne ostateczne rozwiązanie problemu kupy, ignorują mnie, wy tez mnie ignorujecie

Doktor 04:48

Następny proszę!

Benek 04:48

Wszyscy nas POLAKOW olewaja

Zagłoba 04:49

Z góry lejom Olewaja

WqrwionyPilot 04:50

A KUPA pytam KUPE kto posprząta?!?1?1?1!?!/1/1!/?/////?????? ?? ??? ????????

NiezadowolonyPolak 04:50

kawka papieroski a MY na nich pracujemy

GościuZwąsem 04:51

Nic innego nie umieja jak tylko krasc, zebrac i chandlowac wczesniej porwanymi polskimi dziewczynami

PoliszKamikadze 04:51

Gwalca kradna i rabuja

GościuBezWąsa 04:51

Nigdzie nie pracują a jeżdżą mesiami!!!!!!

MatkaPL 04:52

dzieci pedofilom Bułgarskim sprzedają

Zagłoba 04:52

Brudasy ciapate leniwe

Benek 04:53

TRZEBA POWYRZUCAĆ TEN gNÓJ!!!!1

WqrwionyPilot 04:53

KUPAKUPA KUPAKUPAKUPA KUPA KUPAKUPAKUPAKUPA KUPA!!!!!

NiezadowolonyPolak 04:53

kawka papieroski a MY na nich pracujemy

GościuZwąsem 04:54

Nic innego nie umieja jak tylko krasc, zebrac i chandlowac wczesniej porwanymi polskimi dziewczynami

PoliszKamikadze 04:54

Gwalca kradna i rabuja

GościuBezWąsa 04:54

Nigdzie nie pracują a jeżdżą mesiami!!!!!!

MatkaPL 04:55

dzieci pedofilom bułgarskim sprzedają

Bella 04:55

Brudasy ciapate leniwe

Benek 04:56

TRZEBA POWYRZUCAĆ TEN gNÓJ!!!!1

WqrwionyPilot 04:57

K K K K K K K K KK KK K K K K K K K

!!!!!!!!!!!!!!!! U U U U U U U U U U U U UU U U U !!!!!!!!!!!!!! R R R

R R R R R R R R R R R R R !!!!!!!!!!!!!!!!!!!!!! W W W W WW W W W

W W W W W W !!!!!!!!!!!!!!!!!!! A A A A A A A A A A A A A A A A A

A A aaarghhhhhHHHH!!!!!!!!!!!!!!!!!!!!!

Homar 04:57

Witaj, Alicjo.

Przez chwilę patrzyłam w ekran z niedowierzaniem. Szary blask świtu wsączał się do kuchni i lśnił jak rtęć. Od nieszczelnych okien ciągnął chłód.

Homar 04:58

Do Ciebie mówię, Alicjo. Długo czekałem

Gość 04:58

Iccie se qrwa na seksi kamerke

Podniosłam ręce na klawiaturę i wystukałam:

Alicja 05:00

Kim jesteś?

Bieg przez las

Odczekałam jeszcze dziesięć minut przed ekranem, ale od Ho-Homara nic więcej się nie dowiedziałam. Forum zamarło, wszyscy poszli spać syci, znużeni rozszarpywaniem padliny. Uwierało mnie dojmujące przeczucie, że powinnam się domyślić, kim jest mój rozmówca z sieci. Jednak nikt nie przychodził mi do głowy, bo nie sądzę, bym mogła zostawić tu w czyimś sercu ślad żywy do dziś. Nigdzie nikt na mnie nie czekał ani ja na nikogo nie czekałam. A jednak Homar zwrócił się do mnie i być może to on czaił się tej nocy w moim ogrodzie.

Miałam zesztywniały kark, moje mięśnie domagały się ruchu. Codziennie biegam dziesięć kilometrów i ta godzina wolności, gdy czuję swoje ciało i jego siłę, daje mi pewność, że przetrwam kolejny dzień, noc, kolejną bolesną historię, jaką ktoś mi opowie, domagając się zrozumienia, które zawsze mam przy sobie, jak lekarz stetoskop, i pomocy, której często nie jestem w stanie udzielić. Wiem, że świat jest pełen piwnic Josepha Fritzla i że większość pozostanie zamknięta. Będą w nich umierali ludzie i zwierzęta. Jestem tylko reporterką. Moja praca polega na zbieraniu opowieści i wypuszczaniu ich między ludzi. Każdą cudzą opowieść wyprawiam w drogę, by sobie radziła sama. Na tym kończy się moja rola. Powtarzam te mądrości jak mantrę i równie często w nie wątpię. Czuję się wtedy bezsilna, ciężka i nieruchoma jak kamień. Nieraz myślałam w pracy, żeby wrócić do domu, i mimo że była o wiele słabsza, dotrzymywała mi kroku, moje stopy bezbłędnie trafiały w jej ślady zostawione pod warstwą martwych liści. Dowiedziałam się o śmierci ojca na kilka dni przed obroną pracy magisterskiej i mój ówczesny chłopak, Radek, ciemnowłosy chudzielec piszący piękne wiersze albo przynajmniej takie, które wtedy wydawały mi się piękne, przywiózł mnie na motorze z Wrocławia. Wtulona w jego plecy, chciałam zostać w tym pędzie, wiecznie w drodze, pod słońcem zatrzymanym tuż nad horyzontem w kolorze jagód kaliny. Gdy dotarliśmy na miejsce, a pan Albert objął mnie i przytulił, nie mogłam zrozumieć, dlaczego zachowuje się tak melodramatycznie, skoro Radek i ja wpadliśmy po prostu na weekend. „Wejdź do taty", powiedział i w końcu dotarło do mnie, że nie mam już ojca i zostałam sama, jedyna ocalona z rodziny. Alicja niedobitek. Uroczystości pogrzebowe były pomysłem pana Alberta i dziś jestem mu wdzięczna za cygańskie melodie grane wtedy nad potrzaskanym ciałem, z którego dusza mojego ojca przeprawiła się na tamten świat, i nie ma znaczenia, że nie wierzę ani w istnienie zaświatów, ani duszy. Pan Albert zabrał ciało mojego ojca ze szpitalnej kostnicy do domu i to on postanowił, że pożegnamy go tak, jak robiono to na Wschodzie, skąd pochodziły ich rodziny. Gdy po wojnie przybyli na Ziemie Odzyskane, moi dziadkowie i rodzina pana Alberta zajęli sąsiadujące ze sobą domy, chociaż przedtem dzieliła ich społeczna przepaść. Matka pana Alberta do końca życia nosiła na głowie kwiecistą chustkę i nigdy nie pozbyła się śpiewnego akcentu. Moja babka, kobieta zasadnicza i zimna, po której odziedziczyłam stanowczy podbródek i zamiłowanie do porządku, do końca życia wzdychała, że mieszka na jednej ulicy i spotyka się w sklepie z kimś, kto kiedyś kłaniałby jej się w pas i nie śmiał siadać w tej samej ławce w kościele. Zmarła przed moimi narodzinami, tylko Ewa ją trochę pamiętała i naśladowała jej wyniosły starczy ton. Mimo niechęci naszej babki do plebsu mój ojciec i pan Albert byli przyjaciółmi i ta przyjaźń trwała aż do momentu, gdy jakiś czas przed śmiercią ojca pokłócili się o coś, o czym żaden nie chciał ze mną mówić. Jednak pan Albert jeszcze raz udowodnił swoje przywiązanie i lojalność, gdy po wypadku zajął się wszystkim i zadbał o mnie, osieroconą raz jeszcze, po raz ostatni. Ojciec zginął przysypany gruzem w jednym z korytarzy pod Zamkiem Książ. Chciał przedrzeć się przez zwalisko i użył materiału wybuchowego, który sprawił, że strop się zapadł, miażdżąc mu kręgosłup i nogi. Gdy wyszłam z odrętwienia spowodowanego żałobą, odczułam zawstydzającą ulgę, bo oprócz ojca nie miałam żadnej rodziny, a to znaczyło, że jeśli się postaram nie przywiązywać, nikogo więcej nie utracę.

„Musisz być silna", powiedział pan Albert, gdy wyjeżdżałam z Wałbrzycha po pogrzebie, i wkrótce jego radę potraktowałam bardzo dosłownie. Chłopiec, który przywiózł mnie wtedy na motorze, Radek poeta, wrócił do Wrocławia, bo zdałam sobie sprawę, że nie łączy nas nic silnego na tyle, bym chciała, aby towarzyszył mi w żałobie. Po latach dowiedziałam się przypadkiem, że stał się zamożnym człowiekiem, właścicielem lokalu weselnego w New Jersey, i że ciągle jeździ na motorze. Gdy umarł mój ojciec, byłam dwudziestoczteroletnią chuderlawą dziewczyną, która paliła dużo mocnych papierosów i często chorowała. Miałam miękkie uda i wałeczek tłuszczu na brzuchu, mimo iż sprawiałam wrażenie kościstej. Ciągle kasłałam z powodu niedoleczonych przeziębień i zabójczego dymu carmenów, których paczkę zawsze miałam przy sobie. Wydawałam się sobie brzydka i nieporadna. Wróciłam do Wrocławia tylko po to, by spakować ubogi dobytek, i oddałam gospodyni klucz od pokoiku w starej willi na Krzykach, do którego wchodziło się przez garaż i który był tak wilgotny, że na suficie wyrósł dziwny, opalizujący w ciemności grzyb. Pojechałam do Warszawy, bo tam jechał najbliższy pociąg ze stacji Wrocław Główny. Znalazłam pokój w rozpadającym się i wszystkich, nikt nie zwrócił na mnie uwagi, gdy weszłam. Nic mnie tu nie trzymało i nie miałam dokąd wracać. Ogarnęło mnie poczucie klęski i bezsiły. Moje życie niedobitka wydało mi się niegodne dalszych starań i pomyślałam, że nie zostawiłabym nic wartego zachowania ani nikogo pogrążonego w rozpaczy, gdybym skoczyła z jednego z wieżowców na Jelonkach.

Wyszłam przed dom bez kurtki, w starych sportowych butach, swetrze i spodniach, które miałam na sobie w budce z zapiekankami, poczułam, jak smród taniego sera i keczupu wsiąka w późnojesienne powietrze miasta, wyobraziłam sobie, jak jego resztki zdmuchuje z moich włosów pęd powietrza między dziesiątym piętrem a betonowym chodnikiem na dole. Ruszyłam w kierunku bloków na Jelonkach i nie zauważyłam, kiedy mój marsz samobójczyni zmienił się w bieg. Zaczęłam biec nieświadomie i tak nagle, jakby ktoś trzepnął mnie w plecy, i w tym biegu stało się coś, czego nadal do końca nie rozumiem. Tam było coś jeszcze, wtedy przyszły mi do głowy te słowa i do dziś wydają mi się najwłaściwsze dla opisu sytuacji. Tam było coś jeszcze. Najłatwiej powiedzieć, że to we mnie obudziło się coś jeszcze oprócz niedobitka cuchnącego zapiekankami i zapragnęłam to ocalić, ale czymś jeszcze przeniknięte było też powietrze, cały świat pełen spalin, listopadowej wilgoci i psich gówien na trawnikach. Biegłam wśród drewnianych domków niezdarnie i ciężko, w gardle zbierała mi się lepka wydzielina, środek ciała wydawał się straszną kulą żółci i tłuszczu, a nogi i ramiona poruszały się w osobnym rytmie. Nie poddałam się jednak. Coś mnie gnało. Tamtej nocy napisałam tekst o klientach budki z zapiekankami i zaniosłam go do redakcji gazety, w której chciałam pracować. Piękna rudowłosa sekretarka popatrzyła na mnie z mieszaniną litości i rozbawienia, bo w tych czasach sprzed ery ogólnodostępnego internetu takich gości z maszynopisem pod pachą mieli co dzień wielu. Po trzech dniach zadzwoniła do mnie szefowa działu reportażu, która przez następne lata patrzyła, jak z niedobitka od zapiekanek staję się Alicją Pancernikiem. Nigdy jej nie powiedziałam, że uratowała mi życie, ale nigdy jej też nie zawiodłam. Czasem wyobrażałam sobie, i te rojenia wprawiały mnie w zakłopotanie, że jest moją matką.

Zaczęłam biegać, początkowo, żeby zrozumieć, co mnie spotkało tamtego wieczoru, a potem dla przyjemności i rosnącego poczucia mocy. Najpierw kilometr był wyczynem, po którym kucałam pod prysznicem, bo zemdlałabym na stojąco, ale po kilku tygodniach nogi i ramiona odnalazły wspólny rytm i okazało się, że pod moim cherlawym ciałem o spiczastych kolanach i łokciach ukrywało się inne, silne, twarde i szybkie. Dotykałam świeżo wykształconych mięśni, twardego brzucha i odnosiłam dziwne wrażenie, że jest to kryjówka, w której przechowuję coś, co dopiero teraz powoli nabiera kształtu i rośnie jak płód. W tym czasie zaczęłam odczuwać seksualne pragnienie, którego mimo kilku nieznaczących przygód podczas studiów wcześniej właściwie nie znałam. Nie miałam potrzeby bycia z kimś, ale moje obudzone, rozruszane ciało pragnęło innego ciała. Chciałam czuć inny żywy język, brzuch i uda, tylko tyle. Nie wyobrażałam sobie siebie w nocnych klubach czy hotelowych barach, ale odkryłam, że łatwo jest znaleźć mężczyznę w supermarkecie późnym wieczorem i że chyba nikt przede mną na to nie wpadł. Szukałam zagubionych wśród półek mężczyzn o ładnych dłoniach i łagodnych twarzach, wygląd, wiek i poglądy polityczne były mi obojętne. Na ogół wydawali się tak zaskoczeni, że ktoś ich podrywa w dziale makaronów czy warzyw, i nadzwyczaj łatwo udawało mi się osiągnąć, co chciałam. Przeciętność mojego wyglądu była atutem, bo kobieta brzydka naraziłaby się na przykrości, a piękna na podejrzliwość. Jechaliśmy do najbliższego hotelu albo uprawialiśmy seks w samochodzie zaparkowanym w jakimś ustronnym miejscu. Często mówiłam tym mężczyznom, że mam na imię Ewa.

Biegałam alejkami wśród betonowych domów, które w ciemności wyglądały jak monstrualne statki pasażerskie, zdane na łaskę żywiołów, dryfujące ku zagładzie niczego nieświadomych pasażerów. Po zmroku nikt nie odważał się tu na spacery, a koło trzepaków stały nieraz grupki młodych mężczyzn i nie lubiłam ich wzroku, zaczepek i wulgarnych słów, nie lubiłam też mieszaniny agresji i lęku, jaką we mnie wzbudzali. Byłam coraz szybsza, ale im czułam się silniejsza, tym gorzej znosiłam wciąż obecny strach, gdy za plecami słyszałam czyjeś kroki. Wiedziałam, że ten strach dotyczy nie tylko groźby gwałtu, fizycznej przemocy, ale czegoś nienazwanego, co pojawiało się wówczas w powietrzu jak ektoplazma z opowieści Ewy. „Kotojady", przypominałam sobie imię, jakie specjalnie dla mnie, dociekliwej młodszej siostry, wymyśliła na to, co ją dręczyło. Kotojady czaiły się na Jelonkach, czułam ich oddech. „Bardzo trudno mi wytłumaczyć, czym są", mówiła moja siostra. „Istnieją naprawdę, ale jeśli powiem, że kotojady to te i te osoby, to będzie za mało. One nigdy nie są po prostu tylko panem X albo panią Y. Są jak kłącza. Potrafią w uśpieniu przetrwać zimę, potrafią przetrwać ogień". Zaczynałam rozumieć, co moja siostra miała na myśli. Po roku pracy w redakcji napisałam swój pierwszy duży reportaż. Kiedy rano kupiłam gazetę w kiosku i zobaczyłam swoje nazwisko, uświadomiłam sobie, że nie mam z kim świętować sukcesu.

Opowiedziałam historię zwariowanej karmicielki kotów, Dzikiej Baśki, jak ją nazywano na Jelonkach. Nieraz widywałam jej niewielką samotną postać z kraciastą torbą pełną jedzenia dla bezdomnych zwierząt, gdy przecinałam zakosami betonową dzielnicę od ulicy Lazurowej do Powstańców Śląskich i z powrotem. Z jakichś powodów od początku jej obecność wydawała mi się uspokajająca, jakby ta kobietka wyrównywała w nocnej ciemności osiedla szale wagi, na której z jednej strony byłam ja, a z drugiej zagrażające mi cienie kotojadów. A przynajmniej chciałam wierzyć, że podział jest taki prosty i oczywisty. Rozpoznawałam ją z daleka, gdy nagle jak ćma wpadała w okrąg światła rzucanego przez latarnię. Niezależnie od pory roku ubrana była w szary jak kocia sierść paltocik i młodzieżowe różowe trampki, znalezione pewnie na jakimś śmietniku, które przeszukiwała z zapałem i nie bez przyjemności. „Tyle dobra, tyle dobra na marnację idzie", mamrotała pochylona nad szmatami, papierami, puszkami. „Kupują, kupują, a zeżreć nie mogą, tłuste brzuchy, wielkie gęby, puste łby", pomstowała. Z kieszeni Dzikiej Baśki zawsze wystawały worki foliowe, sucha karma sypała się za nią jak kozie bobki, znacząc trajektorię jej nocnych lotów. Zaczepiła mnie pierwsza. „Zmatkobożona, upocona!", rzuciła za mną i roześmiała się chrapliwie. Miała małe spiczaste ząbki. Od tego czasu zatrzymywałam się, a raczej przystawałam i podskakiwałam w miejscu, żeby z nią porozmawiać czy pomóc otworzyć jakieś piwniczne okno. Podziwiałam uprzejmie wygrzebane ze śmieci znaleziska, które pokazywała mi z dumą, i dyplomatycznie odmawiałam przyjęcia daru w postaci puszki napoczętego drobiowego pasztetu albo herbatnika. Dzika Baśka zawsze miała na głowie wielką włóczkową czapę opadającą na oczy i ta czapa wypchana gazetami uratowała jej życie, bo złagodziła cios zadany bejsbolowym kijem. Banda wyrostków spod trzepaka pobiła Dziką Baśkę tak, że na tydzień trafiła do szpitala, tylko dlatego że chciała im odebrać maltretowanego kocura. Żaden chłopak nie został pociągnięty do odpowiedzialności. „Zło odradza się jak karaluchy, za jednego zabitego przychodzi sześć", mówiła Baśka, gdy pytałam ją, dlaczego nie chce składać skargi, i nie wiem, co znaczyła jej odpowiedź, ale tak rozmawiało się z Dziką Baśką. Pamiętam jej zmasakrowaną twarz zasuszonej dziewczynki, nabiegłe krwią oko w opuchniętej tkance, szew na wardze i wygolony kawałek czaszki, na którym opatrunek wyglądał jak ekstrawagancki toczek. Po moim reportażu zgłosił się do niej tłum

wolontariuszy z torbami kociego żarcia, starymi kocami i pokła-
dami egzaltacji, które w kilku wypadkach okazały się trwałym
i autentycznym oddaniem kociej sprawie. Kiedy ostatnio pojechałam w odwiedziny do Dzikiej Baśki, moją toyotę zniszczyli ci
sami bandyci, którzy omal nie zabili kociary. Wchodząc do wieżowca na Jelonkach, czułam na sobie ich wzrok.

Wspomnienie Dzikiej Baśki przyniosło mi ulgę i poczułam
przypływ siły, jakby jej duch dopingował mnie do biegu. Pomyślałam, że zaraz po powrocie muszę ją znów odwiedzić w jedno-
pokojowym mieszkanku pełnym kotów i zadziwiająco czystym.
Jeździłam do niej na Jelonki raz w miesiącu i zawoziłam jedzenie, kocie i ludzkie, bo pieniądze Dzika Baśka zgubiłaby albo
komuś dała. Największą przyjemność sprawiało jej zagęszczo-
ne mleko w tubce, które od razu wysysała. „Kociumke, dziewczyno, kociumke", mówiła, „tyle się miłej dziczyzny zbiegło po
tym twoim pisaniu", i nie wiem, czy „dziczyzna" odnosiła się do
wolontariuszy, nowych bezdomnych kotów, czy obu gatunków
stworzeń. Dzika Baśka nie mówiła „dziękuję", tylko „kociumke"
(nie udało mi się potwierdzić istnienia tego słowa w żadnym
ludzkim języku), i raczyła mnie jakąś nową szaloną opowieścią,
w której koty i ludzie były równorzędnymi bytami komuniku-
jącymi się bez większych problemów. „Mówiły, że przyjedziesz",
oświadczała, otwierając drzwi, a gdy odpowiadałam z ironią,
że przy mnie koty są jakoś wyjątkowo małomówne, śmiała się
całym pyszczkiem, aż dostawała czkawki, jakbym powiedziała
coś wyjątkowo zabawnego. Najdziwniejsze było to, że na stole
stał staroświecki dzbanek, filiżanki i talerzyki przygotowane dla
dwóch osób oraz patera z herbatnikami, a mnie tak wzruszał
ten przejaw gościnności Dzikiej Baśki, że gotowa byłam zjeść
nawet ciastka, które znalazła na śmietniku. Podczas ostatniej
mojej wizyty Dzika Baśka wyglądała na przygnębioną i nawet
kilka tubek mleczka nie ucieszyło jej jak zwykle. „Wszędzie ich

pełno, koty to czują", szeptała. „Zeżrą nas, jeśli nic nie zrobimy, dziewczyno, zeżrą i nawet nie powiedzą «kociumke»". Myślałam, że Dzika Baśka mówi o pladze robactwa, która co jakiś czas atakowała Jelonki, podobnie jak każde inne niepoddane jeszcze pokomunistycznej kosmetyce blokowisko w Polsce. Co jakiś czas widziałam na Jelonkach eksterminatorów z przypominającymi odkurzacze pojemnikami pełnymi owadobójczej trucizny, ale wkrótce nowe chmary robactwa roiły się w gardzielach zsypów i rozpełzały po mieszkaniach. Teraz, gdy biegłam przez mleczny las u stóp Zamku Książ, pomyślałam nagle, że Dzika Baśka ostrzegała mnie na swój sposób przed o wiele poważniejszym niebezpieczeństwem.

Moje stopy miękko odbijały się od podłoża usłanego liśćmi i kolczastymi skorupkami buczyny. Ewa lubiła buczynowe orzeszki i teraz przypomniałam sobie ich cierpki smak, którego nie próbowałam od lat. Dotarła do mnie oczywista prawda, że za tym pejzażem tęskniłam we wszystkich miejscach świata, tym rodzajem tęsknoty, jakiego nie ukoi powrót, bo dotyczy ona rzeczy bezpowrotnie utraconych. Uświadamiam sobie, że wszystkie podróże, w które udawałam się kierowana wewnętrznym przymusem, podejmowałam za moją siostrę w złudzeniu, że gdy zobaczę to, co ona pragnęła zobaczyć, poczuję się mniej spustoszona i samotna. Rzadko używana ścieżka ginęła wśród chaszczy, las gęstniał i mimo iż wstał już świt, panowały tu mrok i cisza. Nie słyszałam nawet ptaków, jakbym była jedyną żywą istotą wśród starych drzew, krzewów kaliny i rododendronów, ulubionych roślin księżnej Daisy. Przez gęste korony buków nie widać było nieba, sączyło się stamtąd tylko nikłe szare światło. Wiedziałam, że to nie jest zwykły las, opowiadał mi o nim ojciec i pan Albert, opowiadała Ewa, która z racji swoich poszukiwań pereł księżnej Daisy przeczytała o tych ziemiach wszystko, co było do przeczytania w wałbrzyskiej Bibliotece pod Atlantami.

Las, przez który biegłam, był częścią kompleksu określanego przez nazistów kryptonimem Riese. W jego skład wchodziła sieć obozów koncentracyjnych podległych Gross-Rosen, które ulokowane były w Górach Sowich i Książu. Przez tutejsze obozy przeszło trzynaście tysięcy więźniów, pięć tysięcy zginęło i spoczywają w tej ziemi. „Ektoplazma to ich niespokojne dusze", mówiła moja siostra. Wszyscy więźniowie byli Żydami, pochodzącymi z wielu krajów Europy, w większości z Węgier i Polski. Pod koniec wojny Niemcy wykorzystywali ich do pracy przy budowie korytarzy pod Zamkiem Książ i bardzo dbali, by wszystko, co się tu wtedy działo, pozostało tajemnicą. Wiadomo było, że jeśli jakąś grupę skierowano do tego zadania, to nikt z niej nie mógł przeżyć. Ewa straszyła mnie, że w szabasowe noce ektoplazma w lesie pod Zamkiem Książ gęstnieje i o wpół do trzeciej z lasu wyłaniają się tłumy półprzejrzystych postaci o czerwonych oczach, wspinają się po ścianach jak pająki, pukają w okna domów, wpełzają do piwnic i walą w podłogi, proszą o szklankę wody, kawałek chleba, kartkę i ołówek, ale nikt nie słyszy ich głosu. Zostawiałyśmy dla żydowskich duchów chleb na parapecie i zawsze, gdy znikał, odczuwałam ulgę, nawet jeśli rozsądek podpowiadał mi, że okruchami pożywił się szczur albo ptak.

Ścieżka wciąż się wspinała, ale teraz bardziej wyczuwałam ją pod stopami, niż widziałam. Była zarośnięta i rzadko używana, na twarzy osiadł mi strzępek pajęczyny. Dobiegłam do szczytu wzniesienia i zatrzymałam się, by poćwiczyć na płaskiej łysinie. Przez nisko wiszące chmury przebiły się promienie słońca i ciemność lasu wydawała się dawno minionym snem, płonął teraz czerwienią i złotem. Widziałam stąd Zamek Książ. Trzy części budowane w różnych okresach płynnie przechodziły jedna w drugą i tworzyły całość majestatyczną i potężną, ale pozbawioną pruskiej ociężałości. „Najpiękniejszy, Alicjo", przypomniałam sobie głos ojca. Najpiękniejszy zamek świata, ojciec nigdy w to nie zwątpił, choć nie udało mu się poznać jego tajemnicy. Po ścianach wspinał się jesienny bluszcz i wydawało się, że budowlę trawi ogień, który podpełzł pod jej mury z ogarniętego pożarem lasu. W moim umyśle na mgnienie oka błysnął obraz ogniska rozpalonego na głównym dziedzińcu, tak wyraźnie, że poczułam zapach spalenizny, ale ten obraz nie był częścią żadnej sekwencji. Być może siostra opowiadała mi jakąś historię, której okruch pozostał w mojej głowie, jeden z wielu fragmentów jej porozsypywanych opowieści. „Tu spacerowała Daisy, Wielbłądko", Ewa z przejęciem naśladowała dostojny krok damy, wachlowała się nieistniejącym wachlarzem. „Latem w brabanckich koronkach, zimą w merynosach, a jesienią ubrana jak my księżna Daisy zbierała kasztany", moja siostra mówiła o tym tak, jakby w poprzednim wcieleniu przebywała stale w towarzystwie ostatniej pani na Zamku Książ. Patrzyłam w stronę zamku i myślałam o Ewie, która podnosiła brązową lśniącą kulkę i cieszyła się, kiedy znalazła masełko, kasztan z płaską powierzchnią, przyklejony do swojego bliźniaka w łupinie. Pomagała mi robić kasztanowe zwierzątka o nogach z zapałek. Odczuwałam dziwny żal, gdy po kilku dniach ich lśniące brzuszki i główki kurczyły się i wysychały, przechodząc przyspieszony proces ludzkiego starzenia się. „Tu", mówiła Ewa i stukała w ziemię, „tu gdzieś są perły księżnej Daisy, przyłóż ucho i słuchaj, perły czasem śpiewają w ciemności, to ich sposób, by nie stracić blasku". Kładła palec na usta. „Słyszysz?". A gdy klękałam, by przyłożyć ucho do ziemi, moja siostra zaczynała nucić.

Do dziś nie wiadomo, gdzie spoczywa ostatnia pani na Zamku Książ. Rosjanie, którzy wkroczyli tu w maju 1945 roku, zapamiętale szukali jej grobu, licząc na to, że pochowana została w słynnych perłach. Jednak wcześniej jej zwłoki przeniósł i ukrył wierny sługa, o którym krąży w okolicy wiele legend. Nie wiadomo, kim był, i mimo poszukiwań nie udało się znaleźć księżnej Daisy. Symboliczne miejsce jej pochówku, małe mauzoleum u stóp Zamku Książ, jest puste. Poszukiwacze przygód, jak mój ojciec, do dziś błąkają się wśród drzew z pożółkłymi mapami i liczą kroki według tajemnych szyfrów, ale dotąd nie trafili na żaden pewny ślad. Wiosną kwitną w całym lesie rododendrony, które lubiła Daisy, i gdy kiedyś rozeszła się plotka, że pod jednym z krzaków ukryty jest naszyjnik, ludzie wiele roślin zniszczyli. Jakimś cudem na ich miejsce pojawiły się jednak nowe i wiosną znów zakwitły. W opowieści o Zamku Książ i jego pani jest coś, co i mnie zawsze pociągało. Księżna Daisy intrygowała mnie dlatego, iż sądziłam, że gdy pojmę tajemnicę uroku pani na Zamku Książ, zrozumiem, co czuła moja siostra, za czym tęskniła. Dzięki opowieściom Ewy ta kobieta, która umarła na długo, zanim się urodziłam, stała się dla mnie równie realna, jak dla innych dzieci ciocie i wujkowie z sąsiedniego miasta. Ewa potrafiła mówić o niej godzinami, o balach i kuligach, sukniach i romansach Daisy, ale nigdy nie mówiła o naszej matce, którą w przeciwieństwie do mnie musiała przecież pamiętać. Gdy prosiłam: „powiedz, jaka była mama", zaczynała wygłupiać się i dziwaczyć albo stawała na czworakach i udawała wielbłąda, „wskakuj, siuśmajtko!", wołała i temat naszej matki ginął pod tupotem dromadera.

Coś poruszyło się między drzewami i pomyślałam, że to zawirowanie mgły i porowata ciemność kory, ale po chwili zdałam sobie sprawę, że nie jestem sama. Poniżej polany gęstniejącej szarości przypatrywała mi się jakaś postać. Dzieliło nas pięćdziesiąt metrów, może trochę więcej, wbiegłam między drzewa, ale we mgle, która zalała las ze zdwojoną siłą, odległość nagle wydłużyła się, jakby przestrzeń i czas obowiązywały tu inne prawa. Biegłam w dół wzgórza najpierw niewyraźną ścieżką, którą wkrótce zgubiłam w pożółkłych trawach, i wciąż wydawało mi

Taka pootwierana siadam naprzeciw człowieka, z którym mam przeprowadzić wywiad. Słuchając Lynne Dawson wcielającej się w Dydonę opuszczoną przez Eneasza, pojechałam przez znów tonące w deszczu ulice na Nowe Miasto, gdzie mieszkała Barbara Mizera.

Ta dzielnica, rozciągająca się na Parkowej Górze i Niedźwiadkach, powstała jako luksusowa i nowoczesna część Wałbrzycha, ale po wojnie szybko zeszła na psy. Jedno z najładniej położonych i najciekawiej zaprojektowanych osiedli, które trafiło się Polsce z drugiej ręki, powoli stawało się slumsem, ale Nowe Miasto nadal miało urok niczym zniszczone ciało rozpięte na szlachetnie uformowanych kościach. Ludzie uciekali stąd w niezrozumiałym pośpiechu do przerażających bloków z wielkiej płyty, jakby z pięknych kamienic wypłoszyły ich duchy poprzednich właścicieli. Kiedyś 22 Lipca, teraz 11 Listopada, ulica zmieniła nazwę, ale wyglądała niemal dokładnie tak samo jak wówczas, gdy przychodziłam dwa domy dalej do koleżanki z klasy, Małgosi, której miałam pomagać w lekcjach w ramach ambitnego pomysłu młodej nauczycielki. Małgosia mieszkała z babcią w jednym pomieszczeniu, wydzielonym z obszernego mieszkania. Stojąca w kącie miska bez przekonania odgrywała rolę łazienki, wspólna toaleta była na korytarzu, straszliwa dziupla z gazetowym papierem porwanym na kawałki i wiszącym na gwoździu. Kiedyś śmiertelnie przeraził mnie tam jakiś mężczyzna, śpiący na siedząco, z opuszczonymi spodniami i słoikiem ogórków kiszonych na kolanach. Na parterze był sklep spożywczy, teraz zabity deskami, w którym kupowałam landrynki pakowane w papierową tutkę i potem jadłyśmy je z Małgosią. Poczułam teraz na języku ich ostry kwaskowy smak. Dziewczynka była sierotą, cierpiała na padaczkę i za nic nie potrafiła zrozumieć, na czym polegają ułamki i do czego może jej się przydać wiedza o częściach zdania, bo zapewne niełatwo pojąć, co to podmiot, gdy zawsze było się popychadłem. Dzieci w szkole nazywały Małgosię Małpiata, bo jej twarz o niskim czole i zrośniętych brwiach przypominała im bliskich kuzynów człowieka. „Małpiata, Małpiata dupą trzęsie, w koło lata", wołali i naśladowali jej ataki padaczki, a ona uśmiechała się niemądrze, bo nie rozumiała, że jest przedmiotem drwin. Pamiętam, że jej broniłam, i pamiętam, jaką odrazę budziły we mnie jej obgryzione do żywego mięsa paznokcie i zwyczaj dotykania kilku landrynek, zanim wybrała jedną, zawsze czerwoną.

W bramie, przy której zatrzymałam samochód, siedziało na schodach dwóch wyrostków, pluli na chodnik w zgodnym duecie, a atmosfera zniechęcenia podszytego złością emanowała od nich tak silnie, że wzdrygnęłam się, jakby dotknęła mnie jedna z pacyn plwociny. Jakaś dziewczynka ubrana od stóp do głów na różowo stała nieopodal z wózkiem dla lalek i kołysała go z zapamiętaniem w sposób perfekcyjnie imitujący ruchy prawdziwych matek. Odruchowo uśmiechnęłam się na jej widok, ale buzia dziewczynki pozostała poważna, popatrzyła na mnie badawczo, odwróciła się i pomknęła chodnikiem z terkotem plastikowych kółek, jakby miała za zadanie kogoś powiadomić, że już tu jestem. Światło paliło się na co drugim piętrze i musiałam niekiedy dotykać poręczy, by się nie potknąć, schody były wytarte przez stopy niemieckie przed wojną i polskie po wojnie. Ścian, upstrzonych do połowy białymi łatami olejnej farby, nie odnawiano od kilkudziesięciu lat. Domy są w tym kraju używane jak buty, dopóki się nie zedrą, potem się je porzuca. Sprawdziłam w elektronicznym kalendarzu numer, Barbara Mizera mieszkała na ostatnim piętrze. Wspinaczka zajęłaby mi mniej czasu, gdybym nie przystawała, by wyobrazić sobie w tym otoczeniu postać sześcioletniej Andżeliki Mizery, sądząc po jedynej fotografii, jaką miałam, dziewczynki niezbyt ładnej, co pomyślałam z tym ściskającym serce żalem, jaki budzą brzydkie dzieci w świecie tak wysoko ceniącym urodę. Wiem, co mogła czuć, bo sama nie należałam do najładniejszych w klasie. Przed drzwiami mieszkania Barbary Mizery stał połamany dziecinny rower, skrzynka z pustymi butelkami i dwa worki śmieci. Na drzwiach był ślad po wizytówce, przyklejony na nim plaster z odręcznym napisem „Mizera", wyglądał, jakby chronił ranę. Nagle szczęknął zamek, ale to nie Barbara Mizera była taka czujna. Jej sąsiad z lewej wyjrzał na korytarz.

– Kurwa się mi tu kręcą cały dzień – warknął na przywitanie.

– Dzień dobry panu – odpowiedziałam. Znad łańcucha spojrzały na mnie szare, jakby naoliwione, oczy starszego mężczyzny w kalesonach i rozciągniętej koszulce z napisem „Monachium 1972". Była tak poplamiona, jakby zdarł ją z trupa zmasakrowanego wtedy sportowca.

– Kurwa karaluchy nam tu sprowadza kary na nich nie ma – warknął bez znaków przestankowych. Może był bratem Zebrokoziej z pociągu. Zanim zdążyłam o cokolwiek zapytać, rzucił: – Nie będę z kurwą gadał – i trzasnął drzwiami.

Nie wiem, czy o nierząd i plagę robactwa obwiniał mnie, czy Barbarę Mizerę. Z jej mieszkania dobiegał dźwięk telewizora, który zaryczał nagle jak śmiertelnie zranione zwierzę. Dzwonek nie działał i dopiero za drugim razem matka Andżeliki usłyszała moje pukanie.

Niewysoka kobieta w kształcie gruszki. Wszystko w niej ciążyło: oklapnięte włosy, opadające kąciki oczu i ust, tkanka tłuszczowa spływająca ku biodrom i udom, spiętrzona w morenę czołową na brzuchu, stopy niczym dwie uziemiające ją kule wbite w futrzane kapcie. Żółte włosy, odrosty tłuste jak świeża ziemia, dżinsy i bluza ze Snoopym, którego histerycznie radosna mina była dziwnie nie na miejscu w tej sytuacji. Blisko osadzone oczy, takie same jak u zaginionej córki, patrzyły na mnie nie do końca wrogo. Jej spojrzenie przywodziło na myśl kobiety zastanawiające się przed gablotą w mięsnym, czy wziąć na obiad karkówkę, czy może jednak tańsze wątróbki drobiowe.

– Nazywam się Alicja Tabor. Jestem dziennikarką. Rozmawiałyśmy przez telefon.

Wpuściła mnie. Przedpokój był wąski i ciemny, kątem oka zauważyłam wnętrze pierwszego pokoju, za którego przymkniętymi drzwiami ktoś leżał w rozbebeszonym łóżku, dostrzegłam dwie duże stopy o stwardniałych podeszwach, żółtawych jak zeschła skórka cytryny. W drugim pomieszczeniu bawiły się dzieci, słyszałam w tle ich piskliwe głosiki, i to stamtąd dudnił telewizor. Usiadłyśmy w kuchni przy stole nakrytym ceratową imitacją szydełkowej serwety. Była lepka i unosił się nad nią nieprzyjemny zapach brudnej ścierki. A więc gospodyni włożyła odrobinę trudu w przygotowania do tej wizyty, pomalowała sobie oczy, pokryła środek twarzy ciemnym pudrem i wytarła stół. Leżała na nim paczka papierosów i fajansowa popielniczka w kształcie przewróconej na plecy kobiety z rozłożonymi nogami. W jej rozwartym brzuchu tkwiły dwa niedopałki jak zwęglone płody bliźniaków. Telewizor ryknął i w ślad za rykiem posypała się kaskada przedmiotów. Barbara Mizera nie drgnęła. Wyjęłam dyktafon.

– Co pani chce jeszcze wiedzieć? – Matka Andżeliki odkaszlnęła. – Chrypę mam – powiedziała i sięgnęła po papierosa. Zapaliła z wprawą i pstryknęła zapałką popielniczce w brzuch. Pokręciłam głową, gdy wyciągnęła paczkę w moją stronę.

– Chciałabym wiedzieć wszystko.

– Wszystko? – Gdy pochyliła się nad stołem, poczułam w jej oddechu alkohol i trawione mięso. – Wszystkiego to ja nawet na spowiedzi nie powiem! – Mrugnęła do mnie i wykonała taki gest, jakby zaszywała sobie usta.

Chciałam zrozumieć, co się stało, tylko to się liczyło, więc nie mogłam sobie pozwolić na nielubienie Barbary Mizery, która patrzyła na mnie wyczekująco. Tylko udawała, że jej się nie chce, naprawdę przepełniała ją chęć mówienia i wyraźnie patrzyła na moje uszy. Po piętnastu latach pracy wiem, że gdy ktoś spogląda na moje uszy, będzie mówił. Chyba moja niepozorność sprawia, że tylko te lekko odstające uszy przykuwają uwagę rozmówców, a co może być lepszego dla reporterki?

– Od dawna pani tu mieszka?

– Od dziecka, jak mnie ze szpitala przynieśli, tak mnie dopiero nogami do przodu wyniosą, jak moją mamusię. Dziadkowie tu po wojnie trafili jak kulą w płot.

– Skąd?

– Spod Radomia. Tam ziemię mieli, ziemi kawałek, teraz by sprzedać można pod osiedle, pod centrum handlowe, pod coś sprzedać, zhandlować można, kawałek lasu na dodatek, w lesie grzybki, rydze, kurki, opieńki, Niemcy grzyby polskie lubią, a tu gówno. – Zakaszlała, jakby utracone morgi, grzyby i plany ich sprzedaży Niemcom utknęły jej w gardle, i dodała: – Gówno w kokilkach.

– W kokilkach? – upewniłam się.

– Gówno to gówno. – Barbara Mizera wzruszyła ramionami. – Inni domy pobrali, babka mówiła, w domach wszystko mieli pod nos podane, łóżka posłane, stoły zastawione, pełne spiżarki, że tylko wchodzić i żyć, tak się trafiło, innym poszczęściło, a tu gówno było.

– Dlaczego tak się stało?

– Zabradziażyli, coś zgubili, z papierami pokręcili. Tak czy siak, spóźnieni moi byli, pokrzywdzeni, a do tego, co najgorsze, jeden Żyd ich wziął i już tu na miejscu oszukał.

– W jaki sposób? – chciałam wiedzieć.

– Babka miała w słoikach smalcu monety złote schowane na posagi, ze skwarkami, na pogrzeby, złote monety carskie, cesarskie na czarną godzinę. Tak ją omotał, tak zagadał, sprzedała mu

za bezcen, przepadły. Raz jej Cyganka w Radomiu jeszcze wywró-
żyła, że jak w drogę ruszy, to szczęścia nie znajdzie, i do końca życia w tej kuchni moja babka siedziała i żałowała. – Barbara Mizera
zatoczyła ręką krąg, w którym znalazła się kuchnia z szafkami
Gertrud albo Elke, antyczny metalowy zlew i kiczowaty obrazek
z kotkami w koszyku wiszący nad nim, też po przedwojennych
lokatorach. Najwyraźniej dwa kolejne pokolenia również się sku-
piły na żałowaniu tamtego smalcu ze złotymi monetami.

– Ale pani tu została.

– Chciała, nie chciała, wyszło, że została – westchnęła do
rymu matka Andżeliki. – Nigdy nie dostaniemy lepszego mieszkania. Możemy zdechnąć z głodu, ale co to kogo obchodzi, wytruć
nas mogą, wodą zatrutą zalać jak kopalnie, rozszarpać, pozamykać, rozprzedać za granicę i kopa w dupę na do widzenia, a nie
mieszkanie.

– Inni dostają mieszkania?

– A jak! – przytaknęła Barbara Mizera. – Po kilka mają, i to
jakie, na błysk odstawione, odpicowane, w blokach na Piaskowej
Górze, na Podzamczu, a kto się uczciwie takiego majątku dorobi?

Pytanie pozostało retoryczne. Barbara Mizera pochyliła się
do mnie i tonem spiskowca wyznała:

– Woda leci czarna jak spalona i cuchnie zbukami, w wodzie
pod światło jakieś farfocle, czarne włosy, chińskie włosy, broń
biologiczna. Trują nas! Biednego najłatwiej wydupczyć, a jak
biedny zdechnie, nawet mu kulawy Cygan nad trumną nie za-
śpiewa.

Coraz bardziej podobał mi się język Barbary Mizery, z jej ust,
suchych jak dwa kawałki kory, słowa płynęły na dymnych falach
coraz pewniej i ciągle spoglądała na moje uszy. Wyglądała na
zadowoloną, że nadal są na swoim miejscu.

– Dzieciom się na gardło rzuca, na żołądek, na płuca, paznokcie im kwitną wiosna, lato, migdałki, duperele, rozwolnienia

i wysypki. Mnie taka chrypa męczy. – Zakaszlała na potwierdzenie swoich słów, jakby w podziemnym korytarzu przetoczył się wózek z węglem.

– Dokąd chciałaby się pani wyprowadzić?

– Moja somsiadka spod trzeciego wyjechała do Anglii, radiaśmy razem skręcały w Diorze, się przy taśmie siedziało, śmiechu czasem było, a czasem nuda, dawne czasy. W Anglii na zmywaku robi i dziesięć razy tyle ma na rękę, tam dziesięć, z dwadzieścia, pani uwierzy? Codziennie w McDonaldzie z dzieciakami, szejki--srejki, frytezie wcina. Andżelika szejki lubiła. – Barbara Mizera pierwszy raz wspomniała córkę, ale nie zatrzymała się przy niej na dłużej. – Czy żeby tak nagle mieć, jak inni pamiętają, że się tak samo nie miało, to nie przeciwko mnie i innym, co nadal nie mają? Przeciw! – odpowiedziała sama sobie Barbara Mizera. – Dom! – Zaciągnęła się tak, jakby chciała to słowo wessać w siebie i wydmuchać, by rozwiało się jeszcze raz. – Tu groszem nie śmierdziała, a tam za państwowe piniądze dom, ogródek, groszem nie śmierdziała, a teraz jak perfumeria w te i z powrotem się wozi. Polskie państwo biednemu, potrzebującemu człowiekowi, matce samotnej tyle płaci! – Barbara Mizera pokazała figę, wyciągając pięść w moją stronę tak gwałtownie, jakby chciała mnie uderzyć. – Figa z makiem i z robakiem. – Pięść z kciukiem wystającym jak kastet, którym można wybić oko, znalazła się o parę centymetrów od mojej twarzy.

– Pani też chciałaby wyjechać do Anglii?

– Chciała, nie chciała, aż się zesrała – prychnęła znów do rymu moja rozmówczyni i się rozkaszlała, pokazując na migi w stronę gardła, że chrypa. – A gdzie mi tam jeździć.

– Dlaczego?

– Nie składa mi się jakoś na jeżdżenie, papierki, załatwianie, latanie po urzędach takich-srakich, tam wypełnić, tu podpisać. Gdyby ktoś zaprosił, pomógł co i jak, jakoś może z plecami, wtykami, z Warszawy gdyby ktoś? – Barbara Mizera spojrzała na mnie, jakby spodziewała się, że wyciągnę z torby zaproszenie do Anglii i gotówkę.

Za ścianą wybuchła jakaś dziecięca awantura, kilka głosików wrzeszczało coś unisono na temat pilota i dupy, coś plasnęło, ktoś zapłakał przejmująco jak włączona nagle syrena w rocznicę powstania warszawskiego.

– Cicho tam! – krzyknęła Barbara Mizera, nie odwracając nawet głowy w stronę ściany, za którą nie zrobiło się ciszej, i wyjaśniła na mój użytek, że ciągle się gówniarze kłócą o pilota, a przecież nie kupi każdemu po telewizorze.

– Andżelika też lubi oglądać telewizję? – zapytałam.

– Od rana do wieczora i z powrotem! – przyznała Barbara Mizera, jakby ją to z jakiegoś powodu ucieszyło.

– Jakie programy najbardziej jej się podobają?

– Jak jakie?

– Jakie programy najbardziej lubi oglądać pani córka?

– Pierdoły dla dzieci, misie-srysie, kotki-niecnotki, *Taniec z gwiazdami*, jak wszyscy – odpowiedziała w końcu. – A jakie miały się podobać? – Spojrzała na mnie podejrzliwie.

– Nie wiem. Nie znam pani córki.

– Dzieciak, jak ma co jeść i gdzie spać, to poznawania nie potrzebuje – wyjaśniła mi Barbara Mizera.

– Proszę mi opowiedzieć o dniu, w którym zaginęła Andżelika.

Barbara Mizera odetchnęła, o to już ją pytano.

– Pojeżdżać chciała, „mama, mama, pojeżdżamy troszku koło stawu". Mówię jej wtedy: „Endżi, gdzie będziesz na staw lecieć po ćmoku, po mokrym zjeżdżać, wilka chcesz złapać? Telewizor lepiej pooglądaj". A ona „maaama, maaama, tylko na godzinkę, wezmę Oskarka". To co, uwiążę? – Barbara Mizera popatrzyła na mnie pytająco i powtórzyła: – Sznurem miałam ją uwiązać?

– Raczej nie – przyznałam.

– To miasto leży w jakiejś gównianej dziurze, proszę panią, i co roku głębiej się zapada, nawet jak w całej Polsce wiosna, tu śnieg sypie, Sybir, zapizdów, z kranu walą chińskie włosy! Ale dzieciaka nie uwiążesz. Takie mieli do zjeżdżania jabłuszka plastikowe z Oszom. „No to leć, kurde", mówię, „leć".

– Zabrała trzyletniego brata?

– Opiekowała się nim jak dorosła, wszystkimi, ale nim najbardziej, Oskarek to, tamto. Wtedy też, „maaama, maaama, przypilnuję go", i już mu czapkę zakłada, szalik wiąże.

– I pilnowała?

– A jak! Mamusia kurduplusia, wszystko przy nim robić chciała, był jej oczkiem w głowie, synusiem, lulała, karmiła. „Kim będziesz, jak dorośniesz?". „Jak dorosnę, to będę mamusią", tak mówiła. Raz stanik mój nałożyła i niby cycka mu daje. – Barbara Mizera roześmiała się, a dym wydobył się z jej ust w trzech ha-ha--ha. – Maść na piegi, a nie stanik, a do mamusiowania się rwała. Nawet z nim spała. Że niby mały sam się bał. A to ona się bała.

– Bała się? Czego?

Barbara Mizera zawahała się.

– Pierdół się jakichś w telewizji naoglądała, bo całe wieczory, niedziele jak nie na dworze, to telewizor i telewizor, bicie się o pilota, *Taniec z gwiazdami*, dupa z kartoflami, płacze, kto będzie trzymał i pstrykał. W nocy mnie potem budziła, „maaama, maaama", i do łóżka mi się ładowała z Oskarkiem. Kopała przez sen, cały dzień skołowana chodziłam.

– Musi pani wcześnie wstawać? – Nasze oczy spotkały się na chwilę, Barbara Mizera mówiła innym tonem, gdy nie patrzyła na uszy, bo wtedy wydawałam jej się prawdopodobnie mniej przyjazną osobą.

– Ugotuj, upierz, podetrzyj tyłek, daj na loda, a co to, a dlaczego, po co, na zeszyty. Nie wiadomo, w co ręce włożyć, jak ma się

piątkę dzieci, na pysk człowiek pada, a tu „maaama" i „maaama".
Pani pewnie nie ma dzieci. – To nie było pytanie i nie zamierzałam na nie odpowiadać. Barbara Mizera zgasiła niedopałek
w brzuchu popielniczki i sięgnęła po następnego papierosa. –
W Diorze radia skręcałam, ale poszliśmy na bruk, sru, jak śmieci,
nawet kopa w dupę na do widzenia.

– Kiedy to było?

– Piętnaście lat temu wstecz. Zleciało – westchnęła i wypuściła melancholijną rzekę dymu.

– Nikt pani nie pomaga? Ojciec Andżeliki?

– Wykopałam, zanim poszedł siedzieć, złodziejskie nasienie.
Brat z Sobięciena dał mu robotę na warsztacie, to wyniósł na-
rzędzia, na wódę sprzedał, tak go koledzy ustawili, tak wypro-
wadzili. Charakter słaby, dla kolegów by własną matkę przerobił
na pasztet, a ojca na parówki.

– Nie wyszła pani drugi raz za mąż?

– A pewnie, tylko marzę, kurde, żeby brudne gacie prać.
Chłop jest, wie pani, do czego dobry?

Nie wiedziałam.

– Na zasmażkę do chrzanu! W opiece pani powiedzą, że każde moje z innego ojca. Siedzi tam taka suchotnica niewydymka,
pierwsza, żeby pod pierzyną węszyć, tyle jej, co stare prześcieradło powącha. – Śmiech Barbary Mizery ponownie rozległ się
w tej ponurej kuchni jak dysonans i przez moment zobaczyłam
ją taką, jaką zapewne widzieli ją mężczyźni, ojcowie jej dzieci,
i przez tę zadziwiającą chwilę stała się ładna.

– Ojciec utrzymuje jakiś kontakt z Andżeliką?

– Kontakt? – Skrzywiła się. – Jak wyszedł, tak poszedł w długą
i sru, alimenty to sobie mogę palcem w dupie narysować. Endżi
ostatnio widział ze dwa lata temu wstecz, jak przyszedł wypity na
żebry. Dziesięć złotych wyciągnął od niej ze świnki, naszczał
na dywan i tyle było tatusia. – Odpaliła nowego papierosa od

poprzedniego. Brzuch popielniczki był pełny i pety wysypywały się na stół. Przypomniały mi się spalone koty ze schroniska Małgorzaty Felis.

– A pani nowy partner? Jak układa mu się z Andżeliką?

– Roman? – zdziwiła się Barbara Mizera. – A co mu się miało układać? Gdyby starsza była, to trzeba by jej pilnować, a tak schodzili sobie z drogi.

– Pilnować jej?

– Chłop nie pies, woli świeże mięso – wytłumaczyła mi Barabara Mizera i znów zaśmiała się tym śmiechem niepasującym do jej słów i twarzy.

– Andżelika lubi Romana?

– Chłop raz jest, raz go nie ma, a jak dzieciak nie jego, to po portfel nie sięga. Roman kupił im te jabłuszka do zjeżdżania w Oszom i tyle z tego kupowania wyszło, już lepiej, żeby nic nie kupował, bo jak chłop coś sam z siebie kupi, to jak jajami o beton. Jednej mojej siostrze się trafił taki, co jak pójdzie po chleb, to wraca ze śrubokrętem i kilem buraków.

– Ma pani dużą rodzinę?

– Czterech braci i trzy siostry, wszyscyśmy tu zostali – powiedziała Barbara Mizera z ponurą determinacją, którą po namyśle uznałam za coś w rodzaju dumy. Poczułam ukłucie zazdrości, bo ta kobieta z wielu powodów warta współczucia miała siedmioro rodzeństwa, siedem potencjalnych domów, w których był ktoś bliski, w których w ogóle ktoś był.

– Często się widujecie?

– Jak piniędzy nie ma, to trudno, żeby się gościć, każde za swoim ogonem lata. Ale jak byliśmy mali, to po całym Nowym Mieście, na staw, na kasztany koło stadionu, po hałdachśmy węgla szukali albo opieńki się zbierało na górce. Dziecko musi się wybiegać, przy budzie jak psa nie uwiążesz. – Kobieta odwróciła twarz do okna i przez chwilę myślałam, że zacznie płakać, zdjęła gumkę z włosów i jeszcze raz założyła, łapiąc kosmyki w niedbały kucyk. W ciszy, jaka między nami zapadła, wciąż ryczał telewizor i ktoś nieustannie zmieniał kanały, z jednego idiotyzmu na drugi. „Podaruj sobie odrobinę luksusu", zajęczał jakiś kobiecy głos, „jesteś tego warta". – Lubiła latać po nocy, latała, latała i się dolatała – podsumowała Barbara Mizera. – Myśli pani, że nie wiem, co ludzie mówią?

– A co mówią?

– Że matka winna, matka ma mieć oczy w głowie i w dupie, matka ma wszystko widzieć. A ja nic nie widziałam, nic mnie nie tknęło. Żadnego przeczucia nie miałam. Kamień w wodę!

– Co pani pomyślała, gdy pani córka zaginęła?

– Pomyślałam? Czy ja jestem od myślenia? – Barbara zapaliła następnego papierosa i zaciągnęła się tak głęboko, jakby nie paliła od paru godzin, przymknęła oczy i najpierw wypuściła dwa zgrabne kółka, a potem szarą strugę. Miałam wrażenie, że zaraz się uduszę w oparach dymu przepuszczonego przez jej niezmordowane płuca, z których czeluści na koniec wydobył się jeszcze jakby zirytowany cumulus i popłynął w moją stronę. – Myślała, myślała, aż się zesrała – przemówiła w końcu znanym wierszem. – Pomyślałam, że biednemu zawsze wiatr w oczy. Pani myśli, że kogoś obchodzi Andżelika Mizera? Innego dziecka by lepiej szukali.

– Kto by lepiej szukał?

– Policja, państwo, społeczeństwo też by szukało. Na nas nikomu nie zależy, w dupie nas wszyscy mają. Są tacy, co najchętniej by nas wytruli jak karaluchy, puścili z dymem!

– Kto?

– Ja tam wiem kto? Co ja mogę wiedzieć. Politycy, bogacze ze Szczawna-Zdroju. Albo przyjezdni. Kiedyś tak nie było, żeby bezkarnie przyjeżdżać. Się podorabiali, to jeżdżą, wodę trują i powietrze, żerują na ludziach, krew wysysają, wiem, co mówię.

Czarna woda, straszna woda, w wodzie z kranu czarne włosy. Chińskie włosy w polskiej wodzie! W polskim mleku chińska chemia! – zaperzyła się białym wierszem.

– Czy to, o czym pani mówi, ma związek z zaginięciem Andżeliki?

– Ma! – Barbara Mizera była pewna swego. – Andżeliki i tych innych, całej trójki wałbrzyskiej. Bo też się ostatnio działo!

– Co się działo?

Zanim odpowiedziała, dopadł ją atak kaszlu. Wskazała palcem na krtań, że chrypa. Poczułam na twarzy kropelki jej śliny.

– Jana Kołka zadziabali!

– Zadziabali? Kto?

– Porywacze! Pani nie uwierzy jak.

– Jak?

– Wstrzyknęli mu chorobę taką, co wygląda, że zawał, a to nie zawał. Coś na kształt małej bomby we krwi zdalnie sterowanej.

– Kto to zrobił?

– Oni nie stąd byli. Specjalnie przyjechali, żeby go zabić. Cały spisek uknuli. Pod ziemią knuli, przeciw spiskowali! – Obwisłe policzki Barbary Mizery zapłonęły rumieńcem.

– Skąd pani to wie?

– Wszyscy wiedzą. Jak się ucho przyłoży, to słychać.

– Jaki jest związek między zniknięciami dzieci i śmiercią Jana Kołka? – Dym spowijał nas i miałam wrażenie, że gęsta mgła, wszechobecna od chwili mojego przyjazdu, wtargnęła do zapyziałej kuchni na Nowym Mieście. Niedopałki w brzuchu popielniczki śmierdziały węglem i smołą. Tylko patrzeć, jak z ektoplazmy zmaterializują się duchy tego mieszkania, popatrzą na nas, każą zwinąć odrażające linoleum udające terakotę i wrzasną: *raus!*

– Zły związek – rzekła Barbara Mizera. – O siłę jakąś nam przeciwną w tym chodzi. Bardzo szkodliwą. Nam wrogą.

– Nam?

– Nam, Polakom, matkom polskim – odpowiedziała polska matka sześciorga dzieci, w tym jedno zaginione bez wieści.

– Szuka jej pani? – Wzruszyła ramionami i znów zrobiła ten brzydki grymas, który sprawiał, że jej twarz z zapadniętymi ustami i cofniętym podbródkiem wyglądała jak karykatura samej siebie.

– Poszłam na staw zaraz potem, raz, drugi poszłam, ale co mogłam znaleźć, jak inni nie znaleźli, policja z psami, dzielnicowy, ksiądz nawet poszedł i nic. Do kościoła się nie chodzi, to Pan Bóg pokarał, tyle mi powiedział, zawinął kiecę i sru. Chodziłam po kamienicy, po osiedlu, pytałam dzieciaków, co ich znała, po sklepach, czy była, po somsiadach. W końcu pojechałam do telewizji. – Kobieta przerwała i popatrzyła w stronę okna, za którym ciemność zrobiła się gęsta, jakby z nieba sypał się węglowy pył.

– Pojechała pani do telewizji – zachęciłam ją. – Po co?

– Bo tak. Widziałam w telewizji o jednych takich z Anglii, odstawieni, wypindrzeni, ę ą, ona jak aktorka, balajasz zrobiony. Też zginęło im dziecko. Mała dziewczynka gdzieś na wczasach, jak kamień w wodę, na wczasy kogo dziś stać? I oni poszli do telewizji i wszędzie, wygadani tacy, ze znajomościami, wtykami, z piniędzmi. Były plakaty i taki przystojny piłkarz z tatułażami, jak mu tam, mąż tej chudej Wiktorii, o tym mówił, w telewizji widziałam. „Szukajcie, szukajcie tej dziewczynki", tak mówił, a na stadionie plakat wielki.

– Mówi pani o Madeleine McCann. Chciała pani, by Andżeliki szukano tak jak małej Maddie.

Barbara Mizera pokiwała głową.

– Medi, nie Medi, ktoś tym bogaczom świsnął dziecko, jakiś porywacz czy gorzej, pedał, na takich kary nie ma, między ludźmi żyją. Ale oni dostali piniądze, piniądz ciągnie do piniądza.

Tak się zakręcić umieli, że wszyscy im słali na szukanie. Ale mnie do telewizji portier nie wpuścił.

Zanim zadałam następne pytanie, do kuchni wszedł mały chłopiec, a właściwie wmaszerował sztywnym krokiem żołnierzyka tak nagle, że to *entrée* wyglądało na wyreżyserowane. Drobny i chudziutki, miał bose stopy i zielony, za duży o trzy rozmiary dres. Skóra dziecka była biała i tak delikatna, że prawie przezroczysta, oczy jak dwie bryłki lodu.

– Oskarek do nas przyszedł! A wołała cię mamusia, że przyszłeś? – zaszczebiotała Barbara Mizera.

Chłopiec chwilę stał bez ruchu, zupełnie obojętny na słowa matki, nawet na nią nie spojrzał, na mnie też nie.

– Nie ma – powiedział, teatralnie rozłożył ręce i wzruszył chudymi ramionami niczym aktor z taniej farsy. – Czarny pan z telewizora. – Popatrzył w moim kierunku, ale nie na mnie, i niemal fizycznie poczułam, jak Barbara Mizera tężeje po drugiej stronie stołu.

– Czarny pan, czarny pan. – Wykrzywiła się do dziecka w karykaturze matczynego uśmiechu. – Ładnie tak kłamać panią, co do nas przyjechała z Warszawy?

– On nie kłamie – odpowiedziało dziecko – on nie ma Andżeliki.

– Wszędzie go ze sobą zabierała, jak mała mamusia cysia mu dawała, tak, Oskarek? – Barbara Mizera nadal zwracała się do dziecka sztucznym głosem kogoś, kto nie jest pewny roli. – Chodź do mamusi, dostaniesz cukierka! – Dziecko nie ruszyło się, wpatrzone w jakiś punkt za szybą spływającą wilgocią. Nie mrugało. Jego rzęsy były białe i bardzo gęste. – Dziwny jest – oświadczyła Barbara Mizera. – Nikomu dotknąć się nie daje, a Endżi dawał. Tylko telewizor i telewizor, zawsze to samo, a jak kanał mu któreś zmieni, to w krzyk.

– On nie ma Andżeliki. – Dziecko zupełnie zignorowało swoją rodzicielkę, z powagą starca rozłożyło dłonie tym samym co wcześniej przerysowanym gestem, odwróciło się i wymaszerowało z kuchni.

– Lekarka w przychodni mówiła ostatnio, że może mieć lekki artryzm – westchnęła Barbara Mizera. – Z przedszkola musiałam go zabrać, z dziećmi się nie dogadywał, jeść nie chciał, leżakować też nie, pod siebie sikał, kłębek nerwów, w domu siedzi, bo gdzie go dam?

– Była z nim pani u specjalisty?

– Do Wrocławia, mówią, że trzeba jechać, do specjalnej przychodni od takich, ale ja tam wiem, może tak tylko gadają, bo chcą, żeby w łapę dać, a skąd ja mam mieć, nie urodzę. Dwa lata miał i liczyć się sam z siebie naumiał, to co mi będą wmawiać, że głupi?

– Nie jest głupi – przyznałam rację Barbarze Mizerze, która gasiła niedopałek z takim impetem, jakby chciała go przez popielniczkę wgnieść w blat stołu.

– Przez ten artryzm niedotykalski taki i wymyśla pierdoły, jak czasem wyskoczy, to jak gil z nosa. Czarny pan z telewizora. Co, Murzyn może przyleciał do Wałbrzycha, z bambusa w Afryce się urwał i przyleciał porwać Andżelikę? Może jeszcze jakiś skośny, co ich przywieźli do pracy w Toyocie?

– A jak pani myśli, kto?

Barbara Mizera sięgnęła po papierosa, ale paczka była już pusta.

– Wyszły, kurde – westchnęła. – Nie wiem – powiedziała – naprawdę nie wiem, po co ktoś miałby porywać moją córkę.

Wiedziałam, że Barbara Mizera mówi teraz to, co czuje w głębi serca, i że być może sama jest zdziwiona swoją szczerością. Nie rozumiała, po co ktoś porwał dziecko, którego nawet ona, jego matka, nie uważała za wiele warte.

Dziś niczego więcej nie mogłam się już dowiedzieć od Barbary Mizery i z ulgą zbiegłam po schodach, jeszcze dwa piętra niżej gonił mnie ryk telewizora, ale może to ryczały podobne telewizory w podobnych mieszkaniach. Wyszłam z bramy i zaczerpnęłam powietrza, cała byłam prześmierdła papierosowym dymem, którego nie znoszę, jak każdy, kto kiedyś sam palił. Dwóch plujących na schodach przesunęło się o pół metra w prawo, w ich pantomimie siedzenia i plucia pojawił się dodatkowy rekwizyt w postaci dwóch butelek piwa, znikła różowa dziewczynka z wózkiem. „Jakby w chuja może coś tego", zaproponował nagle jeden, „eee tam, pierdolisz, żeby tego", odparł drugi, leniwie podniósł butelkę do ust i zaczął wlewać piwo, jakby sikał do wiadra. Postanowiłam pójść nad staw, gdzie tamtego wieczoru Andżelika wybrała się z małym Oskarem i skąd nie wróciła. Dwóch plujących spojrzało za mną takim wzrokiem, jakby od dawna nie chciało im się nawet onanizować. Skręciłam za róg kamienicy, tam powinna być ścieżka prowadząca nad staw. Zatrzymałam się na podwórku, udeptanym czarnym klepisku z trzepakiem i rzędem kubłów na śmieci, spojrzałam w okna Barbary Mizery. Czy tamtego wieczoru ktoś widział, jak Andżelika idzie tędy ze swoim bratem, czy ktoś odprowadził wzrokiem dwie drobne postaci pokropkowane płatkami śniegu? Jakaś kobieta wyszła zza rogu i odniosłam dziwne wrażenie, że mnie rozpoznała, powietrze między nami zawirowało, jakby przeleciał niewidzialny ptak. Okutana w wiekową wacianą kurtkę, w chuście zawiązanej przez piersi tak, jak robią to wieśniaczki ze Wschodu, miała twarz w trudnym do określenia wieku, melonik i jaskrawe dziecinne rękawiczki na sznurku, które kołysały się jak dwa kwiaty. Przez głowę przebiegła mi absurdalna myśl, że to Dzika Baśka zmaterializowała się tu, wywołana moim wspomnieniem, bo kobieta w meloniku ukucnęła przy piwnicznym okienku i zaszeptała „kici kici", jak zaklęcie przeciw całemu złu i zimnu świata.

Ruszyłam ścieżką za komórkami, które utrzymywało w pionie jedynie wspomnienie niemieckiej dyscypliny sprzed siedemdziesięciu lat, przecięłam zapuszczony ogród, gdzie jak dekoracja teatralna spoczywały masywna skajowa kanapa i stolik, a na nim talia kart i butelka po wódce. Jakiś wychudzony pies podbiegł do mnie, wyszczerzył kły i znikł bez śladu między drzewami, jakby właśnie ostatecznie zrezygnował z gryzienia, a nawet istnienia. Staw pogrążony był w mroku, słyszałam szelest wyschłych trzcin, a na szczątkach pomostu siedział nieruchomy wędkarz, niemal niewidoczny na tle szarej wody. Jak wszystko, co opuściliśmy jako dzieci i oglądamy ponownie jako dorośli, staw wydawał mi się mniejszy, podobnie jak polana nad nim, porośnięta żółtą teraz trawą, modrzewiami i krzakami czarnego bzu. Zaczął padać śnieg, jakby niebo postanowiło odtworzyć dla mnie scenerię zniknięcia Andżeliki, ale ja przypomniałam sobie dawno minione lato. Wspomnienie było zbyt mocne, bym mogła je odeprzeć.

Kiedyś ojciec zabrał tu mnie i Ewę na piknik, to musiały być ostatnie wakacje przed śmiercią mojej siostry. Najpierw zwiedzaliśmy ruiny mauzoleum Hitlera, ukryte nieopodal, na pięknym płaskowyżu z widokiem na Nowe Miasto. Ojciec znał każdy szczegół historii tego miejsca. Budowę Mauzoleum Dumy, Chwały i Siły zaplanowano po odwiedzinach Hitlera w Wałbrzychu w 1932 roku, w 1938 zostało uroczyście otwarte. Doprowadzono nawet gaz i aż do powojennej ucieczki Niemców z Wałbrzycha płonął tu znicz Walhalli. Potem mauzoleum niszczało powoli i nieubłaganie, zarastając jak Angkor Wat. Było późne lato i łąka, na której budowla tkwiła niczym fatamorgana, pachniała w ostatnim zrywie, zanim zacznie więdnąć i umierać w jesiennych chłodach. Buczały pszczoły, a ważki o delikatnych skrzydełkach wisiały nieruchomo nad fioletowymi dzwonkami. Pamiętam uczucie nierealności, jakbym widziała coś, co nie może przetrwać, bo już należy do czasu przeszłego. Ewa rozerwała dwa dzwonki i przykleiła sobie na powiekach. Liliowe rzęsy, niemal białe w słońcu włosy, była taka piękna. „To ja, Daisy Tabor, Wielbłądko, dziś zagram Lady Makbet. Potrzebuję krwi!".

Śmiałam się, a ojciec poganiał nas podekscytowany, jego ciemne oczy błyszczały jak u chłopca. Teraz był przekonany, że skarb znajduje się pod mauzoleum Hitlera, wystarczy tylko znaleźć tajemne wejście. Ono musi gdzieś tu być, ma mapę, ma plan, sześć kroków w prawo, trzynaście w lewo, nareszcie! Będziemy bogaci i szczęśliwi, skarb zmieni nas w zupełnie inne osoby, o jasnych twarzach, pozbawione złej pamięci. Pojedziemy na wczasy do Bułgarii i spędzimy tam całe lato, wygrzewając się na złotym piasku, a kelner będzie nam przynosił na tacy wszystkie owoce, których zdjęcia są w encyklopedii. „Persymony, mango, rambutany", wyliczał nasz ojciec, „kiwi, liczi, marakuje", dodawała Ewa, i nawet ja dołożyłam swoje, tokijską gruszkę, którą w palmiarni pokazał mi kiedyś pan Albert, półprzejrzysty owoc, pełen soku i obietnic dalekich podróży. A więc Bułgaria, złota plaża, czarne morze. „A kto wie", mrużył oko ojciec, „może znajdzie się tam nawet jakiś wielbłąd specjalnie dla Alicji Wielbłądki, bo co to za problem zamówić wielbłąda pocztą lotniczą wprost z Afryki, gdy ma się skarb w kieszeni?". W złotym piasku nad czarnym morzem zakopiemy nasze smutki jak żółwica jajka, popękają od gorąca i wykują się z nich małe, ślepe stworzenia, popędzą ku morzu, odpłyną hen. „Odpłyną na Fidżi", śmiała się Ewa i mrugała fiołkowymi rzęsami, „na górę Fudżi", śmiał się ojciec, „do Fromborka", śmiała się mała dziewczynka, którą byłam ja. Ojciec stał w środku łukowato zwieńczonej bramy, ciemna postać oświetlona z tyłu południowym słońcem, płaska jak z teatru cieni. Gestykulował i opowiadał nam o tym, jak, jego zdaniem, skarb znalazł się właśnie tutaj, a my znałyśmy już wiele takich opowieści. Szczęście było pod naszymi stopami, pod łąką w pełnym rozkwicie, pod dzwonkami i ważkami, pod tą straszliwą pseudostarożytną świątynią, jakie zawsze lubili mali sadyści w mundurach. Ojciec miał wkrótce przeżyć jeszcze jedno rozczarowanie, bo znów niczego nie znalazł.

Tamtego lata z mauzoleum Hitlera pojechaliśmy nad staw zdezelowanym fiatem ojca. Na tylnym siedzeniu zawsze brakowało dla nas miejsca, bo walały się tam szpadle, wiadra i inne rzeczy niezbędne w jego niekończących się poszukiwaniach. Wkrótce zresztą ojciec sprzedał samochód, by mieć pieniądze na realizację kolejnego planu. Na tej łące, na której teraz stałam, zimnej i wypełniającej się ciemnością, rozłożyliśmy wtedy koc i wiktuały. Przygotowałyśmy wszystko tak niezdarnie, jak mogły to zrobić dwie dziewczynki nieuczone przez nikogo prac domowych. Nasz ojciec nie pomyślałby o czymś tak przyziemnym, jak kanapki, bo karmił się marzeniami i właściwie nigdy nie widziałam, by jadł coś z apetytem. Powoli opuszczała go ekscytacja, kleiły mu się oczy i ziewał. Odłożył niedojedzoną kanapkę, położył się na kocu i po chwili zasnął, pochrapywał cichutko, a my siedziałyśmy w milczeniu, bo czułyśmy, że trzeba znieruchomieć i wstrzymać oddech, by chwila ta trwała jak najdłużej. Ewa miała ciągle fiołkowe rzęsy, ale uśmiech zniknął z jej twarzy. Objęła mnie ramieniem i siedziałyśmy tak, patrząc na wodę i odbite w niej modrzewie, chmury płynące na oślep wśród przybrzeżnych trzcin. Dziś myślę, że przeczuwałyśmy, iż ta chwila będzie jak skarb dla tego, kto ocaleje, i ją przechowa.

Usłyszałam kroki za plecami i dopiero po chwili, gdy mój wzrok ześlizgnął się w dół, zobaczyłam, kto się zbliża. Nie sądziłam, że spotkam tu dziecko. Wyrwana ze wspomnień, miałam przez moment wrażenie, że to ja sama z przeszłości zmaterializowałam się, wywołana tęsknotą. Różowa dziewczynka z wózkiem patrzyła na mnie badawczo, w jej oczach nie widziałam lęku. Ukucnęłam, by moja twarz znalazła się na jej wysokości.

– Cześć – powiedziałam – masz ładny wózek dla lalki.

– To nie lalka.

– Nie? A co w takim razie?

– Chcesz zobaczyć? – Dziewczynka przysunęła się tak, że mogłam zajrzeć do wózka. Leżała tam jakaś szara figurka ledwo widoczna w mroku, który otaczał nas coraz gęściej. Pomyślałam, że to coś kiedyś było żywe, i po kręgosłupie przeszedł mi dreszcz, dopiero po chwili zalśniły plastikowe oczka maskotki.

– Jak ma na imię? – zapytałam.

– Andżelika. Małpka Andżelika.

Zamarłam.

– Bardzo ładne imię ma twoja małpka. Lubi pewnie wychodzić na długie spacery.

Dziewczynka milczała. Zastanawiała się chyba, czy można mi zaufać, mimo iż nie jestem zbyt rozgarnięta.

– Ona przecież nie żyje – odrzekła i zaczęła kołysać wózkiem. – Jest umarta.

– Małpka?

– Andżelika – przytaknęła dziewczynka. – A ty jak masz na imię?

– Alicja. – Wyciągnęłam rękę.

– Kamila. – Podała mi zimną drobną dłoń.

– Bardzo miło mi cię poznać, Kamilo. Cieszę się, że spotkałam ciebie i twoją małpkę. Skąd ją masz? Skąd masz małpkę Andżelikę?

Kamila wróciła do kołysania wózkiem.

– Z tatą na rybach – powiedziała i wykonała głową gest w kierunku stawu. – Wtedy też byłam.

– Wtedy?

– Wtedy dostałam małpkę.

– Kto ci ją dał? Kamilo, kto dał ci małpkę?

Zanim się odezwała, rozległ się dźwięk sportowego gwizdka.

– Tata – powiedziało dziecko. Ruszyła biegiem w kierunku stawu, pchając przed sobą wózek. Postanowiłam poznać jej gwiżdżącego ojca wędkarza. Weszłyśmy na pomost, który trzeszczał pod naszym ciężarem, woda była ciężka i ciemna. Kopalniana woda. Może nawet są w niej chińskie włosy.

– Dobry wieczór – powiedziałam do przycupniętej tyłem do nas postaci. – Przed chwilą poznałam pana córkę. Rozmawiałyśmy chwilę.

Mężczyzna odwrócił się, ale nie odpowiedział. Miał twarz małą jak u chłopca i czujne błękitne oczy, których piękny kolor odziedziczyła po nim Kamila, na jego szyi wisiał różowy gwizdek. Czaszka wędkarza była z jednej strony zniekształcona, jakby ktoś zgniótł jego czoło w stalowym uścisku. Kamila podeszła do mężczyzny i powtórzyła moje słowa, wyraźnie wymawiając sylaby.

– Mój tata nie słyszy i nie mówi – wyjaśniła. – Wybuchło w kopalni. Gaz miętowy.

Mężczyzna popatrzył na mnie i wydał z siebie kilka gardłowych dźwięków.

– Tata pyta, czego pani chce.

Zawahałam się.

– Chcę, żeby odnalazły się zaginione dzieci. – Czułam, że temu mężczyźnie mogę powiedzieć prawdę, i postanowiłam zaufać intuicji. – Andżelika Mizera, Patryk Miłka i Kalina Jakubek. – Miałam potrzebę wypowiedzenia tych imion, by potwierdzić istnienie Andżeliki, Patryka i Kalinki, ale zabrzmiały jak apel poległych. – Chcę, żeby odnalazły się całe i zdrowe. – Popatrzyłam w jasne oczy wędkarza i nie widziałam w nich niechęci, tylko smutek i bezsilność. – Pan coś widział. Był pan w pobliżu, gdy znikła Andżelika Mizera?

Mężczyzna wstał i zaczął zbierać swój wędkarski sprzęt, w plastikowym wiadrze pływały dwie niewielkie rybki. Pomyślałam o nagłej ciemności i ciszy, jaka zapadła w kopalni po wybuchu metanu, który pozbawił go słuchu i kto wie, jakich jeszcze szkód narobił w jego wgniecionej czaszce. Mężczyzna powiedział coś, czego znów nie zrozumiałam.

– Tata mówi, żeby pani zajęła się żywymi.

– To znaczy, że one nie żyją? – Mężczyzna milczał. I on, i jego córka wpatrywali się we mnie intensywnie. – A gdyby to była Kamila? Gdyby to pana dziecko znikło? – zwróciłam się bezpośrednio do wędkarza i zrobiłam krok do przodu, jego zniekształcona twarz tuż przy mojej twarzy wyglądała jak odbicie w wodzie. – Gdyby to była Kamila?

Wędkarz wyminął mnie i ruszył po pomoście, w jednej ręce trzymał wiadro i wędkę, drugą złapał za rękę Kamilę, która ciągnęła za sobą wózek. Ruszyli ścieżką przez krzaki. Ojciec szedł jak kuternoga z wiersza Leśmiana, pokracznie, ale do przodu. Powiedział coś i znów nie zrozumiałam.

– Co on mówi? Proszę, powiedz mi, co mówi twój tata.

Oczy dziewczynki były jak lusterka, widziałam w nich swoją podwójną twarz.

– Mój tata mówi: szukaj niekochanych.

Szukaj niekochanych? Czułam, że nie ma sensu pytać, co to znaczy. Mężczyzna powiedział coś jeszcze i Kamila po raz pierwszy się uśmiechnęła.

– Tata mówi, że ma na imię Gienek. – Mężczyzna zacharczał, chyba niezadowolony, zanim zdążyłam się przedstawić. – Eugeniusz, nie Gienek – sprostowała Kamila.

– Ja mam na imię Alicja. Alicja Tabor.

Mężczyzna popatrzył na mnie i byłam już pewna, że ma oczy kogoś, kto myśli zupełnie trzeźwo i wie, co chce powiedzieć. Zbliżaliśmy się do osiedla, które wyglądało, jakby postarzało się przez ten czas o kilka lat. Eugeniusz znów zacharczał jak duszące się we wnykach zwierzę. Może tak samo brzmiał przed śmiercią mój ojciec.

– Proszę nas potem odwiedzić – powiedziała Kamila. – Tata panią zaprasza. Mieszkamy pod siódemką.

– Potem?

się zapach chlorowanej wody, który dobiegał z mojej pamięci. „Jedziemy na basen, Wielbłądko!", powiedziała moja od dawna martwa siostra, a ja poczułam jej obecność jak dmuchnięcie w kark. Dni spędzane z Ewą na basenie najbliższe były temu, co można uznać za miłe wspomnienie z dzieciństwa. Nigdy nie wyjeżdżałyśmy na wakacje, bo nie miałyśmy z kim ani za co, i gdy ojciec poświęcał letnie miesiące intensywnym poszukiwaniom skarbu, mną zajmowała się siostra, co wtedy wydawało mi się czymś naturalnym. Nie miałam koleżanek. Inne dziewczynki nigdy nie zapraszały mnie do siebie ani nie przychodziły do mnie do domu. Kiedyś podjęłam niezdarną próbę zaprzyjaźnienia się z podobną do mnie, cichą córką sąsiadów z naprzeciwka, o imieniu Danusia. Pamiętam, jak podawałam herbatę, przejęta tym pierwszym gościem, który niepewnie rozglądał się po zaniedbanej kuchni, gdy wpadła matka Danusi, zdzieliła ją w głowę i wyprowadziła za ucho z naszego domu. Nie rozumiałam, co się stało, ale czułam, że lepiej nie mówić o tym ani ojcu, ani nawet Ewie, i długo obwiniałam się o gniew matki Danusi. Byłyśmy więc same, ja i siostra, bo ona też nikogo nigdy nie przyprowadzała i nigdzie nie bywała. „Czy trzeba nam więcej, Wielbłądko?", pytała i nie wiem, jakiej sama udzieliłaby odpowiedzi. W słoneczne dni wakacji jeździłyśmy autobusem na basen. Przychodziłyśmy pierwsze, jeszcze przed otwarciem, i ostatnie wychodziły, i nawet jeśli zazdrościłam dzieciom, które były tam z całymi rodzinami, z matkami karmicielkami i chlapiącymi ojcami delfinami, dziś pamiętam tylko Ewę w kolorowym bikini, które sama zrobiła sobie na szydełku. „Biegiem, siuśmajtko!", wołała, pędem pokonywałyśmy kilka metrów między kocem a brzegiem basenu i wskakiwałyśmy do chłodnej wody, zanim pierwsi plażowicze zdążyli rozłożyć swoje legowiska i zdjąć ubrania. Opadałyśmy na dno w zielonkawej ciszy, z otwartymi oczami, by nic nie uronić z cudownej przemiany dziewczynek w wodne stworzenia, lekkie i wolne. Gdy byłyśmy już głęboko, Ewa wskazywała palcem w górę, gdzie światło prześwietlało na wskroś liście unoszące się na wodzie. Odbijałyśmy się od dna w ich kierunku, ku słońcu. Obraz twarzy mojej siostry w turkusowym czepku, z bąbelkami powietrza unoszącymi się z ust, był tak silny, że poczułam na ciele chłód wody. Wtedy dotarło do mnie coś jeszcze. Barbara Mizera powiedziała, że ma pięcioro dzieci, a nie sześcioro. A więc już spisała Andżelikę na straty. „Szukaj niekochanych", przypomniałam sobie słowa wędkarza Eugeniusza.

Malejesz, Alicjo, rośniesz

„Malejesz, Alicjo", taka wiadomość, wysłana z nieznanego adresu internetowego, wyświetliła się nocą na ekranie mojej komórki i wiedziałam, że nadawcą jest ta sama osoba, która na forum podpisała się imieniem Homar. Przez całe życie miałam do czynienia z żartami na temat Alicji w Krainie Czarów i już się do tego przyzwyczaiłam, ale ten irytujący awatar zaskoczył mnie swoją przenikliwością. Rzeczywiście po rozmowie z matką zaginionej Andżeliki czułam się słaba, pomniejszona. Mimo zmęczenia nie mogłam zasnąć, bo udręka tamtej niekochanej dziewczynki stopiła się z moją. Ciało pamięta rzeczy, które wydają się zapomniane, i wiem, że leżałam teraz dokładnie w takiej pozycji jak przed laty, odruchowo zostawiając w łóżku przestrzeń dla mojej siostry. W takie noce jak ta, gdy zima jeszcze nie przyszła, a jesień już odeszła, pogrążając świat w szarości i pustce, obie cierpiałyśmy na bezsenność.

Według Ewy listopad był szczeliną w czasie, pęknięciem między jesienią i długą polską zimą, gdy żyło się na krawędzi, w zawieszeniu, i czekało, aż czas zabliźni się, gdy przyjdą grudniowe mrozy. „W listopadzie, Wielbłądko, można wyjść po zapałki i nie wrócić, w listopadzie, jak dobrze się przyjrzysz, to zobaczysz, że w każdej kałuży widać schody, które prowadzą pod ziemię. Nocą odpływy w łazienkach powiększają się tak, że bez trudu mieści się w nich dorosły człowiek. A takie siuśmajtki jak ty muszą

uważać nawet na szpary w podłodze i mysie dziury". „Dlaczego?".
„Bo listopad to czas, gdy otwierają się przejścia", odpowiadała
moja siostra. „Jakie przejścia?". „Takie, które są zamknięte na co
dzień". „Ale między czym i czym?", dopytywałam się, jak zwykle
żądna konkretu. „Między nocą i dniem, białym i czarnym, zgu-
bionym i znalezionym, między wielbłądami i daktylami, między
chłopcami i dziewczynkami! Chciałabyś przez jedno przejść?",
pytała, a ja drżałam ze strachu, pragnąc jednocześnie, by mówiła
dalej. Wiem, że we wspomnieniach tych nocy jest coś jeszcze, coś
więcej niż przyjemność bycia z Ewą i słuchania jej opowieści, niż
bezpieczeństwo, jakie dawała mi jej obecność. Był tam również
strach, który odczuwałyśmy obie i przed którym Ewa próbowała
mnie chronić, strach, w którego cieniu żyłam przez te wszystkie
lata, ale nadal nie znam jego źródła.

Czego mogły bać się dwie dziewczynki? Dlaczego nie zauważyłam, że Ewa odchodzi, że to, co czaiło się w ciemności naszego
pokoju, położyło na niej łapę? Dlaczego nie potrafiłam jej zatrzymać? Przecież nikt nie znał jej tak jak ja. Nawet Dawid. Tego lata,
gdy ojciec zabrał nas do mauzoleum Hitlera i na piknik nad staw
na Nowym Mieście, moja siostra przeżywała swoją pierwszą
i ostatnią miłość. Miał na imię Dawid i to egzotyczne imię dla
mnie, dziewczynki niezwracającej niczyjej uwagi, należało do
świata pięknych ludzi i wielkich przygód, którego moja siostra,
przyszła gwiazda Daisy Tabor, stanowiła część w sposób natural-
ny. „Zakochałam się, Wielbłądko", tańczyła po pokoju i śpiewała
Miłość ci wszystko wybaczy, a ja bardziej czułam, niż rozumiałam,
że pod spodem tego małpowania dzieje się coś ważnego. Miłość
Ewy wiele mnie nauczyła, bo już wtedy podejrzewałam, że sama
nigdy nie wejdę w taki ogień, i do dziś wierzę, że zanim ogarnie
człowieka i spali, jest czas, by się wycofać. Towarzyszyłam im
częściej pewnie, niżby Ewa chciała, bo jak domyśliłam się później, szczęście, które na nią spadło, wiązało się z poczuciem winy

wobec młodszej siostry, wykluczonej z tej historii dla dwojga. Jednak mnie nie opuściła, a Dawid przyjął moją obecność tak, jakbym była kłopotliwym wprawdzie, ale koniecznym dodatkiem. Zaczął nazywać mnie Wielbłądką jak ona. Myślę, że były chwile, gdy Ewa naprawdę mnie potrzebowała, bo trudno chyba przeżywać miłość bez powierniczki, gdy tak silne jest pragnienie, by wciąż na nowo wymawiać imię ukochanego, potwierdzając w ten sposób jego istnienie. Zrozumiałam to dużo później, gdy już wiedziałam, jak potężną siłę mają słowa.

„*Meine kleine*, lecę! Urosły mi skrzydła jak u matki boski kury nioski, ale nie dwa, o nie, siuśmajtko, cała jestem uskrzydlona". Uskrzydlona! Ewa powtarzała to piękne słowo, którego nigdy nie użyłabym w odniesieniu do siebie, bo ani wielbłądy, ani pancerniki stanowczo nie latają ani nie płoną z miłości. „Dawid powiedział, Wielbłądko, że nieważne, co ludzie myślą, nic się nie liczy, niech sobie gadają, tylko my, powiedział, się liczymy, czyż to nie piękne? I gdy po maturze Dawid dostanie się na studia, a na pewno się dostanie, jest taki zdolny, ma umysł wprost wyjątkowy, zamieszkamy razem we Wrocławiu. Dawid i ja. Ja i Dawid. Ty też! To jasne. Tata? Tata nas będzie odwiedzał oczywiście, będziemy go zapraszać na niedziele, na święta. Chciałabyś mieszkać we Wrocławiu? Chciałabyś, prawda? Pamiętasz, jak podobało ci się w parku Szczytnickim?". Moja siostra patrzyła na mnie błyszczącymi oczyma, które domagały się potwierdzenia. Zgadzałam się na wymyślone przez nią piękne życie, ale chyba już wtedy przeczuwałam, że nie jest nam ono pisane. Mansarda z oknem na park Szczytnicki, tak miało wyglądać w szczegółach, i do dziś w słowie „mansarda" ukrywa się cień mojej siostry, lekki powiew, który czuję, gdy je widzę w druku lub słyszę. „Mansarda, Wielbłądko, czyż to nie piękne słowo, założę się, że księżna Daisy lubiła mansardy, że marzyła na Zamku Książ o francuskim kochanku i paryskiej mansardzie. W małej mansardzie z oknem na park rano będziemy pić kawę, ty inkę z mlekiem oczywiście, a drzewa w parku tak się rozszumią, siuśmajtko, jak morze. Sama mówiłaś, że Wrocław ci się podoba, co ty na to, Wielbłądko, umowa stoi?". Na Ewie ogromne wrażenie zrobiła wiosenna wizyta we Wrocławiu, gdzie ojciec wyjątkowo zabrał nas kiedyś ze sobą. Poszedł spotkać się z podobnym sobie poszukiwaczem skarbu, który mieszkał w hotelu asystenckim, i zostawił nas na ławce w parku Szczytnickim z torebką kukułek, pod kwitnącymi forsycjami. Miał wrócić za godzinę, najdalej dwie, ale nie wrócił, co nie wzbudziło w nas niepokoju, bo zawsze się spóźniał, a często zapominał w ogóle, że miał pójść na wywiadówkę albo odebrać mnie z przedszkola. Koło południa znudziło nam się jednak czekanie i ruszyłyśmy zielonym tunelem alei, aż doszłyśmy do japońskiego ogrodu, który wydał nam się cudowny w blasku wiosennego słońca, stworzony specjalnie dla nas przez jakieś przyjazne buddyjskie bóstwo. „Rozumiesz, Wielbłądko, ten ogród służy tylko temu, by się nim zachwycać. Żadnych grządek, nic, co można zjeść i zużyć, czyste piękno". „A gdy nie ma w nim nikogo? Na przykład nocą, czy wtedy też jest piękny?". „Tak", potwierdziła Ewa, „bo ogród żyje w pamięci ludzi, którzy go widzieli". „A gdyby przyszły kotojady i go zniszczyły?". „Cicho, nie wymawiaj tu ich imienia". Nie miałyśmy pieniędzy, a po kukułkach bardzo chciało nam się pić i Ewa, by mnie rozerwać, wymyśliła zabawę, która nigdy nie przyszłaby mi do głowy. Podchodziłyśmy do świątecznie ubranych rodzin i pytały, czy nie widzieli naszych rodziców i brata, „przepraszam bardzo, że przeszkadzam", zaczynała Ewa poważnym tonem, a ludzie chętnie zatrzymywali się ujęci jej urodą i wdziękiem. „Bardzo przepraszam, ale gdzieś zgubiłyśmy rodziców i brata. Może państwo przypadkiem widzieli? Nasza mama, wysoka blondynka, tata w szarym garniturze i kapeluszu, i Maciuś, trzylatek w marynarskim ubranku, dopiero tu byli i znikli. Nie? To przepraszamy bardzo za kłopot.

Do widzenia". Jedna z zaczepionych par naprawdę przejęła się naszymi poszukiwaniami, zaczęli rozmawiać między sobą tak, jak to mają w zwyczaju stare małżeństwa, „a czy to czasem nie ci, co wiesz?", zapytał on, „myślisz, że ci tam?, a wiesz, może i ci", odparła ona i wskazali jedną z parkowych alejek, gdzie widzieli zgubioną przez nas rodzinę. Nie zapomnę wyrazu twarzy Ewy, nigdy potem nie widziałam na ludzkim obliczu takiego pomieszania grozy i zachwytu. Jakiś czas temu, podczas jednej z wakacyjnych podróży, wypróbowałam podobną zabawę i gdy sprzedawca na bazarze w górach Atlas zapytał mnie, czy mam męża i dzieci, odpowiedziałam, że tak, jestem zamężna i urodziłam trzy córki, wszystkie jeszcze się uczą. Moja starsza siostra pomaga mi w opiece nad nimi, dodałam, a starszy mężczyzna, od którego kupiłam ciepłą czapkę, podarował mi trzy mosiężne bransoletki w geście, który wzbudził moje szalone zakłopotanie.

Ewa dopracowała w szczegółach plan naszej przyszłości w mansardzie z oknem na park Szczytnicki. Dawid będzie studiował medycynę, a ona skończy we Wrocławiu liceum i potem pójdzie do szkoły teatralnej, pierwsze role dostanie jeszcze jako studentka, będzie mnie wszędzie zabierała ze sobą. Chciałabym pewnie siedzieć na próbach? Pewnie, że bym chciała! Dawid zostanie sławnym chirurgiem specjalizującym się w przeszczepach serca, może przystąpi do Lekarzy bez Granic i wyjedzie do Afryki, by pomagać głodującym dzieciom? To dopiero plan! Co wtedy z jej karierą aktorską? To żadna przeszkoda! W Afryce Ewa nauczy się afrykańskich tańców, pozna tajemnice szamanek, to tylko wzbogaci jej aktorski warsztat. Na pewno wszystko się jakoś ułoży, „bo najważniejsze, Wielbłądko, że jest miłość. Wiesz, jak to jest? Widzę po twojej wielbłądziej minie, że nic nie wiesz, *meine kleine*. Jest tak, jakbyś napiła się światła, siuśmajtko! Jakbyś zżarła perły księżnej Daisy jedną po drugiej i one teraz krążą rozpuszczone w twojej krwi, i świecą!". Przerywała swoje natchnione tyrady i prosiła: „śpiewajmy razem", a kiedy Ewa prosiła, trudno było odmówić, i śpiewałyśmy, *miłość ci wszystko wybaczy, smutek zamieni ci w śmiech, miłość tak pięknie tłumaczy zdradę i kłamstwo, i grzech*. „Grzeeech", przeciągała Ewa i porywała do tańca rudego Hansa z NRD, a on porywał mnie.

Dawid pojawił się w liceum Ewy w połowie roku szkolnego, był w maturalnej klasie, ona dopiero w pierwszej. Jego rodzina przyjechała z Warszawy i zamieszkali w starej willi w Szczawnie-Zdroju, sanatoryjnej dzielnicy Wałbrzycha, która sprawiała wrażenie innego organizmu miejskiego, doczepionego do górniczego miasta przez przypadek albo za karę, żeby przesiedleńcy z blokowisk mieli o czym marzyć i komu zazdrościć. Ojciec Dawida był ginekologiem, a matka, jak wzdychały z zazdrością inne kobiety, nie pracowała. Ewa nigdy nie mówiła, co przywiodło rodzinę Dawida do naszego miasta i czym mogło ono skusić warszawskiego lekarza, który wkrótce dorobił się grona zachwyconych pacjentek, tytułujących go panem profesorem. Podobno mieli jakieś kłopoty, ale nigdy nie dowiedziałam się jakie. Dawid był chudym, ładnym chłopcem o smagłej cerze i wówczas wydawał mi się strasznie stary. Ubierał się zawsze na czarno, miał gęste kręcone włosy, opadające na czoło, i patrzył na świat przez błękitne lenonki. Z paczki, jak podkreślała Ewa, bo część rodziny Dawida mieszkała w Kanadzie. Najbardziej jednak fascynowały mnie jego buty, zagraniczne glany, na jakie mało kogo było wówczas stać w Wałbrzychu. Solidna skóra, traktory i cholewka sznurowana do połowy łydki, piękne buty. Wydawało mi się, że w takich butach łatwiej wyruszyć w podróż niż w moich lichych juniorkach z pedetu, bo wyglądały jak stworzone do wskakiwania na stopnie wagonów, trapy statków, kto wie, może nawet na schody prowadzące do samolotu. „Te buty to martensy", uświadomiła mnie Ewa, „bardzo drogie. Oczywiście z paczki. Gdy będę gwiazdą, kupimy sobie po kilka par! Jakie byś chciała,

Wielbłądko? Brązowe? Do diabła z brązowymi! Będziesz miała szmaragdowe, kobaltowe i w kolorze wściekłej fuksji". Dawid na razie wybierał się w bliższe podróże z plecakiem po górach. „Dawid chodzi z plecakiem po górach", zachwycała się moja siostra i słowa te idealnie oddawały coś cudownie pełnego wolności, czego nikt z naszej rodziny nigdy nie robił. Chodzić z plecakiem po wałbrzyskich górach, tak po prostu, dla przyjemności, nie szukać skarbu, tylko patrzeć w niebo, moczyć nogi w górskich strumieniach. Też chciałam chodzić z plecakiem po górach i robić to wszystko, co robił Dawid, chciałam móc powiedzieć tak jak on, że życie jest podróżą, i nawet dziś, kiedy z perspektywy lat widzę jego młodzieńczą skłonność do banału i egzaltacji, czuję urok, któremu uległa moja siostra. Dawid miał coś, czego nie znałyśmy ze swojego otoczenia: wolę życia i siłę przetrwania, i pewność, że jest wart, by przetrwać. Wspólną wyprawę w Karkonosze obiecał Ewie na początku ich miłości. Ja też miałam jechać i przygotowywałyśmy się do tych pierwszych w naszym życiu prawdziwych wakacji z takim rozmachem, jakby to była wyprawa na Kilimandżaro. Kupiłyśmy w składnicy harcerskiej menażki i wełniane skarpety, oszczędzałyśmy na górskie buty, ja z pieniędzy, które pan Albert dawał mi za pomoc w palmiarni, Ewa za korepetycje, których udzielała mniej zdolnym kolegom, tak jak ja będę to robiła kilka lat później. „Gdy pojedziemy z Dawidem w góry", powtarzała Ewa, przeciągając samogłoski, smakując tę frazę niczym ulubione lody Śnieżka, które wyglądały jak sprasowana między wafelkami kostka śniegu. Nigdy potem nie czekałam już tak bardzo na żadną podróż i żadna mnie naprawdę nie zachwyciła. Weszłam niedawno na Kilimandżaro, ale ani ja, ani Ewa nigdy nie pojechałyśmy w Karkonosze.

Spojrzałam na zegarek w telefonie, dochodziła trzecia. Gdyby moja siostra tu była, powiedziałaby, że o tej porze duchy Niemców idą siku, „słuchaj, Wielbłądko, jak skrzypi podłoga, raz, dwa, trzy, chowamy łby!". Nawet jeśli ma się na uwadze specyfikę naszej rodziny, której członkowie w większości zmarli młodo, znikli lub byli pochłonięci czymś, co nie zostawiało wiele czasu na ziemskie życie, wydaje się niewiarygodne, że jedna dziewczyna potrafiła wymyślić tyle duchów. Niemieckie mieszkały w szparach podłogi i sikały nad ranem w naszej łazience, żydowskie zaglądały w okna i posilały się okruchami chleba na parapecie naszej sypialni, a duch księżnej Daisy przechadzał się po zamkowych komnatach i dawał nam znaki zapaloną świeczką. Chyba zwariowałam, że postanowiłam zatrzymać się w tym domu, który pozbawiał mnie snu i odbierał spokój. Sięgnęłam po butelkę wody stojącą przy łóżku, pod gazetą obok coś zaszeleściło i wylazł stamtąd owad, znieruchomiał w strudze zimnego światła, jakby stanął na baczność, i po chwili znikł w ciemności. Czym on się żywił w tym opuszczonym martwym domu? Wciąż pojawiały się nowe doniesienia o pladze karaluchów, które nie reagują na środki owadobójcze i mnożą się na potęgę w wałbrzyskich domach. Jest ich ponoć coraz więcej i nie boją się ludzi. W lokalnym dzienniku, spod którego wylazł mój robak, czytałam wywiad z entomologiem z wrocławskiego uniwersytetu. Sam podobny do owada, o wyłupiastych oczach i sztywnych wąsikach, uspokajał, że wprawdzie w kilku polskich miastach pojawił się zmutowany gatunek owada, ale nie ma powodów do paniki. W świetle aktualnych badań, jak rzekł, nie zagrażają one ludziom bardziej niż ich pospolici kuzyni, którzy towarzyszą ludzkości od początku jej istnienia. Entomolog radził zachować spokój, uszczelnić przewody wentylacyjne, przestrzegać zasad higieny i nie wyganiać kotów z piwnic. „Tam, gdzie są koty, nie ma karaluchów", podsumował i pomyślałam, że Dzikiej Baśce karaluszy entomolog z wąsikiem wydałby się w tej chwili tak samo sympatyczny jak mnie. Pod wywiadem dano reklamę lokalnej firmy Robax: „Dobry karaluch to martwy karaluch".

Karaluch pogrzebał moją nadzieję na sen tej nocy, w spaniu nigdy nie byłam dobra, mimo cowieczornych ćwiczeń. Taka porażka jest wyjątkowo przykra dla perfekcjonistki, przekonanej, że większości rzeczy można się nauczyć, jeśli ma się wystarczająco silną wolę. Postanowiłam zejść do kuchni i zaparzyć sobie herbaty, by wzorem innych insomniaków dotrwać do świtu, ale wtedy jakieś drobne zawirowanie w strumieniu ektoplazmy, która wpadła przez okno, obudziło moją czujność. Ukucnęłam i na czworakach podeszłam do okna, żeby z zewnątrz nikt nie mógł dostrzec ruchu. Nie wiedziałam, czy obserwuje mnie człowiek, czy jakieś stworzenie o bystrych oczach sowy, które moja siostra wymyśliła przed laty i nie zabrała ze sobą do grobu. Widziałam tę część ogrodu, w której rosła moja jabłoń, padał na nią zimny blask księżyca i oświetlał niczym niezmąconą ciszę i pustkę. Jednak nadal coś mnie niepokoiło. Ukucnęłam i przepełzłam wzdłuż okna. Widziałam teraz zdziczałe krzaki czarnych porzeczek, które ojciec uważał za najzdrowsze owoce, a ja nie mogłam ich jeść i nie jem do tej pory, bo Ewa mówiła, że pachną trupem. Wyrastają tam, gdzie kogoś pochowano, czerń ich owoców zawdzięcza swój kolor śmierci. Za porzeczkami gęstniały zarośla łopianowe, zbite w wyschniętą masę badyli. Nikogo. Odetchnęłam. I wtedy go zobaczyłam. Wysoki mężczyzna w skórzanym płaszczu, zapamiętany z pociągu, poprzedniej nocy też czaił się w moim ogrodzie. Stał teraz za pniem włoskiego orzecha, ale wydał go cień, który padał na srebrną od szronu trawę. Obserwowałam go, wiedziałam, że musi w końcu coś zrobić. Po chwili wyszedł i popatrzył w stronę mojego domu, jego twarz bielała w mroku jak maska, pochylił głowę i zaczął przemieszczać się po ogrodzie w dziwny sposób. Najpierw, co za szalony pomysł, pomyślałam, że tańczy, ale po chwili zorientowałam się, że trzyma jakiś papier w ręce i czyta. Z pochyloną głową szedł kilka kroków w prawo, zatrzymywał się, spoglądał na kartkę papieru i robił parę kroków w przeciwną stronę. Przypomniałam sobie ojca, który liczył kroki według kolejnych planów mających go zaprowadzić do skarbu. Intruz też czegoś szukał.

Po ciemku zbiegłam do kuchni, której tylne drzwi prowadziły do ogrodu. Ukryta za szafką, jeszcze raz wyjrzałam na zewnątrz. Mężczyzna nadal tam był. Tyłem do mnie kroczył teraz w kierunku kępy zgniłych łopianów z taką sztywną powagą, jakby szedł po linie. Postanowiłam wykorzystać okazję i cicho otworzyłam drzwi. Los mi sprzyjał, bo nawet nie skrzypnęły. Zimne powietrze uderzyło w moją rozpaloną twarz, waliło mi serce, było już za późno, by się zastanowić, co wyprawiam. Wymknęłam się na zewnętrz i przebiegłam kilka kroków dzielących mnie od porzeczkowych zarośli, za którymi się przyczaiłam. Mężczyzna rozejrzał się, ale mnie nie dostrzegł, i wrócił do swojego zajęcia. Spojrzał na kartkę i zrobił kilka kroków w moją stronę, więc rozpłaszczyłam się na posłaniu z oszronionej trawy i ukryłam twarz. Ziemia pachniała wilgocią i rozkładem, przyszła mi do głowy dziwna myśl, że dobrze byłoby tak pozostać z twarzą w martwej trawie i liściach o barwie popiołu. Tuż przy uchu usłyszałam, a raczej poczułam czyjś głos, szepnął „ciii", i odniosłam wrażenie, że skądś go znam, z podobnej ciemności, w której czaiło się zło. Miałam na sobie ciemnoszarą piżamę i dzięki temu intruz nie zauważył mnie. Po chwili odważyłam się przesunąć głowę i spojrzeć. Odwrócony tyłem mężczyzna pochylał się nad zaroślami łopianu, badał grunt stopą. Był wyższy ode mnie i wyglądał na silnego. To, co wzięłam za skórzany płaszcz, okazało się ortalionową sportową kurtką, podobną do tej, którą sama sobie niedawno kupiłam. Zdecydowałam, że muszę wykorzystać swoją przewagę, bo w otwartym starciu nie mam szans. W dwóch susach pokonałam dzielącą nas odległość, skoczyłam na plecy nieznajomego i unieruchomiłam ramieniem jego głowę. Nie udało mi się go przewrócić. Czułam jego twarde mięśnie, był szczupły, ale miał ciało sportowca, pachniał wodą po goleniu i świeżym praniem, i zrobił dokładnie to, co powinien. Znieruchomiał i zwiotczał, jakby się poddawał, i mimo iż byłam na to przygotowana, po chwili uwolnił się z uchwytu i rzucił mnie na ziemię. Zobaczyłam zaskoczenie w jego oczach i wykorzystałam je, by zwinąć się w kulkę, a gdy pochylił się, kopnęłam go brzuch. Trafiłam najlepiej, jak mogłam, bo mężczyzna cofnął się i zgiął z bólu. Zaatakowałam go, ale uchylił się, znał zasady walki. Staliśmy naprzeciw siebie pod księżycem, który świecił teraz tak jasno, że mogliśmy się sobie przyjrzeć. Intruz uniósł ręce w obronnym i odrobinę prześmiewczym geście, bo zauważył, o ile jestem mniejsza i słabsza. Nie podobało mi się to. Miał ciemne oczy i długie rzęsy, rzęsy dziecka niepasujące do pobrużdżonej, zmęczonej twarzy. To nie był mężczyzna z pociągu. Nie myliłam się, bo choć nie widziałam dobrze twarzy tamtego, czułam otaczającą go aurę.

– Kim jesteś?

– Mam na imię Martin, Marcin Schwartz – powiedział nieznajomy. Mówił z obcym akcentem, jego słowa były szorstkie jak papier ścierny, ale miał miły głos człowieka, który często musi koić czyjś gniew albo strach.

– Co robisz nocą w moim ogrodzie, Marcinie Schwartz?

– Twoim? To twój ogród? – Mężczyzna wyglądał na zdziwionego.

– Mam ci pokazać akt własności? Drugi raz widzę cię nocą w moim ogrodzie. Co tu robisz i kim jesteś, Marcinie Schwartz?

– Drugi raz? Bardzo ciekawe. A kiedy byłem tutaj po raz pierwszy? – Ta rozmowa zaczynała być naprawdę absurdalna.

– Mam ci podać dzień i godzinę?

– Chyba tak, bo ja nie wiem. Dopiero tu dotarłem. – Mężczyzna rozłożył ręce.

Dopiero teraz zauważyłam plecak oparty o pień jabłoni.

– Kim jesteś i co tu robisz? – powtórzyłam.

Marcin patrzył na mnie i nagle uśmiechnął się, jakby zobaczył dawno niewidzianą znajomą.

– Jesteś córką!

– Córką?

– Jesteś córką profesora Tabora.

– Znałeś mojego ojca?

– Nie znał – usłyszałam za plecami głos pana Alberta, który stał ubrany w staromodną flanelową piżamę. Na głowie miał pilotkę, bo nie zdejmował jej nawet do snu. W ręce trzymał siekierę.

– To ja – powiedział Marcin i znowu uniósł ręce, demonstrując, że jest nieuzbrojony i nie ma złych zamiarów.

– Widzę – odpowiedział pan Albert i opuścił narzędzie, którego widok zdumiał mnie i przeraził, bo było oczywiste, że mój łagodny zazwyczaj sąsiad też zdawał sobie sprawę z jakiegoś niebezpieczeństwa. – Widzę, że to ty. – Uśmiechnął się. – Czekałem na ciebie.

– Spóźniłem się. Przepraszam.

– Nie mogłeś zacząć tego jutro? Zawsze musisz się tak spieszyć? – Pan Albert beształ przybysza, ale nie sprawiał wrażenia niezadowolonego. Przeciwnie, wyglądał, jakby nie mógł opanować radości, że go widzi.

– O co tu chodzi? Możecie mi wyjaśnić, co się dzieje w moim ogrodzie? Kto jest kim i kto kogo zna? Co będziecie zaczynać jutro? Czego ten człowiek tu szuka? Dlaczego ja nic o tym nie wiem?

Mężczyźni spoglądali na siebie znacząco, dobrze się znali, tego byłam już pewna.

– Ona zawsze zadaje tyle pytań? – odezwał się w końcu Marcin.

– Zwykle jest gorzej. – Pan Albert uśmiechnął się. – Jej pierwsze w życiu słowa były pytaniem.

Zaczynałam czuć nowy przypływ złości, bo bardzo nie lubię, gdy ludzie, zwłaszcza tacy, którzy zakradają się nocą do cudzych ogrodów, nie odpowiadają na pytania.

– Zaraz ci wszystko wyjaśnię. Tylko nie kop mnie więcej. – Marcin Schwartz uśmiechnął się krzywo.

– Kopnęła cię? – zainteresował się pan Albert.

– Nie tylko. Najpierw wyskoczyła z ciemności i unieruchomiła mnie chwytem judo. Potem kopnęła i próbowała uderzyć w krtań. I dopiero wtedy zapytała, kim jestem. – Niemiecki akcent, silny mimo biegłej polszczyzny, to jedno na razie wiedziałam na pewno o Marcinie Schwartzu.

Pan Albert uśmiechnął się do mnie.

– Trenowałaś judo?

– Byłam na kursie samoobrony dla kobiet – przyznałam się. – Przez siedem lat.

– To na pewno nie była samoobrona – wtrącił Marcin, ale go zignorowałam.

– A więc nie tylko pisać się nauczyłaś przez ten czas. – Pan Albert patrzył na mnie spod połatanej pilotki.

Moja złość topniała, odpowiedziałam uśmiechem, jakbym znów była małą dziewczynką, którą pochwalił za pięknie przygotowane flance w palmiarni, gdzie powierzał mi zadania z taką powagą, bym nie miała wątpliwości, że jestem mu niezbędna i beze mnie wszystko zarośnie barszczem Sosnowskiego. Gdy zabierał mnie potem na frytki, wiedziałam, że to zasłużona nagroda, a nie jałmużna dla wiecznie głodnego dziecka. Skoro pan Albert tu jest, Marcin Schwartz nie może stanowić zagrożenia.

– Drodzy panowie, bardzo mi miło, chociaż żadnego z was nie zapraszałam. Jeśli chcecie, możecie tu zostać, ja idę do środka. Zimno mi w stopy.

Jak na komendę popatrzyli na moje bose nogi.

– Zaprosisz nas na herbatę? – zapytał pan Albert.

– Herbatę? Proszę bardzo. Szalona herbatka o świcie.

Weszliśmy do kuchni i gdy zapaliłam światło, cała groza tej nocy znikła, a ja poczułam niespodziewaną radość z powodu gości, którzy nigdy nie przychodzili do tego domu, gdy byłam dzieckiem. Wstawał świt, duchy szły spać, jak powiedziałaby Ewa, i przysięgałaby, że jeśli wsłucham się dobrze, usłyszę ich ziewanie. Upierałaby się, że żydowskie duchy ziewają zupełnie inaczej niż niemieckie, i kazałaby mi się wsłuchiwać w odgłosy pogrążonego w ciemności ogrodu, który dla mnie był zwykły i ziemski. Zostawiłam na chwilę moich niespodziewanych gości i pobiegłam do góry, by cieplej się ubrać. W towarzystwie Marcina niezbyt dobrze czułam się w cienkiej piżamie, pod którą byłam naga, i ciągle pamiętałam dotyk jego ciała, gdy skoczyłam mu na plecy. Nie był to dobry pomysł. Nawet siedem lat ćwiczeń pod okiem instruktora nie zmieni faktu, że jestem mała i drobna. Jeśli dano by mi wybór, chciałabym wyglądać jak Hilary Swank z *One Million Dollar Baby*, ale niestety o wiele bardziej przypominałam Jodie Foster z *Milczenia owiec*. Gdy weszłam do sypialni, poczułam, że coś jest nie tak. Zapach, przejmujący zapach stęchlizny. Ktoś tu był, gdy ja walczyłam w ogrodzie? W powietrzu unosiło się coś obcego, napełniającego lękiem.

Otworzyłam szafę i zgięłam się jak uderzona w brzuch. Wisiał w niej rudy miś, Hans z NRD, którego ostatnio widziałam porzuconego w piwnicy. Ktoś powiesił go na moim pasku od spodni. Zmierzwiona sierść tak bardzo przypominała zwierzęcą, żałośnie oklapnięte uszy wyglądały bezbronnie jak u stworzenia, które kiedyś żyło i odczuwało ból. Przeklęłam i z całej siły kopnęłam drzwi szafy. Pierwszy przybiegł Marcin, za nim pojawił się pan Albert.

– Alicja – powiedział i wykonał taki gest, jakby chciał mnie objąć, ale cofnęłam się. Odpięłam pasek, wisielec bezwładnie spadł na podłogę i leżał teraz u naszych stóp. Pozbawiona grozy dziecinna zabawka. Oto czym był rudy Hans z NRD. Nabrałam powietrza i wypuściłam je powoli.

– Pójdziemy teraz do kuchni – powiedziałam tak spokojnie, jak tylko potrafiłam – usiądziemy przy herbacie i opowiecie mi wszystko, co wiecie.

W odruchu absurdalnego współczucia podniosłam Hansa za brudną łapę i posadziłam w kuchni przy stole, a po jego bokach zostawiłam miejsca dla moich nocnych gości. Marcin Schwartz wyglądał na znużonego tym rodzajem zmęczenia, którego nie można odespać, bo pracowało się na nie przez lata. Miał na policzku bliznę w kształcie kociej łapy i niesymetryczne brwi. Pan Albert drapał się po swojej pilotce, jak zawsze, gdy się nad czymś zastanawiał, i wydawało mi się, że od wczoraj przybyła jej łata z płótna w niebieskie róże. Przygotowałam wielki jak samowar ceramiczny dzbanek gruzińskiej herbaty z goździkami. Znalazłam filiżanki z chińskiej porcelany, których jakimś cudem ojciec nie sprzedał ani nie wymienił na plan podziemi od kolejnego oszusta. Nie będę ich myła – zdecydowałam, odrobina starego kurzu doda herbacie wyrazu. Przypomniałam sobie swoją nową, rzadko używaną kuchnię w Warszawie, jej sterylnie czyste blaty i biel szafek, szare kafle, wielkie okno otwarte na świat, zapach nowości. Ten obraz wydał mi się tak daleki, jakby należał do kogoś innego, kogo dobrze nie znam i nie rozumiem. Być może tylko śniłam, że jestem Alicją z tamtego jasnego domu, a moje prawdziwe życie cały czas toczyło się tutaj. Gdzieś zapiał kogut i Marcin Schwartz westchnął, spojrzał na zegarek i oświadczył, że jest czwarta.

– Kto ma mówić? – zapytał. Mężczyźni popatrzyli na mnie. Wypiłam łyk herbaty i jej orzeźwiające ciepło sprawiło mi przyjemność. Gruzińska z goździkiem i kurzem smakowała jak czterdziestoletni tajwański oolong.

– Pan Albert. Niech pan mi o wszystkim opowie. Od początku.

nazwałabyś banałem. Możesz więc tę opowieść przekazywać dalej po swojemu. Daję ci ją w prezencie.

Moje najdalsze wspomnienie dotyczy Zamku Książ. Widzę płonący ogień i konie o lśniącej sierści. Potem obracam się tyłem do światła i patrzę na wznoszącą się ponad lasem budowlę, której uroda wydaje mi się tak obezwładniająca, że wyciska mi łzy z oczu. Cieszę się, że jestem blisko swoich, że słyszę ich głosy i znajomą muzykę, bo inaczej nie zniósłbym tego uczucia dojmującego piękna. Jednocześnie chcę tu zostać i patrzeć na Zamek Książ, i ruszyć w dalszą drogę z moim taborem, by móc go wspominać. To mogli być Sinti, niemieccy Cyganie tradycyjnie trudniący się muzykowaniem. Byli wśród nich tacy właśnie wędrowni grajkowie i sztukmistrze podróżujący od miasta do miasta. Jednak przed wojną Sinti, cygańska arystokracja, zostawali również właścicielami rewii i cyrków w niemieckich miastach i zanim Hitler zdecydował, że nie są ludźmi, odnosili sukcesy, zawierali mieszane małżeństwa, żyli jak inni w murowanych kamienicach. Sinti byli częściowo zasymilowani, ale nie lubili zatrzymywać się na długo w jednym miejscu, bo bez podróży, której pragnienie mają we krwi, wyrodnieją i wymierają. To łączy wszystkich Cyganów i gdy po wojnie zmuszono ich w Polsce do osiedlania się, skarleli, stracili wolę życia. Ulica Pocztowa na Starym Zdroju jest cmentarzyskiem zniszczonych ludzi. Dowiedziałem się tego wszystkiego o Sinti dużo później, ale ta wiedza nie przybliżyła mnie do swoich. Tylko gdy gram melodie, które tak lubisz, Alicjo, czuję, że kiedyś byłem w drodze.

Na tej leśnej polanie z widokiem na Zamek Książ narodziła się moja pamięć, a więc i ja naprawdę przyszedłem tam na świat. Okazało się, że spędzę całe życie obok tego miejsca, spędzę je na rozpamiętywaniu, jak mogłoby być, kim mógłbym się stać, gdyby wszystko potoczyło się inaczej. Pamiętam muzykę i szczególny sposób, w jaki poruszali się ludzie, niby bez ładu i składu, w bałaganie i krzyku, nagle wybuchających awanturach, które kończyły się śmiechem, a jednak wkrótce w kręgu tworzonym przez wozy zaczynało pachnieć jedzenie przygotowywane na ognisku. Przy ogniu siedziały kobiety i pewnego razu jedna z nich mnie zawołała. Widzę to tak, jakby zdarzyło się wczoraj. Kobieta odwraca twarz w moim kierunku, ogień oświetla od tyłu jej głowę, w jego blasku tańczą złote kolczyki w jej uszach. To dziwne, wiem z całą pewnością, że kobieta woła mnie po imieniu, ale nie słyszę jej głosu. Niestety, nie widzę też jej twarzy, ale na pewno jest młoda i piękna. Dlaczegóż miałbym w to nie wierzyć? To twarz mojej matki.

Cyganie odjechali, a ja zostałem w Waldenburgu i nigdy już nie wróciłem do mojego taboru. W tamtych latach Cyganie mogli odjechać tylko ku zagładzie w Zigeunerlager, cygańskim obozie śmierci. Był rok 1937, czas taborów się kończył, a ja miałem pięć lat. Mniej więcej. Daty mojego dzieciństwa znam tylko w przybliżeniu i już nigdy nie będzie inaczej. Gdy dorastałem w powojennym Wałbrzychu, większość ludzi miała tożsamość sklejoną z różnych kawałków i nie odstawałem specjalnie od reszty, ot, jeszcze jeden mieszaniec nie wiadomo dokładnie skąd. Nie wyglądałem na Cygana i dopiero teraz, gdy stoję nad grobem, wydaje mi się, że moja twarz przybiera taki kolor i wyraz, jaki powinna mieć zawsze. Czasem idę na ulicę Pocztową i widzę w oczach dzieci i starców, że rozpoznają we mnie swojego, choć oni nie należą do Sinti. Patrzę na zrujnowane kamienice, rozpadające się płoty i mimo wszystko zazdroszczę tym ludziom, że są razem.

Matka zostawiła mnie w domu niemieckiego weterynarza, który nazywał się Adolf Schwartz i był moim ojcem. Wierzę, że zrobiła to dla mojego dobra, że uratowała mi życie podczas zagłady. Byłem cygańskim mieszańcem z Niemiec i w mojej głowie od zawsze ta nazwa, wymyślona przez nazistów, wypalona jest po niemiecku: Zigeuner-Mischling aus Deutschland.

Gdzie mogłem ją słyszeć? Nie wiem. Pierwszy obraz mojego nowego życia to ta kuchnia, w której teraz siedzimy. Stoję w jej drzwiach. Przy stole, na twoim miejscu, Alicjo, moja niemiecka macocha, Gertrud Schwartz, obierała ziemniaki, a z każdej bulwy ścinała jedną spiralnie zwijającą się ostrużynę. Gertrud Schwartz nie znosiła, gdy coś naruszało ustaloną przez nią rutynę codzienności. Pamiętam ją liczącą słoiki z przetworami, *ein, zwei, drei,* miałem wtedy wrażenie, że ustawiają się w równym rzędzie na sam dźwięk jej głosu. Jakim szokiem musiało być dla niej moje przybycie. Ta kobieta nie lubiła nawet nagłych zmian pogody, a co dopiero nagłej zmiany liczebności rodziny, i to bez jej wkładu. Oto miała zająć się cygańskim bękartem męża, ona, porządna i prawa gospodyni domowa, która kiedy stłukła się szklanka, mówiła ze złością: niepowetowana strata. Taką stratą niepowetowaną w jej życiu byłem ja, bo pozbawiłem ją poczucia, że panuje nad swoim domowym królestwem. Dziś wiem, że musiała być kobietą bardzo nieszczęśliwą, ale wtedy obwiniałem siebie, myśląc, że gdybym był inny, zaakceptowałaby mnie. Nie wiem, jak moi rodzice się poznali i w jakich okolicznościach nawiązali romans. Kiedy trafiłem do domu Adolfa Schwartza, związek Niemca z Cyganką był już uważany za zbrodnię przeciw rasowej czystości. Mogę się domyślać, że jedyną okazją do poznania wędrownej Cyganki była praca Adolfa Schwartza, pewnie opiekował się chorym koniem z naszego taboru. A może było w nim coś więcej, w moim ojcu, którego nie zdążyłem poznać? Może wcale nie byłem jego synem?

Na początku nie miałem pojęcia, dlaczego mnie tu zostawiono, i pamiętam, jak siedziałem na schodach, czekając, aż Cyganie po mnie wrócą. Nigdy przedtem nie mieszkałem w domu. Miałem wrażenie, że ściany są ruchome, zbliżają się do siebie, by mnie zmiażdżyć jak robaka. W tych latach tuż przed wojną pojawiła się plaga karaluchów, które za nic miały wysiłki niemieckich gospodyń. Zawsze gdy Gertrud miażdżyła obcasem chitynowe pancerzyki, miałem wrażenie, że myśli o mnie. Kazała mi ścierać z podłogi obrzydliwą białawą masę, jaka zostawała z robaka. Uciekałem, po prostu pędziłem przed siebie, w las, ale zupełnie nie wiedziałem, dokąd miałbym pójść, jak odnaleźć swoich. Podczas jednej z ucieczek trafiłem na polanę, na której wtedy rozbiliśmy obóz, ale oprócz śladów ogniska nic więcej tam nie było, żadnego znaku, którego szukałem. W świetle dnia las pod Zamkiem Książ wyglądał bardziej złowieszczo niż nocą, jakby już pojawił się tu cień wojennej grozy. Zapłakałem, pierwszy raz w życiu poczułem, co znaczy niepowetowana strata. Musiałem naprawdę strasznie szlochać, bo nie usłyszałem, jak podjechała. Kobieta na wózku pchanym przez służącą przypominającą kota. Wydawała mi się postacią nie z tej ziemi. Miała jasne włosy, jasne, prawie przejrzyste oczy, patrzyła na mnie spod ronda kapelusza, jakiego nie widziałem nigdy przedtem. Wyglądała jak anioł z obrazka, przeprowadzający dzieci kładką nad urwiskiem. To, że była stara, tylko dodawało jej dostojeństwa i uroku. Obrazek z takim aniołem wisiał nad moim łóżkiem. Gdy przez okno padało światło księżyca, postaci wydawały się poruszać i zastanawiałem się, czy którejś nocy cała trójka przejdzie szczęśliwie na drugą stronę, czy jednak, mimo obecności skrzydlatej opiekunki, spadnie w dół. Kobieta wstała z wózka, podeszła do mnie, wspierając się na lasce i zapytała, czy się zgubiłem. Dlaczego płaczę? Czy może mi pomóc? Chciałem jej powiedzieć wszystko. O tym, że moja matka Cyganka zostawiła mnie w domu, którego nienawidzę, i o tym, że nazywają mnie teraz Albert, ale miałem inne, prawdziwe imię. O tym, że wygląda jak anioł. Nie mogłem jednak wydusić ani słowa i było mi potwornie wstyd, gdy wycierałem rękawem zasmarkany nos. „Mam na imię Daisy", powiedziała kobieta i podała mi chusteczkę. Nie pamiętam, jak się rozstaliśmy, i tylko ten moment: pochylająca się nade mną kobieta, chusteczka w jej dłoni, słowa „mam na imię Daisy", tylko to zostało.

Wróciłem wtedy do domu, ściskając w kieszeni białą chusteczkę z monogramem, której nie śmiałem użyć. Nadal ją mam. Może dostałem lanie, może nie, ale to nie było istotne, bo przejmowała mnie taka radość, jakbym doświadczył cudu. Wydawało mi się, że spotkanie z Daisy było zapowiedzią jakichś wspaniałych wydarzeń. Wszystko pomieszało mi się w głowie i wkrótce nie byłem pewny, czy spotkałem w ruinach staruszkę, czy młodą kobietę, bo na wspomnienie nałożyły się fantazje dorastającego chłopca i zdjęcie młodej księżnej w sznurze pereł, jakie gdzieś musiałem widzieć. Po spotkaniu z Daisy uciekałem jeszcze kilka razy i kiedyś dotarłem nawet do wałbrzyskiego dworca, gdzie tak długo siedziałem na ławce, nie mając odwagi wsiąść do pociągu, aż zawiadowca chwycił mnie za kołnierz i wyrzucił na ulicę. Czasem chodzę na ten dworzec, Alicjo, i tak jak przed laty czekam na pociąg, którym nie pojadę. Ojciec przyprowadzał mnie z ucieczek i bez słowa zamykał w domu. Był człowiekiem małomównym, ale wybuchowym i gdy uciekłem jeszcze raz, ostatni, zbił mnie pasem tak, że przestałem uciekać. Miałem na imię Albert, Albert Schwartz, i myślałem, że tak zostanie. Gdy użyłem słowa z języka Sinti, obrywałem od ojca albo macochy i wkrótce język matczyny został we mnie pogrzebany pod lawiną razów. Niemiecki weterynarz nie poświęcał mi poza tym wiele uwagi, ale czasem przyglądał mi się i miałem wrażenie, że w jego oczach była nadzieja.

Niewiele więcej uwagi poświęcał swojemu drugiemu synowi, Adalbertowi, który był dokładnie w moim wieku i w wyniku jakichś tajemniczych okoliczności albo po prostu przypadku wyglądał niemal identycznie, chociaż jego matka była duża, jasna i tęga, a moja, jestem tego pewny tak, jak pewni jesteśmy swoich marzeń, śniada, piękna. Adalbert nie cierpiał mnie od samego początku i traktował jak intruza. Próbowałem zdobyć jego przychylność, bo czułem się po prostu bardzo samotny. Nie udawało mi się, chociaż czasem mój brat zwodził mnie. Gdy już nabierałem nadziei, że się zaprzyjaźnimy, robił coś, co mi ją odbierało. Macocha stawała zawsze po jego stronie. Nigdy nie kochałem tej kobiety, ale nawet jako dziecko intuicyjnie rozumiałem jej złość i żal. Miała w domu dwóch niemal identycznych chłopców, z których tylko jeden był jej synem. Komu więc miała wierzyć? Adalbert miał misję. Było nią zniszczenie mnie, jak się wkrótce przekonałem.

Ojciec po wielu prośbach i złożonych mu obietnicach pozwolił mi zająć mały kawałek ogrodu. Ten najbardziej wilgotny, gdzie teraz rosną łopiany, a wiosną zawsze pojawia się kilka zdziczałych tulipanów i narcyzów. Skopałem go i wyznaczyłem grządki. Na jednej połowie posiałem warzywa, na drugiej zasadziłem kwiaty. Wyobrażałem sobie, że gdy zakwitną, zrobię z nich bukiet i zaniosę na Zamek Książ dla księżnej Daisy. Co będzie dalej? Pewnie coś niemożliwego, co chłopiec porzucony przez matkę mógł sobie wymarzyć. Daisy wzięłaby bukiet i mnie, cygańskiego bękarta, na dokładkę, stałbym się jednym z jej synów, najmłodszym i rozpieszczanym. Wtedy już wiedziałem więcej o Daisy i wydawało mi się w dziecięcej naiwności, że jej dzieci czeka los najwspanialszy z możliwych, zagwarantowany przez urodę Zamku Książ i jego pani. Od małego miałem rękę do roślin, co swoją drogą nie jest dla Cygana typowe, więc może jednak niemiecki ojciec zostawił we mnie jakiś ślad. Moje tulipany zakwitły któregoś popołudnia jak na komendę, białe, liliowe i prawie czarne. Patrzyłem na nie i wyobrażałem sobie, jak nazajutrz rano zrobię z nich bukiet. Tej nocy coś mnie obudziło, zresztą od kiedy zamieszkałem z rodziną Schwartzów, nigdy nie spałem dobrze. Najczęściej zasypiałem, dopiero gdy z poduszką i kocem kładłem się na podłodze, bo w łóżku dusiłem się i rzucałem jak ryba. Podszedłem do okna i zobaczyłem w ogrodzie Adalberta. Niszczył moje tulipany. Pamiętam bardzo silne wrażenie, jakie zrobił na mnie ten obraz, bo w pierwszej chwili, jeszcze nie w pełni obudzony, myślałem, że to ja sam uderzam łopatą delikatne pędy kwiatów. Fala nienawiści przetoczyła się przeze mnie i odeszła, czułem się spustoszony jej siłą. Nic nie zrobiłem. Stałem w oknie jak skamieniały. Niemal czułem ciężar łopaty, zmęczenie i wściekłość Adalberta, i mocno biło mi serce. Przy śniadaniu na drugi dzień panowała ciężka atmosfera i mój brat dziwił się chyba, że nic nie mówię. „To świnie", odezwał się pierwszy. „Dzikie świnie przyszły z lasu i zniszczyły ogród Alberta". Nadal nie odzywałem się, bo nie potrafiłbym, i nadal nie potrafię ująć w słowa tego, co czułem. Gertrud siedziała naprzeciw nas i dużym nożem z drewnianym trzonkiem kroiła chleb, opierając bochenek na piersi. To był codzienny rytuał. Kładła na nasze talerze po dwie kromki teatralnym gestem, całemu światu pokazując swoją sprawiedliwość: dwie kromki dla syna, dwie dla bękarta. Widziałem, jak jej blada na co dzień twarz czerwienieje, czerwień wylewała się spod zapiętej pod szyję bluzki, coraz głębsza i ciemniejsza, jak płynąca na opak rzeka. Rzuciła nóż i zaklęła, a potem pochyliła się nad stołem i każdego z nas uderzyła w twarz tak szybko, że dopiero po chwili zdałem sobie sprawę, co się stało. Piekł mnie policzek i skupiłem się na tym banalnym bólu, żeby nie płakać, a Adalbert wstał od stołu i, widzę to w zwolnionym tempie, choć pewnie stało się bardzo szybko, podniósł chlebowy nóż i rzucił się na matkę. Zranił ją w ramię, ale zanim zdążył zadać następny cios, Gertrud odebrała mu nóż. Była silną kobietą, ale wiem, że się bała.

Od tej pory nie próbowałem już zaprzyjaźnić się z moim bratem. W miarę upływu czasu nasze fizyczne podobieństwo było coraz wyraźniejsze, podobnie jak różnica charakterów. Myślę, że Adalbert zdawał sobie sprawę, iż tamtej nocy, gdy zniszczył moje kwiaty, zobaczyłem w nim coś, czego może jeszcze sam nie był do końca świadomy. Zostawił mnie w spokoju. Jego niszczycielska pasja rozkwitła, a cały wysiłek Gertrud skoncentrował się odtąd na ukrywaniu jej rezultatów przed mężem i innymi ludźmi. Płaciła za wybite szyby, przepraszała matki pobitych dzieci, a gdy był cień wątpliwości, potrafiła zaklinaniem się i biciem w pierś przekonać pokrzywdzonego, że tym razem to nie Adalbert Schwartz jest odpowiedzialny, bo cały czas miała go na oku. Gdy wybuchła wojna, nasz ojciec pojechał na front i zostaliśmy tylko z Gertrud, która teraz zupełnie przestała udawać, że ją obchodzę. Nigdy więcej nie podniosła na mnie ręki, ale pozostawiła mnie samemu sobie. Gdy z sypialni dzielonej z Adalbertem przeniosłem się do schowka pod schodami, nie powiedziała słowa. Omijała mnie wzrokiem. Odpowiadało mi to i większą część czasu spędzałem poza domem. Włóczyłem się po lasach i wspinałem na hałdy, jesienią zbierałem grzyby i sprzedawałem na placu. Wiosną przez całe godziny przyglądałem się kwitnącym rododendronom, starając się rozszyfrować tajemnicę ich piękna. Wszyscy w mieście wiedzieli, że to ulubione kwiaty księżnej Daisy. Zarabiałem parę groszy, pomagając ludziom w ogródkach, i szybko rozeszła się wieść, że mam rękę do roślin. Zaprzyjaźniłem się ze starym garbatym mężczyzną, znanym w Wałbrzychu jako Fredi der Gärtner. Fredek Ogrodnik, który pracował na Zamku Książ i wiedział wszystko o każdej tamtejszej roślinie i każdym kamieniu. Fredek Ogrodnik był drobny jak dziecko, miał na nosie brodawkę wielkości maliny i przypominał ogrodowego gnoma, jakie Niemcy lubią teraz stawiać w swoich ogródkach. Ten jego nieczłowieczy wygląd sprawiał, że wydawał się nieszkodliwy nowym gospodarzom Zamku Książ. Wołali go, a Fredek podbiegał, wyolbrzymiając swoją niedołężność, i patrzył w gębę esesmana z udawaną głupotą. Dawali się nabrać i rzucali mu słodycze jak psu.

Stałem przy Fredku Ogrodniku, gdy księżna Daisy opuszczała Zamek Książ w 1941 roku. Pretekstem do eksmisji były dla esesmanów długi zamku i to, że go potrzebowali do swoich celów, ale wiedziano też o proalianckich sympatiach księżnej. Plotkowano, że w brytyjskiej gazecie ukazało się zdjęcie jej syna w mundurze RAF-u, i to pewnie przesądziło o losie ostatniej pani na Zamku Książ. Pracownicy zamku utworzyli szpaler na podjeździe, gdy dwóch służących niosło księżną Daisy na fotelu do czekającego samochodu. Towarzyszyła jej służąca, była teraz jeszcze chudsza i jeszcze bardziej podobna do kota, mrugnęła do mnie, gdy nas mijali. Znałem wielu ludzi z Zamku: dwie niesympatyczne pomywaczki, które nieraz przychodziły do Gertud na plotki, lokaja słynącego zamocnej głowy do alkoholu, jednego ze stajennych i jego kilkuletnią córkę Elwirę, która nieraz kręciła się przy nas w zamkowych ogrodach. Wszyscy zastanawiali się pewnie, co się z nimi stanie. Księżna była bardzo blada i wyglądała tak elegancko, jakby wybierała się na spacer, a nie na wygnanie. Dziewczynki przyniosły jej kwiaty, Elwira też podeszła do niej i podała jej bukiet margerytek. To jeden z obrazów Daisy, które przechowuję w pamięci: księżna z bukietem białych kwiatów w dłoni po raz ostatni patrząca na Zamek Książ. Gdy Daisy odjechała, zaczął padać deszcz i ludzie mówili, że niebo płacze po niej. Czuliśmy, że księżna nigdy nie wróci na zamek.

Po wygnaniu Daisy cały kompleks stał się siedzibą Organizacji Todt i w Wałbrzychu zaczęto szeptać, że esesmani na Zamku Książ przygotowują coś naprawdę wielkiego. Prace naziemne i podziemne prowadzone były też w innych partiach Sudetów i większość wałbrzyszan podejrzewała, że Zamek Książ przeznaczony został na nową kwaterę Hitlera.

„Co za zaszczyt", wzruszała się Gertrud, ale mimo wiary w potęgę wodza przygotowywała potrójne ilości przetworów na wypadek głodu. W ostatnich latach wojny Niemcy kopali ze zdwojoną energią i zdziwiliby się, gdyby wiedzieli, ile Fredek Ogrodnik zobaczył wówczas i usłyszał. Kręcił się tam z uśmiechem, który postronnym wydawał się grymasem zupełnego głupka. Gadał do siebie trzy po trzy, a gdy pytano go o coś, wskazywał na swoje ucho wymownym gestem i uśmiechał się jeszcze szerzej. Próbował ocalić swoje rośliny ze zniszczonych ogrodów tarasowych i zawsze miał przy sobie mnóstwo sadzonek, cebulek, nasion. Karmił też koty, których zawsze pełno było na Zamku, a po odejściu Daisy nie wszystkie uciekły. Dorabiał w ogrodzie przy szpitaliku, prowadzonym przez zakonnice na Starym Zdroju, i nieustannie przemieszczał się po wałbrzyskich wzgórzach, objuczony koszami i workami. W tamtym czasie było już jasne, że jedyne, co być może da się ocalić, to pamięć miejsc i ludzi, bo koniec naszego świata jest blisko. Wiosną 1943 roku przyszła spóźniona wiadomość o śmierci doktora Schwartza w śniegach Rosji. „Ojciec nie żyje", powiedziała moja macocha, a Adalbert popatrzył na mnie kpiąco. W lot pojąłem. Oficjalnie byłem sierotą z rodziny Adolfa, którą w swej dobroci żona weterynarza przyjęła pod swój dach. Podobnie jak ja, Adalbert zrozumiał, że po śmierci ojca straciłem prawo do tej rodziny, w której nigdy nie byłem mile widziany. Gertrud nie zaszczyciła mnie spojrzeniem. Złożyła list, „niepowetowana strata", powiedziała i zabrała się do szykowania kolacji.

Wtedy znów spotkałem księżnę Daisy, która mieszkała teraz w willi w centrum miasta. Fredek Ogrodnik poprosił, bym zaniósł tam cebulki tulipanów, a ja wiedziałem, że w wiklinowym koszyku jest coś jeszcze. „Gdyby coś się stało, możesz zdradzić, od kogo to masz, ale nie wolno ci powiedzieć, dla kogo. Rozumiesz?", zapytał. Przytaknąłem. W tym czasie, gdy coraz bardziej oczywista stawała się klęska Hitlera, esesmani kręcili się wokół Zamku Książ ze zdwojoną energią, a podziemne prace szły pełną parą i Gertrud narzekała, że w piwnicy naszego domu ciągle zbiera się woda. Kiedyś coś tak tąpnęło, że pospadały talerze z kredensu. W lesie za naszym domem nieraz było słychać strzały i krzyki, rodzice nie pozwalali już dzieciom tam się bawić. Znałem każdą ścieżkę w lesie i każde ukryte wejście pod ziemię. Służąca wzięła kosz z cebulkami i po chwili poprosiła mnie do swojej pani. Nie sądziłem, że księżna przyjmie mnie osobiście, chociaż o tym marzyłem. Nagle stałem się bardzo świadomy tego, jak wyglądam. Paznokci brudnych od grzebania w ziemi, za krótkich spodni i źle obciętych włosów. Na fotelu przy kominku siedziała starsza dama, drobna i białowłosa, tylko oczy nadal miała młode, takie jak na słynnym zdjęciu z perłami. Obok jej fotela stał kosz, który przyniosłem, a na kolanach trzymała plik dokumentów, ukrytych przez Fredka Ogrodnika pod cebulkami. Duży pręgowany kot bawił się jedną z cebulek, kulając ją łapą po dywanie, drugi spał u stóp starej damy. Daisy znana była z miłości do tych pięknych stworzeń, ludzie nieraz podrzucali jej kocięta, a kociary stały w kolejce po resztki, które księżna kazała wydawać im z kuchni.

Księżna popatrzyła na mnie i uśmiechnęła się. „Zapłakany chłopiec z leśnej polany", powiedziała, a ja byłem zbyt wzruszony tym, że mnie poznała, więc pokiwałem tylko głową. Jakże żałowałem, że jestem takim nędznym i nieobytym podrzutkiem. „Przyniosłeś mi coś bardzo ważnego. Fredek Ogrodnik mówi, że można ci ufać. Czy zrobisz dla mnie coś jeszcze?", zapytała. Odważyłem się podnieść na nią oczy i pokiwałem głową. „Wszystko, czego tylko pani zażąda", wydukałem i ukłoniłem się niezdarnie. Księżna roześmiała się śmiechem młodym jak jej oczy. Nie wiedziałem, jak bardzo była już chora i słaba. „Prawdziwy z ciebie dżentelmen, Albercie, ale ja nie chcę niczego żądać, proszę cię tylko o przysługę jak przyjaciela".

Znała moje imię. Nazwała mnie dżentelmenem i przyjacielem! Byłem tak szczęśliwy, że gdyby kazała mi skoczyć z wieży zamkowej, skoczyłbym. Daisy poprosiła, bym zaniósł coś na polanę w lesie pod Zamkiem Książ, gdzie wysłannik odbierze ode mnie pakunek. Ten, kto się ze mną spotka, zahuka jak sowa. „Wiesz, jak robi sowa?", zapytała Daisy i zahukała, aż śpiący u jej stóp kot otworzył oczy. Służąca powtórzyła za swoją panią „hu--hu", a ja mimo woli roześmiałem się. Byłem tylko dzieckiem, ale instynktownie czułem, że jesteśmy po tej samej stronie. Ukryłem się w jamie na skraju polany i gdy usłyszałem pohukiwanie sowy, odpowiedziałem tak, jak kazała mi Daisy. Młody mężczyzna wziął ode mnie paczkę, żartobliwie zasalutował i znikł wśród drzew. Przekazywałem mu pakunki od księżnej Daisy jeszcze dwa razy i nigdy nie zamieniliśmy słowa. Myślę, że był brytyjskim szpiegiem, który przy udziale Daisy i Fredka Ogrodnika przekazywał aliantom informacje z budowanej na Zamku Książ kwatery Hitlera. Ale mogę tylko zgadywać, bo nigdy go już nie spotkałem.

Lato 1943 roku było upalne, powietrze nad polami gotowało się, a ja nie mogłem wytrzymać z niepokoju, bo od kilku tygodni nie widziałem księżnej Daisy. Wiedziałem od Fredka Ogrodnika, że była chora, i nawet próbowałem modlić się za jej powrót do zdrowia w ponurym ewangelickim kościele na Szczawienku, do którego zabierała nas Gertrud. Moje modlitwy na nic się nie przydały i 29 czerwca księżna zmarła. Widziałem ją. Fredek Ogrodnik zabrał mnie na pogrzeb, oprócz nas i podobnej do kota służącej uczestniczyło w nim tylko kilka osób. Trzymaliśmy się z tyłu: ja, Mały Fredek i stara kociara ze Szczawienka, Apolonia Kitti Kitti, na wyścigi z pastorem szepcząca jakąś swoją modlitwę, której słów nie mogłem odczytać z ruchu jej ust. Suknia księżnej Daisy przez łzy wydawała mi się utkana ze światła. Nie miała na szyi pereł, o których krąży w Wałbrzychu tyle opowieści. Pochowaliśmy ją w mauzoleum przy Zamku Książ, gdzie był grób jej zmarłej w niemowlęctwie córki i kilkuletniego syna. Było już za późno, by kwitły ulubione rododendrony księżnej Daisy, ale z nim pomyli. Im bardziej starałem się różnić od Adalberta, tym mocniej ze mnie drwił. Zdarzało się, że przychodzili do nas sąsiedzi, szukający zaginionego kota albo psa, ale Adalbert mówił, że nic nie wie, a Gertrud wzruszała ramionami albo, wobec bardziej upartych osób, wygłaszała tyradę na temat wojny, swojej żałoby i żołnierzy, których powinniśmy wspierać, zamiast zawracać sobie głowę kotami i psami. Myślę jednak, że ta oschła kobieta była równie przerażona jak ja. Parę razy widziałem nocą w naszym ogrodzie Apolonię Kitti Kitti, która wołała „kitti kitti" do swoich podopiecznych, bo podobnie jak ja i Gertrud wiedziała, że to Adalbert jest odpowiedzialny za znikanie zwierząt. „Kitti kitti", wołała i patrzyła w nasze okna. Budziła we mnie respekt, ale nie strach, choć wiele ludzi jej się bało. „Kitti kitti" to wszystko, co większość słyszała od Apolonii, i dlatego tak na nią mówiono. Nikt nic pewnego o niej nie wiedział, choć krążyły szalone plotki, że jest nieślubną córką poprzedniego pana Zamku Książ, i wróciła, by upomnieć się o swoje. Niektórzy uważali ją za wiedźmę albo mężczyznę w przebraniu. Bywało, że oberwała kamieniem. Na potarganych siwych włosach nosiła skórzaną pilotkę. Straszono nią dzieci, tak jak Cyganami. „Jak nie będziesz grzeczny, to cię Apolonia Kitti Kitti wsadzi do wora i zabierze w świat". Dla mnie byłaby to kusząca możliwość, bo kociara wydawała mi się o wiele milsza niż macocha.

Spotkałem kiedyś Apolonię w lesie koło Starego Zamku, nieopodal Pełcznicy, w której czystej, zimnej wodzie lubiłem brodzić. Pojawiła się za moimi plecami tak bezszelestnie jak jeden z jej podopiecznych i wtedy po raz pierwszy widziałem z bliska jej twarz. Wiedziałem, że nie mam się czego bać, i odniosłem dziwne wrażenie, że ta zniszczona kobieta w łachmanach jest podobna do księżnej Daisy. Może to jej oczy? Wszyscy mówili, że Apolonia Kitti Kitti jest szalona, nazywali ją wariatką od kotów, ale jej oczy były spokojne i pełne mądrości. „Nie możesz z nim zostać", powiedziała, i wiedziałem, że chodzi o Adalberta. „Co mam zrobić?". „Będziesz wiedział, gdy przyjdzie czas". „Ale dokąd pójdę? Niech mi pani powie, dokąd mam pójść?", zapytałem, ale Apolonia Kitti Kitti znikła wśród nadrzecznych zarośli i dopiero po chwili zauważyłem, jak wspina się w kierunku Zamku Książ, zwinna i szybka.

Nie wiem, czy Gertrud widziała Apolonię Kitti Kitti w naszym ogrodzie, ale mieszkańcy Szczawienka na ogół woleli nie wchodzić kociarze w drogę. Kiedyś usłyszałem, jak macocha plotkowała o niej z zamkowymi pomywaczkami. Jedna z nich przysięgała, że gdy szła utopić kocięta w Pełcznicy, Apolonia Kitti Kitti rzuciła na nią zaklęcie i potem przez rok kociobójczyni miała pryszcze na całym ciele. „O, jeszcze mam ślady", podniosła szarą bluzkę i pokazała pokryte bliznami piersi i fałdę tłuszczu na brzuchu. Z Apolonią Kitti Kitti nie było żartów. Nawet Adalbert przekonał się o tym. Widziałem ich kiedyś z okna. Szli z przeciwnych kierunków, ona z worem pełnym kociego żarcia, on z kijem, który sobie ostatnio wystrugał. W końcu stanęli naprzeciwko siebie. Zgarbiona kobieta w łachmanach i pilotce i mój brat, wysoki i prosty jak świeca. Adalbert coś powiedział, wykrzywił się, Apolonia Kitti Kitti bez słowa popatrzyła mu w twarz. Gdy Adalbert podniósł kij, kociara powiedziała coś i nie wiem, jak to wyrazić, ale wiedziałem, że te słowa sprawiły jej ból. Adalbert zaczął biec. Uciekał. Od tego momentu miałam pewność, że Apolonia Kitti Kitti to ktoś wyjątkowy.

Do naszego domu wkradał się wówczas coraz większy zamęt, moja macocha nie dbała już o porządek tak jak kiedyś. Sprawiała wrażenie osoby, która się poddała i próbuje już tylko zachować pozory. Żałuję, że nie poznałem Gertrud lepiej. Kiedyś spotkałem ją w lesie za naszym domem. Zbierała chrust i doszła aż do polany, gdzie nigdy wcześniej się nie zapuszczała. Kiedy otwarła się przed nią przestrzeń, znieruchomiała, jakby doznała jakiegoś wgłębień, jakby ktoś podziabał je wielkim paluchem: zasypane albo porzucone wejścia do podziemi, jamy, rozpadliny. Kryłem się tam, gdy ogarniał mnie smutek, w półśnie skulony, odrętwiały jak zwierzę. Ocknąłem się w poczuciu, że zagraża mi śmiertelne niebezpieczeństwo. Zanim usłyszałem krzyki, jęki, tupot i zobaczyłem grupę kilkudziesięciu obdartych mężczyzn pędzoną przez esesmanów, poczułem, że powietrze zamarło. Zatrzymali się na polanie, którą dobrze widziałem ze swojej jamy. Więźniowie mieli ze sobą łopaty i zaczęli kopać, bici i poganiani przez strażników. Widziałem ich twarze i nie potrafię ich opisać, nie potrafię o nich opowiedzieć, co dręczy mnie do tej pory. Czuję, że jestem im to winny. W pewnym momencie jeden z więźniów, młody mężczyzna, a właściwie jeszcze chłopak, rzucił szpadel i zaczął uciekać w stronę drzew, drobnym niepewnym krokiem. Esesman nieśpiesznie podniósł broń i strzelił w jego kierunku, a uciekinier przewrócił się, nie mogłem oprzeć się temu wrażeniu, z ulgą, że to koniec. Potem już nikt nie próbował ucieczki. Płytki grób był gotowy, Niemcy ustawili więźniów rzędem i zaczęli strzelać, a ciała upadały, tak po prostu przestawały być żywe, jak ptaki układane przez Adalberta na tarasie. Gdy esesmani skończyli, na polanie pojawiło się nagle dwóch innych Niemców w mundurach i powiedzieli coś, czego nie mogłem słyszeć w swojej jamie. Po krótkiej nerwowej rozmowie znikli wśród drzew. Zostawili niezasypany grób. Zapadła cisza, w której bicie mojego serca wydawało się tak głośne, że przyłożyłem dłoń do piersi, by je uspokoić. Nie śpiewały ptaki, las zamarł, zupełnie straciłem poczucie czasu i nie wiem, czy wyczołgałem się ze swojej jamy po godzinie, czy po pięciu. Zapadał zmierzch i drzewa rzucały długie cienie, a ostatnie promienie słońca zostawiały na trawie smugi czerwieni. Takie zdanie napisałaś w jednym ze swoich reportaży, Alicjo, i powtarzam je teraz, bo brakuje mi własnych słów. Podszedłem do wykopanego dołu i spojrzałem w dół, ten obraz nigdy mnie nie opuścił. Jeden z mężczyzn ciągle żył i próbował wydostać się spod martwych ciał, w jego piersi ziała krwawa dziura, patrzył na mnie. Widziałem, że umiera, i odruchowo wyciągnąłem do niego rękę, którą chwycił. Wtedy poczułem, że nie jesteśmy sami, z lasu wyszedł Adalbert, stanął nad nami. Śmiał się. Stał tam i śmiał się. Im mocniej zaciskały się nasze dłonie, tym głośniej śmiał się mój brat.

Ja i Adalbert mieliśmy trzynaście lat, gdy skończyła się wojna i zaczęło wysiedlanie. Byliśmy dużymi na swój wiek chłopcami, nadal podobnymi jak bliźniaki. Gertrud nocami zakopywała w ogródku, co tylko dało się zakopać, jak robili wszyscy Niemcy, bo trudno było im uwierzyć, że to naprawdę koniec Waldenburga. Któregoś razu macocha wróciła z ogrodu blada i drżąca, usiadła przy kuchennym stole i zaczęła płakać. Domyślałem się, że znalazła coś przerażającego. W noc przed podróżą na Zachód nie spałem, czekałem, aż dom pogrąży się w ciszy, i przez okno wymknąłem się w ciemność. Nie zabrałem nic, nawet dokumentów, bo zapisana w nich tożsamość nie należała do mnie. Przebiegłem przez ogród i zanim zanurzyłem się w las, spojrzałem na dom. W oknie zobaczyłem mojego brata, patrzył na mnie z twarzą przy szybie. Uniósł dłoń w upiornym geście pożegnania, ale jeszcze miały się skrzyżować nasze losy. Widzisz, Alicjo, ten oto Marcin Schwartz, którego z taką wprawą zaatakowałaś dziś w nocy, jest moim bratankiem, synem Adalberta.

Jajko niespodzianka

Dopiero około południa obudziło mnie pukanie do drzwi i zanim zrozumiałam, że jest rzeczywiste i wymaga mojej reakcji, minęło sporo czasu. Opowieść pana Alberta pogrążyła mnie w śnie pełnym podejrzeń, że nikt nie jest tym, za kogo się podaje, a spotkanie z Martinem sprawiło, iż nawet moje ciało wydawało mi się obce, podmienione. Listonosz jednak cierpliwie czekał i gdy otworzyłam drzwi, wyglądał na tak samo zdziwionego jak ja.

– Alicja Tabor. Jest pani? – zapytał i wydawało mi się, że w jego słowach ukrywa się głębszy sens, na który powinnam odpowiedzieć filozoficzną sentencją.

Nie wiem, od jak dawna tu pracował, ale do tego domu od piętnastu lat nie przychodziła korespondencja. Pokręcił głową, gdy potwierdziłam, że jestem. Był wysokim mężczyzną o aurze kogoś, kto poznał wszystkie dostarczane przez siebie złe wiadomości. Nie widziałam jego oczu ukrytych pod daszkiem czapki, a brodę schował w kołnierzu kurtki z napisem „Poczta Polska". Widok listonosza zaniepokoił mnie, bo w nim też było coś fałszywego. Może zapach. Pachniał jak sklepy z tanimi butami z gumy i plastiku, które w ostatnich latach pojawiły się w biednych miastach Polski. Zostałam z kopertą w ręce, a listonosz popedałował w deszcz ze śniegiem.

W kopercie była oficjalna informacja z Biblioteki pod Atlantami o książce, która na mnie czeka. Dokładnie tak: „Szanowna

Pani Tabor, Informujemy, że w naszej bibliotece oczekuje na Panią *Mnich* Lewisa". Pod spodem pieczątka i nieczytelna parafka. Dziwne wydało mi się, że biblioteka zawiadamia czytelników listem poleconym, poza tym nie zamierzałam wypożyczać książek, a jeśli już, to raczej nie *Mnicha* Lewisa. Nie jestem wielbicielką gotyckiej literatury i czytam właściwie tylko reportaże i książki historyczne, bo dają mi większe poczucie pewności, że możliwe jest dotarcie do tego, jak było naprawdę. Historia jest jak reportaż. Im większej liczbie ludzi udzieli się głosu, tym pełniejsza będzie opowieść, a tylko tak można dotrzeć do prawdy o tym, co się stało. Ostatnio miałam do czynienia z *Mnichem*, gdy czytała go Ewa. Przesadnie modulując głos, stosownie do mrocznej narracji, wyraźnie rozkoszowała się przygodami dzieweczki Antonii i jej rozpustnego brata. „I nie spoczął, póki nie pohańbił dziewicy", przypomniały mi się słowa z tej książki, które w ustach mojej siostry brzmiały komicznie, ale ten komizm był podszyty czymś jeszcze, co wróciło teraz nagłym dreszczem. Przemoc, jakieś ciało znane i straszne, zamknęłam oczy w oczekiwaniu na dalszy ciąg wizji, ale ten błysk pamięci był wszystkim, co się zdarzyło. Gdyby nie owo mocne, choć niejasne wspomnienie, uznałabym korespondencję z biblioteki za wynik pomyłki komputera, do którego jakaś nadgorliwa stażystka wprowadziła dane ze starych katalogów. Na jednej z fiszek zapewne nadal jest imię i nazwisko mojej siostry, Ewa Tabor, i zaraz obok ja, Alicja. Postanowiłam pojechać tam, zanim spotkam się z babcią zaginionego Patryka.

Zaparkowałam niedaleko kościoła Matki Boskiej Bolesnej, pod którym stała grupa starszych kobiet. Kształtami przypominały sam kościół: przysadziste, krągłe, niewywrotne. Rozmawiały o czymś z ożywieniem, nadstawiłam ucha, „mękasięświętaszejczyznykołka", dotarło do mnie, gdy je mijałam, a jedna z kobiet, duża i z lekkim wąsikiem, popatrzyła na mnie hardo i pytająco, jak na obcą zza płotu, która może zwędzić kury albo wyprane prześcieradła.

„Sięprzeciwnamlakomkrwiożydysięgli", usłyszałam jeszcze czyjś gniewny głos i wciąż czułam wzrok kobiet na plecach. Niespodzianie przypomniał mi się Marcin, jego ciepłe, silne ciało i duże dłonie, które leżały na stole w mojej kuchni jak dwa śpiące zwierzęta. Podobnie jak ja był związany z tym miastem i zarazem do niego nie należał. Niemądrze byłoby, gdybym pomyślała, że to nas łączy w jakiś szczególny sposób. Oboje stąd wkrótce wyjedziemy. Każda zmiana, jaką dostrzegałam po drodze, wiązała mnie z tym pejzażem i jednocześnie przypominała, że go opuściłam i znów opuszczę. W miejscu Madrasu otwarto teraz sklep mięsny. Madras był niegdyś mroczną herbaciarnią z wydrukowaną na kartach uwięzionych pod szklanymi blatami stołów długą listą herbat, z których dostępna była tylko ekspresowa w szklankach, ale i tak nikt tu nie przychodził na herbatę. Główną atrakcją Madrasu były basie, firmowe ciastka Wałbrzycha, ochrzone imieniem patronki górników. „Chodź, Wielbłądko, idziemy do Madrasu", wołała Ewa i śliniłam się jak szczeniak buldoga na samą myśl o delikatnych płatkach kakaowego biszkoptu przełożonego bitą śmietaną. Basie, których pod tą nazwą ani w tej postaci nie spotkałam nigdzie indziej, pozostawiły w mojej pamięci ślad na zawsze połączony z Ewą. Patrzyłyśmy niecierpliwie, jak kelnerka stawia w gablocie tacę ze świeżo przygotowanymi basiami, i porównywałyśmy potem, której z nas trafiła się kostka z większym kleksem czekolady na wierzchu.

Biblioteka pod Atlantami była nieczynna z powodu odkaraluszania. Kartka z takim napisem widniała na szybie drzwi, które z hallu prowadziły w głąb budynku. Zobaczyłam tam dwóch eksterminatorów w maskach i seledynowych kombinezonach, szli korytarzem, opryskując go z urządzeń przypominających odkurzacze. Na plecach mieli napis „Robax".

– Nic nie poradzą! – usłyszałam dobiegający gdzieś z góry głos i zadarłam głowę. Na wielkiej drabinie, pod którą stałam, usadowiła się okrakiem kobieta w niebieskiej garsonce i fartuchu.

– Dlaczego nie poradzą? – zapytałam i wycofałam się spod drabiny, by mieć widok na twarz kobiety, a nie na jej majtki.

– Pootwierały się!

– Co się pootwierało?

– Dziury, szpary, blizny! Wejścia! Jak się pootwierają, to nawet Terminator nic nie zrobi.

– Terminator? – Poczułam się zdezorientowana.

– Widziała pani ten film? – zapytała Niebieska Kobieta i pochyliła się, by mi się przyjrzeć.

Potwierdziłam. Widziałam *Terminatora* podczas długiej podróży samolotem, podobnie jak wiele innych filmów, których normalnie bym nie oglądała. Dlatego zapytałam:

– A Lara Croft?

– Lara Croft – powtórzyła Niebieska Kobieta i zamyśliła się.

– Za młoda – oświadczyła w końcu. – Za młoda i za ładna!

– To co można zrobić, gdy pootwierają się wejścia? I gdzie one są?

– Swoje trzeba robić! – odparła kategorycznie, może zauważyła, że się ze mną zagadała i traci czas. – Swoje robić, cudzego nie ruszać!

Kieszeń jej fartucha, wielka jak torba kangura, wypchana była jakimiś kanciastymi przedmiotami, połyskliwy materiał garsonki opinał jej długie masywne ciało. Wyglądała jak złożona z oponek tłuszczu poustawianych jedna na drugiej, ale była nad wyraz giętka. Balansując na czubku drabiny, sapnęła, wyjęła z kieszeni fartucha masywny krzyż i powiesiła go nad wejściem.

– Prosto? – zawołała z góry, a gdy przytaknęłam, westchnęła i wyjęła paczkę papierosów, z wprawą odgryzła filtr i umocowała resztę w szklanej fifce. Zaciągnęła się z przyjemnością i gdy dotarła do mnie chmura dymu, poczułam, że pali chyba te same papierosy co Barbara Mizera.

– Jeszcze dwa mam – powiedziała i wskazała na kieszeń fartucha opinającego jej łono.

– Dwa?

– Krzyże do przybicia – odparła. – Kazali popowieszać. Jedni każą wieszać to, drudzy tamto, a trzeci sami się wieszają. – Popatrzyła na mnie badawczo i zaciągnęła się papierosem. – A pani tu co właściwie?

– Ja? Po książkę.

– Czytacie i czytacie – zaśmiała się chrapliwie. – Przychodzi tu dużo takich, co czytają.

– Pewnie dlatego, że to biblioteka – podpowiedziałam.

– Pani też pewnie czyta i czyta?

– Zdarza się – przyznałam.

– Właśnie! – ucieszyła się Niebieska Kobieta. – Czyta się, a życie płynie.

– Pani nie lubi czytać?

– Ani trochę – rzuciła – czasu szkoda. – Dmuchnęła dymem w moją stronę i ziewnęła ostentacyjnie, by zademonstrować, jak nudne jest czytanie. – A ta książka, po którą pani przyszła, to o czym? – zainteresowała się nagle.

– O dobru i złu.

Niebieska Kobieta uniosła brwi i dmuchnęła.

– No też nie mają o czym pisać!

– O jednym złym mnichu, co zgwałcił własną siostrę i zabił matkę – spróbowałam inaczej.

– To już prędzej! – ucieszyła się. – A chociaż dobrze się kończy?

– Dla jednych tak, dla innych nie.

– To po co pani czyta, jak wie pani, jak się kończy?

– Lubię sobie poprzypominać – odpowiedziałam.

– Też mi zajęcie – prychnęła Niebieska Kobieta. – Zapomnieć trzeba i robić przetwory na zimę! – Zabrała się do schodzenia z drabiny, wypinając w moją stronę tyłek w lśniącym poliestrze. Złożyła drabinę i bez wysiłku wzięła ją pod pachę. – Pani przyjdzie jutro po południu, młoda wtedy będzie – rzuciła i bez pożegnania ruszyła w głąb korytarza. Młoda – pomyślałam i zanim zdążyłam zapytać, istota w niebieskim poliestrze dodała przez ramię: bibliotekarka.

Aby zupełnie nie zmarnować tego nieszczególnie rozpoczętego dnia, zadzwoniłam do mojej następnej rozmówczyni i zapytałam, czy mogę przyjechać godzinę wcześniej. Zofia Socha, lat sześćdziesiąt siedem, wdowa, zawód gospodyni domowa, jedyna opiekunka Patryka, który w czerwcu zniknął z marketu Real, nie była zachwycona, bo właśnie coś piekła czy dusiła, ale zgodziła się i ruszyłam na Sobięcin, na ulicę Kolejarską. W przeciwieństwie do Nowego Miasta ta biedna dzielnica nigdy nie cieszyła się dobrą sławą. Jednak w czasach, gdy działały kopalnie i płonął palnik koksowni, miała swój rytm pracy i odpoczynku, a bez tego wszystko rozpada się i karleje. Teraz, tak jak na Nowym Mieście, zostali tu ci, którym się nie powiodło, bezrobotni, nieporadni i rozpici, a także ci, którzy uznali, że chcą tu być, bo trudno nie chcieć po pięćdziesięciu paru latach, co się nie wrócą. Od czasu do czasu jakiś fotograf robił tu artystyczne zdjęcia biedy, która tylko na fotografiach bywa malownicza.

Na tę część Sobięcina, w której mieszkał z babcią wielkouchy Patryk Socha, mówiono Palestyna, bo osiedliło się tu po wojnie wielu Żydów, biednych niedobitków, jak nazywał ich nasz ojciec. Ewa uwielbiała to słowo, w którym czaiła się groza. Nas też nazwała niedobitkami i użalała się nade mną, „mój ty biedny niedobitku", gdy zwierzałam jej się z jakiejś dziecinnej tragedii

153

albo, co gorsza, zaczynałam dostrzegać nasze rzeczywiste nieszczęście. Niedobitki z wałbrzyskiej Palestyny zamieszkiwały po wojnie obszar wyznaczony przez kilka ulic, a jego granice są do dziś tak sporne jak granice rzeczywistej Palestyny. Wkrótce żydowskie niedobitki były nieodróżnialne od biednej reszty nieżydowskiej, bo wszystkich równo przysypał węglowy pył. Nazwa Palestyna została, tak niedoskonała jak wszystkie inne nazwy w tym mieście przybłędów.

Podjechałam pod kamienicę i zatrzymałam samochód naprzeciwko punktu skupu złomu, przed którym stała grupa ludzi. Na końcu kolejki dwóch mężczyzn i kobieta mieli taczkę wyładowaną po brzegi towarem i usiłowali umocować na niej kawał karoserii w jadowicie zielonym kolorze. „Weź w pizdę nie ciąg!", zdenerwował się wyższy mężczyzna, a tak bezceremonialnie pouczona kobieta, mała blondynka z opuchniętą twarzą, obrażona usiadła na krawężniku. Spojrzałam na kamienicę, która cierpiała na jakąś przewlekłą dermatologiczną przypadłość. Ściany pokryte były liszajami, wśród których wykwitały świeże bąble oparzeliny, a te, które już pękły, sączyły żółtawy płyn. Mur sprawiał wrażenie czegoś miękkiego, co rozpadnie się, ustąpi pod dotknięciem dłoni. Jaskrawe placki seledynu, żółci i różu tam, gdzie ktoś zdobył się na wysiłek upiększenia kawałka ściany wokół swojego okna, były znakiem, że ten poturbowany dom nie poddał się jednak do końca. Na parapetach za drewnianymi balustradkami stały garnki z jedzeniem i wypełnione czymś foliowe worki szeleszczące na wietrze. Grupa złomiarzy łakomie patrzyła na mój samochód, gdy wchodziłam do cuchnącej moczem bramy. Zirytował mnie ten banalny rekwizyt biedy i poczułam złość na każdego, kto naszczał w tym sponiewieranym domu.

Zofia Socha mieszkała na parterze. Porządna wycieraczka z napisem „Witaj", drzwi świeżo odmalowane na brązowy kolor, straszliwy jasny orzech, który moja siostra nazywała kolorem kupnym. Podłoga wyszorowana do połowy korytarza, równo jak od linijki. Jasny komunikat, tu mieszkam ja, Zofia Socha, i niech wszyscy widzą, jak moja czysta podłoga różni się od podłogi sąsiada, na drzwiach pani Sochy к+м+в, za nimi łup- -plask, łup-plask. Zadzwoniłam, nic. Zapukałam i zawołałam, a wtedy po nieumytej stronie korytarza uchyliły się drzwi. Łańcuch naciągnął się, zazgrzytał, muzyka, łup-plask-łup- -łup-łup, wypłynęła na korytarz, a w szparze pojawiła się para bosych męskich stóp, wyżej bokserki w banany, owłosiony brzuch, klata dzika, twarz ułożona w znak zapytania ostry jak hak. Czy w tym mieście za każdymi drzwiami czai się niekompletnie ubrany mężczyzna, który nie ma nic innego do roboty? Zanim padły jakiekolwiek słowa, z głębi mieszkania przydreptały stopy kobiece, wspięły się na palce, zalśnił na paznokciach sorbet malinowy.

– Misiu? Zamykajze, Misiu, te dźwi i choooć. – Miś obscenicznie zamlaskał i znikł.

Zadzwoniłam powtórnie do Zofii Sochy i teraz dźwięk dzwonka przebił się przez łup-plask, zza łańcucha głos zapytał:

– To pani jest?

– To ja jestem. – Po raz drugi tego dnia potwierdziłam swoje istnienie. Trzasnęło, szczęknęło i przez otwarte drzwi buchnął polski zapach wieprzowiny, smażeniny, rozgotowanych warzyw.

– Takie nieszczęście, schabowe biłam – przywitała mnie babcia Patryka.

Weszłam do wąskiego przedpokoju z dreszczem emocji, jaki zawsze czuję przed rozmową z nieznajomym człowiekiem. Ten człowiek miał kasztanową trwałą ondulację i tłuczek w dłoni, powiódł mnie po poliestrowym chodniku w pijane kwadraty i trójkąty Picassa, pomiędzy którymi nagłe linie biegły na oślep, w wielkiej rozpaczy. Ten wzór musiał zaprojektować ktoś naprawdę wyprowadzony z równowagi, pozbawiony nadziei. Nad chodnikiem unosił się chemiczny zapach taniej nowości, sprzedawanej na metry w najbliższym centrum handlowym. Kto kupuje chodnik, gdy ginie mu dziecko?

– Strasznie się nosi z dworu. W bramie pijaki sikają, charkają – podpowiedziała gospodyni, wciąż z tłuczkiem w dłoni, i wymownie spojrzała na gościnne kapcie, lekko już wygniecione przez czyjeś stopy. – Kapciuszki, bardzo proszę! Wygodniej, przyjemniej będzie. Po domowemu. – Mówiła szybko, oddychała ciężko jak ktoś, kto ma astmę albo chore serce. – Na promocji chodnik nowy – dodała, odgadując moje myśli. – Ożywił bardzo, powiększył nawet, jaśniej zrobił. Ciemno było, takie nieszczęście, tanio było, grzech nie kupić. W stołowym nakryłam – wskazała kierunek Zofia Socha. – Kipimi! – jęknęła i ruszyła do kuchni jak wagon węgla. Po chwili usłyszałam jej głos przerywany łup--plask, łup-plask: – Schabik dostałam biały jak masełko. Takie nieszczęście, straszne nieszczęście!

Na obrusie bez skazy czekały dwa nakrycia, w kryształowym wazonie bukiet sztucznych róż, wokół błysk, tapety gęstobarokowe, firany jak zmarznięty śnieg. Na kredensie zdjęcia zaginionego Patryka i zmarłego papieża, obaj uśmiechnięci, w ramkach ze sklepu, gdzie wszystko kosztuje złotówkę, a warte jest dużo mniej. Patryk i papież. Papież i Patryk. Miałam nadzieję, że jeden z nich nadal żyje. Najbardziej udana z fotografii przedstawiała radosnego chłopca na rowerku, słońce prześwietlało na różowo jego elfie uszy. Na ramieniu miał czyjąś opiekuńczą dłoń i cały wyrywał się ku światłu. Obok, na serweteczce jak opłatek, leżało coś dziwnego, dwa patyczki przewiązane na krzyż biało-czerwoną wstążką. Z kuchni dobiegał coraz intensywniejszy zapach smażonego mięsa. Gospodyni postanowiła podjąć mnie obiadem i żadne „dziękuję, nie chcę sprawiać kłopotu" nie odwiedzie jej od nakarmienia mnie.

– Coś ciepłego w taki ziąb, coś pieprznego, domowego, choć troszeczkę, na spróbunek! – pokrzykiwała z kuchni, waląc w takt pokrywkami.

Starsze panie pewnego gatunku chcą mnie karmić, jakby to, że jako dziecko nie znałam matczynej miłości, było wypisane na moim czole. Starsze panie karmiące, w chochlę i tłuczek uzbrojone, żyjące w kuchni tak, jak inne stworzenia żyją w lesie albo w morzu, mlaszczą na mój widok, dostrzegając tylko usta, które chcą ssać. Gdyby Zofia Socha miała mleko, chwyciłaby mnie za łeb i przystawiła do piersi.

– Głodna? Na pewno głodna! Niby niegłodna, a jak spróbuje, to od razu posmakuje, jak powącha, to zgłodnieje!

Poddałam się bez walki. Zofia Socha przykulała się z dzbankiem kompotu, „takie nieszczęście", westchnęła i przeszła do rzeczy.

– Ziąb! Na ziąb rosołek, byle pieprzny, po naszemu, po polskiemu, najlepszy. A schabik, proszę panią, na drugie. Schabik dostałam jak masełko, świeżutki, cymes nie schab. Do Reala pojechałam i wybrałam, raz-dwa w tę i nazad busikiem. Schabowy niby prosty, każda ubić, usmażyć potrafi, pani mi powie.

Przytaknęłam niepewnie, nigdy nie biłam ani nie smażyłam, bo nie jestem mięsożerna.

– Ha! – ucieszyła się Zofia Socha – wcale nie taki prosty.

– Nie?

– A wie pani, w czym sekret?

Nie wiedziałam.

– Jajeczko! Grunt to jajeczko, jajeczko, proszę panią! Jajeczka od tej samej baby biorę od lat. Patryczkowi też zawsze na śniadanko jajeczko, bułeczka z masełkiem, danonek, paróweczka, ale jajeczko, grunt to jajeczko. I takie z Patryczkiem nieszczęście!

– Nieszczęście – przyznałam.

– Tam, w Warszawie, da się dostać od baby?

– Czasem się da – przyznałam.

– Może – babcia Patryka nie była przekonana – ale takich w Warszawie pani nie dostanie! Żółtko wprost pomarańczowe, a jaki zapach, jak na wsi. Biszkopcik na nich jak złoto albo kruche, jakie kruche, proszę panią, pani sama zobaczy, takie nieszczęście!

– Prawda – przyznałam.

– Jak pani to robi, że pani takie kruche wychodzi? – ciągnęła Zofia Socha. – Jak pani to robi, pyta mnie jedna z drugą, jak na spotkanie przy kościele zaniosę. „Pani się wprost w ustach rozpływa, moje nie", takie nieszczęście. – Nieszczęś... – zaczęłam, ale babcia Patryka wyrzucała z siebie słowa z taką szybkością jakby kroiła ogórki na mizerię.

– A ja na to: „a na jakich jajkach pani robi?", „jak na jakich, ze sklepu". „Jak ze sklepu, to, się pytam, jak ma pani się rozpływać?". Cudów nie ma. Trzeba jajeczka wziąć od baby, nie żałować. Więc te jajeczka, proszę panią, takie nieszczęście!

– Nieszczęście! – krzyknęłam i Zofia Socha zamilkła, mrugając oczami, jakby się właśnie obudziła.

– Alicja ma pani na imię – zmieniła temat.

– Tak. Alicja Tabor.

– Alicja, Alicja, Ala. Znałam kiedyś jedną Alę, do szkoły śmy razem chodziły, ale wpadła pod autobus. Na oczach matki, biegła przez Grunwaldzki na zerówkę i bęc. Nieszczęście. – Zofia Socha westchnęła ciężko nad losem mojej poległej imienniczki i swoim własnym.

– Nieszczęście – przyznałam.

Spojrzała na zegarek.

– Jeszcze pięć minut. Byłoby gotowe, tylko przyszła pani wcześniej. – Spojrzała na mnie z wyrzutem. – I właściwie jeszcze młoda pani jest, pani Alu, a myślałam, że starsza.

– Przepraszam. – Uśmiechnęłam się do niej.

– Nie szkodzi. – Zofia Socha się rozpogodziła. – Młode musi pojeść. Pojeść, pojeść, takie nieszczęście – powtórzyła i poleciała do kuchni, zadrżały w trwodze kryształy. Wróciła z talerzami.

– Rosołek! Posoliłam, popieprzyłam, ale można zawsze dopieprzyć. Tu sól, pieprz. U mnie świnia musi przebiec przez zupę, przez rosołek kura, krowa. – Zatarła ręce, drobne, szybkie. – Dopieprzyć?

– Poproszę.

Zakręciła, dopieprzyła.

– Takie nieszczęście – westchnęła.

Zadzwoniła łyżką, a ja zanurkowałam swoją, by ominąć złowieszcze oko tłuszczu. Zapach tego wywaru z mięsa i kości jednocześnie mnie brzydził i przypominał, że w ostatnich dniach niewiele jadłam.

– Rosół musi dochodzić powoli, pani Alu, popyrkać sobie musi. Pani wie, jak jedna moja sąsiadka rosół gotuje?

Nie wiedziałam.

– Spotykam ją w Biedronce i ta mówi mi: „raz-dwa mojemu Miśkowi rosołek zrobię". Ja na to: „jak raz-dwa? Rosołek raz--dwa?". „A", mówi, „do wrzątku knorra wrzucę, maggi pokropię, makaron babuni i jest. Ja tam nad garami", mówi, „stać nie będę", i się śmieje. A ja na to: „taki rosół to wie pani co, to obciach, nie rosół".

Znad swojej michy tłusto parującej podniosłam wzrok na Zofię Sochę. Uśmiechnęła się zadowolona z mojej reakcji.

– Od Patryczka się nauczyłam. Takie nieszczęście! – Popatrzyła na fotografię chłopca, ja za nią. – Wygadany jest, gdyby pani go znała. „Obciach, babcia", mówi. „Niech mi babcia Hoka obciachu nie robi, żeby na całe podwórko wołać, że kolacja gotowa".

– Hoka?

– Hoka! Od foki, że niby gruba jestem jak foka. Kiedyś zobaczył fokę w telewizji i mówi: „babcia hoka, babcia hoka" i babcią Hoką zostałam. Takie nieszczęście.

Uśmiechnęłam się znad pieprznego rosołu i dopieprzyłam sobie na cześć babci Hoki, aż mnie zakręciło w nosie. Zofia Socha nie wahała się, jakiego użyć czasu. W tym domu zaginione dziecko ciągle żyło i może dlatego ta tłusta zupa, której nie lubię, posmakowała mi nagle i rzuciłam się na nią z apetytem. Wyjęłam dyktafon, postawiłam pod sztucznymi różami, a Zofia Socha z zainteresowaniem przyjrzała się urządzeniu.

– Takie małe?

– Teraz robią coraz mniejsze – przytaknęłam.

– Na kasetę?

– Już nie trzeba kaset, w środku jest tylko mała płyta i na nią się wszystko nagra.

– To taki mały komputer?

– Można tak powiedzieć.

– Komputery, komputery – westchnęła Zofia Socha – takie nieszczęście.

Pokiwałam głową.

– Patryczek od roku mówił, komputer, babcia, i komputer. Pod choinkę chciał, żeby mu Mikołaj przyniósł. Mówi: „babcia Hoka, ja w Mikołaja nie wierzę, naiwny nie jestem, ale list mu o ten komputer napiszę tak na wszelki wypadek". W świetlicy mieli, ale, mówi: „babcia, to obciach, nie komputer". On chce nowoczesny. Na tym komputerze w świetlicy sam się wszystkiego nauczył, wybitnie uzdolniony, tak psycholog w przychodni powiedział, jak na kontrol poszliśmy. Nieszczęście, nieszczęście. I żeby rozwijać mu te zdolności, mówi do mnie, stworzyć warunki. „Pan mi powie, jak za tysiąc złotych się stwarza warunki", ja do niego na to: „to wtedy stworzę". Z tysiąca złotych to, za przeproszeniem, nawet Pan Bóg by niewiele stworzył. Może ze dwie mrówki i pokrzywę. Takie nieszczęście.

Przyznałam jej rację i znów popatrzyłam na zdjęcie chłopca. Wyglądał na szczęśliwego mimo braku komputera i warunków.

– Pojechaliśmy raz do MediaMarkt – ciągnęła Zofia Socha – pooglądać te komputery i całą drogę powtarzał: „nie dla idiotów, babcia Hoka", aż się ludzie w autobusie śmiali. Jakieś liczby, numery, kto to zrozumie. Ja tyle widziałam, że na taki komputer, jaki Patryczek chce, dwie moje emerytury by poszły. Takie nieszczęście.

– Pani córka wam pomaga?

– Córka – prychnęła Zofia Socha i jej sympatyczna twarz zaczęła przypominać tę z fotografii w gazecie, bo na rewersie słodkiej babci karmicielki była babcia zła i gorzka. Nagle postarzała się i zbrzydła, jej usta się zapadły, ścieniały, a trwała w kolorze kasztanów przybrała brzydki bury kolor. – Tysiąc złotych renty mam. Takie nieszczęście. Trzy tygodnie miał, jak pierwszy raz wzięła dupę w troki. Dwa miesiące jej nie było. A ile lekarze kosztują. Patryczek wcześniak, od urodzenia niedosłyszy i chorowity. A to katarek, a to przemarsz wojska. Zostawiłaby tak pani malutkie dziecko? Porzuciła jak psa?

– Nie. Psa bym też nie porzuciła.

– Widzi pani! Ja bym sobie dla dziecka krwi utoczyła, ostatnią kromkę od ust odjęła, ja dla dziecka wszystko. – Walnęła się w pierś babcia gorzka, aż zadudniło. – Takie nieszczęście! Co ja się dla niej w kolejkach nastałam, zupki ręcznie przecierałam, kombinowałam, żeby miała schabik, paróweczki, późno ją urodziłam, jedną córkę tylko.

– A pani mąż?

– Takie nieszczęście! Przed czterdziestką wdową z małym dzieckiem zostałam. Był chłop i nie ma chłopa. Bez sensu umarł!

– Bez sensu? – upewniłam się.

– Bez sensu! Piorun go na grzybach zabił. O, tyle po nim zostało. – Pokazała serdeczny palec prawej dłoni z cienką złotą obrączką i pierścionkiem z różowym korundem. – Nigdy nie zdejmuję, jak przyjdzie czarna godzina, to będzie jak znalazł, ruskie złoto i rubin. Takie nieszczęście.

– A ojciec Patryka?

– Ojciec! – Przemiana na twarzy Zofii Sochy pogłębiła się, kobieta dyszała i jej wewnętrzna maszyneria osiągnęła stan krytycznego przeciążenia. – Taki ojciec, co splunąć tylko potrafi. – Poczerwieniała, nadęła się, dolałam jej kompotu. – Splunąć – powtórzyła jadowicie. – I tyle go widzieli. Nawet poduszki własnej nie miał, rodzina z meliny ze Starego Zdroju, żule takie, ani do Boga, ani do ludzi. Poszłam do nich, jak zaszła, i pytam, jak będzie, bo trzeba coś ustalić, wesele urządzić, zanim będzie widać. Na progu mnie trzymali jak psa. I wie pani, co powiedzieli? No wie pani?

Nie wiedziałam, choć mogłam się domyślić.

– Powiedzieli, że jak, za przeproszeniem, moja córka dupy nie pilnowała, to niech się teraz martwi, im nic do tego. „A co, synalek niewinny?", ja na to pytam i cała się gotuję. „Jak suka nie da, to pies nie weźmie", mówi mi żul i w twarz się śmieje. Niech wyskrobie, nie ich sprawa. Wyskrobie! Tobie mózg wyskrobało, żulu. Prędzej z okna skoczę, pod pociąg się rzucę, niż dam wyskrobać, grzechu takiego na swoje sumienie nie wezmę. Pod swój dach ich przygarnęłam, pokój jeden odstąpiłam, sama tu w stołowym na wersalce. Mówię: „ślub weźmiecie, szkoły pokończycie, jakoś będzie, przy dziecku wam pomogę, ugotuję. Jest Biedronka, jest działka, przeżyjemy".

– Nie ułożyło się?

– Pomieszkali razem ze trzy miesiące, a się żarli, a wyzywali. Myślę, dotrą się, ale gdzie tam, krew przy tym tarciu pryskała.

Wrzaski na całą kamienicę, pretensje, żale, że niby do ślubu ich zmusiłam. Jeszcze zanim się mały urodził, z rękoma do mnie skoczył.

– Zięć?

– A kto? I jeszcze mówi do mnie: „mamusia – Zofia Socha zamierzyła się łyżką na niewidzialnego przeciwnika – bo jak zaraz mamusię", wie pani co! Nie będę się wyrażać. No to ja na to: „won mi z mojego domu, brakorobie, gołodupcu! Won do swoich, na melinę!". Córka za mną murem stanęła, „a niech idzie, mamuś". – Zofia Socha westchnęła głęboko. – Takie nieszczęście – powtórzyła i popatrzyła w mój talerz. – Ja to bym sobie na pani miejscu trochę ten rosołek jeszcze dopieprzyła.

Posłusznie sięgnęłam po młynek. Babcia Patryka mówiła dalej.

– Myślałam, że zięć pójdzie po rozum do głowy, ale nawet małego nie zobaczył. Jak poszedł, tak dopiero po jakimś roku córka mówi, że jej koleżanka w komputerze znalazła, że w Irlandii jest. Z babą jakąś miał tam zdjęcie, z piwskiem. Takie nieszczęście. Ale ona już wtedy też myślała tylko o tym, żeby wyjechać. „Ja się tu czuję jak szyszka w dupie", tak mi mówiła. Miała dwie takie przyjaciółki z fryzjerskiej, Dorota i Violetta, też na Palestynie mieszkały, wyjechały. Pisały, namawiały, że praca w fabryce wędlin, że w gastronomii można się łatwo zaczepić, sklepy takie siakie, „Agata, przyjeżdżaj". Wcale języka znać tu nie trzeba, bo sami swoi. Patryczek miał osiemnaście miesięcy, jak wyjechała. Obiecała „zarobię i wrócę", ale piąty rok jej nie ma. A tu takie nieszczęście.

– Ma tam nowe dzieci – powiedziałam słowami Zofii Sochy.

– Dwoje – przytaknęła. – Zdjęcia przysłała, chłopak i dziewczynka, w ogóle do Patryczka niepodobne. Ciemne jak Cygany. Ale ja do tych nowych dzieci serca jakoś nie mam. O Patryczku zapomniała. Te nowe dzieci jemu, co jego, od ust odebrały.

Dzwoni na święta, to mówię: „dziecko tu masz, Agata, chore dziecko", to odpowiada: „mama da spokój, zarobię, to przyślę na lekarstwa, ubrania, a przyjeżdżać nie będę, bo na Palestynie młodość zmarnowałam".

– Ile lat ma pani córka?

– Na dwudziesty piąty jej idzie.

– Chciałaby pani, żeby zabrała syna do Anglii?

Zofia Socha popatrzyła na mnie i westchnęła z głębi przepastnej piersi.

– Takie nieszczęście. Ja bym mu krwi własnej utoczyła, żeby tylko miał, co najlepsze. Na ludzi żeby wyszedł, daleko zaszedł, to ja wszystko. Modlę się o to codziennie, Matkę Boską Bolesną, papieża naszego o dobry los dla Patryczka proszę. Takie nieszczęście. Wierzy mi pani? – Ciemne chomicze oczka patrzyły na mnie spod kasztanowej fryzury pytająco i przebiegle.

– Wierzę.

– Ja bym mu krwi własnej nie żałowała – powtórzyła Zofia Socha i przy drugiej krwi przypomniała sobie o drugim daniu. Schabowe! I buraczki. – A buraczki z działeczki – pochwaliła się gospodyni. – Słodziutkie były w tym roku, jędrne, a jak ja się bałam o te buraczki!

– Dlaczego?

– Nie wie pani? Przez gaz.

– Gaz?

– Pod ziemią gazu pełno napuścili i jak wybucha, to buch, dziura się robi jak lej po bombie – zaperzyła się Zofia Socha.

– Dziura?

– Na działce, bo działeczkę mam, pomidorki, buraczki, śliweczki, śliwa mi jedna znikła.

– Znikła? Cała?

– Jak tąpło, tak znikła – potwierdziła Zofia Socha z zapałem. – Takie nieszczęście! Węgierka najsłodsza. Przychodzę na działeczkę, a tu dziura, zaglądam, czubek drzewa widać tylko, gaz bucha. Trują nas!

– Kto nas truje?

– Ja – gospodyni rozejrzała się i ściszyła głos, jakby w jej stołowym ukryty był podsłuch albo nawet tajny agent – ja osobiście myślę, że to może być Mossadam.

– Mos Adam?

– Mossadam Husain.

– Kim on jest? – bezwiednie zapytałam takim samym tonem spiskowca.

– To międzynarodowa organizacja podziemna, zawzięli się szczególnie na Polaków.

– Dlaczego?

– Chodzi im o panowanie nad światem, nad bankami, wszystkimi państwami, a Polska to środek Europy. Rozmawiają ze sobą szyfrem, są bardzo tajni, a sprytni jacy!

– I ta organizacja, Mossadam Husain, puściła gaz na Sobięcinie?

– Tak – potwierdziła Zofia Socha z mocą. Zauważyłam, że zdążyła pochłonąć połowę kotleta, którego ja ledwie nadgryzłam, więc nadrobiłam, by się nie zacięła. – Informacje sobie przekazują szyfrem na kodach z kasy – dodała.

– Na kodach kreskowych?

– Każda kreseczka coś znaczy! – potwierdziła babcia Patryka.

– Co znaczy?

– Tajne informacje, wyroki śmierci, nazwiska od a do z, numery telefonów. Dlatego ja zawsze niszczę kody, w wucecie spuszczam.

– Po co pani je niszczy?

– Żeby nie wpadły w niepowołane ręce.

– Czy są jakieś inne przejawy działalności Mossada Husaina na Sobięcienie?

– Ha! – ucieszyła się Zofia Socha – są przejawy, i to jakie. Te karaluchy to myśli pani, że tak same z siebie?

– A nie?

– Pewnie, że nie – zaprzeczyła tryumfalnie. – Razem z gazem je puszczają, dlatego takie mutanty. Od gazu Mossadama Husaina. Pani wie, co taki gaz może zrobić z karaluchem?

– Nie.

– To ja pani powiem. U mnie czysto, że z podłogi można jeść, ale jeden się zdarzył i wie pani co, ja do niego z kapciem, a ten nic, patrzy na mnie.

– Patrzy?

– A tak, prosto w oczy. – Zofia Socha zademonstrowała jak, nieruchomiejąc i wytrzeszczając się na mnie. Przypomniałam sobie karalucha, z którym sama spotkałam się tej nocy, następnym razem przyjrzę mu się lepiej. – I dzieci wałbrzyskie, pani powiem, też oni porywają, takie nieszczęście, i za śmiercią Jana Kołka, proroka naszego, to myśli pani, że kto stał?

– Mossadam Husain?

– A pewnie. Myślą, że łatwo ludziom oczy zamydlić, że zawał, że sam z siebie umarł, że ludzie głupi i nie dowiedzą się. Ale są jeszcze tacy, co stoją za prostymi ludźmi.

– Kto to taki?

– On jest – Zofia Socha uniosła palec – wybawicielem.

Przypomniałam sobie samozwańczego następcę Jana Kołka, nazywał się Jerzy Łabędź i stawał powoli nowym bohaterem.

– Mówi pani o Jerzym Łabędziu?

– Jest tam i wszędzie, a mówić o nim nie można – enigmatycznie odparła babcia Patryka. – Wkrótce prawda wyjdzie na jaw.

– A po co Mossadam Husain porywa dzieci? Czy wybawiciel to wyjaśnia?

– On wszystko wyjaśnia, nawet jak nic nie mówi. Prawda jest w jego oczach. – Policzki Zofii Sochy poczerwieniały. – A porywa, żeby je przekabacić! To powiem pani od siebie, zrobić z nich chce armię swą, jak kiedyś Turcy.

– Po co mu ta armia?

– Wyśle ich potem, by żyli wśród nas i szpiegowali. Tak będą do nas podobni, że nikt nie pozna, kto wróg.

– Sądzi pani, że to spotkało Patryka?

Cień przebiegł po twarzy mojej rozmówczyni, jakby przetoczyła się nad nami chmura.

– Takie nieszczęście – szepnęła i odwróciła wzrok. – Prędzej bym dała się pokroić, końmi rozerwać, niż pozwoliła go skrzywdzić. Ja tyle wiem, że to nie jest normalne. Gaz, karaluchy, ukrzyżowanie Jana Kołka, dzieci jak kamień w wodę. Żeby do reszty nas wytępić tu chodzi. Zagazować!

– Skąd pochodzi pani rodzina?

– Moja? – Zofia Socha zdziwiła się. – A kto pani takich plotek naopowiadał? – Ciemne oczy patrzyły na mnie znad resztek schabowego.

Cymes nie schab. Sam Mossadam Husain by nie odmówił, pomyślałam i nabiłam kęs na widelec. A więc Zofia Socha jest niedobitkiem. Biednym, przed samą sobą ukrywającym się niedobitkiem z wałbrzyskiej Palestyny. Zmieniłam temat.

– U pani też był gaz?

– Wszędzie! – potwierdziła. – Syczało ssss, jak się ucho przyłożyło do ściany, spod łóżka, zza szafy. Raz prysznic odkręcam i jak mi gaz nie buchnie, mroczków w oczach dostałam. – Popatrzyła ma mój talerz. – Bo wystygnie – ostrzegła i dolała mi kompotu. – Śliweczki z działeczki, mrożę, wekuję i mam. – Zamilkła, przy stole Zofii Sochy, niedobitka z Palestyny, panowała niepisana umowa, że jeśli nie zjem, nic już mi więcej nie powie. Każdy kęs zbliżał mnie do tej kobiety, która ukrywała swoją tożsamość, jakby wciąż trwała wojna, bała się Mossadama Husaina i nakarmiła obcą przy swoim stole.

– Proszę mi opowiedzieć o dniu, w którym zaginął pani wnuk.

– Ale ciasta pani zje? Kruche ze śliwkami, śliweczki z działeczki. Raniutko upiekłam.

Pokiwałam tylko głową, a niestrudzona gospodyni udała się po raz kolejny do kuchni, z której wyłoniła się po chwili z paterą i talerzykami. Ciasto smakowało tak, jakby Zofia Socha włożyła w nie całą miłość do wnuka. Ułożony na złotym krążku wzór z owoców o mięsistym purpurowym miąższu był wyznaniem w tajemnym języku. Domowe ciasto, zachęcający slogan, dla mnie był pusty, bo w naszym domu nikt nie piekł ciast, a jedyna próba podjęta przeze mnie i Ewę przy okazji którejś Wigilii zakończyła się całkowitą porażką i wizytą straży pożarnej.

– Pyszne – powiedziałam, a zadowolona Zofia Socha cmoknęła i zaczęła tak, jakby miała zamiar opowiedzieć mi bajkę na dobranoc.

– A więc było to tak. W sobotę ranośmy z Patryczkiem wstali i przy śniadanku mówię: „Patryczek, co będziemy dziś robić na obiadek?". A on: „Babcia Hoka, pojedziemy po udka, upieczemy ze skórką". Pytam: „Patryczek, znowu udka? A może kopytka, krokieciki z barszczykiem, buraczki mamy z działeczki". „Udka, babcia, i jajko z niespodzianką sobie w Realu wybiorę, bardzo babcię proszę". Z tych plastikowych jajek, co są w środku pod czekoladą, ludziki potem sobie robił. Wszystkim nie pokazuję, bo jeszcze pomyślą, że dziwaka jakiegoś wychowałam, ale pani pokażę, na półeczce stoją u niego, jak zostawił. – Zofia Socha wstała i potoczyła się do pokoju wnuka. – O! – W każdej dłoni trzymała mały owalny przedmiot. Chłopiec okleił jajka czarno--białymi twarzami wyciętymi z gazet, domalowywał szczegóły farbami, dokleił włosy, które wyglądały na prawdziwe. – Jak mu powycinam, to zawsze zbiera – Zofia Socha potwierdziła moje podejrzenia.

Malec najwyraźniej gustował w obliczach nieboszczyków, hojnie używał czerwieni. Psycholog, o którym wspominała Zofia Socha, nie mylił się, zaginiony Patryk musi być wyjątkowym chłopcem. Pomyślałam, że moja siostra, kolekcjonerka osobliwości, zafascynowana tym, co mroczne i niezwykłe, uwielbiałaby tego upiornego małego artystę o elfich uszach. Wzięłam do ręki dzieła sześcioletniego Fabergé z wałbrzyskiej Palestyny, jajka popatrzyły na mnie dwiema parami bliźniaczych oczu.

– Humpty i Dumpty – mruknęłam do siebie.

– Co? – Zofia Socha się zaniepokoiła.

– Są piękne – dodałam na głos, a babcia Patryka westchnęła z ulgą, zdałam jakiś test.

– A gdyby pani widziała, jakie ładne samochody rysował, jakie rakiety kosmiczne, jakie motyle. W przedszkolu rysunki Patryczka, wycinanki zawsze na pierwszym miejscu, czy to zwiastuny wiosny, czy kolory jesieni, ja nie wiem, po kim on to ma. Nie po matce, nie po ojcu, choć ponoć dziadek ze strony matki, jak jeszcze mieszkali w Drohobyczu... – wyrwało jej się.

– W Drohobyczu?

– A kto by tam po tylu latach spamiętał. – Zofia Socha machnęła ręką i wróciła do wątku jaj z niespodzianką. – Ostatnio ciągle tylko te jajka chciał, bo, mówi: „babcia Hoka, to jest cudowne nie wiedzieć, co jest w środku, i powolutku ogryzać czekoladę, zanim się otworzy". Aż mnie w serce ukłuło, bo jak był młodszy, na matkę tak czekał. No to mówię: „Patryczek, ubieramy się i łapiemy busik do Reala". W Realu tłok. Poszliśmy na mięsny udka kupić, potem zaraz na słodycze. Mówię: „Patryczek, nie ruszaj się, tu bądź, przy jajkach z niespodzianką, wybierz sobie dwa. Pilnuj kosza, a ja skoczę tylko na oleje, bo słyszę, że promocja". Wzięłam rzepakowy, wracam, tłok większy, niż jak żeśmy przyszli. Patrzę, nie ma Patryczka, tylko wózek z zakupami stoi. Rozglądam się, może kawałek dalej odszedł i zaraz wróci. Czekam. Co robić? Zaczęłam latać po Realu, ludzi pytać. „Chłopiec lat sześć, blondynek, oczy niebieskie, nie widziała pani, pan, a ty, dziewczynko, nie widziałaś?". Nikt nie widział, nikt nie słyszał. Kto tam na cudze dzieci patrzy w takim tłoku, przy zakupach. Taki Real najlepszy na ginięcie. – Zofia Socha westchnęła, jakby z ulgą. – Takie nieszczęście. Poszłam na kasę, pytam: „gdzie kierownik?". „A co się pani awanturuje, po co pani kierownik?". W końcu ogłosili przez megafon, że zaginął chłopiec, Patryk Miłka. Ale przepadł bez śladu. Kamień w wodę.

– To już pięć miesięcy – powiedziałam.

– Bez dwóch dni – dodała Zofia Socha – bez dwóch dni i siedmiu godzin.

– Liczy pani?

– Zawsze będę liczyła.

– Pani córka nie przyjechała, gdy Patryk zaginął?

Oczy Zofii Sochy były teraz ciemne jak śliwki węgierki, które zapadły się pod ziemię.

– Takie nieszczęście. Mówi: „co ja tam pomogę, co ja mogę, jak mnie nie było. Tu muszę spraw pilnować". „Spraw, jakich spraw, nowego przydupasa pewnie", ja jej na to. A ona, że to moja wina, że Patryczek zaginął, że nie upilnowałam. A ja bym sobie dla niego żyły wypruła, do ostatniej krwi, wszystko dla tego dzieciaka. A teraz trę buraczki do słoików, takie dobre w tym roku, słodziutkie, i myślę, dla kogo ja trę, po co? Takie nieszczęście.

Zofia Socha zaczęła płakać, pochylona nad talerzem z resztką ciasta, i wyłączyłam dyktafon.

Nocą opowiadałam panu Albertowi i Marcinowi o pieprznym rosole, jajkach z niespodzianką i Mossadamie Husainie, którego imieniem Zofia Socha nazywała otaczające ją zło, o wielkookich karaluchach i gazie. I o tym, że kochała swojego wnuka o elfich uszach i wierzyła, że chłopiec żyje. Ale gdy żegnałam się z Marcinem, który zbyt długo trzymał moją rękę i puścił ją dopiero, gdy pan Albert go ponaglił chrząknięciem, zdałam sobie sprawę, że coś mnie uwiera w opowieści Zofii Sochy z Palestyny. Dłoń. Dłoń na zdjęciu Patryka mknącego w świat na rowerku. Bez obrączki i pierścionka z różowym korundem, z którym babcia chłopca nigdy się nie rozstaje.

Uśmiech bibliotekarki

Nocą obudził mnie metaliczny dźwięk telefonu, przyszła wiadomość. Sięgnęłam po komórkę, lśniącą jak smutne cyklopie oko, chociaż najchętniej pozostałabym we śnie, który pierwszy raz, od kiedy tu przyjechałam, był rozkosznie spokojny i cichy. Śnił mi się film przyrodniczy, który kilka miesięcy temu zrobił na mnie ogromne wrażenie. Reflektor urządzenia badawczego wyławiał z ciemności endemiczne ryby z pazurami zamiast płetw i zalążkami skrzydeł, wielkookie jak koty, świecące zielonkawym blaskiem istoty, które tam, gdzie nic innego nie przeżyłoby, trwają niezmienione od milionów lat. Miałam wrażenie, że buszujący w podwodnej nocy reflektor omiatał mnie światłem jak jedno z tych stworzeń skazanych na bezruch i mrok. Ten świat wydawał mi się straszny i zarazem tak pociągający, że gdybym tam trafiła, mogłabym odmówić powrotu na powierzchnię.

„Idź, Alicjo", przeczytałam wiadomość podpisaną „Homar" i pomyślałam, że pragnie on, bym wróciła do snu, który mi przerwał. W tej chwili na granicy jawy wiedziałam, że on też tam był, pośród endemicznych ryb powoli poruszających się na dnie oceanu. Przyzwyczaiłam się już do Homara i chociaż nadal nie wiedziałam, kim jest i czego ode mnie chce, nie sądziłam, aby mi zagrażał. Najbardziej dziwiła mnie nie jego przenikliwość, ale to, że byłam w stanie ją zaakceptować, bo w moim normalnym życiu

nastawiał tę nalewkę nawet wówczas, gdy cytryny były w polskich sklepach towarem deficytowym i musiał jej przemycać z palmiarni, i to nią upiłam się po raz pierwszy, gdy dostałam się na studia. Nie miałam wówczas nikogo, z kim mogłabym podzielić się uczuciem smutku, że opuszczam to miejsce, które ani się nie zmieni, ani nie da o sobie zapomnieć, i podszytej winą radości, że mimo wszystko potrafię stąd wyjechać. Byłam rozedrgana i niespokojna, nie do końca pewna, czy zasłużyłam na ten pierwszy w życiu sukces. Bardzo tęskniłam za Ewą, bo ona by mnie zrozumiała, i to dlatego poszłam do lasu, a nie na cmentarz, gdzie nigdy nie czułam jej obecności. Na polanę pod Zamek Książ moja siostra, gdyby mogła, przyszłaby na pewno i usiadłaby przy mnie, by popatrzyć na siedzibę księżnej Daisy. Piłam za Daisy i jej perły, za moją siostrę, Ewę Daisy Tabor, za ojca, który szukał skarbu w podziemnych korytarzach, i za siebie, studentkę polonistyki. Nigdy przedtem nie pochłonęłam takiej ilości alkoholu. Zerwała się letnia burza i niebo nade mną się otworzyło, jakby pękła tama, a ja nie byłam w stanie uciec przed strugami deszczu na plączących się nogach. Ogarnęła mnie ciężkość, czułam się nie pijana, lecz półmartwa, spustoszona w środku. Przez chwilę stałam w ulewie z twarzą uniesioną ku niebu, a potem upadłam na kolana i ostatkiem sił wczołgałam się do jamy, tej samej, być może, z której kilkadziesiąt lat wcześniej pan Albert patrzył na egzekucję więźniów. Na pewno tej samej, w której umarła moja siostra. Widziałam stamtąd błyskawice wbijające się w polanę, w ich upiornym świetle rodziły się postaci, wyciągały w moją stronę ramiona i krzyczały czarnymi dziurami ust. Coś się we mnie przesuwało, czułam to wyraźnie, kamień szorujący o kamień, kość o kość. Zasnęłam i obudziłam się o świcie dziwnie spokojna, ukojona. Z lekką głową, co zakrawało na cud. Miałam wrażenie, że w moim umyśle zamknęło się tej nocy jakieś przejście, za którym twardniała w grudę ciemność. To ona przetoczyła się przeze mnie i została zawalona kamieniem. Dopiero wtedy poczułam się naprawdę gotowa do drogi i wróciłam do domu, by zostawić wciąż nieobecnemu ojcu kartkę na stole. Do tej pory nikomu nie opowiadałam o tym samotnym pijaństwie, a jednak Marcinowi przyznałam się do niego. Powiedziałam mu również o tym, że obudziłam się wtedy w jamie przykryta szarą wełnianą chustą, której nigdy wcześniej nie widziałam. Była ciepła i miękka jak kocia sierść.

W pustym pokoju z widokiem na Zamek Książ zatęskniłam właśnie za tym, za dłońmi drugiego człowieka, które otulają. Nie chciałam myśleć, że mogłyby to być dłonie tego mężczyzny, którego dopiero poznałam, bo nigdy tak nie myślałam o mężczyznach. Oczekiwałam od nich lojalności i przyjemności, tego, by w jednym i drugim dotrzymali mi kroku, ale nie czułości i troski. Słuchałam ich opowieści, ale wycofywałam się, gdy prosili o moją. Tu przebiegała nieprzekraczalna granica mojej wzajemności. Odchodziłam, bo zawsze wydawało mi się nie w porządku, by żądać od ludzi tego, czego sama nie mam i nie potrafiłabym dać. Mężczyźni, których pragnęłam, nigdy nie budzili mojego lęku. Jeśli mnie nie chcieli lub chcieli czegoś, czego nie mogłam dać, nie czułam się odrzucona, lecz raczej odbierałam to jako konflikt interesów. Moje niedługie i niezbyt głębokie związki nie różniły się od spotkań w centrach handlowych, dawały mi zaspokojenie i koiły samotność. To kobiety zawsze były dla mnie bardziej tajemnicze, groźniejsze. Albo się ich bałam jak matki, albo nie potrafiłam zrozumieć i zatrzymać jak siostry. Zakochani bez pamięci, oszaleli ludzie wydawali mi się zawsze interesujący wprawdzie, ale obcy jak inny gatunek stworzeń. Nie uzależniałam swojego szczęścia od kogokolwiek, bo szybko nauczyłam się, że nikt nikogo nie jest w stanie uszczęśliwić. Można jedynie uczynić swoje życie bardziej znośnym. Może tamtej nocy na polanie to, co łączyło mnie z ludźmi, też zostało zawalone kamieniem, bym mogła opuścić tych, których kochałam.

Już nie zasnęłam i gdy wstał świt, poszłam pobiegać. Czułam taką potrzebę ruchu, że zanurzyłam się w las za domem bez obawy, co się w nim kryje tym razem. Biegłam szybkim, równym tempem tą samą co poprzednio ścieżką, ale las po opowieści pana Alberta był inny i otwierał się przede mną. Oblodzone źdźbła trawy chrupały pod moimi stopami i prószył śnieg, robiło się coraz zimniej. Na polanie zauważyłam świeżo rozkopaną i udeptaną ziemię. Pewnie ktoś pochował tu zwierzę, bo to miejsce jak magnes przyciągało śmierć i ludzie z okolicy zawsze grzebali tu padłe psy i koty. Biegnąc, myślałam o zamordowanych więźniach z opowieści pana Alberta i o tym, że teraz, oprócz jego, także moja pamięć łączy ich ze światem. Tak samo było z moją siostrą i ojcem, bo umarli to tylko obrazy w naszej pamięci i razem z nią umrą kiedyś po raz drugi. Dobiegłam na szczyt łagodnego wzgórza, gdzie kiedyś zatrzymali się Cyganie pana Alberta, a on sam spotkał księżnę Daisy. Patrząc na Zamek Książ, wykonywałam swój stały zestaw ćwiczeń rozciągających. Im bardziej ciało przypominało mi o innym rodzaju przyjemnego zmęczenia, tym bardziej dawałam sobie w kość. Pragnęłam tego mężczyzny, którego poznałam nocą w ogrodzie, takie były kłopotliwe fakty. Nie lubiłam, gdy coś gmatwało moje plany, a byłam już zbyt dojrzała, by się łudzić, że ja i Marcin możemy po prostu, jak ludzie mawiają, spędzić ze sobą parę miłych chwil, czy, co za pomysł, żyć razem długo i szczęśliwie.

– Patrzcie, jak się zmatkobożyła! – Omal nie zemdlałam z przerażenia, gdy tuż za plecami usłyszałam czyjś głos. „Zmatkobożyła", nikt oprócz Dzikiej Baśki z Jelonek tak nie mówił, ale to nie była ona. Istota, która stała przede mną, śmiała się, wyszczerzając cztery pozostałe jej zęby, jeden u góry, reszta na dole. Wyglądała na zadowoloną z tego, że mnie przestraszyła.

Mała i pękata, okutana była od stóp do głów w zielonkawy wojsko-wy płaszcz, który rozłaził się w szwach. Wyglądał, jakby kiedyś należał do jednego z żołnierzy Armii Czerwonej, którzy przeszli tędy ponad sześćdziesiąt lat temu, i do dziś dnia nie zaznał ani przez moment odpoczynku na wieszaku. Do tego bawarski ka-pelusik z piórkiem, czerwone buty balerony z napisem „Relax", wyrób socjalistycznego przemysłu obuwniczego, popularny, gdy byłam dzieckiem. Siwa grzywka, sucha jak siano i rozwichrzona, warkoczyki, kolczyk w lewej brwi. Tak mogłaby wyglądać jedna z zaginionych krasnoludzic, o których Gimli opowiada Eowinie. Brakowało jej tylko brody.

– Kim pani jest?!

– Przestraszyłam? – mrugnęła do mnie szelmowsko i zdjęła z ramienia wielką wypchaną torbę, zadudniło metalicznie, gdy rzuciła ją na ziemię. – Kotpuszki dostałam od jednego, co ma nowy sklep – wyjaśniła.

– Kotpuszki?

– Puszki z kotrawką. – Kobieta popatrzyła na mnie, jakby wąt-piła w moją inteligencję. – Rach-ciach, mieszam z makaronem, pycha wychodzi kotrawka. – Popatrzyła na mnie i zamlaskała zachęcająco. Może zamierzała mnie poczęstować. Jej oczy były szare, świetliste.

– Czy myśmy się już kiedyś spotkały? – zapytałam. – Na Nowym Mieście, przy 11 Listopada? To była pani?

– Spotkały, nie spotkały – nieznajoma wzruszyła ramiona-mi – co to za różnica? Jak spotykam kota, to interesuje go tylko, czy będę dla niego dobra.

– Nie jestem kotem.

Kobieta zmierzyła mnie wzrokiem i odniosłam wrażenie, że naprawdę dopiero teraz to zauważyła.

– Nie? A kim jesteś? I co tu robisz? – zapytała.

– Mam na imię Alicja i biegam po lesie.

– Dobra odpowiedź! – ucieszyła się kociara.

– A jaka byłaby zła?

– Świat jest pełen złych pytań i jeszcze gorszych odpowiedzi. – Westchnęła i przez moment przyglądała mi się w milczeniu. – Babcyjka jestem – przedstawiła się i wyciągnęła dłoń. Jej uścisk był silny i miły. Wyciągnęła z kieszeni foliowy worek, rozsupłała go i wyjęła coś, co wyglądało na kocią chrupkę. Rozgryzła ze smakiem, chrupnęło, wyciągnęła torebkę w moim kierunku. – Może kotrupkę?

– Dziękuję, nie jem, gdy biegam.

Chwilę milczałyśmy, ja stałam, kociara chrupała kotrupki. Z drugiej kieszeni wyjęła plastikową butelkę z mlekiem, popiła, aż zagulgało, i wyciągnęła dłoń w moją stronę.

– Wypije kotleczka? – Nie wypadało odmówić. Kotleczko na szczęście smakowało jak zwykłe świeże mleko. Babcyjka oblizała wargi małym szybkim językiem.

– Mogę na koniec pomacać? – zapytała.

– Co pomacać?

– Łapy.

– Moje łapy?

– A czyje? Świętej Kocińskiej? – Zaśmiała się ze swojego dowcipu czterema kłami.

– Proszę bardzo – zgodziłam się, a Babcyjka z wprawą ortopedy, czy raczej weterynarza, zbadała stan moich łydek.

– Dobre! – oceniła. – Dobre ma łapy.

– Cieszę się – przyznałam.

– No to będę lecieć – oświadczyła.

– Już? Proszę zostać. Proszę mi coś o sobie powiedzieć.

– Nie mam czasu – odmówiła stanowczo Babcyjka. – Czasu mam tyle, co kot napłakał. Koty nie potrafią płakać, dlatego boli je bardziej. – Zarzuciła torbę na plecy, zadźwięczały kotpuszki z kotrawką.

– Pomogę pani – zaofiarowałam się, a kociara podniosła na mnie twarz, brązową i nakrapianą jak zbyt długo przechowywane jabłko.

– Pomagasz – powiedziała.

– Nie rozumiem.

– Nie rozum, rób, co masz robić, dziewczyno, i dbaj o łapy. Masz. – Wyciągnęła do mnie dłoń i złożyła w mojej coś drobnego, prawie pozbawionego ciężaru. Zaczęła oddalać się szybkim krokiem, który nie pasował do jej niezgrabnej sylwetki, wprost unosiła się ziemią. Poczułam nagle taki żal, aż zapiekły mnie oczy.

– Babcyjko! – krzyknęłam za nią. – Znasz Dziką Baśkę z Jelonek?! Znasz Apolonię Kitti Kitti?!

Babcyjka nie zatrzymała się, ale się odwróciła i rzuciła przez ramię:

– Nas wicher jest!

Po chwili tylko szelest liści wskazywał miejsce, w którym znikła, ale i ten wkrótce umilkł i zostałam sama z zaciśniętą pięścią. Myślałam, że będzie to kocia chrupka, którą wzgardziłam, ale na mojej dłoni leżało coś okrągłego i białego, podniosłam przedmiot w dwóch palcach ku słońcu. Perła. Poczułam w brzuchu pulsowanie jak przed miesiączką.

Po południu pojechałam ponownie do Biblioteki pod Atlantami z listem, z którego wynikało, że czeka tam na mnie *Mnich* Lewisa. Nie spotkałam już Niebieskiej Kobiety, wisiał za to krzyż, który przybiła. Poza tym niewiele się zmieniło od czasu, gdy przychodziłam tu jako dziecko, i spod odoru chemikaliów rozpylonych przez eksterminatorów z firmy Robax czuć było wyraźnie zapach książek.

Gdy wiele lat temu Ewa zabrała mnie tu po raz pierwszy, było zimno jak teraz i też padał śnieg, przenikający chłodem do kości. Byłyśmy najpierw w Madrasie i siedziałam nad pustym talerzykiem, wspominając jak zwykle zbyt szybko minioną słodycz. Czytałam herbaciane menu pod szkłem: „jaśminowa, karmelowa, różna, herbaciarnia Madras poleca". Madras, Sardam, Drasma. „Co to znaczy Madras?", zapytałam, a Ewa powiedziała: „chodź, Wielbłądko, poszukamy Madrasu". W bibliotece, gdy tylko weszłam między rzędy książek, które dla takiej dziewczynki jak ja ciągnęły się kilometrami i były wysokie jak co najmniej trzy wielbłądy, wiedziałam, że będę tu wracać, bo znalazłam jedno ze swoich miejsc na świecie. Podczas tej pierwszej wizyty pod Atlantami siedziałyśmy w czytelni i czytały o Madrasie, mieście nad Oceanem Indyjskim, w którym przez większą część roku klimat jest gorący i wilgotny, a za oknami na wałbrzyski rynek padał śnieg. „Najgorętszy jest maj i pierwsza część czerwca, z temperaturą maksymalną od 38 do 42°c", przeczytałam na głos, podekscytowana nagłą wiedzą, że nasze basie mają coś wspólnego z miastem, które jest tak niebywale i cudownie gorące i leży nad ciepłym oceanem. Może nawet żyją tam wielbłądy? Starsza bibliotekarka, której mądra i smutna twarz wyryła się w mojej pamięci, podeszła do nas i nie skrzyczała za zakłócanie ciszy, tylko zapytała, jak mam na imię i do której chodzę klasy. A Ewa z dumą, która do dziś napełnia mnie wzruszeniem, odpowiedziała: „ta siusiumajtka to starszak biedronka, jest jeszcze w przedszkolu, tylko wzięła i nauczyła się czytać". „A co starszaka biedronkę interesuje w szczególności?". „Wielbłądy", odpowiedziałam śmiało, bo czułam, że ta kobieta mnie nie wyśmieje. Bibliotekarka wróciła ze stosem książek i w jakiejś publikacji na temat Afryki po raz pierwszy zobaczyłam Tuaregów w niebieskich turbanach, którzy z karawanami moich ulubionych zwierząt wędrują przez pustynie. Zapragnęłam zostać jedną z nich i nawet dziś, gdy wiedza zniszczyła mój naiwny zachwyt, nomadzi pojawiają się w moich snach.

– Dzień dobry nareszcie! – Bibliotekarka, która mnie przywitała, miała ogniście rude włosy, połowa jej głowy była ogolo-
na na jeża, druga ufryzowana w wymyślnego irokeza. Kobieta
uśmiechnęła się do mnie i zrozumiałam, że być może zapomnę
wszystko inne, łącznie z jej pięknym biustem, kocimi okulara-
mi i imieniem, ale ten uśmiech pozostanie na zawsze w mojej
pamięci. Wydawało mi się, że jej usta i białe ząbki stały się na
te kilka sekund centrum wszechświata, pulsującym punktem
światła, które widać ze wszystkich stacji satelitarnych krążących
wokół Ziemi. Zanim zdążyłam powiedzieć, kim jestem i po co
przychodzę, bibliotekarka wyciągnęła do mnie dłoń na przywitanie.

– Alicja. Nareszcie! Czekałam na ciebie.

– Czekałaś?

– Nie poznajesz mnie? – zapytała i znów się uśmiechnęła.
Białe ząbki obnażone w uśmiechu, który dzięki uszom trzymał
się w ryzach, w uszach kolczyki z pawich piórek. Widziałam już
ten uśmiech. Dawno. Inaczej. – Nie poznajesz mnie! – Trudno
mi było zgadnąć, czy bibliotekarkę bardziej to zmartwiło, czy
ucieszyło. – To przecież ja, Pajączek.

– Pajączek?! – Pamiętałam to nazwisko, pamiętałam też imię,
Czesio. Czesław Pajączek. Chodziliśmy do jednej klasy w podsta-
wówce, ale po kilku latach Czesio zniknął z Wałbrzycha i nigdy go
już nie spotkałam. Popatrzyłam na bibliotekarkę i pod dorosłą,
piękną kobietą zobaczyłam Czesia Pajączka, chłopca chucherko
o słodkim uśmiechu i włosach jak wielkanocne kurczęta, niższe-
go ode mnie o pół głowy. – Trochę się zmieniłaś, ale świetnie
wyglądasz – powiedziałam w końcu. – Jesteś, jak sądzę, Czesia?

– Celestyna! – z tryumfem odparła bibliotekarka. – Celestyna
Pajączek. Magister bibliotekoznawstwa i bibliofilka.

Patrzyłyśmy na siebie, badając, co czas z nami zrobił przez
te lata i co my zrobiłyśmy z czasem.

– A pamiętasz? – zaczęłyśmy obie i obie się roześmiałyśmy, z tym że uśmiech Celestyny dłużej dryfował w powietrzu, mieniąc się kolorami mydlanych baniek.

Jednocześnie przypomniałyśmy sobie karnawałowy bal sprzed prawie trzydziestu lat. Tylko ja i Czesio Pajączek, zaniedbani przez zajętych czymś dorosłych, przyszliśmy sami ze strojami w workach, by przebrać się w szkolnej szatni. Siedzieliśmy w ponurej klatce z siatki, gdzie płaszcze i czapki wisiały na rzędach haków jak beznogie zwłoki w kolekcji seryjnego mordercy. Spóźniliśmy się, zabawa już trwała i inne dzieci bawiły się u góry, a my niemrawo patrzyliśmy, jak śnieg z naszych butów rozpływa się w kałużę. Słychać było muzykę, która do mieszczącej się w podziemiach szatni docierała stłumiona i cicha, wyglądało na to, że ani ja, ani Czesio Pajączek nie byliśmy w nastroju na bal. Przyszłam tylko dlatego, że ojciec w nagłym przebłysku rodzicielskiej troski postanowił dać mi kostium do uszycia i tym razem doprowadził sprawę do końca. Być może jakaś nauczycielka albo sąsiadka, patrząca zza firanki na nasze smutne życie, poradziła mu w dobrej wierze, żeby po śmierci Ewy spróbował mnie pocieszyć i włączyć w życie rówieśników. Wybraliśmy się do pani Chmury ze Szczawienka, która cieszyła się sławą najlepszej krawcowej w okolicy. „Co będzie?", zapytała, a ojciec odpowiedział, że potrzebujemy kostiumu księżniczki. Krawcowa, kobieta drobna i pożółkła, jak uwędzona, zmierzyła mnie, nie wyjmując papierosa z ust, i na czas uszyła kreację, która zachwyciłaby niejedną dziewczynkę. Mnie różowa falbaniasta sukienka z koronkowym karczkiem pozostawiła całkowicie obojętną. Jeśli już, chętniej przebrałabym się za Tuarega i ruszyła przez pustynię z karawaną wielbłądów, hen, ku fatamorganom, które mogłyby wskrzesić moją siostrę ze światła i piasku. Przed samym balem ojciec jak zawsze o wszystkim zapomniał i na darmo czekałam z różowymi falbanami wyłążącymi z worka na juniorki, by zaprowadził mnie na bal. W końcu ruszyłam sama przez zaśnieżone ulice i tak trafiłam do szkolnej szatni, gdzie siedziałam pogrążona w myślach obok Czesia Pajączka. Gdyby był to jakiś inny chłopiec, pewnie nie zamienilibyśmy ani słowa, bo mieliśmy tylko dziewięć lat, a w tym wieku chłopców i dziewczynki niewiele łączy. Czesio był jednak wyjątkowy i jego inność czuły dzieci i czuli dorośli. Dzieci przezywały go Czesia, a zbite z tropu nauczycielki pytały: „Czesio, nie za wcześnie ciągnie cię do dziewczynek?". Wuefiarz mocniej niż trzeba rzucał w niego piłką, wołając głośniej niż do innych chłopaków: „wal, Pajączek, nie bądź baba!".

„Do dupy ten mój strój", oświadczył Czesio i cisnął na podłogę szatni biały turban, szarawary i szablę. „Za kogo się przebierasz", zapytałam zaciekawiona. Takie turbany nosili poganiacze wielbłądów, których widziałam w Bibliotece pod Atlantami, wprawdzie były niebieskie, nie białe, ale już wiedziałam, że w życiu trzeba się godzić na kompromisy. „Za Rudolfa Valentino". „A kto to?". „Taki aktor, co grał szejka z Sahary. Moja mama go lubi. Ogląda tylko stare filmy i płacze". „Z Sahary! I ty nie chciałeś szejka Rudolfa z Sahary?". „Nie". „To kim chciałeś być?". „Księżniczką albo Marylą Rodowicz". Czesio Pajączek popatrzył na różowy tiul, który wyłaził z worka jak piana. „Co tam masz?". „Księżniczkę?", powiedziałam niechętnie. „Księżniczki są do dupy". „Szejk Rudolf jest do dupy". Czesio kopnął plastikową szablę, która poleciała w drugi koniec szatni. „Nie lubisz sukienek?", zapytał. „Nie", odparłam krótko.

Chwilę siedzieliśmy w milczeniu, wsłuchując się w dochodzącą z góry muzykę.

„Machniom?", zaproponował w końcu Czesio, wypowiadając na głos to, co obojgu nam przyszło na myśl. „Serio?". „Serio". „To machniom".

Odwróciliśmy się do siebie plecami i przebrali, ja w kostium szejka Rudolfa, Czesio w strój różowej księżniczki. Stanęliśmy twarzą w twarz w oświetlonej mrugającą żarówką szatni, a bal, który toczył się powyżej w sali gimnastycznej, rozbrzmiał dźwiękami *Balu* Maryli Rodowicz. Pewnie nauczycielki też chciały mieć jakąś przyjemność, *bo to życie to bal jest nad bale, drugi raz nie zaproszą nas wcale.* Wtedy Czesio uśmiechnął się i to właśnie ten uśmiech został na lata w mojej pamięci. „Czy mogę panią prosić?", zapytałam, a Czesio pokiwał głową i podał mi dłoń jak prawdziwa księżniczka. Spod krzywo założonego diademu sterczały jego rudawe, pierzaste włosy. Ja byłam Rudolfem Valentino, szejkiem z Sahary, Rudolfem Tuaregiem z krainy wielbłądów. Po feriach Czesio Pajączek nie wrócił do szkoły i już nigdy się nie spotkaliśmy. Mówiono, że wyjechał do Francji, bo jego babka była z wałbrzyskich Francuzów i ściągnęła do siebie córkę z wnukiem. Wałbrzyscy Francuzi, rodziny górniczych specjalistów, którzy zamieszkali tu w czasach niemieckich, skuszeni dobrze płatną pracą w kopalniach, budzili moją fascynację, oni również byli niedobitkami. Kruche staruszki, dziwnie wymawiające er, staruszkowie w czapkach z daszkiem, jakich nie nosił w mieście nikt inny, znikali, jedno po drugim, wracali do Francji, jak babcia Czesia, albo wymierali. Litościwa pamięć dziecka sprawiła, że zapomniałam o Czesiu Pajączku, bo inaczej musiałabym doliczyć jeszcze jedną osobę do tych, które mnie opuściły.

– Ty też się zmieniłaś, ale poznałam cię od razu – powiedziała Celestyna. – Alicja Tabor. Już wtedy wiedziałam, że będziesz kimś wyjątkowym.

– Nie jestem wyjątkowa.

– Tylko ktoś wyjątkowy mógł przebrać się za Rudolfa Valentino i zatańczyć z małą transą.

– Byłam po prostu zrozpaczona i bardzo samotna – powiedziałam.

– To nie wystarcza – upierała się bibliotekarka – od samotnych i zrozpaczonych nieraz obrywałam.

– Ja byłam wyjątkowo samotna i zrozpaczona.

– I uparta – dodała Celestyna.

– To nas pewnie łączy. To prawda, że wyjechałaś do Francji?

– Tak. Potem dalej. Studiowałam w Stanach, wyszłam za mąż. Rozwiodłam się. Grał na skrzypcach. Piękny był z niego mężczyzna, ale niestały. Znów jestem Pajączek. Myślałam nawet, by zatrzymać nazwisko po mężu. Ale jak brzmi w Wałbrzychu Pajączek-Robinson?

– Nie bardzo – przyznałam.

– Rok temu wróciłam tutaj.

– Wróciłaś do Wałbrzycha, by pracować w bibliotece, Celestyno Pajączek już-nie-Robinson?

– Dokładnie tak. Ty też wróciłaś, Alicjo. – Celestyna znów się uśmiechnęła. – Mam dla ciebie książkę – powiedziała. – Trzymałyśmy ją dla ciebie w przechowalni.

– W przechowalni? O co chodzi z tą książką?

– Schowaj ją. Zobaczysz w domu. Teraz idziemy. Właśnie skończyłam pracę.

Ta kobieta nie znosiła sprzeciwu, wrzuciłam *Mnicha* do torby i wyszłam z Celestyną na wałbrzyski rynek.

– Dziś będzie się tu działo – powiedziała i wciągnęła powietrze jak węszące zwierzę. – Czuję to.

– Demonstracja w sprawie figury Matki Boskiej Bolesnej? Słyszałam w radiu.

– Będzie on!

– Łabędź?

– Nasz Jezus na miarę czasów. I jego najbardziej zagorzałe fanki. Rzadko się pokazuje, ale jak już, to robi show!

A więc zobaczę w końcu, kogo Zofia Socha tak podziwia, obrońcę wiary, wybawiciela. Próbowałam do niego dotrzeć, namówić na rozmowę, ale nie zgodził się, gdy usłyszał, dla jakiej gazety pracuję.

– Wiesz coś o nim? – zapytałam Celestynę.

– Trochę. Nazywa się Jerzy Łobodź, ale od kiedy wrócił do Wałbrzycha, podpisuje się „Jerzy Łabędź". Rocznik siedemdziesiąty ósmy, syn górnika i gospodyni domowej. Trzy razy nie dostał się do szkoły teatralnej we Wrocławiu i w końcu poszedł na lalki do Białegostoku, jak większość tych, którzy odpadli z aktorskiego. Nie wiadomo dokładnie, co robił po studiach, ale nie znalazł pracy w żadnym teatrze – powiedziała Celestyna, jakby recytowała z kartoteki. Miała na niego teczkę? – Tu wszyscy się znają – odgadła moje myśli z wyrazu twarzy. – Poza tym sąsiadka Łabędzia przychodzi do biblioteki. Czyta tylko kryminały.

– To rzeczywiście wiele wyjaśnia – przyznałam z ironią.

– A pamiętasz Adama Szymczyka z naszej klasy? – zmieniła temat Celestyna.

– Tego, który kiedyś przyniósł na lekcję wilczura potrąconego przez samochód i nauczycielka wpadła w histerię?

– Tego. Spotkałam go niedawno, otworzył sklep z żarciem dla zwierząt, rybkami, chomikami. Porządny człowiek, choć chorobliwie nieśmiały. – Westchnęła. – Od Adasia, z którym nieco się zbliżyliśmy ostatnio, wiem, że Łabędź był przez jakiś czas w Anglii. Adam pracował z nim na zmywaku gdzieś w Croydon. Łabędź wrócił rok temu, po śmierci rodziców. Mieszka w mrówkowcu na Podzamczu. Nikt o nim nie słyszał nic szczególnego do czasu, gdy pojawił się po śmierci Jana Kołka jako jego następca, który chce postawić w rynku figurę Matki Boskiej Bolesnej. – Celestyna wyjęła z kieszeni kurtki szarą czapkę i przykryła nią swoją szaloną fryzurę. – Załóż kaptur i zdejmij tę minę dziennikarki z Warszawy – poradziła mi. – Będziemy tam incognito.

– Dlaczego?

– Nie wszyscy mnie tu lubią – wyjaśniła.

– Jak mam zdjąć minę? Taką mam twarz.

– Ciągle masz taką twarz? – Celestyna popatrzyła na mnie niezadowolona.

– Jaką?

– Jakbyś patrzyła przez mikroskop na zdechłego pantofelka.

– To co, twoim zdaniem, mam zrobić? – zapytałam zrezygnowana i zaczęłam się zastanawiać, czy w tym mieście proroków i ich samozwańczych synów, cygańskich mieszańców z Niemiec i transseksualnych bibliotekarek, gdzie Mossadam Husain wciąga śliwy pod ziemię, trafię w końcu na kogoś zwyczajnego. Dla odmiany. Dla równowagi.

– Pamiętasz zabawę w skamieniały Kinder? – zapytała Celestyna.

Pamiętałam. Byliśmy może w trzeciej, czwartej klasie, gdy cała szkoła zwariowała na punkcie gry w skamieniałego dzidziusia i nie grać znaczyło nie żyć, bo tylko tych wyrzuconych poza margines grupy, jak Małgosia Małpiata, nikt nie skamieniał. Kinder skamieniały! Wskazana osoba musiała zamrzeć w bezruchu, a im dziwaczniejsza poza i mina, tym lepsza zabawa. Kinder z policzkami wypchanymi bułką, na jednej nodze, w przysiadzie, w pół kroku na schodach, rozdziawiony w zdumieniu, z palcem w nosie, to były pożądane skamieliny.

– Dlaczego chcesz mnie skamienić?

Celestyna popatrzyła na mnie i w czapce ukrywającej ekstrawagancką fryzurę wyglądała jak dawny Czesio. Miała pod nosem jasnozłoty puszek i rzęsy w tym samym kolorze.

– Bo chcę, żebyś była dziś taka jak wtedy, gdy tańczyłyśmy w szkolnej szatni – wytłumaczyła.

– To znaczy? Młoda i zrozpaczona?

– Mniej pozamykana.

Niewątpliwa wariatka, pomyślałam, jedna z tych, które przepraszają marchewkę, zanim ją zjedzą, czczą pogańskie boginie i biegają nago po lesie, by odzyskać związek z matką naturą.

Zrozumiałam jednak, że oprócz pana Alberta Celestyna jest drugą osobą, która łączy mnie z tym miastem bez sprawiania mi bólu, i byłam gotowa polubić ją jeszcze bardziej. Stałam w wałbrzyskim rynku z szaloną transbibliotekarką, która twierdziła, że jestem pozamykana, a ja zamiast postukać się w czoło albo zadać jedno ze swoich pytań reporterki, podejmowałam dziecinną grę.

– Przypomnij sobie szejka Rudolfa i księżniczkę – poleciła Celestyna. – Gotowa?

Skinęłam głową. Mijająca nas grupa łysych zaśmiała się jak zarzynany kontratenor, a Celestyna uwolniła mnie z głupiej pozy skamieniałego Kindera i chyba zadowolona pociągnęła za sobą.

Dotarłyśmy do kościoła Matki Boskiej Bolesnej niemal biegiem, bo udzieliło nam się rozgorączkowanie gromadzących się ludzi. Resztki światła opadały z kościelnej kopuły i wsiąkały w unoszący się nad ziemią mrok. W kałużach odbijało się niebo i wolno sunące, ciężkie chmury o zabarwionych na czerwono brzegach. Stanęłyśmy pod ścianą obok zamkniętego sklepu z odzieżą, z którego wystawy blond manekiny w chińskim akrylu patrzyły w stronę kościoła. Smutne uwięzione anioły. Było tam już kilkadziesiąt osób, głównie kobiet w zbrojach zimowych płaszczy, z torebkami przyciśniętymi do podbrzuszy jak tarcze. W gęstniejącym zmierzchu kolejne postaci wyłaniały się z bocznych uliczek i dobijały do grupy, która puchła jak namokły filc. Nieopodal kościelnych schodów zatrzymała się ekipa lokalnej telewizji, dziennikarka Sandra Pędrak Pyrzycka pudrowała sobie nos. Co rusz z gęstniejącej materii o niezaspokojonym apetycie wyłaniała się macka, badała rubieże, chwytała kogoś, kto był blisko, ale jeszcze nie w zasięgu siły przyciągania, i wsysała z mlaskiem. Taki los spotkał właśnie lekko opierającego się mężczyznę z pieskiem i reklamówką pełną kiszonej kapusty. Zostało po nich tylko szczekanie, jeszcze przez chwilę odbijające się echem od ścian kościoła, i zapach kiszonej kapusty, który uświadomił mi, że od czasu pieprznego rosołu na Sobięcinie prawie nic nie jadłam.

– Zapraszam cię potem na kolację – powiedziała Celestyna, bo znów usłyszała moje myśli albo przełykanie śliny. – Mam pierogi z jagodami i bitą śmietanką.

– Z jagodami w listopadzie?

– Zbieram latem, mrożę i mam – odpowiedziała jak babcia Patryka. Praktyczne panie mieszkały w tym mieście.

Nadchodziło coraz więcej ludzi, spływali z zaułków i bram starych kamienic, przenikali przez szpary w chodniku z kopalnianych korytarzy. Wyrastali wokół nas na wskroś przejęci oczekiwaniem i już trochę zwarzeni. Truchtem dołączyła kilkudziesięcioosobowa grupa pod wodzą dziarskiej kobiety w różowym kapelusiku, która wymachiwała torebką i nie zwracała uwagi na sapiących ze zmęczenia podopiecznych. Jakiś obrzmiały na twarzy mężczyzna oparł się o latarnię i pompował sobie w gardło inhalator.

– Panie Rysiu, nie obcyndalamy się! – przywołał go do porządku różowy kapelusik.

– Przyjezdni – szepnęła Celestyna. – Autobusami z okolic dojeżdżają, żeby zobaczyć Łabędzia i poprzeć figurę.

Jakaś starowinka w fioletowym płaszczu wyskoczyła zza rogu, potknęła się, „mękamamęka", zajęczała i gdyby Celestyna nie złapała jej za łokieć, byłaby pierwsza ofiara.

– Od piętnastu lat jestem gnębiona przez sąsiada mojego – powiedziała zamiast dziękuję i zamilkła, bo najwyraźniej zapomniała, co dalej. Stanęła nieopodal nas, brzuchem wsparta na lasce, jak przybita gwoździem do chodnika. Do zebranych dołączyły z impetem co najmniej trzy grupy ludzi z autokarów i wtedy ktoś krzyknął:

– Naprzód!

Ruszyli, porywając mnie i Celestynę.

Tłum mnie przeraża, bo nie ma twarzy, której mogłabym zadać pytania. Jak o coś zapytać lawinę albo tsunami? Zostałam popchnięta, uderzona łokciem, kopnięta w kostkę, uszczypnięta w pośladek i wezbrana fala wypluła mnie przy staruszce w fioletowym płaszczu, która wyhamowała, wbiła laskę w bruk i powiedziała coś o torbie, kurwie i lesie. Na szczęście zaraz pojawiła się obok mnie Celestyna. Młodzieńcy łysi i świeżo pryszczaci, którzy wcześniej śmiali się z nas, zapachnieli piwem, potem, chęcią pilną na coś, przepchali się z jakimiś pakunkami, depcząc mi po stopach. Pasowałyby do nich kije bejsbolowe. Celestyna ścisnęła moją dłoń.

– Nadchodzi!

– Jest, przyszedł – zaszumiał tłum. – Wybawiciel z naszej męki, Jerzy Łabędź, orzeł biały.

– To on – jęknęła Staruszka we Fiolecie. – Nienadarmomamękaomękamakrwawa.

Gruba Pani z Wąsem doszlusowała akurat na wielkie wejście Łabędzia i zrobiła sobie miejsce między mną a starowinką za pomocą dwóch mocnych ruchów bioder.

– Pani się posunie! Uf – sapnęła – żem się zmachała. – I jak nie ryknie: – Syn Jana Kołka! Nasz wybawiciel!

Jerzy Łabędź pojawił się w rynku oflankowany przez dwie kobiety, z lewej większa, czujnie rozglądająca się po tłumie, po prawicy drobniejsza, wpatrzona w niebo przez szkła okularów. W ochroniarce prawej rozpoznałam kobietę, która w czasie proroctw Jana Kołka słyszała w fontannie szept Matki Boskiej Bolesnej, i byłam jeszcze pewniejsza, że ją znam. Tłum rozstąpił się, niektórzy przyklękli, „zdrowaś Mario", zaszemrali, „ojczenasz, wybawicielu, o, synu Jana, orle biały".

– Syn Jana Kołka! – znów wrzasnęła nasza wąsata sąsiadka, którą to domniemane pokrewieństwo wprawiało niemal w ekstazę.

– Obrońca miasta! Nasz orzeł biały! – poparło ją dwóch starszych panów, którzy upatrzyli sobie miejsce przy nas i przedzierali się przez tłum.

– Syn Jana Kołka? – szepnęłam do Celestyny.

– Ktoś, pewnie sam Łabędź, rozpuścił plotkę, że jest synem Jana Kołka, uczniem, posłańcem, wsio ryba. Wskoczył na jego miejsce. Niektórzy twierdzą, że to sam Jan Kołek wrócił do żywych cudownie odmłodzony – wyjaśniła Celestyna.

– Młodziutki taki – rozczuliła się kobieta w różowym kapelusiku. – Jak chleb biały.

Jerzy Łabędź w długim płaszczu, którego poły powiewały za nim jak skrzydła, wronie raczej niż orle, zmierzał w stronę fontanny i gdy do niej dotarł, jakaś długowłosa wyrwała do przodu, układając usta w ssący dzióbek. Niczym wygłodzony glonojad zaatakowała dłoń Łabędzia. Mężczyzna zamarł w pozie całowanego jak skamieniały Kinder, błysnęły flesze, zaszumiała kamera, to Sandra Pędrak-Pyrzycka relacjonowała wydarzenia. Opierającą się całującą odciągnęli po chwili pryszczaci, a prawa ochroniarka, okrutnie przez nią staranowana, wróciła na miejsce i wyglądała, jakby miała zwymiotować.

– Mękaomękamakrwa – zaszeptała złośliwie Staruszka we Fiolecie i spojrzała koso na dużą Panią z Wąsem, która tym razem ją zignorowała.

– Ta w okularach z siwą kitką – powiedziała Celestyna – była nauczycielką łaciny, pewnie ją pamiętasz, profesor Gabriela Kuś. Mówili na nią Kurwamina.

– To jest Kurwamina?! – Wspięłam się na palce, by lepiej przyjrzeć się kobiecie.

Gdy byłam w liceum, Kurwamina mogła mieć koło czterdziestki, co znaczy, że wydawała nam się niemal trupem. Jej usta obrysowane ciemną konturówką eksplodowały łacińskimi deklinacjami i koniugacjami, a rzeczowniki i czasowniki odmieniała, jakby pluła pestkami: *puella, puellae, puellae, puellam, puella, o puella!* Wydawało się, że zawsze jest myślami gdzie indziej, jakby planowała podróż, w którą nigdy nie pojedzie. Tylko raz widziałam ją poza szkołą, gdy w parku Sobieskiego pchała wózek inwalidzki. Siedziała w nim otyła kobieta w ogromnych przeciwsłonecznych okularach. Kurwamina udawała, że mnie nie widzi, ja też odwróciłam wzrok i poczułam, że wciągnęła mnie w coś nieprzyjemnego. Nikomu o tym nie mówiłam. Nie lubiliśmy jej i nas nie lubiła Kurwamina. Na potwornie nudnych pod każdym innym względem lekcjach łaciny dusiliśmy się ze śmiechu przy *Metamorfozach* Owidiusza: *Atque ita conpositas parvo curvamine flectit.* Ten niemożliwy do opanowania głupi młodzieńczy śmiech dawał mi jedno z rzadkich doświadczeń przynależności do grupy rówieśników. Dzięki temu do dziś pamiętam fragment z Owidiusza, którego piękno dotarło do mnie dopiero po wielu latach, gdy dawno zapomniałam o Kurwaminie.

– Kurwamina przeżyła nawrócenie podczas wycieczki do Wambierzyc – dodała Celestyna. – Kumernis do niej przemówiła, choć Kumernis mogłaby raczej przemówić do mnie. Kurwamina trafiła na trzy tygodnie do szpitala i z tego, co wiem, było to ostre zatrucie salmonellą po sałatce jarzynowej. Ale ona utrzymuje, że jej stan spowodowany był głębszym doświadczeniem. Potem widywałam ją przy Janie Kołku, który nie zwracał na nią żadnej uwagi. On gadał swoje, a Kurwamina stała obok z tą wzniosłą miną. Przynosiła mu ciepłą zupę w słoiku.

– Jadł?

– Jakby tankował benzynę, by mieć siłę dalej mówić. Dawał się nawet karmić łyżką, a fanki kłóciły się, której kolej. Kurwamina umiała je wygryźć. – Celestyna westchnęła: – Jan Kołek był cudowny, sama go słuchałam jak urzeczona.

– Żałuję, że go nie zdążyłam poznać – przyznałam.

– Kurwamina ciągle pisała jakieś petycje, często wierszem, i prosiła ludzi, by podpisywali. Ciągle wkręca się do programów radiowych. – Zaczynałam podejrzewać, że to Kurwamina nawiedziła radio w moim samochodzie.

– A potem Jan Kołek zmarł i pojawił się Łabędź – podpowiedziałam.

– W końcu znalazła kogoś, kto jej potrzebował. Jest jego rzeczniczką prasową, sama zobaczysz. On nie gada z mediami.

– Wiem – wtrąciłam – próbowałam i odmówił. – A ta druga? – Wskazałam na starszą przyboczną Łabędzia, która lustrowała tłum małymi bystrymi oczami, pełnymi dziwnej gorączki.

– Żona dyrektora Domu Dziecka „Aniołek", Maria Waszkiewicz. – Celestyna wiedziała wszystko.

– To stamtąd znikło ostatnie dziecko, Kalinka Jakubek – wtrąciłam. – Co za jedna z tej Marii?

– Gniotsa, nie łamiotsa, mocna baba polska. – Celestyna wzruszyła ramionami. – Trochę kręciła się przy kościele, ale bez przekonania, trochę handluje, do biblioteki nie przychodzi. Powiedziałabym, że jest zwykła, ale...

– Cicho, sroki! – skarciła nas Pani z Wąsem i zamilkłyśmy w obawie, że nam przyłoży. Wyglądało na to, że zaczynała się główna część przedstawienia.

Łabędź wszedł na brzeg fontanny, uniósł ramiona w geście powitania i znów zamarł, poły płaszcza powiewały na wietrze, rozpięta koszula bielała. Wyglądał, jakby pozdrawiał zebranych i jednocześnie oczekiwał na umówione wniebowzięcie.

– Umie to robić – szepnęła Celestyna.

– Umie – potwierdziłam. – Może szkoda, że nie dostał się do szkoły teatralnej.

Rozejrzałam się po wpatrzonych w Łabędzia twarzach i rozpoznałam wśród nich kierowcę taksówki, który zwierzał mi się z problemów żołądkowych, za nim, w gęstniejącym mroku, wydawało mi się, że widzę kasztanową ondulację Zofii Sochy. Babcia Patryka. To ona. Odpowiedziała na moje pozdrowienie skinieniem głowy i wykonała dziwny grymas, nie wiedząc chyba, czy ma się ucieszyć, że mnie tu widzi, czy nie, ale zaraz przesłonił ją tłum.

– Jestem z wami! – to były pierwsze słowa, które wypowiedział Łabędź, brawa, brawa poszybowały ku ciemniejącemu niebu jak stado wróbli. Okazało się, że pryszczaci młodzieńcy byli odpowiedzialni za oświetlenie imprezy. Jeden rozdawał właśnie zgromadzonym świeczki, „świeczuszki dla pani, pana, świeczuszki, zapałeczki", podczas gdy dwóch pozostałych mocowało się z kablem i w końcu skierowało na przemawiającego ręczny reflektor. Dopiero teraz widziałam go wyraźnie. Szczupły mężczyzna średniego wzrostu, pociągła twarz, nijaka i bladawa, duże oczy w kolorze wody po sobotniej kąpieli rodziny niezbyt dbającej o higienę. Gładki, jak zawerniksowany. Pewnie podoba się wielu kobietom, bo przy odpowiednim oświetleniu może przypominać kogokolwiek. Nawet Brada Pitta albo papieża. Mógł być mężczyzną, który nocą czaił się w moim ogrodzie i o którym Marcin wydawał się coś wiedzieć. Ja nadal poruszałam się w tej historii po omacku, a Łabędź mi się nie podobał.

– Zanim to wszystko się zaczęło, przyniósł raz swoje wiersze, żeby mu wieczór zrobić, pomóc w publikacji – szepnęła Celestyna.

– Jakie były?

– Pamiętam początek jednego: *Ze szczytu wzniesień me oczy jasne ku wyższej wspięły się idei.*

– Nieźle. I co?

– Obraził się. Zarzucił mi zawiść i brak kompetencji. Powiedział, że razem z jajami wycięli mi wrażliwość poetycką.

– W tych słowach?

– Gorszych, ale jestem delikatna.

– Z czego żył?

– Próbował zaczepić się przy teatrze, ale go pogonili, trochę handlował używanymi ciuchami z Wielkiej Brytanii, ale zeżarła go konkurencja. Podobno miał jakąś starszą bogatą kochankę. Śmierć biednego Kołka wyniosła go. – Celestyna parsknęła.

– Na podśmiechujki to do kawiarni! – przywołała nas znów do porządku Pani z Wąsem.

– A co na to wszystko księża? – zapytałam szeptem.

– Trzymają się z daleka, ciepłe kluski. – Celestyna ujęła moją dłoń w swoją małą i silną. Niespodziewanie przypomniałam sobie znów ręce Marcina przy moim stole, bawiące się kieliszkiem nalewki pana Alberta. To, jak wyraźnie nie miał ochoty rozstawać się ze mną nad ranem i że nadal nic mi o sobie nie powiedział.

– Me oczy jasne ku wyższej wspięły się idei – przemówił Łabędź – i widzą was tu dziś tak tłumnie zebranych, aż serce me się raduje, że tak licznie przybyliście. Jestem z wami! – Głos opływał tę pospolitą twarz, rozświetlał włosy w kolorze ziemniaczanych obierek i sprawiał, że nie można było oderwać wzroku od Jerzego Łabędzia. Słodki głos, przyprawiony czymś pieprznym niczym rosół, którym poczęstowała mnie Zofia Socha z Palestyny. Same słowa nie były ważne, liczyło się, że był i mówił. – Jestem z wami – powtórzył Łabędź – i przybyłem tu, by zadać wam pytanie: czy wy jesteście ze mną?

– Jesteśmy! – ryknął tłum.

– Eśmy! – spóźniła się Staruszka we Fiolecie i powtórzyła: – Eśmy, śmy!

Zdyszana dwójka, wyglądająca na małżeństwo z długim i nieszczęśliwym stażem, który sprawił, że małżonkowie upodobnili się do siebie, a ich płciowa odmienność zatarła, pośpiesznie rozwinęła transparent. Widniał na nim napis: „Wałbrzych Sercem Polskiej Męki". Błysnęły flesze, Sandra Pędrak-Pyrzycka zakląskała do mikrofonu zlepionymi na różowo ustami. Przybyła jeszcze jedna mała grupka, wbiła się w tłum przy nas i przez chwilę mocowała się z własnymi transparentami. Na pierwszym: „Matka Boska Bolesna Królowa", na drugim: „Ręce Precz od Męki J. Kołka", na trzecim czerwonymi literami: „Nie Prowokacji Wrogów Figury".

– Mękaomękamak – zaszemrała Staruszka we Fiolecie i umilkła zgromiona wzrokiem Pani z Wąsem, a Łabędź wziął oddech i rozłożył ramiona. Przez chwilę myślałam, że zanurkuje w tłum jak na koncercie rockowym. Zamiast tego przemówił.

– Cóż, że nikczemnicy na swą głowę nie ściągają nienawiści, bo są bardzo zabłoceni i zbyt bardzo znikczemnieni.

– Znikczemnieni politycy, znikczemnieni! – unisono powtórzyło dwóch starszych panów, większy siwy z włosem na lwa, mniejszy łysy z pożyczką. Rozwinęli własny transparent, na którym jakaś drżąca ręka napisała na czerwono: „Żądamy Prawdy O Mence Kołka".

– Omękam – zajęczała na to Staruszka we Fiolecie, której zasłonili widok, i przepchała się bliżej fontanny.

– Ludzie czyści – Łabędź wzniósł oczy i wycelował palec w niebo, jakby to tam znajdował się jego rozmówca – ludzie czyści, do których ostatnie słowo i o których w końcu napisze historia naszej męki niefałszywa.

– Prawda! Zafałszowana historia! – odezwali się starsi panowie jednym głosem. – Prawdę na jaw wyciągnąć trzeba.

– Bo mataczą – solo dodał Łysy z pożyczką.

– Oszukują i kiwają – podkreślił z gniewem Lwi, a unisono skwitowali:

– Polskę nam zdrajcy rozprzedają.

Łabędź powtórzył zdanie z ludźmi czystymi, nikczemnieniem i męką w kilku różnych wersjach i jego głos był jak kij w mrowisko, sól na ranę. Żołądkowy taksówkarz pojawił się przy nas i warknął:

– Siostry dziwki, tylko czekoladki, kawkę im nosić.

– Albo Kołka trumna, proszę pana, niech pan tylko zaprze-czy – rozpalił się Łysy.

– W trumnie prawda pogrzebana! – włączył się taksówkarz, ale go zignorowali.

– Dała siostra garnitur, oddali, garnitur oddali, nie wzięli, choć dała.

– Nie siostra, bratanica! – zaprzeczył Lwi.

– Bratanica do trumny garnitur Kołkowi dała! Czarny w prą-żek.

– A tam bratanica – nie dał się przekonać Łysy – siostra w jo-dełkę dała rodzona. Garnitur dała, a oddali, to w trumnie tej kto?

– Bezdomnego Cygana zamiast Kołka pochowali! – podsu-mował Lwi.

– Hańba! Sprawdzić by trzeba, czemu garnitur oddali, jak dała. – Łysy się zacietrzewił.

– Zmataczyli! Rozprzedali! – jeżył się Lwi i pluł ze złości. – Ukradli garnitur i buty.

– Historia napisze o misterium naszej polskiej duszy – Ła-będź tymczasem rozpoczął nowy wątek – czerwonymi jak krew nasza literami przelana i wtedy prawda o znikczemnieniu wyj-dzie na jaw niesfałszowana.

– Krew nasza przelana – podchwycił tłum.

– Omękamamękamam – włączyła się solo Staruszka we Fio-lecie głośniej i pewniej niż dotąd.

– Pani to gówno wie o męce – szybko usadziła ją Pani z Wą-sem, która tym razem miała więcej do dodania: – Jana Kołka bomba porozrywała, trzewia zmiażdżone, noga urwana, hukło nagle, krew, ręka, nago, na pewno bomba, wszystko osobno, żyły wyprute, serce przebite, to nie przypadek.

– Nie upadł sam z siebie, pchli go podstępnie, we krwi zdep-tali – zgodzili się z nią dwaj starsi panowie.

– Dziura w ziemi, krew na murach, ciała strzępy, straszne kości! – rzuciła na bezdechu kobieta w różowym kapelusiku, która akurat przepychała się obok nas ze swoją grupą pielgrzymów.

– Historia napisze czerwonymi na białym zgłoskami, które tylko ludzie nieznikczemnieni, niezabłoceni odczytają na ekranach swej duszy jasnej – ciągnął Łabędź. – I jak krew zgłoskami o męczeńskiej śmierci Jana Kołka chwała w imię jego bolesnej męki zalśni.

– Wimięjegobolesnejmęki – zaszemrała litanijnie Staruszka we Fiolecie i nagle jej wzrok zatrzymał się na mnie, ustawiła ostrość. Przez chwilę bałam się, że mnie uderzy, ale zamiast tego chwyciła mnie za rękę zimną łapką z ostrymi paznokciami. – Proszę panią, ja mieszkam na trzecim, a na czwartym obywatel sąsiad narkotyki pędzi z policją. Od piętnastu lat jestem gnębiona, męczona. I tak mnie powiedzieli: „jak nie zamkniesz mordy, kurwo, to w torbę i do lasu do Zagórza cię wywieziemy". W lesie mamękama.

– Cicho! – Pani z Wąsem była nieubłagana. Łabędź mówił dalej.

– Na jaw prawda czerwona na białym, że zabłoceni i znikczemnieni na krwi ludzi czystych misterium, za cudze winy ukrzyżowanych, do których ostatnie słowo męki Matki Boskiej Bolesnej i Jana Kołka wieszczę krwią padnie.

– Wieszczę krwią padnie – powtórzyła zafascynowana Celestyna.

– Krew męka! – zgodził się tłum.

– Z tego co słyszę – powiedział Lwi – a ja nie słucham tych powszechnych mediów, ja słucham swoje media, to wiadomo, czyja to robota, porwania dzieci i morderstwo Jana Kołka.

– A bo ja nie wiem? – zgodził się Łysy. – Na przykład, tak na zdrowy rozum, jak się panu tam gdzieś coś stanie, to da pan komuś, żeby ktoś? No niech pan tak powie szczerze. Da pan?

– Takiego dam! – Lwi zrobił męską minę i męski gest.

– Albo to wideo ze śmierci Jana Kołka, że niby sam upada, to co? Sfałszowane! – podsumował tryumfalnie Łysy.

– Nie sfałszowane, ale zmataczone, podmienione! – dodał Lwi, by mieć ostatnie słowo.

Łabędź rozkręcał swój oratorski popis:

– W obliczu świętości oblicza jasnego Matki Boskiej Bolesnej zamęczonego Jana Kołka w tę ziemię wsiąka krew.

– Krewmękamamęk! – Staruszka we Fiolecie była bliska łez. – „Do lasu", mówią, „i w torbę, stara kurwo". Robaków mi napuścili, kakrociów z worka, narkotyków. Żadne media nie chcą mi pomóc, omękamakrwa.

– Krew męka! – zaszumiał tłum – mękamakrwa!

– Ludzie tej ziemi! – krzyknął Łabędź, a głos wspiął się tak, że jego właściciel stał już nie w wałbrzyskim rynku, ale na szczycie Mont Blanc. – Obudź się! Ludzie męczenny, ukrzyżowany, tyś we krwi Jana Kołka skąpany! Dziatki ci odebrano! Robaki, gaz na cię zesłano!

– Krew, męka, robaki! – zajęczał tłum. – Mękamakrwa!

Chyba zbliżaliśmy się do kulminacji, ciepła dłoń Celestyny była ogniwem łączącym mnie ze światem, który znałam, moją drugą rękę wciąż ściskała Staruszka we Fiolecie.

– Trup Jana Kołka to święty trup, ziemię tę odwiecznie polską uświęca jego czarny grób. Ludzie tej ziemi! Abyś tego nie widział, szatan wyprał twój mózg!

– Wypił mi mózg – szepnęła staruszka ze zgrozą – obywatel sąsiad, co narkotyki pędzi z policją.

– Wyprał – poprawiła ją Celestyna.

– Że kto wyprał? – Staruszka popatrzyła na nią nieufnie, puściła w końcu moją rękę i odsunęła się.

– Szatan – odparła Celestyna – szatan wyprał twój mózg.

– Żydowska suka – syknęła babina. – Mordę niech zamknie!

– Postawicie w sercu tej oto polskiej męki figurę Matki Boskiej Bolesnej krwią Jana Kołka zroszonej? – zapytał Łabędź. – Podźwigniecie się z ciemności?!

– Podźwigniemy! Podźwigniemy się! – W okularach wrzeszczącej Kurwaminy krwawo odbił się promień świec, a Staruszka we Fiolecie zdążyła tylko z „gniemy".

– Gniemy się! – powtórzyli dwaj starsi panowie i z emocji naddarli transparent.

– Podźwigniemy! Gniemy! Emy! – zaryczał tłum. – My!

W tym momencie zgasł punktowy reflektor.

Pryszczaci młodzieńcy sprawnie utorowali Łabędziowi drogę do zaparkowanego za rogiem samochodu, chwilę szamotali się z młodą i chętną do całowania, która rzuciła się za nim jak tygrysica, ostatecznie wygrała i wsiadła. Osieroceni ludzie mrugali oczami i wyglądali na zdezorientowanych, jak po zakończeniu filmowego seansu, gdy okazuje się, że to wszystko, co przed chwilą nas poruszało, było tylko grą światła i cienia. Sandra Pędrak-Pyrzycka przeprowadzała nieopodal wywiad z Kurwaminą, która przybrała na tę okazję pozę natchnionego Kindera. Jeden z pryszczatych przytrzymywał Staruszkę we Fiolecie, bo próbowała wedrzeć się na wizję i wygrażała Kurwaminie laską. A ta tokowała do mikrofonu z tak bliska, jakby chciała go zjeść. „Omamymebyłyogromnenasłonicmentarzuwmęwtrąbę", usłyszałam, ale być może byłam już zbyt wyczerpana tym dniem jak ze snu. Część ludzi chyba nadal na coś czekała. Biegała między nimi zaaferowana Maria Waszkiewicz, której Celestyna przyglądała się z nieodgadnionym wyrazem twarzy.

– Dlaczego się nie rozchodzą?

– Czekają na sprzedawców kości – wyjaśniła bibliotekarka, a mnie przypomniała się Babcyjka i kotpuszki z kotrawką dla kotów.

– Dla psa?

– Jakiego psa. Nic jeszcze nie wiesz. – Pokręciła głową. – Ła-
będź rozkręcił nowy interes. Dochód ma iść na figurę. Małe Jany
Kołki, świecące modele biedaszybu, w którym go zasypało, Matki
Boskie Bolesne i tym podobne, ale najlepiej idą kości.

– Czyje?!

– Jak to czyje? – Celestyna patrzyła na mnie tak, jak dziś
rano Babcyjka. Ludzie w tym mieście pewne rzeczy uważali za
oczywiste.

– Kości Jana Kołka, ale zwiększają asortyment. Ostatnio mieli
też Piłsudskiego, księżnę Daisy, a nawet naszego papieża. Seria
limitowana, trzy kostki z małego palca u nogi.

– Sprzedają kości jako talizmany? – zaczynałam rozumieć.

– Każda na coś innego. Jan Kołek przeciw nagłym zniknię-
ciom dziecka. Daisy na urodę, Piłsudski dla tych, co idą do wojska,
papież na wszystko.

– Kości papieża?! I ktoś w to wierzy?

– Wierzy, nie wierzy, spróbować nie zaszkodzi.

List

Wróciłam do domu grubo po północy. Uliczka była cicha i ciemna, sprawiała wrażenie wymarłej, gdy więc zobaczyłam nikłe światło w gościnnym pokoju domu pana Alberta, poczułam ulgę. A więc ktoś tu żyje i czuwa. Wiedziałam, że tym kimś jest Marcin, bo mój stary sąsiad pilnował dziś parkingu. Przez chwilę siedziałam za kierownicą i patrzyłam w złoty prostokąt blasku, wydawało mi się, że Marcin też na mnie patrzy, że czeka, aż wrócę do domu.

Gdy to pomyślałam, ogarnęła mnie złość, że nie ma właściwszych słów na określenie cuchnącego pleśnią i rozkładem budynku, gdzie spędziłam smutne dzieciństwo z ludźmi, których już nie ma.

Na miano domu zasługuje mieszkanie bibliotekarki Celestyny na dziesiątym piętrze chudego wieżowca, który giął się i trzeszczał w podmuchach listopadowego wiatru.

– Podobno przechylenie tego budynku dochodzi do jedenastu centymetrów – poinformowała mnie radośnie gospodyni.

Wszystkie ściany kawalerki wielkości szafy zabudowała półkami, na których stały setki książek i bibelotów z podróży, książki były w kuchni i w łazience, wybrzuszały pawlacze. Gdy Celestyna otworzyła lodówkę, zauważyłam, że na dolnych półkach leżą tomy Prousta. Może próbowała przechować w lodówce utracony czas? Nie miała jeszcze stołu ani krzeseł, więc siedziałyśmy na encyklopediach i polsko-niemieckich słownikach i przy kartonowym pudle przykrytym marokańską narzutą w kolorze pustyni jadły pierogi z jagodami.

– Chłopcy bywają piękni w Maroku – westchnęła Celestyna. – Jakich ja chłopców w górach Atlasu widziałam, co za oczy, co za czerń, jakie rzęsy. – Opowiadała o ostatniej podróży, lekko i zabawnie, bo po godzinach spędzonych wśród zwolenników Łabędzia każda z nas potrzebowała wytchnienia, i miałam wrażenie, że Celestyna Pajączek zawsze była częścią mojego losu, towarzyszyła mi w ukryciu przez trzydzieści lat, które spędziłam daleko od niej. Dawno z taką przyjemnością nie zaspokajałam głodu i jeśli Homar mnie obserwował, musiał zauważyć, że rosłam. Celestyna miała na sobie kiczowaty fartuszek kuchenny z wizerunkiem młodego Dawida, przedstawionego od torsu w dół, i jej twarz dziwnie pasowała do rzeźby Michała Anioła.

– Powinien był dać mu twoją twarz, piersi i fryzurę – powiedziałam.

– Pewnie – zgodziła się Celestyna. – Ja też stanęłam do pojedynku z Goliatem.

Dopiero po dłuższej chwili, gdy najedzona odchyliłam się do tyłu w poczuciu niemowlęcego zaspokojenia, zauważyłam, że na regale pod sufitem siedzi kot, choć najpierw chyba poczułam jego spojrzenie. Wielki i nieruchomy, mrugał pomarańczowymi ślepiami i patrzył się na mnie z ironią świadczącą o głębszej wiedzy o świecie. Zachwiałam się na niepewnym siedzisku ze słowników, bo oczy zwierzęcia wydawały się przenikać mnie na wskroś.

– Stare koty – wyjaśniła mi Celestyna – nie mówią tylko dlatego, że im się nie chce. Łoskot – dodała.

– Proszę?

– Tak ma na imię. Łoskot. W bloku obok umarł jeden staruszek, wnuk wziął mieszkanie, kota wyrzucił – powiedziała bibliotekarka. – Siedział na placu zabaw przez kilka dni i miauczał tak głośno, że ktoś w niego rzucił butelką. Dlatego kuleje. Malwa Makota mi go przyniosła.

– Ma lwa i kota?

– Malwa Makota, siostra Markotki z Sobięcina. Nigdy o niej nie słyszałaś? Malwa Makota to tutejsza kociara, sto dwadzieścia kilo kobiety. Kiedyś pracowała w punkcie repasacji rajstop, a gdy go zamknęli, zaczęła żyć z tego, co inne kociary.

– To znaczy?

– Z miłosierdzia. Takie staroświeckie słowo. – Celestyna uśmiechnęła się. – Ale ładne.

– Dziś w lesie pod Zamkiem Książ słyszałam inne ładne słowo: kotpuszki – powiedziałam, mając nadzieję, że dowiem się od Celestyny czegoś więcej o Babcyjce. Na dźwięk kotpuszek Łoskot zeskoczył z regału i zrozumiałam, jak bardzo pasuje do niego to imię. Był najgłośniej poruszającym się kotem, jakiego znałam. Tupał, sapał i odchrząkiwał, jakby miał splunąć. Wyglądał jak skrzyżowanie persa z lemurem i francuskim buldogiem. Dzika Baśka z Jelonek zachwyciłaby się nim od razu.

– Co to za rasa?

– Mieszaniec francuski z Wałbrzycha – parsknęła Celestyna. – Tak jak ja.

Łoskot obwąchał mnie, polizał mi rękę szorstkim języczkiem i wlazł na moje kolana, wystawiając brzuch do głaskania.

– Masz piękny dom, Celestyno Pajączek, piękny dom i pięknego kota – powiedziałam, głaszcząc futro Łoskota, który zasnął i człowieczo chrapał.

– Możesz zostać, jak długo chcesz. – Uśmiechnęła się do mnie tym uśmiechem, który chciałabym schować do kieszeni i nosić zawsze przy sobie.

– Tak po prostu?

– A co w tym dziwnego? Pojedziemy do sklepu i kupimy większy materac.

Nie pamiętam dokładnie, o czym mówiłyśmy potem, pijąc marokańską miętę w blasku świec, ale wiem, że płynące słowa koiły mnie i sprawiały, że zaginione dzieci, Jerzy Łabędź i przerażająca demonstracja pod kościołem Matki Boskiej Bolesnej wydawały mi się dalekie i nie całkiem realne. W tym malutkim mieszkaniu, za którego oknem ciemność spływała ze wzgórz jak lawa, było ciepło i bezpiecznie, ale wiedziałam, że nie mogę tu zostać. Celestyna zdjęła fartuszek z Dawidem, a potem zielony golf i została w cienkiej koszulce, najpierw mój wzrok przykuły jej piersi, a potem wisiorek kołyszący się nad nimi jak lśniąca kropla. Perła, taka sama jak ta, którą dziś rano podarowała mi Babcyjka.

– Kim wy jesteście? Kim wy jesteście, Celestyno? – zapytałam przez zaciśnięte gardło, ale ona znowu tylko się uśmiechnęła, a potem nachyliła się i pocałowała mnie w usta. Poczułam, jak pod wpływem tego pocałunku coś się we mnie otwiera, nie pożądanie, ale szczelina, przez którą wsącza się światło. Na pożegnanie Celestyna nawlokła perłę, którą dostałam pod Zamkiem Książ, i zawiązała na mojej szyi mocną lnianą nicią. Gdy stałyśmy naprzeciwko siebie, zrozumiałam, że tamten taniec w szkolnej szatni był początkiem drogi prowadzącej do tego spotkania.

Po powrocie do domu niezasługującego na to miano wykąpałam się w odrapanej wannie, gdzie znów wydawało mi się, że słyszę pukanie z zaświatów, jakby ojciec nadal szukał skarbu w podziemiach i dawał mi znaki w nieznanym alfabecie. Próbowałam je odczytać, ale to nie był mors. Może umarli z tego domu już o mnie zapomnieli, choć ja upieram się, by wciąż pamiętać o nich. Zaparzyłam dzbanek zielonej herbaty i usiadłam w kuchni przy stole, gdzie sponiewierany miś wciąż tkwił tak, jak go zostawiłam. „Cześć, Rudy", przywitałam się, a jego wielki łeb i świecące oczka wydały mi się nagle złowieszcze. Położyłam przed sobą książkę, którą dała mi Celestyna. Wpatrywałam się w nią, pragnąc odwlec coś, co do czego nie miałam dobrych przeczuć. *Mnich* Lewisa w okładce, jakie kiedyś robiło się w szkołach na zajęciach praktyczno-technicznych z pakowego papieru utwardzanego mazią z mąki ziemniaczanej i atramentu. Przytłumione kolory, faliste linie, delikatna szorstkość powierzchni wydawały mi się wówczas tak piękne, że nieustannie gotowałam klajster i mazałam arkusze papieru, eksperymentując z różnymi barwnikami. Te same kolory i faliste linie zobaczyłam po latach na wyblakłych japońskich drzeworytach, przedstawiających morskie fale i kobiety w kimonach, i gdy stałam przed Utamaro, Hokusaiem czy Hiroshige w tokijskim muzeum, serce zamarło mi z tęsknoty i żalu, bo to Ewa miała zobaczyć wszystkie te cuda. Ona umiałaby się zachwycać, podczas gdy ja potrafiłam tylko słuchać cudzych opowieści i patrzyć, jak przemijają przed moimi oczami ludzie i pejzaże. Położyłam dłonie na książce. Była chłodna jak nagrobny kamień. Powąchałam ją tak, jak robiła to Ewa, która upierała się, że każda książka ma własny zapach i tak samo jak u ludzi zmienia się on w miarę starzenia. Poczułam śnieg i węglowy pył, świeżo rozkopaną martwą ziemię. Na pierwszej stronie była starodawna biblioteczna wklejka z datami wypożyczenia i zwrotu. Egzemplarz został oddany do biblioteki trzy dni po śmierci Ewy, a następne rubryki były puste. Została przechowana dla mnie, jak powiedziała Celestyna. Co się w niej kryło? Podniosłam *Mnicha* grzbietem do góry i potrząsnęłam. Na stół wypadła koperta. Były w niej kartki z zeszytu zapisane pismem mojej siostry. „Kochana Wielbłądko", tak zaczynał się list.

Kochana Wielbłądko,
oto opowieść niedoszłej gwiazdy, Daisy Tabor, dla siostry niedobitka. Kiedy przeczytasz ten list, mnie już nie będzie przy Tobie. Piszę te słowa i patrzę na Ciebie. Śpisz i trzymasz rudego Hansa za łeb. Ruszasz ustami i unosisz

brwi. Ciekawa jestem, co Ci się śni, i mam nadzieję, że coś dobrego. Nie wiesz, że czuwam nad Tobą. Może w ten sposób moja bezsenność na coś się przyda.

Od dwóch tygodni nie zmrużyłam oka, w mojej głowie galopują wszystkie konie ze stadniny w Książu i trzaska szkło. Jestem zarażona śmiercią, na tym polega moja choroba. Oto jej tajemnica. Nie wiem, jak wytłumaczyć coś takiego siuśmajtce, jaką jesteś, i pęka mi serce, bo są rzeczy, o których nie powinny słuchać małe dziewczynki. Rzeczy, które nie powinny się zdarzać ludziom ani zwierzętom. Napiszę o nich do Ciebie takiej, jaka będziesz za parę lat, do dorosłej Alicji. Bo Ty dorośniesz. Moja znajoma kociara zadba, byś dostała ten list w odpowiednim czasie. Ona zdecyduje, kiedy ten czas nadejdzie. Jestem posiadaczką wiedzy, która należy też do Ciebie, bo uczestniczyłaś w tych wydarzeniach i masz do niej prawo.

Nasza matka, Anna Lipiec, od niej trzeba zacząć. Miałam osiem lat, gdy się urodziłaś. Tyle, co ty teraz. Nabieram w tym momencie powietrza w płuca i daję nura w ciemną wodę, bądź dzielna, Wielbłądko. Tak jak na basenie popłyniemy do samego dna i stamtąd spojrzymy w górę na prześwietlone słońcem liście. Długo przed Twoim przyjściem na świat nasza matka zaczęła robić mi te rzeczy. Uciekanie, od kiedy pamiętam, uciekałam. Miałam tysiąc kryjówek w lesie za naszym domem. Znasz go. Mieszka w nim coś dobrego, jakieś wielkie ciepłe zwierzę, niczym powiększona i żywa wersja naszego rudego Hansa z NRD. Jeśli kiedyś będziesz chciała uciec, tam znajdziesz schronienie. Gdy się pojawiłaś, znienawidziłam ojca, bo nie miał prawa pozwolić na to, by ta kobieta miała jeszcze jedno dziecko. Ale Ciebie pokochałam od pierwszej chwili i odtąd miałam po co żyć w tym domu.

Musiałam Cię chronić przed naszą matką. Problem w tym, Wielbłądko, że trudniej ucieka się z niemowlęciem, które nie rozumie jeszcze, że musi być cicho. Ale szybko się nauczyłaś. Opowiem Ci o niej wszystko, co wiem, bo nikt inny już tego nie zrobi. Niektóre rzeczy widziałam na własne oczy, innych się domyślam. Przepraszam, że muszę Cię teraz zranić.

Nasza matka była wojenną sierotą. Gdy znaleziono ją w jednej ze zdewastowanych komnat Zamku Książ, miała około ośmiu lat i nie mówiła w żadnym języku. Umiała tylko krzyczeć. Jej ciało było nagie, pokryte zaschniętą krwią i strupami, po których zostały jej blizny. Blizny. Widziałam je dobrze, Wielbłądko, widziałam je z bliska. Nie miała żadnych dokumentów, nic. Na pewno stało jej się coś złego. Nie wiem, czy ktoś próbował jej pomóc, ale zaraz po wojnie chyba uważano, że wszystkim stało się coś złego, po prostu przeżywał ten, kto był silniejszy i potrafił z tym żyć. Może dlatego teraz jest tylu złych ludzi, że tamtą wojnę przetrwali ci mocni, bezduszni. Kotojady, Wielbłądko. Nasza matka trafiła do tymczasowego sierocińca razem z innymi dziećmi błąkającymi się wtedy po okolicy. Dano jej na imię Anna, Anna Lipiec, bo znaleziono ją w lipcu, w dniu imienin Anny. Ojciec poznał ją, gdy wrócił do Wałbrzycha po studiach i zaczął uczyć historii. Nie wiem, jak i gdzie się spotkali. Ktoś tak zainteresowany przeszłością, jak on, w ogóle nie zainteresował się przeszłością Anny Lipiec. A może myślał, że może ją zmienić albo wymazać? Może tak bardzo kochał Annę Lipiec? Była bardzo ładna. Czy Ty w ogóle pamiętasz jej twarz, Wielbłądko? Niebieskooka blondynka o włosach w kolorze siana i bardzo białej skórze. Nie lubiła słońca i chowała się przed nim, może obawiała się, że jego jasność prześwietli ją na wskroś i zobaczymy, co matka ukrywa. Odziedziczyłam jej włosy, oczy i kolor skóry, ty nie jesteś do niej w ogóle podobna, masz szczęście. Jakby dobra wróżka była przy Twoich narodzinach. Anna Lipiec zaczęła mówić dopiero do naszego ojca. Mówiła po polsku, ale dziwnie, jakby ten język był tylko przykrywką dla innego, schowanego pod spodem. Gdyby to była piękna historia, żyliby długo i szczęśliwie, nasz ojciec i Anna Lipiec, ich dwie córeczki. Ale to nie jest piękna historia.

Pierwszą rzeczą, jaką pamiętam, jest jej ciało. Blisko mojej twarzy. Nie wiem, jak mam Ci o tym napisać. Jak napisać o tym, że własna matka. Szybko dotarło do mnie, że nikt mi nie uwierzy. Ojca coraz częściej nie było w domu, a gdy był, zamykał się w pokoju z mapami i planami podziemi. Nawet nie próbowałam mu powiedzieć, bo sądziłam, że go to zabije, a wtedy zostałabym z nią zupełnie sama. Jednak próbowałam coś zrobić. Kiedyś, gdy byłaś malutka, poszłam do przychodni i opowiedziałam o tym, co się dzieje, lekarce. Wiedziałam, że pediatra jest lekarką dla dzieci, więc wydawała mi się właściwą osobą, by zająć się krzywdzoną dziewczynką. Siedziałam w poczekalni pełnej mam z dziećmi i gdy wszyscy zostali załatwieni, weszłam do gabinetu. Ale pani pediatra patrzyła na mnie, jakbym była odrażającym stworem z błota i śluzu, i chyba bała się, że jej dotknę. Nazywała się Anna Maj. Miała trwałą ondulację w żółtym kolorze i przyszła mi do głowy myśl, że jest z naszą matką w zmowie. Anna Lipiec i Anna Maj. Powiedziała, że jestem wstrętną małą kłamczuchą. Takie rzeczy się nie zdarzają. Żadna matka nie zrobiłaby czegoś takiego. Własnemu. Dziecku. Nie spojrzała mi w oczy. Gdy stamtąd wyszłam, wiedziałam, że nie ma ratunku. Myślę, że gdyby to był ojciec, nie matka, dziecko prędzej znalazłoby pomoc, miałoby szansę. Mogłoby zwrócić się do matki. Czy matka nie powinna chronić dziecka, opiekować się nim? Nie miałam nikogo. Nie było ucieczki. Zaczęłam więc myśleć, że to ze mną coś jest nie tak. Że zasługuję na to, co mnie spotyka, i to dziwne, ale świadomość winy jakoś mi pomogła. Bo wtedy to miało sens, byłam zła i spotykała mnie kara. Nie można było mnie kochać.

Tamtej nocy nie wróciłam do domu. Pojechałam na wałbrzyski rynek i włóczyłam się po ulicach. Poszłam do kościoła Matki Boskiej Bolesnej, ale był zamknięty. Było mi zimno, na ulicach leżał jeszcze brudny marcowy śnieg. Weszłam do sklepu spożywczego, żeby się ogrzać. Było tam trzech podpitych mężczyzn, kupowali alkohol i jeden powiedział: „jak z nami pójdziesz, dostaniesz czekoladę". „Czekoladę, czekoladę", zaśmiali się pozostali. To byli zwykli mężczyźni, górnicy albo kierowcy o brzydkich zębach i z żałobą pod paznokciami. Nie wiem, dlaczego poszłam z nimi do parku Sobieskiego. Może chciałam się przekonać, czy dotyk czyichś rąk i ust może być jeszcze bardziej obrzydliwy. Nie wiem, Wielbłądko. Może żeby potwierdzić to, że jestem nic niewarta i zbrukana. Zabawiali się ze mną. „Ile masz lat?". „Jedenaście". „Jedenaście to kobietka. A cycki masz? Dasz wujkowi buziaczka?".

Cuchnęli alkoholem i węglem, chlebem ze smalcem, który jedli na zagryzkę, grobem. Dali mi napić się wódki z butelki, której szyjka była ciepła i śliska. Upiłam się po paru łykach, bo nigdy wcześniej nie próbowałam alkoholu. Zostawili mnie tam w błocie i brudnym śniegu, obrzydliwym jak zużyta wata. Niebo nade mną było ostre i chropowate, zamarznięte Morze Arktyczne. Tej nocy weszły we mnie kotojady. Widziałam je wyraźnie, gdy leżałam na ziemi wśród nagich marcowych drzew. Kotojady, Wielbłądko, były ulepione z błota i smalcu, ze śliny, którą mężczyźni pluli na brudny śnieg. Miały nogi, ręce, małe głowy o żółtych włosach, jak doktor Anna Maj, miały głowy w burych czapkach, jakie noszą zimą mężczyźni w naszym mieście. Berety z wyczesanego moheru. Mówili coś, ale rozumiałam tylko pojedyncze słowa, „dziewuszka", „ślisko", „dupa", „pchać się", „stara torba", „panie boże, krew". Kotojady bardzo przypominały ludzi, ale ich twarze nie miały ani oczu, ani uszu. Tylko usta i nos. Niuchały i cmokały, oblizywały się. Czułam, jak łaskoczą mnie ich stópki dreptczące po moich udach, jak małe łapki ciągną moje włosy, wspinając się do uszu i ust jak po linach, czułam macające moje ciało niecierpliwe paluszki kotojadów. Ich paznokcie były długie i żółte, ostre. „Matko boska, mała cipka, głupia pizda, co za męka", tak mówiły kotojady i wiedziałam, że jestem stracona. Kotojady istnieją naprawdę, strzeż się ich, Wielbłądko.

Boję się, że Ty mi też nie uwierzysz. Albo że uwierzysz i mnie znienawidzisz, będziesz się mnie brzydziła. Umarłabym wtedy jeszcze raz. Zawsze Cię kochałam, siostrzyczko w wielbłądzim kolorze, i pragnęłam, by moja miłość była jak jama w naszym lesie, gdzie możesz się ukryć, podczas gdy nad całym światem szaleje burza z piorunami. Jeśli to mi się udało, to moje życie nie poszło na marne. Wybacz, że muszę Ci to powiedzieć, a i tak nie będę w stanie wszystkiego, bo jak powiedzieć coś, na co nie ma słów? Mówiła, że jestem brudna i śmierdzę. Nalewała całą wannę gorącej wody i zanurzała mnie w niej z głową, przytrzymywała. Najbardziej interesowało ją, czy jestem czysta tam. Nie umiem, Wielbłądko, użyć innych słów, a te niezdarne bolą strasznie. Może byłoby lepiej, gdyby ten brud spłynął razem ze mną i z nią prosto do piekła. Dziecko płakało, prosiło: „mamo, mamo, już jestem czysta, mamo, proszę, nie". Ale to nie pomagało. Lewatywa. Bolało, od środka rozrywał się brzuch. „Szpara śmierdzi grobem", mówiła z wykrzywioną twarzą. A potem jej ręce nakładały dziecku tam lekarstwo. Dziecko nie wiedziało, gdzie się ono kończy, a gdzie zaczyna ona.

Może ona też nie wiedziała. Byłam do niej coraz bardziej podobna. W tych rzadkich chwilach, gdy graliśmy rolę zwykłej rodziny i widziano nas razem, zdarzało się, że jakaś sąsiadka mówiła „wykapana mamusia". Gdybyś widziała wtedy jej twarz. Malowało się na niej przerażenie i wstręt i boję się, że to samo było na mojej, tak podobnej do jej, twarzy. Bałam się cały czas. Że przyjdzie naga, że ręka na moich ustach, że ręka przytrzymująca moją głowę. Moja głowa między jej nogami. Taka zdrada, czy wiesz, jak boli taka zdrada? Bałam się tak naprawdę wszystkiego i tylko udawałam odważną, bo taka chciałam być dla Ciebie, żebyś tę udawaną odwagę przekuła na tarczę z prawdziwej stali. Pamiętasz, jak uciekłam przez okno z gabinetu stomatologicznego? Zeskoczyłam na dach garażu, skręciłam nogę i poraniłam ręce. Dentystką była kobieta o żółtych włosach i gdy ją zobaczyłam, przeraziłam się, że mnie uśpi albo przywiąże do fotela i będzie dotykać. Uciekałam przed nauczycielkami, szkolną pielęgniarką, przed koleżankami, które próbowały się do mnie zbliżyć. Dopiero Dawid. Ale o nim potem. W tym piekle, jakim był nasz dom, Twoja obecność, Wielbłądko, dawała mi siłę do życia. Nauczyłam się żyć poza swoim ciałem, powiedziałam sobie, że ono należy do kogoś innego. Jakiejś innej dziewczynki, na zawsze utraconej i zamieszkanej przez kotojady.

Wiedziałam, że muszę jej pilnować. Żeby Ciebie nie dotykała. Żeby Tobie nic nie robiła. Nigdy. Zabierałam Cię do lasu za domem. „Jak się ładnie opiekuje siostrzyczką", mówiły dziwnym tonem gospodynie z sąsiedztwa i musiały coś podejrzewać, choć to, co robiła nasza matka, nie przyszłoby im na myśl. Może myślały, że pije albo nadużywa pasa. Czy coś z tego pamiętasz, meine kleine, z tych pierwszych trzech lat swojego wielbłądziego życia? Na naszej polanie zawsze doświadczałam obecności czegoś większego niż my, nasza rodzina, Wałbrzych, Polska. Siadałam tam z Tobą, opowiadałam Ci tysiące bredni, o księżnej Daisy, o jej perłach, a Ty gapiłaś się na mnie tymi oczami w kolorze omszałego kamienia. Umiałaś się bawić tak cicho, bo dobrze wiedziałaś, że nie powinnaś ściągać na siebie uwagi. Nie wiem, czy się modliłam, bo nie wierzę w boga, ale coś, co pozostało we mnie żywe, prosiło na tej polanie u stóp Zamku Książ, by dziecko bawiące się koło mnie przetrwało. Moja siostra niedobitek. Czasem spotykałyśmy tam dziwną kobietę w łachmanach, z tekturową walizką, jakby była w nieustannej podróży. W poszarpanym czerwonym kapeluszu z szerokim rondem. Pamiętasz? Nazywała się Kocińska, a może to było jej imię? Tak się nam przedstawiła, „Kocińska jestem, dzieńdoberek". Za pierwszym razem przestraszyłam się, a Ty zaczęłaś się śmiać jak głupia i wyciągnęłaś do niej ręce. Kocińska zapytała, kim jesteśmy i co tu robimy, a Ty odpowiedziałaś: „Ewa i Alicja, my tu jesteśmy pochowane". Kiedyś przyniosła pomarańczę. „Prosto z Hiszpanii!", powiedziała i może tak było, może właśnie wróciła z Madrytu. Gdy zjadłyśmy owoc, nagle rozpłakałaś się i powtarzałaś „nie ma, nie ma". Myślałaś, że coś tak pięknego stworzono tylko w jednym egzemplarzu.

Z matką było wtedy coraz gorzej. Do ojca dotarło, że to wariatka, gdy wybrała się nago na rowerze do szkoły, w której uczył. Stuknięta Lady Godiva na przedwojennej damce. Ojciec stracił pracę, ale wtedy i tak wolał już towarzystwo duchów podziemi niż uczniów. Od nas też się odsuwał, coraz częściej nie wracał do domu. Zamykał się w sobie, a tam jest miejsce tylko dla jednej osoby. Ja nie zdążę, ale ty mu wybacz, jeśli potrafisz, wybaczyć mogą tylko ci, którzy przeżyli. Czasem matka brała potrójną dawkę przepisanych leków i spała przez dwie doby w swoich odchodach, czasem nie brała wcale i wtedy chodziła po suficie. Zabierali ją do szpitala, ale wracała. Ciągle wracała. I ciągle udawało jej się mnie dopaść. Przyczajała się jak pajęczyca, śniło mi się, że ze swoich żółtych włosów plecie na mnie sieć. Gdy nie było jak uciec na zewnątrz, chowałyśmy się do skrzyni. Mówiłam „kryj się, pancerny!". Wskakiwałyśmy i siedziały cichutko, cichutko. Zawsze udawało ci się zabrać rudego Hansa. Wielka skrzynia z ciemnego drewna, malowana w kwiaty i smoki. Pamiętasz? Rozumiałaś, że to nie zabawa. Ale ona się dobrze bawiła. Siadała na skrzyni i gadała. Waliła w nią pięściami i wyzywała nas. Słowa polskie, niemieckie. Kiedyś zasnęła albo straciła przytomność i przywalone jej ciałem wieko skrzyni nie chciało się otworzyć. Myślałam, że umrzemy tam pogrzebane pod nią, i obie posikałyśmy się ze strachu. Strach był naszym bratem.

Miałaś trzy latka, gdy to się stało. Dokładnie trzy i pół. Wróciłam ze szkoły i zobaczyłam, że nie ma Cię w kojcu. Nie widziałam też matki w jej stałym miejscu przy kuchennym stole pełnym brudnych naczyń, gdzie paliła papierosy, patrząc przez okno na Zamek Książ. Gdy akurat nie spała i nie szalała, potrafiła tak siedzieć godzinami.

Teraz na podłodze leżał tylko jej różowy szlafrok, wstrętny jak wylinka. Przez szum lejącej się wody usłyszałam jej głos z łazienki. I Twój płacz. „Brudna", mówiła. „Jesteś brudna. Trzeba zeskrobać z ciebie brud!". Takim tonem mówią kotojady. Byłaś po szyję zanurzona w wodzie i czerwona jak raczek, a ona naga i wściekła, wymachująca chlebowym nożem. Mówiłyśmy na niego Gertrud Blütchen, pamiętasz? Zobaczyłam, że krwawisz z rany na piersi, i oczy zalała mi czerwona mgła, nic się nie liczyło, tylko ona, nóż i moja nienawiść. Wyrwałam jej z ręki Gertrud Blütchen i zadałam cios. Pan Albert usłyszał krzyki i przybiegł. Nie po raz pierwszy. Najpierw chwycił nóż, zanim wbiłam go w ciało matki po raz drugi i głębiej, potem obezwładnił ją, a ja wyjęłam cię z wody i uciekłam. Do dziś masz bliznę na lewej piersi, to ona Ci zrobiła. Nie uchroniłam Cię. Wybacz mi, Wielbłądko. Schowałyśmy się do skrzyni, a Ty oczywiście zdążyłaś zgarnąć rudego Hansa. Wołano nas, ale milczałyśmy i tylko ściskały się za ręce, bo nie chciałyśmy wyjść, mimo że niebezpieczeństwo zostało na razie zażegnane. Potem zasnęłyśmy, a może straciły przytomność, i stało się coś dziwnego tam, w ciemności. Dostałyśmy się do jakiegoś innego świata, gdzie jest tylko dotyk i oddech, byłyśmy zupełnie same, my dwie i miś, i miałam wrażenie, że skrzynia pędzi po orbicie wokół Ziemi, a gdy uchylimy wieko, zobaczymy tylko zimną pustkę i gwiezdny pył. W tej ciemności między życiem z matką i bez niej zostałyśmy poddane jakiemuś testowi i przesądzone zostały nasze losy.

Gdy ojciec i pan Albert w końcu nas znaleźli, matki już nie było. Zapytali mnie o nóż. Milicjantka w mundurze, jej grube nogi, długopis w dłoni. Obok ktoś jeszcze. Lekarz? Skłamałam. Powiedziałam, że matka zraniła się sama, gdy próbowała Cię zabić. Okazało się, że to samo powiedział pan Albert. Nigdy nie wróciła i zmarła w domu wariatów w Stroniu Śląskim. Zostaliśmy w trójkę. Najbardziej nienawidzę jej za to, że gdy znikła z naszego życia, nie przestałam się bać. Byłam nieodwracalnie zepsuta, bo jej część została we mnie jak kotojad.

Gdy poznałam Dawida, myślałam, że to się zmieni. Że miłość zwycięży, jak się mówi i co wolno mówić tylko zakochanym, bo inaczej te słowa brzmią jak z taniego romansu. Jak z twoich ulubionych *Ptaków ciernistych krzewów*, Wielbłądko, na które gapiłaś się cielęcym wzrokiem. Pamiętasz, jak rodzice Dawida zaprosili nas na niedzielny obiad? Byłaś podekscytowana tak samo jak ja i szykowałyśmy się wiele godzin, żałując, że nie mamy eleganckich sukienek. Uplotłaś wianki ze stokrotek i nie miałam serca powiedzieć ci, że to może nie najlepszy dodatek do stroju na niedzielną wizytę u rodziców mojego chłopaka. Poszłyśmy w wiankach, jak dwie rusałki. A tam bukiety na stole, przystawki, trzy dania i dwa różne ciasta na deser. W cukiernicy srebrne szczypczyki, których użyłaś ze śmieszną powagą. Wrzucałaś do herbaty dwie kostki, a po namyśle jeszcze dwie. Zapytałaś matkę Dawida, gdzie można kupić takie wspaniałe ciasto, czy może w Madrasie, a gospodyni, zdziwiona, powiedziała, że je upiekła. „Własnymi rękami?", zdziwiłaś się. Podobało nam się u Dawida, pamiętasz? W łazience mieli bidet, a Ty zrobiłaś do niego siku, siuśmajtko, i myślałam, że pęknę ze śmiechu, gdy nie znalazłaś spłuczki i popatrzyłaś na mnie z takim przerażeniem. Nigdy więcej nas nie zaprosili.

Miłość do Dawida nie uratowała mnie, tylko sprawiła, że kotojad, którego matka włożyła mi do środka, obudził się jak podrażniony nowym zapachem. Musisz dowiedzieć się o wszystkim. Byłam w ciąży. Tak naprawdę, meine kleine, wiedziałam, że nie mam żadnego talentu, że nie zostanę wielką aktorką. Po prostu dobrze opanowałam sztukę udawania kogoś ciekawszego, niż jestem. Dawid po maturze wybierał się na medycynę do Wrocławia i chciałam pojechać z nim. I z Tobą. Mielibyśmy mansardę z oknem na park, a ja kochałabym swoje dziecko i nauczyłabym się piec takie ciasta jak matka Dawida, która w końcu by mnie polubiła. Na polanie, którą znasz, leżeliśmy z Dawidem i patrzyliśmy, jak spadają gwiazdy. „Wszystko się ułoży", powiedział, „kocham cię. We wrześniu pojedziemy w końcu w Karkonosze". Nie zasługiwałam na taką piękną chwilę. Dawid powiedział ojcu o mojej ciąży i naszych planach, a ten poprosił mnie o spotkanie. Umówiliśmy się w kawiarni Barbórka w rynku i traktował mnie jak dorosłą kobietę. Zamówił dwie lampki czerwonego wina i przez chwilę miałam nadzieję, że zechce omówić ze mną coś przyjemnego, że zapyta, czy od mansardy z oknem na park nie lepsza byłaby taka, której okna wychodzą na rzekę. Bardzo elegancko mówił do mnie ojciec Dawida: „pani Ewo". Mówił o tym, że jesteśmy za młodzi. Że musimy iść na studia. Podobno marzę o szkole teatralnej? Ma tam znajomego reżysera. Znane nazwisko! Może w ogóle mogłabym wystartować do szkoły warszawskiej? Nie mogę zmarnować swojej szansy! Że mamy całe życie przed sobą. Chce mnie prosić, bym okazała siłę i rozsądek. Ale ja czułam się silna, napełniona miłością. Odmówiłam. Będziemy mieli to dziecko. Damy sobie radę bez pana i pańskich pieniędzy. Kochamy się. Wtedy powiedział to, co naprawdę czuł. Już nie byłam panią Ewą. „Twoja matka, pomylona gówniaro. Co masz nam do powiedzenia o swojej matce?". „Moja matka nie żyje". „Twoja matka próbowała zabić własne

217

Wielbłądko, już czas. Śnieg sypie tak gęsty, że widać tylko małe światełko w Zamku Książ. To księżna Daisy woła swojego Mefisto. Żyj pięknie, Wielbłądko, żyj.

Ewa

Nagle poczułam pod palcami szorstkie drewno wnętrza skrzyni, w której chowałyśmy się z Ewą przed matką, i moje dłonie zwinęły się w pięści. Jakaś postać pozbawiona twarzy zaryczała w mojej pamięci niczym żona Rochestera z *Jane Eyre*. Poczułam taką mieszaninę gniewu, tęsknoty i bólu, że krzyknęłam w pustkę nocnego domu, która odpowiedział mi echem.

Tamten dzień był we mnie. Pamiętałam. Gdy obudziłam się, światło wydawało się lodowato zimne, jakby do naszego pokoju wlewała się przez okno syberyjska rzeka. Panowała cisza pełna grozy. Rudy Hans z NRD leżał zwrócony w stronę mojej twarzy, jego szklane oczy zastygły w przerażeniu. Wykrztusiłam imię mojej siostry, ale utonęło w martwocie powietrza. Byłam sama. Na piżamę założyłam kurtkę, wzułam śniegowce i wyszłam w zapierającą dech biel. Padało całą noc i moje nogi po kolana grzęzły w świeżym puchu. Wiodły mnie do niej ślady, chociaż zasypał je śnieg. Weszłam w las i brnęłam wśród drzew stojących w zupełnej ciszy. Przewracałam się i wstawałam, na oślep szukałam ścieżki. Zgubiłam w zaspie jeden but, ale nie czułam zimna. Gdy w końcu dotarłam na polanę, poczułam obecność Ewy. Coś we mnie ciemniało, obumierało. Najpierw zobaczyłam jej szal, skrawek czerwieni na lśniącym śniegu. Wiedziałam, że tam będzie. W jamie, w której ukrywałyśmy się razem, gdy żyła matka. Zaczęłam rozgarniać śnieg i przez łzy widziałam tylko oślepiającą biel. Nie wiem, jak długo to trwało, ale w końcu ją znalazłam. Wejście do jamy zagradzała zaspa, ale w środku nie było śniegu, tylko zamarznięta ziemia. Ewa leżała zwinięta w kłębek, z dłonią pod policzkiem, z podkulonymi stopami, jakby spała, ale było jasne, że już się nie obudzi. Na jej włosach i rzęsach osiadł szron, oszronione brwi wyglądały jak wtedy, gdy grała królową zimy w szkolnym przedstawieniu i choć sama uszyła sobie kostium ze starej firanki, była piękniejsza od wystrojonych przez matki pyzatych koleżanek. Moja martwa siostra miała na sobie letnią sukienkę w maki, była bosa. Może wzięła pierwszą lepszą rzecz z szafy, może chciała ubrać się tak samo jak na proszony obiad u rodziców Dawida, bo tamtego dnia życie wydawało się tak pełne obietnic. Nie będzie mansardy z oknem na park! Dotknęłam twarzy Ewy, chłodnej i twardej jak twarz lalki, twarz królowej zimy. Ani się nie bałam, ani nie czułam niepokoju. Znalazłam swoją siostrę. Nikt już nas nie rozdzieli. Wsunęłam się do jamy i położyłam obok. Objęłam ją i wzięłam jej lodowate stopy między swoje tak, jak ona robiła, gdy zmarzłam.

Obudziłam się w szpitalu i najpierw myślałam, że otaczająca mnie biel to śnieg. Przy moim łóżku z twarzą ukrytą w dłoniach siedział ojciec i przez chwilę obserwowałam go spod przymkniętych powiek, bo wiedziałam, że gdy na mnie spojrzy, zacznie się to, przed czym chciałam uciec. Życie bez mojej siostry. Ojciec nigdy nie powiedział mi, co się wydarzyło po tym, gdy weszłam do jamy, i w ogóle nie mówił o Ewie, tak jak nie mówił o naszej matce. Taki był. Nie potrafił inaczej. Dziś myślę, że jedyną osobą, która go naprawdę obchodziła, była nasza matka Anna Lipiec. My miałyśmy ją uzdrowić, ale nie udało nam się. Ona chciała nas zniszczyć i odniosła dużo większy sukces. „Myśl o przyszłości", powtarzał mi ojciec po śmierci Ewy. „Myśl o przyszłości. Czas goi rany". Łudził się, że czas po prostu toczy się do przodu, zawsze w tę samą stronę, jak rzeka.

Gdy wydobrzałam na tyle, że znów mogłam wychodzić z domu, znalazłam notkę w „Trybunie Wałbrzyskiej", której archiwalne numery wypożyczyłam w Bibliotece pod Atlantami. Stara bibliotekarka wzięła rewersy i popatrzyła na mnie z takim współczuciem, że musiałam wbić sobie paznokcie w dłoń, by się nie rozpłakać. Potem będę często korzystać z tego sposobu na powstrzymanie łez. Czytałam informację o samobójczej śmierci Ewy, a wokół trwało normalne życie: jakiś licealista o twarzy przemądrzałej jaszczurki robił notatki, starszy pan kartkował encyklopedię i gryzł ołówek. Stara bibliotekarka przyniosła mi wafelek prince polo i westchnęła nad dziewczynką, która zamiast być w szkole, siedzi w czytelni dla dorosłych. Chyba dopiero wtedy naprawdę dotarło do mnie, co się stało, i po raz pierwszy poczułam, jaką siłę ma słowo, bo uczyniło śmierć Ewy prawdziwą i nieodwracalną:

Tragiczne samobójstwo uczennicy
   Uczennica liceum, siedemnastoletnia Ewa T., popełniła samobójstwo w lesie u podnóża Zamku Książ, odbierając sobie życie poprzez połknięcie śmiertelnej dawki środków uspokajających. Jej młodsza siostra, Alicja, została odnaleziona przy zwłokach w stanie skrajnego wyziębienia organizmu. Została uratowana przez nieznajomą, która zniosła ją na plecach przez las niczym dobra wróżka. Kobieta znikła po wezwaniu karetki. Świadkowie nie potrafili podać jej rysopisu. Dziewczynki wychowywał ojciec, historyk Adam T., który odmówił komentarza w sprawie tych nadzwyczaj tragicznych wydarzeń. Powody, dla których nastolatka targnęła się na swoje życie, pozostają nieznane.

Ewa zażyła tabletki po naszej matce, które nadal poniewierały się po całym domu. Ojciec przy pomocy pana Alberta pozbył się jej rzeczy, ale nie pomyśleli o wszystkim. Znikła, ale udało jej się zostawić po sobie coś, co zabiło Ewę. Byłam pewna, że to Kocińska uratowała mi życie, bo nikt inny nie wiedziałby, gdzie mnie szukać. Gdy po wielu latach poznałam Dziką Baśkę i zaczęłam jej pomagać, spłacałam dług wdzięczności wobec Kocińskiej, której już nigdy nie udało mi się spotkać. Szkoda, chciałam zapytać, dlaczego nie ocaliła Ewy.

Siedziałam nad listem mojej siostry odrętwiała z bólu. Stracone możliwości, pogrzebane nadzieje, to wszystko, co mogłybyśmy robić razem jako dorosłe kobiety, przesuwało się przed moimi oczami jak pociąg wiozący ludzi na wycieczkę, na którą nas nie zabrano. Wyjęłam z szuflady nóż, niezniszczalną Gertrud Blütchen. Wbiłam ją w prawą łapę rudego misia z NRD. Rozprułam szew trzydzieści lat temu zrobiony przez Ewę i wyjęłam zwitek banknotów, które od dawna nie miały żadnej wartości. Rozsypały się po podłodze kuchni. Papierki, za które ojciec Dawida chciał kupić moją siostrę. Poczułam, że muszę wyjść z tego domu. Dotknąć czegoś żywego. Otworzyłam ogrodową furtkę, która dzieliła posesję moją i pana Alberta, widziałam światło w pokoju Marcina i poleciałam w jego kierunku jak ćma. Wspięłam się na palce i zapukałam w szybę. Okno otworzyło się.

– Alicja – powiedział Marcin. Podobało mi się, jak wymówił moje imię.

– Myślisz, że możemy po prostu pójść do łóżka? – zapytałam. Patrzył na mnie z tą typową dla siebie smutną powagą i przez chwilę bałam się, że odmówi.

– Do łóżka – powtórzył i łóżko w jego ustach zabrzmiało jak nazwa jakiejś egzotycznej krainy. Jakbym w środku nocy proponowała mu podróż z Wałbrzycha do Malawi na grzbiecie wielbłąda. Pokiwał głową i nadal na mnie patrzył, może podejrzewał, że to jakiś podstęp. Na wszelki wypadek dodałam:

– Łóżko, seks bez zobowiązań, pieprzyć się i zapomnieć o bożym świecie.

– Alicja – powtórzył i uśmiechnął się tak, jakby był to ostatni uśmiech z jego zapasów. Wyciągnął rękę i pomógł mi wejść przez okno.

Biurko pełne papierów i najnowszy model iPoda, łóżko. Łóżko. Staliśmy naprzeciw siebie i czułam, jak ogarnia mnie coraz większe pragnienie, by przylgnąć do Marcina, poczuć jego ciało. Żywe i ciepłe. Podeszłam do niego, zanim zrobił pierwszy krok. Mężczyzna, który stał przede mną, był wysoki i chudy. Miał ładną wyraźną twarz. Ciało, które wydawało się obiecujące. Chciałam je poznać, chciałam poznać jego historię. Położyłam dłoń na piersi Marcina. Miał na sobie cienką niebieską koszulę i poczułam bicie jego serca. Zsunęłam dłoń na brzuch. To jedna z najpiękniejszych części ludzkiego ciała niezależnie od płci, płaski twardy brzuch. Z pępkiem, gdzie ciało jest prowizorycznie zawiązane na supeł, znakiem, że to, co najbardziej intymne i własne, było kiedyś częścią innego ciała. Poznałam kiedyś japońskiego poetę, który uważał, że każdy pepek jest znakiem *kanji*, w którym zapisane jest przeznaczenie, ale nie chciałam, by odczytał moje. Teraz żałowałam, bo wydawał się mądrym człowiekiem i może powiedziałby mi, czy wyjdę z tej przygody bez szwanku. Marcin ściągnął koszulę przez głowę i gdy podniósł ręce, zobaczyłam, że ma bliznę na piersi, podobną do mojej. Ciemne włosy otaczały sutki i zbiegały wąską linią w dół. Prawdziwy męski tors.

– Nastolatki nie wiedzą, że kiedyś kobiety miały włosy na cipce – powiedziałam i pocałowałam tę bliźniaczą bliznę. Miałam ją na wysokości oczu. Odpięłam pasek dżinsów Marcina, a on położył dłonie na moich pośladkach i przyciągnął mnie do siebie.

– A kobiety, które wchodzą przez okno i rzucają się na mężczyznę, jakie mają cipki?

Zdjęłam bluzę, byłam pod nią naga. Marcin powtórzył mój gest i dotknął mojego brzucha, pocałował bliznę i wziął do ust sutek, miał język jak kot, szorstki i jednocześnie delikatny, szybki.

– Ładne – szepnął – ładne małe cycuszki. – I ruszył językiem ku drugiemu sutkowi.

– Rozbierz się – powiedziałam i zdjęłam dżinsy. Nic nie udawał, nie puszył się, nie walczył ze mną. Nie próbował wyglądać lepiej, niż wygląda. Wiedział, czego pragnę, i dawał mi siebie jak dar. Pachniał mężczyzną, który lubi kobiety. Popatrzył na mnie i przejechał dłońmi wzdłuż mojego ciała, jakby badał marmurową rzeźbę i sprawdzał, czy artysta nie oszukał, zalepiając nieudane miejsca woskiem.

– Gładka i silna – powiedział i włożył dłoń między moje uda. – Mokra. – Uśmiechnął się i pomyślałam, że jednak jeszcze nie wyczerpał zapasu uśmiechów. Miał śliczną pupę, małą i twardą pupę biegacza. Jego członek już zesztywniał. Na prawym udzie zobaczyłam większą bliznę, wyglądała na ślad po ranie niezszytej i źle się gojącej. – Długa historia – powiedział Marcin, a ja wzięłam jego członek w dłoń i zaczęłam pieścić. Nie byłam już pewna, czego pragnę bardziej: jego ciała czy opowieści, która mogłaby się zaczynać od tej starej blizny na udzie.

– Połóż się. – Zrobił to, tak po prostu rozciągając się na łóżku z lekko rozsuniętymi nogami. – Nie ruszaj się – poprosiłam.

– Chodź tu – uśmiechnął się i lekko wysunął biodra, gdy go dosiadłam. Wypełnienie na granicy bólu, której nigdy się nie przekracza, ale o której nigdy się też nie zapomina. Jedną dłonią sięgnął do mojej piersi, drugą do łechtaczki.

Kochałam się z mężczyzną, o którym prawie nic nie wiedziałam, ale chciałam wiedzieć, bo to spotkanie różniło się od moich randek w supermarketach. Bliskość ciał w rozkoszy, sam ruch i rytm jak przy bieganiu, tego potrzebowałam. Nie mogłam wikłać się w żadne „więcej". Być może nie poznam innych rodzajów bliskości, bo ten smutny mężczyzna też nie zastąpi mi utraconej siostry. Poczułam, jak w środku uderza mnie wytrysk. Pieprzyć bezpieczny seks, życie nie jest bezpieczne. Nad ranem kochaliśmy się jeszcze raz i gdy Marcin zanurzył głowę między moje uda, miałam kolejny orgazm szybciej, niżbym chciała.

Wyobraziłam sobie nasze zmieszane zapachy, zanim posmakowałam je na jego ustach. „Jeszcze", powiedziałam, a może „jeszcze" pojawiło się tylko w moich myślach. Gdy potem leżeliśmy w jaśniejącym świetle, wiedziałam, że do takiego pokoju mogłabym wracać, wchodzić nocą przez okno prosto w ciepłe, dobre ciało. Przyjrzałam się pępkowi mojego kochanka. W książce o buddyzmie znalazłam niedawno hieroglif oznaczający pustkę i z jakichś tajemniczych powodów utkwił mi w pamięci. Tak wyglądał pępek mężczyzny, do którego pokoju weszłam przez okno w zimną listopadową noc. Marcin nie pytał o nic, bo rozumiał, że ta noc jest wyjątkowa i ani nic nie kończy, ani nic nie zaczyna, tylko pozwala mi przejść na drugą stronę.

Po drugiej stronie

Dom Dziecka „Aniołek" na Starym Zdroju nawet w słoneczne południe wyglądał złowieszczo, a co dopiero w listopadowej szarudze i marznącej mżawce. To miasto miałoby szanse w konkursie na najbrzydsza pogodę w kraju, słoneczne dni już się chyba tu nie zdarzały. Zaparkowałam w rozbryzgach błota, w które zamienił się piękny nocny śnieg. Pseudogotycka budowla z czerwonej cegły oflankowana była dwiema wieżyczkami, a prowadzące do niej drzwi wydawały się dziwnie małe, jakby przeznaczone dla dzieci albo karłów. Tu mieszkała i stąd znikła czarnooka Kalinka Jakubek, po której został tylko pluszowy kot. Aniołek stał w sąsiedztwie niewielkiego kościoła, o którym mówiło się zawsze „biały", i starego cmentarza, gdzie były groby mojego ojca i siostry. Tam leży moja rodzina – pomyślałam i poczułam ciężar tych słów: ojciec i siostra leżeli w ciemności i należeli do mnie.

Przed wojną ten budynek zamieszkiwały zakonnice, które prowadziły tu hospicjum. Stary Zdrój, dziś podobnie jak Sobięcin rozpadająca się dzielnica biedy i bezrobocia, nazywał się kiedyś Altwasser i był eleganckim kurortem. Tryskały tu uzdrawiające źródła, które potem zniszczyło górnictwo, podobnie jak to, które zasilało studzienkę w kościele Matki Boskiej Bolesnej w centrum Wałbrzycha. Dużo zieleni i blisko eleganckiego Nowego Miasta, siostrom musiało być tu dobrze. W jednym z artykułów, jakie wygrzebała dla mnie Celestyna, chwalono je za nowoczesne podejście do umierających, których traktowały ponoć z należytą troską. Przyjmowały również pacjentów, którzy nie mogli wspomóc zgromadzenia, i wspomniano jedną taką osobę, niejaką Amelię Katz, bez stałego miejsca zamieszkania i dochodów, ale z bagażem ponad stu przeżytych lat i dwoma kotami. Dumą sióstr był bujny ogród, najpiękniejszy w okolicy. Kościelne wydawnictwo z tamtego okresu sugerowało, że w latach trzydziestych miały tu miejsce nadprzyrodzone wydarzenia. Podobno, jak w podniosłym duchu pisał autor, ze szpitala sióstr szło się prosto do nieba, a gdy umierała stutrzyletnia Amelia Katz, dwoje świadków, siostra o imieniu Agnes i ogrodnik, widziało Matkę Boską Bolesną. Patronka Wałbrzycha unosiła się nad klombem z kwitnącymi lewkoniami przy dźwiękach *Stabat Mater* Pergolesiego, a jej smutna twarz przybrała „wyraz niebiańskiego wprost spokoju". Niewątpliwie była to Matka Boska z dobrym gustem muzycznym. Na wyblakłym zdjęciu miłosierne siostrzyczki pozowały na tle budynku w porządnie ustawionej grupie, z przełożoną pośrodku i kilkorgiem pacjentów na wózkach. Na klombach po dwóch stronach kadru kwitły kwiaty, prześwietlone na biało jak kornety zakonnic, a na pierwszym planie fotograf uchwycił dwa spokojnie przechadzające się koty. W 1942 roku siostry porzuciły jednak swoją siedzibę i opuściły Wałbrzych. Wczesną jesienią tego roku wydarzyła się tragedia, którą szczegółowo opisały gazety. Ktoś podpalił trzech pacjentów w ich pokojach. Dwie kobiety i mężczyzna spłonęli żywcem, a jedna z sióstr, które ruszyły na ratunek, doznała poważnych oparzeń twarzy. Dwudziestotrzyletnia siostra Agnes. Ogrodnik, który wykonywał dla sióstr cięższe prace, opowiadał, że zanim wybuchł pożar, na terenie szpitala działy się inne złe rzeczy. Najpierw ktoś zniszczył kwiaty i krzaki malin, połamał młode drzewka, a kilka tygodni później powiesił na bramie dwie białe kotki Amelii Katz. „Zło się rozkrzewia", powiedział ogrodnik, „zło się rozkrzewia, widać ich wszędzie". Sprawdziłam, czy nie pomyliłam niemieckiego zaimka. Ich. Coś przykuło moją uwagę w postaci ogrodnika, gdy przyjrzałam się zdjęciu. Proporcje. Nie można było rozpoznać wieku ani twarzy, ale wsparty na grabiach malutki mężczyzna miał wyraźnie zniekształconą sylwetkę. Jedna połowa jego ciała była krótsza, miał garb. Fredek Ogrodnik z opowieści pana Alberta, byłam pewna! Nigdy nie wykryto sprawcy podpalenia, a siostry najpierw poprosiły zwierzchników o egzorcystę, a gdy najwyraźniej jego interwencja nie pomogła, o przeniesienie.

Po wojnie założono w opuszczonej przez siostry siedzibie państwowy sierociniec. Dom Dziecka „Aniołek" działa tu dopiero od piętnastu lat. Jego dyrektor, Marian Waszkiewicz, to zasłużony obywatel miasta. Jedno z tych honorowych określeń, pod którymi może się kryć porządny człowiek, sprytny kombinator albo ostatni drań. Mimo iż budynek był w miarę zadbany, emanował z niego smutek jak z etykiety zastępczej. Za siatkowym ogrodzeniem, w piaskownicy, wśród jaskrawych zabawek, bawił się kilkuletni chłopiec o bardzo jasnych włosach. Pomyślałam o powieszonych białych kotkach, jego włosy byłyby pewnie w dotyku miękkie jak kocia sierść. Nie miałam ochoty tam wchodzić i jednocześnie przyciągał mnie ten mroczny budynek. Ewa go lubiła. Pamiętam jeden spacer, podczas którego patrzyłyśmy przez siatkę na bawiące się dzieci, a moja siostra powiedziała: „szkoda, że nas tam nie ma". „Dlaczego?". „Jak to dlaczego? Wyobraź sobie, że adoptowałaby nas Stefania i zabrała do Australii. Od pierwszego wejrzenia by się w nas zakochała. Chcę te dwie dziewczynki i żadne inne. Ja zostałabym w Australii modelką, a ty poskromicielką krokodyli. Podróżowałybyśmy ze Stefanią po całym świecie. Paryż, Pekin, Tokio i Madras! Chciałabyś?". „Pewnie!". Chciałam być jak Stefania pogryziona przez krokodyla, która jednak wyszła z całej przygody piękniejsza i silniejsza. Chciałam tego wszystkiego, co Ewa. Poczułam nagle obecność mojej siostry, jakaś część jej istnienia, niczym strzępek ektoplazmy, przetrwała pod płotem domu dziecka na Starym Zdroju, marząc o Australii. Chłopiec o białych włosach wypełniał piaskiem różowe wiaderko i przesypywał zawartość do niebieskiego. Potem wysypywał i zaczynał wszystko od początku. Kolory zabawek zaprojektował jakiś źle opłacany i półślepy Chińczyk, bo widać je było pewnie nawet z kosmosu. Chłopiec zauważył mnie, skulił się w sobie jak zwierzątko i pobiegł w stronę budynku. Szkoda, że przerwałam mu zabawę. Pewnie i tak nie miał lekko z takim wyglądem. Moje ciało nagle się napięło, poczułam, że i mnie ktoś obserwuje. Coś czerwonego mignęło w oknie południowej wieży, jak absurdalnie powiększone oko chłopca albinosa. Wzięłam głęboki oddech i pożałowałam, że zmęczona nocą z Marcinem nie poszłam rano pobiegać. Seks uczynił mnie bardziej wrażliwą, jakby podczas miłości starła mi się stwardniała warstwa skóry.

– Witamy w naszych skromnych progach! – Maria Waszkiewicz, żona dyrektora, którą widziałam niedawno pod kościołem u boku Jerzego Łabędzia, ostro zapachniała konwaliami i czymś nieco nieświeżym, jak bigos odgrzany o jeden raz za dużo. Zaszeleściła na niej garsonka w brązowo-krwawy wzór, śliska i opięta. Kto wymyśla materiał, który wygląda jak zdjęcie z czołowego zderzenia ciężarówki pełnej świń i ciągnika z drewnem? Może ten sam kiepsko opłacany i niedowidzący Chińczyk. Przerysowany gest, jakim Maria Waszkiewicz wskazała mi drogę, miał w sobie coś obraźliwego. Lepką insynuację, że nie mam przyzwoitych zamiarów wobec jej małżonka.

W gabinecie dyrektora jak wypchany hipopotam rozpierała się skórzana kanapa, dwa fotele do kompletu i masywne biurko, na którym stało popiersie Piłsudskiego. Za biurkiem siedział Marian Waszkiewicz, pokaźny i nadciśnieniowy, lekko rozdęty, ale krzepki, pod krawatem. W jego ustach, okolonych wąsem niczym srom jakiegoś dziwnego stworzenia, fajka. Rozejrzałam się, by zatrzymać wzrok na czymś przyjemniejszym. Ścianę między oknami zdobił amatorski pejzaż przypominający Szyszkina. Marian Waszkiewicz ruszył do mnie męsko i dziarsko. Znam ten gest i gdy próbował podnieść moją dłoń do owłosionych ust, przytrzymałam ją w przesadnym uścisku. Wyrywał się, walczył, nic z tego.

– Pani Ala, pani Ala, cała przyjemność po mojej stronie – rzekł w końcu zrezygnowany.

– Alicja Tabor, dziękuję, że zgodził się pan ze mną spotkać.

– Fajeczka pani nie przeszkadza? – zapytał. Zaprzeczyłam. – Jak się zdenerwuję, to sobie pykam. Jak ma pani ochotę na papieroska, proszę się nie krępować. Z tymi zakazami całkiem pogłupieli. Niedługo we własnym domu człowiek nie będzie mógł zapalić, bo czujniki założą. Może jeszcze w łóżku czujniki. Ha, ha, ha. – Zaśmiał się tak, jakby uczył się śmiechu, nigdy go wcześniej nie słysząc. Pod przesadną męską jowialnością chował się człowiek zrozpaczony. – Żonka kawkę nam przyniesie – dodał i zanim zdążyłam zaprotestować, krzyknął: – Maryśka! – Zauważył, że patrzę na leśny pejzaż, westchnął ciężko, aż zaszeleściły papiery na biurku. – Polesie. Ach, Polesie, Polesie, Poleszuk jestem z dziada pradziada. Szlachta stara spod Pińska. Z ziemi własnej wyrwani, na obcą rzuceni. Wygnańcy! Była pani?

– Na Polesiu? Byłam – powiedziałam zgodnie z prawdą.

– O – zmartwił się – była pani. Pięknie? Pewnie, że pięknie! – sam sobie odpowiedział Poleszuk. – Najpiękniej. I dzieci tam nie giną.

– A pan był?

– Ja w sercu – walnął się w pierś – w sercu swym tamte ziemie noszę. Ten obraz – pokazał na leśny pejzaż – sam malowałem. Sercem!

Przerwała nam żona Maria z kawą i czekoladowymi ciasteczkami. Leżały na talerzu jak martwe ptaki z opowieści pana Alberta.

– Cukru? – zapytała, a gdy odpowiedziałam, że nie słodzę, powtórzyła niezadowolona „nie słodzę" i niechęć zaskrzypiała w jej głosie jak styropian.

– Już, już poszła żona! – Machnął na nią ręką mąż żartowniś i całym sobą odciął się od roztytej żoniności swej Maryśki, jakbyśmy tu we dwoje coś przeciw niej knuli. Gdy zamknęły się drzwi, wrócił do sprawy obrazu.

– Nie pomyślałaby pani.

– O czym? – zapytałam, sądząc, że powie teraz o zniknięciu Kalinki.

– Że sam malowałem, założę się, że nie pomyślałaby pani!

– Naprawdę sam? – zdziwiłam się uprzejmie i zauważyłam dobry znak: Marian Waszkiewicz spoglądał tęsknie na moje uszy. Pewnie potrzebuje rozbiegu, zanim przejdzie do rzeczy. – Bardzo wrażliwą musi pan mieć duszę.

– W męskim ciele, i to całkiem jeszcze sprawnym, dusza wrażliwa jak motylek – ucieszył się Marian Waszkiewicz. – Ja od małego do farb, kredek takie zamiłowanie miałem. We krwi wrażliwość na sztukę. Potem dopiero doszły do tego dziewczyny. A to też sztuka! *Ars amandi*, ha, ha, ha.

– Ha, ha – potwierdziłam.

– W szkole mówili: Matejko nowy nam rośnie. Albo Kossak, bo konie to ja chętnie. Dzikie i wolne. Koniki w galopie, ułani, chłopcy malowani, hej. Dawne czasy, w tamtych czasach inni ludzie. Żeby na akademię iść, myślałem, bo dusza do sztuki się rwała. Ale się inaczej życie potoczyło. Pedagogikę skończyłem, ale w wolnej chwili zawsze farby, sztalugi, portrety, akty, dziewczyny. Ha, ha, ha. – Podniósł długopis z biurka, zmarszczył brew, zmrużył oko, udawał, że przymierza się do zrobienia mojego portretu. – Panią bym na przykład chętnie namalował. Czoło wysokie, usta namiętne, ramiona.

– Jest pan mężczyzną z fantazją – powiedziałam.

– Ba! Poleszuk ze mnie prawdziwy. Fantazja ułańska. Ale i romantyzm. Dziś młodzież tyle fantazji nie ma. Niech pani powie!

– Jedni mają fantazję, inni nie – powiedziałam ostrożnie.

– U rodziców siedzieć w kieszeni, w komputerze grzebać, to jest młodzież nasza dzisiejsza! – Dyrektor Waszkiewicz walnął w biurko.

– A pana syn?

– Mareczek? – wymówił imię jedynaka z taką intonacją, jakby miał wielu innych synów i dziwił się, że akurat ten mnie zainteresował. – Szuka swojej drogi chłopak, szuka – westchnął. – Zdolny, ale leniwy. Ja w wieku swojego syna, wie pani, co robiłem? – Poleszuk prawdziwy spojrzał na mnie, a właściwie na moje uszy, lekko zmętniałymi oczami i zobaczyłam w nich palące pragnienie opowiedzenia swojej historii. Świeciło spod rozpaczy jak grosze rzucone na szczęście. Zrozumiałam, że musi na chwilę opuścić to miejsce, z którego zniknęło dziecko, by nabrać oddechu.

– Co pan robił? – zapytałam więc, bo w moim zawodzie odpowiedzi znajduje się niekiedy, zadawszy dokładnie te pytania, które ktoś inny pragnie usłyszeć.

Marian Waszkiewicz wyprostował się, zatokował: – Skoro pani prosi. Ucha nastawia. Pani za młoda, żeby pamiętać, ale za komuny bez kombinowania się nie dało. Tak nas czerwona swołocz cisnęła, ale nie ma bolszewika na Poleszuka. Poleszuk go sposobem, gadką, szabelką. Ha, ha, ha.

– Ha, ha? – zachęciłam go.

– Na studiach, jak syn mi się urodził, dziekankę wziąłem i w świat. Z drugim takim, co go we Wrocławiu poznałem, też Poleszuk, a jak! Tadeusz, Tadzik. Ten Tadzik! Przez cztery lata u mnie w akademiku waletował. Z jednej miskiśmy, i tak dalej, razem, a bywało, że ho, ho. Męska przyjaźń. Męskie sprawy. Zawinął się chłop parę lat temu na raka. Czy pani taką przyjaźń męską zna?

– Raczej nie.

– Ha! Grafiki z Tadzikiemśmy w Szwajcarii sprzedawali. Że niby z namiotem jedziemy po górach pochodzić. Takie śmoje-boje wymyślaliśmy, a gadane obaj mieliśmy, jak to Poleszuki. Celnik do nas *wohin? warum? was ist das?* a my, że studenci, hej, w szwajcarskie góry jedziemy. Marzenie to nasze, by góry te zobaczyć! A co w bagażu? Jak co, namiot. Namiocik! A pani wie, co to było?

Gdybym powiedziała, że mnie to nie interesuje, co zresztą byłoby kłamstwem, po Marianie Waszkiewiczu, Poleszuku prawdziwym, zostałaby kupka popiołu, sygnet i fajka.

– Co to było?

– Ha, ha, ha. Wszystko do grafik robienia, sita i reszta, cały warsztat w brezent owinięty namiot udawał. Celnik myślał, że śledzie i siatka przeciw komarom. Ha, ha, ha. Nie ma celnika na Poleszuka! Tadzik był techniczny, a ja od spraw artystycznych, zgrany duet, wszystko na cztery ręce, razem, po męsku. Ramię w ramię, ja i Tadzik. Chrostowski, Skoczylas. Albo Grabiński! Ten nam wychodził jak spod igły.

– Kopiowaliście grafiki?

– I to jak! Ale nie kopiowali, tylko twórczo przerabiali. Tu kotka się dodało, tam ptaszka. Ha, ha. Szwajcarzy brali i pewni byli, że oryginały, bo podpis i tak dalej. Grabińskiego robiliśmy głównie, ale zdarzało mi się na boku mały szkic Kossaka czy nawet portrecik Witkacego. Zwłaszcza po alkoholu. Ha, ha, ha. Ja za młodu nie takich rzeczy próbowałem! Fantazja ułańska.

– Rzeczywiście – przyznałam – ułańska.

– Pieniądz nosem czuliśmy i szliśmy za zapachem jak dwa charty, jak dwa lwy młode. Ja i Tadzik. Do drzwi pukaliśmy i swoją śpiewkę, że studenci akademii sztuk pięknych, na sprzedaż mamy takie wyjątkowe dzieło. Pamiątka po babci staruszce, po Żydach z Krakowa, spod gruzów Warszawy.

– Fascynujące – przyznałam.

– Ha! Raz idziemy w Zurychu, patrzymy, apartamentowiec na wysoki połysk, a cieć w drzwiach stoi w liberii i patrzy na nas krzywo. Udajemy, że my nic, tak sobie spacerujemy, ale widzę, że od tyłu samochód dostawczy zajeżdża, i Tadzika szturcham. Tadzik mówi: „dobra nasza" i walimy na pewniaka wejściem od tyłu, że niby my dostawcy z przesyłką. Zawsze dawali się nabrać, wystarczyło legitymacją studencką machnąć. Ha, ha. Szwajcarzy! Od dołu zaczęliśmy, ale jakoś kiepsko. Tu czarna służąca, że państwa nie ma w domu, tam głucha staruszka. To coś mnie tknęło i mówię: „od góry, Tadzik, polećmy". I tu będzie najlepsze. – Wzniesiony palec Poleszuka nakazał mi uwagę. – Jak nam facet otworzył, to od razu wiedziałem, że skądś go znam. Wysoki, przystojny, ciemny. Męski, a nie jak teraz. Gadamy swoje, że grafikę mamy na sprzedaż, a on nas do środka zaprasza „wejdźcie, panowie. Napijecie się?". No jak. Co my, chorzy jesteśmy? Idzie do barku, liskacza polewa, singlemolt czterdziestoletni, a my stoimy i patrzymy. Normalnie pałac. Marmury i kryształy, złocenia, skórzane kanapy na całą ścianę, broń palna i biała, pod kominkiem skóra tygrysa. A na ścianach Picasso, Modigliani, ze trzy Kossaki. I portrety gospodarza, wielkie. W mundurze, epolety, ten tego, ordery, na koniu. A koń arab krwi najczystszej, czarny. Wtedy go rozpoznałem. Nie zgadnie pani! – Marian Waszkiewicz patrzył na mnie szelmowsko, oczy mu lśniły.

– Nie zgadnę – przyznałam.

Zawiesił głos, odłożył fajkę.

– Omar Sharif! Wszystkie grafiki, jakie mieliśmy, kupił i mówi: „jak będziecie znów w Zurichu, wpadajcie, chłopaki. *Du und du Freunde sind".* Ale potem był stan wojenny – westchnął Marian Waszkiewicz – i skończyło się. Ja się czasem tylko tak zastanawiam, czy Omar mnie pamięta?

– Po studiach trafił pan do Wałbrzycha i w końcu został dyrektorem Aniołka – naprowadziłam rozmówcę na nowy tor.

– Nazwę sam wymyśliłem. Znaczy aniołka, bo dzieci stąd pomocy z nieba potrzebują. One rzadko prawdziwe sieroty. Ani tak, ani siak. Zanim się prawa rodzicom odbierze, dzieciak się robi za stary do adopcji i zostaje tu do końca. Czterolatek już jest przeterminowany i nie ma wielkich szans. Wszyscy chcą małe, żeby nie pamiętały.

– A Kalinka Jakubek? Nikt jej nie chciał?

Marian Waszkiewicz popatrzył na mnie czujnie, badał, czy można mi zaufać.

– Ja mam swoją teorię – powiedział w końcu.

– Jaką?

– Że oni biorą tylko złe dzieci.

– Oni?

– Porywacze.

– Jakie dzieci są złe?

– Te ze złego gniazda. Postudiowałem, pogłówkowałem. – Znacząco postukał się palcem w skroń. – Ale pani tego nie puści bez autoryzacji?

– Nie. Proszę powiedzieć, co pan wydedukował.

– Tak między nami?

– Między nami – wyłączyłam dyktafon.

– Tamta dziewczynka z Nowego Miasta. Ta mała Mizera.

– Andżelika Mizera – podpowiedziałam.

– Andżelika Mizera. Z tych Mizerów, co to już czworo tu miałem. Pijaki, dziwki, nieroby i złodzieje.

– Wszyscy?

– A kto ich wszystkich zliczy? Ha, ha. Dzieciaki Mizerów tu trafiają, potem idą do domu i znów wracają, bo co to za domy. Syf, kiła i mogiła. Jeden Mizera za współudział w morderstwie siedzi, kuzyn matki tej małej był sądzony za gwałt, wyszedł i od razu ukradł samochód, inna Mizera ostatnio tak zapiła, że nago wlazła na kopalniany szyb, „motylem jestem", wrzasnęła, i skoczyła.

Szóstkę zostawiła. Dwoje do nas przyszło, resztę rozparcelowali, gdzie były miejsca. Mnożą się jak króliki, nie wiadomo kto z kim. Moim zdaniem na tym problem w Polsce polega, że nie ci mają dzieci co trzeba. Inteligencja jedno, góra dwoje, a chamy tuzin. Pani na przykład ma dzieci?

– Nie.

– Ha! Zresztą podobny problem jest z imigrantami. Do Polski to jeszcze na szczęście nie doszło, tylko Cyganów mamy, paru Wietnamczyków, ale jak pani spojrzy na Anglię, Niemcy.

– Nie lubi pan obcych?

– Nie ma tam, że lubię czy nie lubię, ale jak Poleszuk pani powiem, że w orlim gnieździe nie mam miejsca dla srok czy wróbli. Skoro przy ptaszkach jesteśmy, ha, ha, ha, ten nasz Jerzy Łabędź w jednym ma rację, że trzeba Polskę naszą oczyścić z błota. Z błota wszelkiego.

– Na przykład?

– Ja bym na przykład chciał, żeby domy dziecka w ogóle nie były potrzebne. Taka matka Andżeliki Mizery. Nie chcę się przy pięknej kobiecie wyrażać, ale każde z innym, zero kultury. To co ona jest? W Polsce z piątym żywiołem do czynienia miałem, rzekł Napoleon, z błotem. Państwo powinno tak działać, żeby takim rzeczom zapobiegać.

– W jaki sposób?

– W jaki? Są metody, żeby tyle dzieci nie mieć. Dwoje ma nie wiadomo z kim, chleje, nie pracuje? Wysterylizować. Przyciąć kobitce co trzeba i wtedy niech sobie bryka.

– Bez pytania jej o zdanie?

– A myśli pani, że taki głąb zrozumie? Pani wie, jakie dzieci tu trafiają?

– Jakie?

– Połamane! Skleja się je do kupy, ale czasem nie wychodzi, bo brakuje części, i co się sklei, w cholerę się na drugi dzień rozwala.

Bo dzieciak jest zepsuty jak rozdeptana zabawka. Są takie, które raz wystarczy zbić i zostaje pęknięcie, a tu dzieci mają ślady po takim biciu, że jak widzę, to myślę „gnoju, gdybyś ty do mnie tak skoczył, tobyś zobaczył, jak bicie po polesku wygląda". Jeszcze jak Tadzik żył, nieraz miałem chęć dorwać z nim jednego czy drugiego. Tyle lat, a ciągle mnie szlag trafia. Nieraz mnie ręka świerzbiła, ale nigdy swojego nie uderzyłem. Jak ojciec dyscypliny bez bicia nie umie utrzymać, to dupa z niego nie ojciec, pani wybaczy, że znów po łacinie.

Mimo woli uśmiechnęłam się do tego smutnego i niezbyt mądrego mężczyzny, który zaperzony pykał fajkę i wydmuchiwał dym w spiżowe ucho Piłsudskiego. Krew wypełniła jego obwisłe policzki i bałam się, żeby nie dostał udaru.

– Uderzyłaby pani dziecko?

– Nigdy.

– Ha! – Teraz on uśmiechnął się do mnie i w tym uśmiechu zobaczyłam chłopaka zawadiakę, jakim był kiedyś. Z Mariana Waszkiewicza powoli schodziła złość, jego kolor wracał do normy.

– A co z rodzicami Kalinki Jakubek?

Popatrzył na mnie tak, jakby wynurzał się spod wody. Pragnienie opowiedzenia historii znów ożywiło jego oczy i zrozumiałam, jaką radość musiało mu sprawiać wmawianie naiwnym mieszkańcom Szwajcarii tych wszystkich bajek o Kossakach i Witkacych.

– A więc pani nie wie. – Czekałam, a on patrzył na moje uszy i w końcu nie wytrzymał. – Kalinka Jakubek to moje dzieło. Dałem jej nowe życie, nowe nazwisko. Kalinka po jednej krasawicy, Jakubek, bo w świętego Jakuba przyszła na świat. Ja tam zbyt kościelny nie jestem, ale co tradycja, to tradycja, wigilia, jajeczka. Chamstwu się we łbach poprzewracało i myślą, że jak dadzą na imię Nikola, to im słoma z butów przestanie wystawać. Żal mi było tej Nikoli.

Opowieść dyrektora
Domu Dziecka „Aniołek"

Ona była z Aniołka. Ada. Ada Ryba. Późno trafiła. Ośmioletnia dziewczynka za dużo pamięta. Nie wymaże się. Zna pani Dziećmorowice? Dziura, wiatr hula jak w Kieleckiem po dożynkach. Ada mieszkała tam w poniemieckiej ruderze z rodzicami i bratem Adamem. Podobno jej matka była Cyganką, którą swoi pogonili, bo się z gadziem zadała. Ryba był nikim. Wspólne życie zaczęli od tego, że przehulali pole, które rodzice Ryby mu zostawili. Podobno jeszcze przed ślubem ją prał. Lubiła baba być bita. Po wsi latała z łbem rozwalonym, a potem wracała do męża po więcej. Chłop póki ziemię ma, konia, to jeszcze, pani powiem. Ale jak zostanie bez roboty w polu, jak ten Ryba, to się zmienia w zwierzę. Dzicz wrodzona z niego wychodzi.

Dzieci sobie zrobili troje, ale najmłodsze im się utopiło któregoś lata na gliniankach. Ryby byli zawsze tak ubzdryngoleni, że nie wiem, czy to w ogóle do nich dotarło, że o jedno dziecko mniej mają. Rano, zanim siku poszli, najpierw setkę walili na rozruch, bo inaczej żadne by nie znalazło kibla ani nie zgadło, co tam ma do czego. Ha, ha. Ada była wtedy z tym małym, co się utopił, i potem jąkać się zaczęła. Próbowała ratować, ale nie umiała pływać, cud, że ją wędkarze spod wody za warkocz wyciągnęli. Taki gruby ciemny warkocz miała, niedzisiejszy. Niby dochodzenie robili, ale po łebkach, i Rybom nie odebrali wtedy dzieci. Żyli z tego, co wyżebrali z opieki czy z kościoła. Czasem coś dostali ze szmateksu, który założyła na wsi jedna obrotna babka. Szmateks Kup Ciuszek, do tej pory jest. Opowiadała potem dziennikarzom, że Ada i Adam czasem do niej przychodzili. Zawsze razem. Pomagali jej sortować towar i siedzieli sobie w cieple. Do domu im się nie spieszyło, bo co to za dom. Ryba tłukł żonę tym, co miał pod ręką, aż zęby z podłogi zbierała. Do końca pazury nosiła wymalowane na czerwono i farbowała się na rudo.

W końcu tak przywalił swojej ślubnej, że trafiła do szpitala z pękniętą czaszką i połamanymi żebrami. Lekarze policję wezwali. „Ze schodów spadłam", powiedziała, jak pytali, skąd takie obrażenia. „Jak ze schodów, jak chałupę masz, babo durna, parterową?". „Tak wyszło, że jednak spadłam". „Chcesz, babo, oskarżenie wnieść?". „Że co?". „Że gówno. Chcesz, żeby ten, co cię tak urządził, poszedł siedzieć?".

Jak wiązankę cygańską rzuciła, to uszy zwiędły. Od znajomego lekarza wszystko wiedziałem, bo też syn Poleszuka, zgrywus straszny, i się przy kieliszeczku nieraz spotykamy.

Ryba został sam w domu z dzieciakami. Ada miała siedem lat, Adam sześć. Chłop jestem, co ma swój wiek, choć się trzymam, Bogu dzięki, ha, ale są rzeczy, o których mówić mi trudno. I to jeszcze kobiecie. Mężczyzna z mężczyzną to zawsze jakoś bardziej. Mam mówić, jakbym sobie opowiadał? Że potrafię opowiadać? Że z talentem? Miało się kiedyś gadane, ja i Tadzik, nie powiem. Ha. A więc. Jak żona leżała w szpitalu, Ryba zaczął się dobierać do dzieci. Znaczy molestować, jak to się mówi. Dzieci. Gwałcić. Oboje. Ja wiem, że i to, i to jest złe, ale. Ale gdyby dziewczynkę tylko, to jeszcze jakoś bym. Zrozumiał. Że się głąbowi uchlanemu jagodzianką na kościach dziewuszka z babą pomyliła. Ale oboje? Robił to. Ja nie chcę myśleć jak, chociaż czasem się samo. Taki byk i małe dzieci. Nie. Normalny człowiek ma szlaban w głowie. I może go zamknąć. Ma normalny człowiek szlaban i dróżnika. Pociąg jedzie, to dróżnik zamyka szlaban i nie ma katastrofy. Pani ma? Właśnie. A Ryba nie miał. Krowie gie, za przeproszeniem, zamiast mózgu mu we łbie chlupotało. Dorosły chłop i dwa pędraki. Sześć i siedem lat. Ledwie to od ziemi odrosło. Jak mój Mareczek miał sześć lat, to spod maminej spódnicy nie wychodził. Wychuchany, wydmuchany.

Badali Adę i Adama Rybów po wszystkim. Rozerwane krocze, uszkodzona szyjka macicy, blizny, poraniony odbyt. Zachciewało mu się zabaw jak z niemieckiego pornosa. Kiedyś, jak chłopa przypiliło, to szedł do obory albo kurnika. Za przeproszeniem. Zniszczył dzieciaki. Wiem, jak pani na mnie popatrzy zaraz, bo pani jest jeszcze młoda, życia tak nie zna, ale ja bym takie ścierwo jak Ryba powiesił. Powiesiłbym własnymi rękoma i powieka by mi nie drgnęła. Na latarni! Ja, widzi pani, zawsze chcę zrozumieć, jak dziecko coś zbroi, jak po raz setny przysięga, że już nigdy, a potem i tak ukradnie, próbuję zrozumieć gówniarza, choć mnie szlag trafia, ale w takiej sytuacji? Moim zdaniem, taki Ryba stracił prawo do tego, by go próbować zrozumieć. Jak gówno śmierdzi, to tu nic do rozumienia nie ma, tylko trzeba posprzątać. Na rozumienie niektórych czasu i pieniędzy szkoda. Takie pieniądze na procesy, adwokatów można by lepiej wykorzystać, z pożytkiem konkretnym. Tu mam kilka dzieciaków, które potrzebują mieszkań, jak stąd wyjdą, bo inaczej skończą w melinie albo na ulicy. Stryczek, oto co powinno być dla takich śmieci w zdrowym społeczeństwie. To jest prawo, to jest sprawiedliwość. To jest, proszę pani, stary testament. I prawo Hammurabiego, bo kiedyś to ludzie mądrość mieli, moralność w sobie, a potem przez media, komputery potracili.

Matka Ady i Adama powinna zawisnąć obok męża dla towarzystwa. Durna Cyganicha! Już po paru dniach od powrotu ze szpitala widziano ją we wsi z podbitym okiem, gdy jak zwykle żebrała o kredyt w sklepiku. Chodziła o kuli i miała ciągle kołnierz ortopedyczny na szyi, ale chlać nie przestała. Zawsze na dzieci podbierała. „Dzieci głodne, pan da chociaż na chleb, na mleko", zawodziła, a jak dostała parę groszy, przechlewała. Stary nie przestał krzywdzić dzieci po jej powrocie. Wykopywał ją do drugiego pokoju i zamykał się z nimi w sypialni. Psycholog ich pytał potem i ja rozmawiałem z Adą, gdy już trafiła do nas. „A gdzie była wtedy mama?". „W drugim pokoju". „Co robiła?". „Spała albo śpiewała". „Śpiewała?". „Z magnetofonem śpiewała *szeri, szeri". Szeri, szeri!* Śpiewała sobie, gdy stary gwałcił dzieci. Dla mnie to, że ona nic, jest jeszcze gorsze niż to, co robił Ryba. Bo mężczyzna ma tę agresję w sobie. Mózg inaczej zbudowany, większy, dzikszy.

Ada i Adam przestali prawie chodzić do szkoły i w końcu ktoś się obudził, ale za późno. Była tam młoda nauczycielka na praktykach. Jeszcze jej się chciało, jeszcze myślała, że świat zmieni, bo inni, jak potem ich pytali, to mówili, ano nie chodziły, ale potem przychodziły, dużo tu mamy takich rodzin. Nie ma środków, nie ma mocy przerobowych, nie ma tego i tamtego. Do Rybów nauczycielki bały się chodzić, bo Ryba brał się do macania, a jego żona potrafiła tak bluzgnąć, że człowiek czuł się jak opluty. Ta młoda jednak poszła. Pamiętam, że Viola miała na imię, czarnulka taka elegancka, Cyganeczka. Nie wpuścili jej, ale coś musiała zobaczyć przez okno, bo poleciała na policję. Akurat śledzika na komendzie mieli i kazali jej złożyć oficjalną skargę, zamiast ruszyć dupę i zobaczyć, co tam się dzieje. Bo kto idzie do policji? Nie wie pani? Chłopskie dzieci, zawsze tak było. Leniwe przygłupy. Ale żeby z pałą skoczyć do człowieka, to proszę bardzo. U mnie w rodzinie, proszę pani, sami powstańcy, o wolność bojownicy z dziada pradziada. We krwi to mamy, koniki, szabelki, miłość do ojczyzny. Ja, proszę pani, byłem w Solidarności, jeszcze na studiach z Tadzikiem się wdawaliśmy w takie sprawy, że.

Przyszła akurat zima taka, że do Dziećmorowic przez parę dni autobusy nie dojeżdżały, a chałupę Rybów zasypało do połowy okna. Wtedy to się stało. I nigdy się już wszystkiego nie dowiemy. Z tych kawałków, które zostały, pani opowiadam. Ale tak naprawdę opowiadam też Kalince, bo czy chcę, czy nie, to jej historia. W tym domu w śniegu zakopanym urządzili sobie Ryby libację w samą Wigilię, z tym że ani choinki, ani opłatka nie było. Pokłócili się. I stary Ryba w końcu tak przyłożył żonie, że wyrżnęła tym farbowanym cygańskim łbem o róg stołu. Już się nie podniosła. Człowiek by się łudził, że w końcu stanęła w obronie dzieci, ale pokłócili się o butelkę wina patykiem pisanego. „Co słyszałeś, co widziałeś?", pytali Adama, bo zaraz po tym wszystkim Ada przestała mówić. „Jak mama krzyczy do taty". „Co?". „Oddaj, kurwa, wino!". „A tata? Co tata mówił? Co robił?". „Zajebię cię, kurwa! I butelką machał".

Może rąbnął ją właśnie tą pustą butelką po winie. *Jakie życie, taka śmierć, nie dziwi nic.* Zna pani tę piosenkę? Leżała martwa albo konająca w potłuczonym szkle i innym syfie, a stary poszedł do dzieci. Ja nie wiem, gdzie wtedy był Bóg, może na wczasy *last minute* wyskoczył do Egiptu, ale na pewno nie było go w Dziećmorowicach. Pani Alicjo? Czy pani jest wierząca? Nie? To może pani łatwiej, bo tylko do człowieka wtedy ma się pretensje. A człowiek człowiekowi wilkiem. Ja do kościoła to od święta, ale jednak, że jakaś siła wyższa jest, wierzę. I w tradycję wierzę. Czy pani się nie obrazi, jeśli zaproponuję kieliszeczek nalewki? Własnej roboty. Jeszcze od Tadzika przepis. Stara poleska nalewka. To napijmy się, jak tradycja nakazuje. Smakuje? Ha. To na drugą nóżkę.

Stary Ryba zasnął po wszystkim i. Jedno jest pewne. Już się nie obudził. Ja ciągle staram się jakoś to sobie wytłumaczyć. Wyobrazić. Jako artysta amator wyobraźnię mam dużą, ale. Na stole w pokoju, gdzie leżała matka, był nóż. Adam go wziął. Takie noże ciągle są w wałbrzyskich domach. Poniemieckie. Solidne. I Adam wziął ten nóż. Albo Ada. Żadne z nich nie powiedziało

„to ja". Żadne nie powiedziało „to nie ja". Dzieci zwykle obwiniają jedno drugie. Skrzywdzone dzieci nie są odważne i prawdomówne. Tak to działa. Ani Ada, ani Adam nie pokazywali palcem, to on, to ona. Żadne się nie przyznało. Ryba był podziabany jak rzeszoto, a te dwa maluchy wparowały na pasterkę do kościoła w Dziećmorowicach całe ubabrane w krwi.

Przesłuchiwali ich osobno. Dwie psycholog przyjechały z Wrocławia. Takie panny mądralińskie, a brzydkie jak noc listopadowa. Zeznania Ady i Adama różniły się w szczegółach co do tego, co działo się przed zamordowaniem ich ojca. Ale w jednym były zgodne. „Wzięłyście nóż?". „Nie". „To kto zabił waszego tatę?". „Mikołaj w czerwonych butach".

Dobrze pani słyszała. Święty Mikołaj. Jak wszedł? W okno zastukał, to go wpuściły. Może gdyby Święty Mikołaj takimi rzeczami się zajmował, więcej by z tego pożytku było niż z prezentów.

Co zrobić z kilkuletnimi mordercami? Nikt nie wiedział. Bo dziecko i morderca to jak pięść do nosa. Jak kobieta gwałcicielka albo ministerka. Nie pasuje. Podumali, pogadali i wymyślili, że najlepiej będzie dzieci rozdzielić i zatrzeć ich przeszłość. Że niby rozdzielone szybciej zapomną. Ada trafiła do nas. Ośmiolatka chuda jak z Oświęcimia. Stroszek taki. Przez pierwsze tygodnie nie mówiła w ogóle, ale też nie płakała i nie sprawiała kłopotów. Zatrzaśnięta. Trzymała się na uboczu, nie miała przyjaciółki. A tu przyjaźnie zastępują rodzinę i nieraz trzeba dziewczynki rozdzielać, bo wie pani, co się dzieje, jak zaczynają dojrzewać. Gdy Ada zaczęła mówić, jąkała się i miała przez to kłopoty w szkole, ale nie była głupia. Dziwnie się jąkała. Parę zdań mówiła normalnie, ale szybko, jakby się bała, że nie zdąży, i nagle znów się zacinała. Raz uciekła, ale zaraz ją znaleźli i nam odstawili. Na dworcu siedziała. Potem już nie próbowała. Lubiła czytać. Ciągle z nosem w książce. To kiedyś mówię „Ada, może byś młodszym poczytała bajki? Spróbujesz?". Pokiwała głową. Okazało się, że jak czyta dzieciom, to nie jąka się wcale. Mogła tak godzinami. Zimą w świetlicy, latem na dworze. Ciemny gruby warkocz miała, mówiłem?

Jak wąż. Czasem dziewczynki bawiły się tym jej warkoczem. Ciągnęły, rozplatały, zaplatały, a ta ani drgnęła. Cierpliwa. Myślałem nawet, że do roboty mogłaby się tu zatrudnić po maturze. Trzecie liceum na Sobięcinie skończyła. Ten sam rocznik co mój syn. Tylko Mareczek chodził do biologiczno-chemicznej, bo marzyło mi się, że lekarzem zostanie. Ona do ogólnej. Liceum stoi tak blisko kopalni, że jak otwierali okna, to zeszyty były czarne od węglowego pyłu. Ja myślę, że może przez ten pył i zanieczyszczenia, przez Czarnobyl choroby młodzieży naszej się biorą. Gdyby Ada, czy, dajmy na to, mój Mareczek na Polesiu się wychowali, to. Ale myślałem, że Adę jednak na ludzi wyprowadziłem. Dumny z niej byłem. Sam przed sobą się do tego nie przyznawałem, ale w głębi serca chciałem, żeby była niewinna. Żeby to jej brat starego zadziabał, nie ona. Ryba zasłużył sobie na to, co go spotkało, ale jednak. Krew na rękach. I to jeszcze u dziewczynki.

Myślałem, że Ada mi ufa, ale człowiek w tym zawodzie wie, że na wiele wdzięczności nie może liczyć. Ada się przyczaiła. Czekała, kiedy będzie mogła legalnie ruszyć w Polskę, żeby znaleźć brata. Tylko na tym jej zależało. Przez te dziesięć lat, co z nami była, myślała o jednym. Żeby znaleźć Adama. Dopiero przy malowaniu sal znaleźliśmy jej zeszyt za szafą ukryty. Na rysunkach ona i brat. Ada i Adam. Adam i Ada. Dziwne rysunki, straszne. Gdy stała się pełnoletnia, spakowała, co tam miała najważniejszego, i nawet się nie pożegnała. Dziewczyny tylko mi mówiły, że do fryzjera poszła i warkocz obcięła. Pięć lat jej to zajęło, ale znalazła Adama. W Radomsku. Podróżowała stopem, na gapę, piechotą, jak się dało. Z miasta do miasta. Z wioski do wioski. Pracowała, kradła, puszczała się. Ludzie, którzy ją po drodze spotkali, nie zauważyli niczego szczególnego. Skryta, małomówna. Do tego miasteczka podrzucił ją kierowca, który miał jechać do Częstochowy, ale coś mu wypadło po drodze. Adam mieszkał w Radomsku. Wychowywał się w rodzinie zastępczej pod zmienionym nazwiskiem. Ciął się i uciekał, ale go okiełznali. Szkoły pokończył i został optykiem. Założył rodzinę jak normalny mężczyzna. Ożenił się. Zakład przejął po teściu. Okulary ludziom robił, dobierał oprawki. Tak mogło zostać.

Weszła tam, jakby coś ją wciągnęło. Zaczęli rozmawiać. „O czym rozmawialiście?", zapytali w sądzie Adama. „O motylach". „Motylach?".

Paź królowej siedział na szybie zakładu i Ada zapytała, czy jest żywy. „Żywy", powiedział Adam. „Męczy się", powiedziała ona. „Dlaczego?". „Bo nie może odlecieć". Delikatnie chwyciła motyla i wypuściła na zewnątrz, gdzie pewnie zaraz skończył przylepiony do szyby samochodu. Ona go od razu poznała. On nie. „Czy oskarżony wiedział, że to jego siostra?". „Nie". „A więc oskarżony nie rozpoznał jej?". „Coś rozpoznałem, jak weszła, ale nie wiedziałem, że to moja siostra". „A potem?". „Potem tak".

Adam zostawił żonę i zakład optyczny. Całe to normalne życie. Radomsko. Wrócił z Adą do Dziećmorowic. Do zamkniętej od piętnastu lat i zdemolowanej chałupy po rodzicach. Któregoś wieczoru ludzie zobaczyli, że pali się światło, a na drugi dzień Ada poszła do sklepu po zakupy. Wszyscy we wsi mówili, że była podobna do swojej matki. Na rudo farbowana, zaniedbana, ale usta zawsze na czerwono. I że Adam nie był podobny do nikogo. Plotkowano, ludzie czuli, że coś jest nie tak, ale Adam miał dokumenty na inne nazwisko. Imię mu zostawili. Adam i Ada. Żyli jak mąż z żoną. Brat z siostrą. Żadne tego nie przerwało, byli niczym ludzie zarażeni jakąś straszną chorobą. Raz widziałem Adę w tym czasie. Jechałem samochodem, ona siedziała w autobusie. Nie poznałem jej w pierwszej chwili, tak się zmieniła. Zauważyła mnie i odwróciła głowę. Jak pomyślę teraz, to mogłem coś zrobić. Pojechać za autobusem, poczekać, aż wysiądzie, i zapytać:

„Ada, co z tobą? Czy ty masz, dziecko, kłopot jakiś?". Ale miałem swoje problemy. Syn studia przerwał, ale co będę pani głowę truł. Wiem o sprawie trochę więcej niż to, co pisali w gazetach. Powęszyłem, popytałem. Człowiek chce zrozumieć, bo jak inaczej żyć? Jak już nic się nie da, to chociaż tyle. Jednego Poleszuka syn w policji karierę robi. Mały Edzio na niego mówimy, chociaż dawno ojca przerósł i gruba ryba z niego. W dzieciństwie cherlak taki, a teraz. Nawet myślałem, że może Mareczka jakoś wkręci, ale. Byłem na rozprawie. „Dlaczego oskarżony zdecydował się porzucić rodzinę i związać z siostrą?". „Związany". „Proszę głośniej!". A ten powtarza: „Byłem związany z siostrą".

Z nikim się nie zadawali, do nikogo nie chodzili ani nikogo nie zapraszali. Pogonili księdza. A właściwie nie oni, tylko Ada. Ona mówiła, Adam milczał. Cichy, spokojny był. Miał zdolności manualne i robił takie ludowe wycinanki, które sprzedawał potem turystom pod Zamkiem Książ. Siedział pod chałupą z nożyczkami. Niemota taka. Kto by pomyślał? Inaczej pili niż stare Ryby. Po cichu. Bez awantur i bicia. Ale pili. Ada zaszła w ciążę. Urodziła dziewczynkę. Zdrową, normalną, ręce dwie, nogi dwie, palce wszystkie, a przecież nawet zwierzęta z takiego czegoś rodzą się zdeformowane. Ale w przypadku człowieka natura zgłupiała. Dali jej na imię Nikola. Imię jak dla psa albo małpy. Pełno teraz takich imion. Dziecko miało sześć tygodni, gdy to się stało.

Adam mówił w sądzie bez ładu i składu: „Chciałem, żeby odeszły". „Kto?". „Oni". „O kim oskarżony mówi? Kim oni są? Proszę podać nazwiska". „Nie znam". „Proszę ich więc opisać". „Oni wchodzą". „Głośniej! Co oni robią?". „Umieją przejść przez ściany, przez ciało. Wchodzą w człowieka i od środka rozszarpują. Mają usta i nos, ale nie mają oczu. Żółte włosy". „O kim oskarżony mówi?". „O nich".

To była jego najdłuższa wypowiedź i obrońca próbował przekonać sąd, że Adam jest niepoczytalny, ale nie dali się nabrać.

Wyśmiali w sądzie te jego zwidy, ale jak księdzu o nich opowiedział, egzorcystę ściągnęli z Wrocławia, bo proboszczowi wyglądało to na opętanie. Nic nie pomogło i Adam ani się nie pokajał, ani nie wytłumaczył, dlaczego zabił swoją siostrę. Udusił ją gołymi rękoma. Potem wykłuł sobie oczy nożyczkami i wybiegł z domu w samych skarpetach. Pędził przez wioskę i doleciał aż pod kościół, ciągle z zakrwawionymi nożyczkami w ręce. Śmiertelnie przeraził grupę niemieckich staruszków, którzy akurat zwiedzali starą część cmentarza. Potknął się, wyrżnął głową w nagrobek i dopiero wtedy się zatrzymał. Pytali go w sądzie: „Dlaczego oskarżony się oślepił?". „Żeby już nigdy nie patrzyć". „Na co oskarżony nie chciał patrzyć?". „Na siebie".

Powiedział policji o tym, co zrobił Adzie, i potwierdziła to sekcja. Została uduszona, przedtem albo potem odbyła stosunek seksualny. Tak było, potwierdził Adam. Nie przyznał się jednak do podpalenia domu. Dostał dwadzieścia lat, posiedział dwa w pojedynczej celi i powiesił się na sznurze z podartego prześcieradła.

Cały dom spłonął, a w zgliszczach znaleziono jedno ciało. Ciało Ady. Nie było tam niemowlęcia. Na zdjęciach w gazecie pokazywali tylko szkielet spalonego wózka. Cały Wałbrzych szukał tego malucha. Paru Cyganom mordy obili z nadgorliwości, ale im akurat nie zaszkodzi. Cuda ludzie gadali. Podejrzewano nawet, że to ci Niemcy, co przyjechali na groby swoich przodków, zabrali małą. Pod Zamkiem Książ obrzucono kamieniami niemiecki autobus. Po trzech dniach ktoś zostawił dziewczynkę w szpitalu położniczym na Nowym Mieście. Była czysta i zdrowa. Zrobiono badania DNA, które potwierdziły, że jest to Nikola Ryba, córka Ady i Adama. Dziwna sprawa, ale miała przy sobie perłę. Zawiązaną na rączce. Trzymam, żeby dać jej, jak dorośnie. Nigdy się nie wyjaśniło, kto i jak ocalił to dziecko.

Kotojady

Gdy wychodziłam z gabinetu dyrektora, minął mnie w korytarzu młody mężczyzna w czerwonym swetrze. A więc to jego widziałam w oknie wieży. Szedł w taki sposób, jakby nie chciał być widziany. Przypominał mi, i to skojarzenie mnie zdumiało, wojennych uciekinierów w Afryce sunących wśród martwych gór. Spojrzałam w twarz mężczyzny, gdy się mijaliśmy, i w tym momencie Maria Waszkiewicz wystrzeliła z oddali jego imię. „Mareczek!!!" odbił się rykoszetem od ścian i uderzył mnie w ucho. Mareczek zatrzymał się jak koń, któremu ktoś ściągnął cugle, i pokłusował w kierunku rodzicielki o potężnym głosie. Zdążyłam zauważyć jego oczy, blade, krótkowzroczne. Brzydki mężczyzna, który w wieku czterdziestu paru lat ciągle będzie określany mianem chłopaka, bo ludzie w ten sposób wyrażą przekonanie, że to niemożliwe, by ta miękka forma była ostateczna. Niepodobny do Mariana Waszkiewicza, przypominał swoją matkę, szeroki w biodrach i otłuszczony, poruszał się niezgrabnie. Rodzaj syna, na którego temat ojcowie tacy jak dyrektor, męscy, męskość lubiący, wzdychają: „ja w jego wieku", bo wydaje im się, że bycie kiedyś w tym samym wieku to jedyna rzecz, jaka może ich łączyć z kimś tak odmiennym. Wzbudził we mnie lekkie współczucie.

Mareczek podbiegł do matki, a ta dotknęła jego twarzy szybkim, nerwowym gestem i przez moment zastanawiałam się, czy to pieszczota, czy policzek. Jego czerwony sweter i jej mięsna garsonka zlewały się w plamę przypominającą zaschniętą krew, stali przede mną zwarci ramionami i udami. Wiedzieli, kim jestem i po co przyszłam, więc zapytałam bez zbędnych wstępów, w jaki sposób dziecko mogło stąd zniknąć. Matka Maria była na początku niechętna.

– Każdy widzi sprawy inaczej. Jestem ciekawa zdania pani. I pana. – Spojrzałam na Mareczka, by sprawdzić, czy zauważył, że próbuję odciąć go od matki, ale nie podniósł twarzy i niemal niedostrzegalne wzruszenie ramion było wszystkim, czego się od niego doczekałam. Za to Maria Waszkiewicz odwzajemniła moje spojrzenie wzrokiem bazyliszka. Westchnęła i wypuściła powietrze gorące jak pod pokrywką gara z zupą. Niewypowiedziane słowa, niespełnione marzenia, bezpowrotnie minione lata zgromadziły się w niej niczym gęsta ciecz w stanie wrzenia, którą od czasu do czasu trzeba odparować, by cała matka Maria nie eksplodowała.

– Jeśli już mam mieć zdanie – powiedziała wyraźnie niezadowolona – to myślę, że porywacz wszedł przez okno. I wywiózł Kalinkę za granicę do adopcji.

– Wszedł po murze na trzecie piętro?

– A co to jest dla wykwalifikowanego porywacza? Na przykład komandosa, który po wojnie nie ma pracy.

– Po jakiej wojnie?

– A mało to wojen? Ja widziałam. – Maria Waszkiewicz łypnęła na mnie i zamilkła znacząco.

– Co pani widziała?

– A kręcił się jeden w krzakach babochłop podejrzany, cały na czarno. – Zmierzyła mnie wzrokiem, może nabrała podejrzenia, że to ja byłam tym babochłopem w krzakach. – A dwóch innych w samochodzie. Cichociemni!

– Cichociemni?

– Okulary ciemne, łby spuszczone, cicha woda!

– Mówiła pani o tym policji?

– Człowiek przez to wszystko jest nieprzytomny. Cicha woda brzegi rwie, głowa mi pęka, gorąc bucha. Takamękazrąkmileci! – Znów westchnęła, trzy razy z rzędu.

Odczekałam, aż wokół nas uspokoi się powietrze.

– Proszę mi opowiedzieć o Kalince. Jaka jest?

– Pupilka pana dyrektora, ciągle u niego siedziała i trajkotała. Lubiła się chować. Lubiła się chować! – powtórzyła Maria Waszkiewicz i szturchnęła syna w bok. – Lubiła się chować, mówię!

– Lubiła – wydukał chłopak.

– Co myśmy się jej naszukali. Kalinka! – ryknęła nagle i przez chwilę miałam wrażenie, że zobaczyła dziewczynkę. – Kalinka! Tak ją wszyscy wołali. A ta nic. Późno zaczęła mówić, ale jak już. Buzia jej się nie zamykała. Pan dyrektor brał ją do gabinetu, a ona trajkotała i trajkotała. Trajkotka! Mówiłam: „Marian, ona cię kiedyś zagada na śmierć". I ciągle z tym swoim wyświechtanym kotem, wszędzie go brała. Właśnie zginął.

– Kot?

– Kot! Pan dyrektor go trzymał u siebie na regale. „Jak Kalinka wróci, to się ucieszy", mówił. Od małego go miała, lubiła kotki. I zginął. Wczoraj czy przedwczoraj. Kiedy, pamiętasz? – Ponownie szturchnęła syna, który pokręcił głową, nie podnosząc wzroku.

– Znalazł się?

– Nie. Diabeł ogonem nakrył.

– O czym lubiła opowiadać Kalinka?

– Tyle dzieci, gdyby wszystkiego słuchać, toby człowiek zgłupiał. – Maria Waszkiewicz wzruszyła ramionami.

– O morzu – wtrącił po raz pierwszy Mareczek.

– Jaką on ma pamięć! – zachwyciła się Maria Waszkiewicz.

– Co Kalinka mówiła o morzu? – zwróciłam się do Mareczka, ale odpowiedziała matka Maria.

– Że chciałaby pojechać nad morze. „Skąd ci, dziecko, morze do głowy przyszło? Przecież nigdy nie widziałaś". „Widziałam!". „Chyba w telewizji". „Nie, w głowie". „I po co chcesz tam jechać? Kąpać się, babki z piasku lepić?". „Też, ale przede wszystkim". Przede wszystkim, takich słów używała. „Przede wszystkim utopić coś pojadę w morzu". Co Kalinka chciała utopić? Mareczek? – Matka Maria dźgnęła łokciem milczącego syna, który nie przestawał przyglądać się czubkom swoich butów. Brudne sportowe buty. Zabłocone.

– Kotojady – powiedział i odchrząknął lepko.

– Kotojady?! – W moich ustach to słowo zabrzmiało inaczej, niżbym chciała, bo usłyszałam w nim własny strach.

– Czego to dzieci nie wymyślą! – prychnęła matka, a syn milczał, pokiwał tylko głową.

– Kotojady – powtórzył, dzieląc wyraz na części miękkie i wilgotne jak zasmarkane chusteczki.

– Bała się ich?

– A czego się miała bać! – oburzyła się Maria Waszkiewicz.

– Trzymała w puszce – powiedział Mareczek. Wyobraziłam sobie bezokie ludziki o żółtych włosach, splątane w piekielne pandemonium z obrazów Boscha, zanim rozum przypomniał mi, że nic takiego jak kotojady nie istnieje w realnym świecie. Mareczek Waszkiewicz w końcu podniósł na mnie oczy. Szare, smutne, ocienione krótkimi jasnymi rzęsami jak wyschłą trzciną. – Chciała je wyzbierać jak stonkę i potem utopić w morzu. Trzymała je w puszce po piernikach.

– Jaką ten chłopak ma pamięć! – matka Maria znów zachwyciła się synem. – Pamięć genialna, słuch absolutny, źli ludzie go zaszczuli. Dlatego przerwać musiał!

Zignorowałam Marię Waszkiewicz i znów zwróciłam się do Mareczka. Nawiązywałam kruche porozumienie ze stworzeniem tak zastraszonym, że jeden błędny ruch i ucieknie albo ugryzie mnie w rękę.

– W czym ma pan przerwę?

– Przerwałem studia.

– Co pan studiował?

– Medycynę.

– Przestała pana interesować? – Zapadła cisza, w której matka gotowała się do następnego ataku. Czułam, że zaraz się wstrzeli, ale Mareczek zdążył.

– Nigdy mnie nie interesowała – wydusił jakby z tryumfem.

– A tam, a tam – wystartowała Maria Waszkiewicz, ale ją zignorowałam.

– Mieszka pan tutaj?

– Dom ma po babci – odpowiedziała za syna matka Maria – ale nie ma jak u mamy. Niemajakumamy! Ugotuje, przyszykuje. Powiedz pani! – zażądała. – Powiedz pani, dlaczego przerwałeś studia.

– Mamuś – jęknął Mareczek.

– Nie ma się czego wstydzić. Nerki! Nerki ma chore. Zapalenia, ropne historie. Kamieni rodzenie. Bolesna męka! Droga krzyżowa. Straszna udręka. – Chłopak wyglądał, jakby tonął, ale matka nie poddawała się. – Teraz Mareczek książkę pisze!

– Książkę? O czym pan pisze?

Mareczek znów podniósł na mnie oczy i zobaczyłam w nich błysk życia.

– Powiedz pani! – zażądała znów matka.

Mężczyzna nabrał śmiałości, wyprostował się odrobinę.

– Taką tam historię. Na faktach opartą, ale dużo dodaję od siebie.

– Z głowy pisze! – poparła syna matka. – Pamięć absolutna, słuch doskonały. Dom ma po babci, ale woli u mamy. Niemajakumamy. Powiedz pani!

Uśmiechnęłam się do tego mężczyzny, którego w każdej innej sytuacji, jak większość kobiet, ominęłabym wzrokiem.

– Taką historię piszę gotycką. Zamek Książ, księżna Daisy, różne historie wałbrzyskie. Z czasów wojny mam wątek, ale głównie dzisiaj, współcześnie. Na dniu dzisiejszym, znaczy, się skupiam.

– Jaki tytuł ma pana książka?

Mareczek popatrzył na mnie oczami jak kałuże, w których nagle odbiło się słońce, a jego matka, która ani na chwilę nie chciała zostać na bocznym torze, znów się wstrzeliła.

– Całe dnie zamknięty pisze. Noce całe twórczej męki, a do mnie na obiadki. Nie ma jak u mamy, cichykątciepłypiec!

– Ma tytuł *Perły księżnej Daisy*. – Mareczek wypowiedział te słowa z budzącą się pychą początkującego pisarza. Jakby nagle wypluł perłę, piękną jak ta, którą dostałam od Babcyjki, i dziwił się, skąd się wzięła w jego miękkim ciele. – A głównym bohaterem jest jeden inspektor, który wszystko rozwikłuje. Konrad Twardowski.

– Co za pomysł. Co za głowa! – zachwyciła się matka Maria. O Kalinie nie dowiedziałam się od nich już niczego.

Gdy wsiadałam do samochodu, usłyszałam kroki. Mareczek. Stał przede mną jeszcze bardziej niezdarny i nijaki w sinym świetle późnego listopada. Ściskał w dłoniach plik kartek oprawiony jak praca magisterska.

– Przeczyta pani?

– Dlaczego chce pan, żebym przeczytała?

– Chciałbym opublikować.

– Powinien pan ją wysłać do jakiegoś wydawnictwa.

– Wysłałem.

– I?

– Nie chcieli. Nie odpowiedzieli.

– Niech pan wyśle do innych.

– Wysłałem do sześciu.

– Nie jestem wydawczynią, tylko reporterką.

– Z Warszawy – dodał Marek.

– Jestem też stąd. Jak pan.

– Ale pani wyjechała – rzucił oskarżycielsko, trzymał teraz tę swoją książkę jak piłkarz zasłaniający krocze. Pomyślałam o jego chorych nerkach, kamieni rodzeniu, o przerwie w studiach, których sam nie wybrał i na które nigdy nie wróci. Policzyłam w myśli, że jest niewiele młodszy ode mnie. Wzięłam od niego *Perły księżnej Daisy*.

Wrzuciłam manuskrypt na tylne siedzenie i w lusterku jeszcze raz popatrzyłam na Dom Dziecka „Aniołek", z którego znikła czarnooka dziewczynka. Mareczek wciąż stał przy bramie, a bez książki wydawał się opuszczony jak dzieci, z którymi wychowywała się Kalinka Jakubek. Gdy zatrzymałam się na światłach, znów nieproszone przemówiło radio, z którego zapiszczała Kurwamina, jakby wyczuła moje zmęczenie i słabość. „Wizjaszczynasbezczci! Synówordwrażanamszcześci!". Mówiła na temat szkodliwego wpływu telewizji, jak się po chwili okazało.

– To naprawdę niszczy nasze dzieci. Zwłaszcza dzieci płci męskiej żyją w nieustannym zagrożeniu.

– Proszę nam opowiedzieć o tym zagrożeniu – poprosiła dziennikarka takim tonem, jakby chciała od Kurwaminy przepis na sernik.

Ta tylko na to czekała.

– Te wszystkie obrazy, że tak się delikatnie wyrażę, obrazy kobiet półnagich czy wręcz nagich, całkowicie uwłaczają ludzkiej godności. To jest szczególne zagrożenie dla chłopców, synów naszych. I z tego, co się orientuję, to właśnie szczególnie chłopcy takie obrazy będą mieli w sobie do końca życia, i będą się one czasem odzywały po prostu.

– Co możemy zrobić, by chronić nasze dzieci? – Dziennikarka miała sztuczny głos kogoś, kto dopiero uczy się swojego fachu i jest przekonany o jego ważności. Takie pytania Kurwamina lubiła.

– Ja ratunek widzę w tym, żeby powstała przeciwwaga dla takich obrazów i przyciągała młodzież swoją prawdziwością. Jak na przykład figura Matki Boskiej Bolesnej z widzenia Jana Kołka.

– Czy figura w naszym rynku coś zaradzi? – Dziennikarka chyba miała wątpliwości.

– Przepraszam bardzo! – obruszyła się Kurwamina. – Ja słucham głosu Matki Boskiej Bolesnej, który do mnie osobiście jest skierowany. Nigdy mnie ten głos nie zawiódł. Wprost przeciwnie. Gdy raz go zlekceważyłam, obróciło się to przeciwko mnie w sposób bardzo okrutny. – Zawiesiła głos, a dziennikarka wstrzeliła się z „jaki?". – Bez zapytania Matki Boskiej Bolesnej o zdanie kupiłam mieszkanie, a gdy usłyszałam jej zdecydowane „nie", było już za późno na wycofanie się z umowy. Czy to nie wytarczający dowód?

– Straszne – skwitowała dziennikarka.

– Teraz mam z tym wielki problem, proszę pani.

Ruszyłam na zielonym, radio czknęło i Kurwamina umilkła, czknęło jeszcze raz i zapiszczała: „szambardzosięmękitymszkaniemzaszczy", by zamknąć się na dobre. Miałam dość.

Gdy usiadłam przy kuchennym stole w towarzystwie rudego Hansa z NRD, uświadomiłam sobie, że właściwie mogłabym już ruszać do Warszawy, bo zgromadziłam wystarczającą ilość materiału. Napiszę reportaż o trojgu zaginionych dzieciach, odpocznę przez kilka dni i znajdę nowy temat. Przez jakiś czas będę pamiętała o Marcinie, ale po paru miesiącach stanie się ulotnym wspomnieniem, jednym z duchów z węglowego pyłu i łez. Nie było wielkich słów ani obietnic. Nic nie jesteśmy sobie winni, nawet pożegnania. Celestyna też zrozumie. Podekscytowała mnie myśl, że wkrótce zostawię to wszystko za sobą, że ciągle mogę to zrobić. Czas w drogę! Spakowałam torbę i postanowiłam pojechać na parking, gdzie pracował pan Albert. Jemu muszę powiedzieć „do widzenia", nie wiadomo, czy jeszcze się kiedyś zobaczymy. Wciąż padał śnieg, tak gęsty, że utrudniał oddech, ale ja poczułam się lżejsza i prawie radosna, bo opuszczanie różnych miejsc zawsze wychodziło mi lepiej niż zostawanie czy wracanie.

Zatrzymałam się przy małym sklepie spożywczym na ulicy Wrocławskiej i zrobiłam zakupy. Pamiętałam, że pan Albert lubi ogórki kiszone, i gdy sprzedawczyni wyjęła je z beczki, ostry zapach przypomniał mi dni dzieciństwa spędzone w palmiarni. Podczas przerwy obiadowej pan Albert wyciągał bochenek chleba i kroił równe kromki. Rozkładał je na gazecie i smarował kiełbasą pasztetową albo smalcem, a potem układał na nich talarki ogórków i ozdabiał je piórkami cebuli. Pamięć to dziwna rzecz, skoro zapach czegoś, czego nie lubię i od lat nie jem, może obudzić głód. Wydawało mi się, że młoda kobieta za ladą, farbowana na rudo i z marchewkową pomadką na ustach, patrzy na mnie z wyrzutem. „Za mało!", oświadczyła i dorzuciła samowolnie kilka ogórków, a ja miałam wrażenie, że to „mało" odnosi się do czegoś innego. Z wałówką przenikliwie pachnącą czosnkiem ruszyłam na Podzamcze, gdzie między dwoma gigantycznymi domami z wielkiej płyty był parking pana Alberta.

To osiedle u stóp Zamku Książ, sąsiadujące z naszym starym Szczawienkiem, zaczęto budować dopiero w połowie lat siedemdziesiątych i poznałam je już po śmierci Ewy. Przez jakiś czas, zbyt krótki i smutny, bym go dobrze zapamiętała, przyjeżdżałam tu na lekcje gry na pianinie, na które namówiła mojego ojca szkolna pedagog, przejęta moim losem niedobitka. Nauczycielka muzyki mieszkała na dziesiątym piętrze w dziesięciopiętrowym bloku przy ulicy Basztowej, ona i pianino w jednym pokoju, w drugim jej syn inwalida. Zawsze gdy przychodziłam, kobieta szybko zamykała drzwi, a we mnie jej gest budził ciekawość i jednocześnie pragnienie ucieczki. Tylko raz udało mi się zobaczyć leżącego w łóżku otyłego chłopaka z głową jak piłka lekarska. Nie miałam ani chęci, ani talentu do gry na pianinie, a za każdym razem, gdy moje niewprawne palce uderzały w klawisze, nauczycielka krzywiła się i podskakiwała zaskoczona, że instrument ten może wydawać tak paskudne dźwięki. Po kilku próbach zrezygnowałam z lekcji bez żalu, a ojciec i tak zaraz zapomniał, że zobowiązał się za nie płacić. Nigdy potem nie byłam na Podzamczu. Jechałam powoli w kanionie między monstrualnymi budynkami. Na tym osiedlu z wielkiej płyty stłoczono ponad trzydzieści tysięcy ludzi. Podzamcze to jeden z najgęściej zaludnionych kawałków Polski, ale ludzie, którzy trafili tu przed laty, na ogół nie mogli sami zdecydować, jaki kawałek, gdzie i jak gęsto chcą zaludnić.

Budkę pana Alberta na osiedlowym parkingu dostrzegłam z daleka. Wysoka, pomalowana na biało konstrukcja ze stromymi schodami i przeszkloną kopułą wznosiła się ponad rzędami zaparkowanych aut jak latarnia morska. Widziałam za szybą głowę pana Alberta w nieodłącznej pilotce, jego ciemną pomarszczoną twarz. Ucieszył się na mój widok. W środku było krzesło i stołek, na oparciu krzesła pieczątka: Bar mleczny „Społem", jeszcze koślawa skrzynka nakryta ceratą w owocowy wzór, tak wytarty, że pomarańcze i banany wyglądały jak pokryte szronem. Garnuszek z grzałką, dwie musztardówki, starodawny grzejnik elektryczny, nazywany słoneczkiem. W latarni pana Alberta czas zatrzymał się prawie czterdzieści lat temu. Na ścianie wisiał nawet kalendarz z 1972 roku.

– Nie chciałby pan nowego kalendarza? – zapytałam.

– Po co? Wszystkie kalendarze są takie podobne – zdziwił się pan Albert.

Zaparzył mocną czarną herbatę, a ja wyjęłam z torby ogórki, chleb i pasztetową.

– Przyszłam się pożegnać – powiedziałam. Pan Albert zaczął w milczeniu kroić chleb na równe cienkie kromki. W powietrzu unosił się kwaśny zapach ogórków. – Dziś w nocy wracam do Warszawy.

– Masz już to, po co przyjechałaś?

Sięgnęłam po kromkę chleba i ugryzłam ją z apetytem.

– Mam materiały do reportażu. Rozmawiałam z opiekunami dzieci i kilkoma innymi osobami.

Milczeliśmy przez chwilę i patrzyliśmy na długie dziesięciopiętrowe budynki, które wznosiły się po obu stronach parkingu jak zamrożone fale tsunami. Ludzie znikali w ciemnych gardzielach bram, małe figurki z torbami, wózkami, dziećmi i psami, przepadały jak wessane. Światła w mieszkaniach wydawały się zmęczone walką z ciemnością, która wlewała się w kanion między mrówkowcami, wsączała w szpary. Śnieg padał z taką zaciętością, jakby chciał wszystko zasypać raz na zawsze. Byłam wdzięczna panu Albertowi za to małe ciepłe miejsce, za mocną herbatę i słoneczko, które przysunął do moich zmarzniętych stóp. Chciałam mu o tym powiedzieć, zanim wyjadę, ale nigdy nie używaliśmy między sobą takich słów.

– Araukaria, cantedeskia, euforbia – wymieniłam zamiast tego nazwy roślin z palmiarni, których mnie nauczył.

– *Nolina microcarpa*, *Datura*, *Passiflora alata* – odpowiedział pan Albert.

Zjedliśmy wszystkie kanapki i ogórki. Na zewnątrz śnieg zatarł kontury domów, których światła wydawały się teraz dalekie i obce, jak widziane ze statku miasto, którego nigdy nie odwiedzimy. Robiłam się senna, ale wiedziałam, że gdy ruszę w drogę, wróci mi przytomność umysłu.

– Spotkałem ostatnio Babcyjkę. – Pan Albert dolał mi czarnej gruzińskiej herbaty. – Dałem jej szalik. – Dostrzegł moje zainteresowanie i uśmiechnął się, wiedząc, że mnie przechytrzył.

– Kim one są? – zapytałam. – Zanim wyjadę, chciałabym się jeszcze tego dowiedzieć. Kim są kociary?

– Na to pytanie nie mam prostej odpowiedzi, ale opowiem ci, co było dalej – powiedział pan Albert.

Druga opowieść pana Alberta Kukułki

Nie wiem, czy Gertrud mnie szukała i co czuła, gdy w dzień jej wyjazdu z Waldenburga okazało się, że zniknąłem. Już nigdy jej nie zobaczyłem. Dużo myślałem o Adalbercie. Co się z nim stanie? Czy Gertud zdoła go powstrzymać?

Tę pierwszą noc spędziłem w lesie, od dawna czułem się tam bezpieczniej niż z rodziną. Moim domem stała się polana u stóp Zamku Książ, na której hitlerowcy zamordowali więźniów. Ciągnęło mnie tam. Ci więźniowie byli moją zastępczą rodziną, bo zagłada mojej rodzonej odbyła się gdzieś daleko i beze mnie. Niektórzy mieszkańcy Waldenburga wiedzieli o istnieniu zbiorowej mogiły, inni słyszeli plotki, które były podsycane przez strach i niepewność związane z nieuchronną już klęską Hitlera. Teraz ludzie jeszcze bardziej bali się chodzić do lasu i nikt mnie tam nie niepokoił. Nocą szukałem jedzenia, a w dzień trwałem przyczajony, bo nie bałem się duchów, ale tego, że ktoś mnie odnajdzie i odeśle do Gertrud i Adalberta. Tamtej wiosny pierwszy i ostatni raz coś ukradłem. Wszedłem przez okno do piwnicy jednego z opuszczonych domów w naszym sąsiedztwie i wyniosłem całą skrzynkę jabłek. Były już pomarszczone i pachniały ziemią, ale mnie smakowały jak owoce z rajskiego drzewa. Siedziałem nocą w swojej jamie i jadłem jedno po drugim. Rozgryzałem nawet pestki, by wydobyć migdałową zawartość, chociaż wiedziałem, że nie powinienem być taki łakomy, bo wkrótce znów dopadnie mnie głód.

To zapach jabłek ją przywabił. Najpierw usłyszałem szelest i dźwięk przełykania śliny. W pierwszej chwili pomyślałem, że to zabici pod moimi stopami, do których nocnych szeptów i jęków byłem przyzwyczajony. Potem zobaczyłem ją. Dziewczynkę w jasnej sukience, boso. Wyszła spomiędzy drzew i stanęła na skraju polany. Była brudna, jej blond włosy skołtunione i pełne liści. Wyciągnęła rękę, a ja rzuciłem jej jabłko, które pożarła. Jadła, nie spuszczając ze mnie oka, jak piwniczny kot. Nie ruszałem się, żeby jej nie przestraszyć. Gdy zaspokoiła głód, nadal tam stała, kołysząc się na piętach. „Jak masz na imię?", zapytałem. Milczała. Poprosiłem, by usiadła ze mną w jamie. Zrobiła dwa kroki w moim kierunku. „Jestem Albert i mieszkam w tym lesie. Żywego ducha tu nie ma oprócz nas", powiedziałem. To ją przekonało. Rozejrzała się i na czworakach wpełzła do środka. „Jestem zmęczona", powiedziała, ziewnęła, zwinęła się w kłębek i zasnęła. Przykryłem ją starymi szmatami, które służyły mi za posłanie.

Gdy się obudziłem, wciąż była, jadła jabłko i patrzyła na mnie. Została ze mną. Miała na imię Rosemarie, nigdy nie powiedziała, jakie nosi nazwisko. Gdzie są jej rodzice? Odeszli z walizkami. Dlaczego nie poszła z nimi? Wzruszenie ramion. Gdzie mieszkała? Milczenie. Zostawili ją? Uciekła? Nic. A więc mówiłem głównie ja. O cygańskich taborach i koniach, o mojej matce w długiej kolorowej spódnicy, o księżnej Daisy i jej perłach. To były najszczęśliwsze tygodnie mojego życia. Straciłem wszystko, ale zyskałem siostrę. Rosemarie.

Robiło się coraz cieplej i za dnia biegaliśmy po zieleniejącym lesie. Kwitły głogi i dzikie czereśnie. Woda w Pełcznicy, która teraz jest cuchnącym ściekiem, była krystalicznie czysta i tak lodowata, że cierpły nam nogi, pływały w niej małe, szybkie rybki, które próbowaliśmy złapać rękoma. Zrywaliśmy świeże listki mlecza, słodkie i pyszne. Ludzie już nie pamiętają, że na łąkach i w lesie jest tyle rzeczy nadających się do jedzenia.

Z kwiatów Rosemarie plotła wianki, uwielbiała to robić. Taką ją pamiętam najlepiej. Dziewczynkę w wianku z mleczy na splątanych włosach. Jedyną osobą, jaką widywaliśmy, była Apolonia Kitti Kitti. Pojawiała się jak spod ziemi i towarzyszyła nam przez jakiś czas. Po prostu była i patrzyła na nas, czasem przynosiła nam jedzenie. Dała Rosemarie swoją watowaną kurtkę, która dziewczynce sięgała do pół łydki. Jedliśmy to samo, co Apolonia Kitti Kitti i jej koty, i bardzo nam smakowało. „To dlatego miałem tu zostać?", zapytałem ją. „Dlatego, by zaopiekować się Rosemarie?". Nie odpowiedziała. Kiedyś przyniosła nam słoik konfitur truskawkowych. Może też go ukradła z jednego z opuszczonych domów. A może wykopała w ogródku, bo niektóre gospodynie, przekonane, że wkrótce wrócą do swoich gospodarstw, ukrywały pod ziemią nie tylko serwisy i srebra jak Gertrud, ale też niezjedzone przetwory. Siedzieliśmy w trójkę nad Pełcznicą i jedli konfitury palcami.

Nie wiedzieliśmy o kapitulacji Hitlera, nie mieliśmy też pojęcia z Rosemarie, że przez opustoszałe miasto przetoczy się wkrótce inne zło. Apolonia Kitti Kitti wiedziała. Przyszły po nas tej nocy w trójkę, Apolonia Kitti Kitti i dwie inne, podobne do niej kobiety, których nigdy przedtem nie widziałem. Miały ze sobą łomy i szpadle, śpieszyły się. Ich oczy błyszczały w ciemności jak kulki fosforu, „kitti kitti!", zawołała nas Apolonia Kitti Kitti, bo zawsze wołała nas w ten sposób. Poszliśmy z Rosemarie za kociarami, bo oboje rozumieliśmy, że przyszedł czas, by się odwdzięczyć. Byliśmy tam, gdy rozwaliły drzwi mauzoleum księżnej Daisy, i razem z nimi pracowaliśmy w pocie czoła. Nie rozumiałem, co się dzieje, ale ufałem tym dziwnym kobietom, które widziały w ciemności. Wynieśliśmy trumnę z grobowca, a potem biegliśmy przez noc za konduktem kociar, bo oboje z Rosemarie byliśmy za mali, by pomóc im dźwigać zwłoki ostatniej pani na Zamku Książ. Nie mogę ci powiedzieć, gdzie pochowaliśmy księżną Daisy. Obiecałem, że nikomu nie zdradzę tego miejsca. Ona tu jest, niedaleko, i każdej wiosny kwitną nad nią ulubione rododendrony, a ja, póki żyję, będę o nie dbał. Gdy zasypaliśmy nowy grób księżnej Daisy, wstawał świt i wziąłem Rosemarie za rękę, bo wydawał mi się złowieszczy. Kociary przyłożyły palec do ust. Zrozumiałem, że one też to czują.

Nazajutrz do Waldenburga wkroczyli żołnierze Armii Czerwonej. Był 7 maja 1945 roku. Zobaczyłem ich dopiero wtedy, gdy pojawili się na Zamku Książ. Tego popołudnia dym unosił się nad dziedzińcem i postanowiłem sprawdzić, co się tam dzieje. Przestraszyłem się, że to ostatni hitlerowcy zacierają ślady i palą zamek. Znałem podziemne przejście, które ze zbocza nad polaną prowadziło na teren zamkowych ogrodów. Pokazał mi je kiedyś Fredek Ogrodnik i wiem, że sam nieraz z niego korzystał. Kazałem Rosemarie poczekać w jamie, bo nie chciałem jej narażać. To był błąd, jak wkrótce miałem się przekonać. Tunel prowadzący do ogrodów tarasowych nie został ukończony i gdy do niego wchodziłem, musiałem się czołgać, a ziemia osypywała mi się na głowę. Bałem się, że zostanę tam pogrzebany i zapomniany jak zastrzeleni przez Niemców więźniowie, ale nie mogłem się wycofać. Dalej dopiero zaczynała się wysoka, betonowa część korytarza zbudowanego przez więźniów Gross-Rosen i porzuconego w połowie jak wiele innych. Nawet tu, pod ziemią, czułem dym, i śpieszyłem się tak, że mój spotęgowany echem oddech stał się przerażająco głośny. Nie pozwolę, by spalono Zamek Książ, dom księżnej Daisy – tak myślał chłopiec, którym byłem i którym wkrótce miałem przestać być.

Gdy wyszedłem na powierzchnię, zobaczyłem, że na głównym dziedzińcu płonie wielkie ognisko. Podczołgałem się i wyjrzałem. To nie byli Niemcy. Czapki z czerwonymi gwiazdami, zielonkawe, wyszargane płaszcze. Armia Czerwona. Czerwona zaraza, mówiła o nich Gertrud i panicznie się ich bała. Pod koniec wojny zawsze miała naostrzony nóż pod ręką, ten sam, który z Ewą nazwałyście potem Gertrud Blütchen, przypadkowo odgadując imię jego poprzedniej właścicielki. Moja macocha miała zamiar użyć go przeciw czerwonej zarazie, a dla mnie od początku wszystkie armie wyglądały tak samo przerażająco. Żołnierze Armii Czerwonej palili meble i obrazy z Zamku Książ, gęsty dym unosił się z rzuconych na wierzch arrasów i dywanów. Poczułem straszny odór sierści wypchanych zwierząt, które płonąc, wyglądały, jakby żywe rzucono je na stos. Żołnierze byli pijani, krzyczeli i śpiewali, świętowali zwycięstwo. Wiedziałem, że Zamek Książ już nigdy nie będzie taki jak za czasów Księżnej Daisy.

Poczułem nagły strach o Rosemarie. Wycofałem się do podziemnego korytarza i wróciłem do lasu. Jak mogłem ją zostawić? Usłyszałem męskie głosy na polanie, obcy język zwycięzców. Rosemarie stała pośród mężczyzn w obszarpanych mundurach i uśmiechała się niepewnie, po swojemu kołysała się na piętach. Znaleźli ją? Sama wyszła, zaciekawiona, co się dzieje? Czułem ich zapach i nie podobał mi się. Żartowali, zaciskali wokół Rosemarie coraz ciaśniejszy krąg. Widziałem jej twarz i to była twarz dziecka. Pomyślałem więc, że poczekam, aż żołnierze znudzą się zabawą z dziewczynką i odejdą. Wtedy nieźle ją zbesztam. Zagryzłem wargi i czekałem. Żołnierze tłoczyli się wokół Rosemarie tak, że chwilami nie mogłem jej dojrzeć, i wtedy umierałem z przerażenia. Było ich sześciu. Sześciu radzieckich żołnierzy i jedna niemiecka dziewczynka. Nie wiem, który pierwszy jej dotknął, ale usłyszałem krzyk i wtedy pobiegłem w ich kierunku, rzuciłem się na stojącego najbliżej żołnierza, a on strącił mnie na ziemię. Rosemarie zaczęła uciekać, ale inny mężczyzna złapał ją za włosy i upadła na kolana. Ten sam mężczyzna popchnął ją i zobaczyłem jej nagie uda, białe majtki. „*Hitler kaputt!*", śmiali się. „Mała niemiecka dziwka Hitlera!". Ich zapach nie był zwierzęcy, jak się zwykle mówi w takich wypadkach, był jak najbardziej ludzki i dlatego tak straszny. Już nic nie mogło ich powstrzymać. Jeden z żołnierzy pochylił się nad Rosemarie i włożył dłoń między jej uda. Nie krzyczała, tylko popiskiwała jak kociak *„neineinein"*. *„Jajajaja"*, przedrzeźnił ją żołnierz, zerwał z niej majtki i podniósł je w karykaturalnym geście zwycięstwa. Rosemarie była moją siostrą znalezioną w lesie. Miałem się nią opiekować i zawiodłem. Skoczyłem mężczyźnie na plecy i wbiłem paznokcie w jego oczy. Poczułem pod palcami wilgotne, gumowate kulki. Nigdy przedtem nikogo nie zaatakowałem i nie wiem, skąd moje ciało znało gesty tak obrzydliwej przemocy. Byłem tylko chłopcem i żołnierz bez trudu mnie pokonał. Uderzenie w skroń ogłuszyło mnie na chwilę, ale zdołałem się podnieść i ugryzłem go w łydkę. Wtedy dostałem cios kolbą i straciłem przytomność.

Ocknąłem się, myślałem, że to noc, bo moje powieki były zlepione krwią. Gdy udało mi się otworzyć oczy, zobaczyłem Rosemarie. W pierwszej chwili odczułem ulgę. Pomyślałem, że to wszystko było tylko złym snem, bo leżała na boku łagodna i spokojna w promieniach majowego słońca. Trawa wydawała się tak zielona, las pachniał wiosną. Śpiewały ptaki. Gdy tylko się poruszyłem, przyszła fala bólu i na chwilę pozbawiła mnie przytomności. Dotknąłem swojej głowy i zdziwiło mnie, że mam pod palcami lepkie mięso. Najpierw nie zrozumiałem, dlaczego mam zdjęte spodnie, a potem zalał mnie gniew i wstyd. Udało mi się przetrwać kolejną falę bólu i poczołgałem się w kierunku Rosemarie. „Rosemarie", wyszeptałem, „Rosemarie". Żyła. Gdy dotknąłem jej ramienia, wzdrygnęła się i skuliła w sobie jak liszka. Jej sukienka była z tyłu cała we krwi. Obróciła w moją stronę poranioną, opuchniętą twarz, jej oczy były zupełnie puste, przerażające jak lustro, w którym nie widzisz swojego odbicia. „Pić", poprosiła. Nie miałem siły, tak strasznie bolała mnie głowa, kołysałem się na czerwonych falach. Przytuliłem ją i chyba oboje straciliśmy przytomność, a może na chwilę umarliśmy.

Przyszły po nas, gdy zapadła ciemność. Nie byłem pewny, czy dzieje się to naprawdę, czy śnię, drżałem i było mi bardzo zimno, straciłem dużo krwi. Chciałem powiedzieć kociarom, żeby zajęły się Rosemarie, a mnie niech zostawią w jamie. Dam sobie radę, chcę tylko spać. Ich oczy świeciły, a łachmany wydawały się dziwnie jasne, opalizujące jak śnieg. Apolonia Kitti Kitti szeptała słowa w języku, którego nie znałem, a jej towarzyszki powtarzały je pochylone nad Rosemarie. Miałem wrażenie, że z czymś walczą, nie potrafię tego lepiej opowiedzieć, ale oprócz ich słów było tam z nami coś jeszcze, coś silnego i złego, i nie chciało odejść. „Dlaczego na to pozwoliłyście?", wyszeptałem albo tylko pomyślałem, a kociara patrzyła na mnie spod pilotki z takim smutkiem, że wydawała się starsza niż zwykle. „Nie możemy jej pomóc", powiedziała, a ja dopiero po latach zrozumiałem, że nie miały na myśli fizycznych ran zgwałconej dziewczynki. Apolonia Kitti Kitti położyła dłoń na moim czole i ten dotyk przyniósł mi ulgę, zacząłem się zapadać tak głęboko, że znów zobaczyłem tabor i lśniące grzbiety koni, płonące ognisko i czarnowłosą kobietę w długiej spódnicy, która powoli odwraca twarz w moją stronę. Nigdy przedtem ani potem nie byłem tak blisko ujrzenia jej twarzy.

Zostaliśmy z Rosemarie rozdzieleni, nie wiem, kto się nią zaopiekował, bo nigdy nie mówiła o tym okresie swojego życia. Nie mówiła o niczym, co mogłoby wskazywać, że pamięta ten czas i że w ogóle pamięta mnie, jakby jej przeszłość została zatarta razem z imieniem Rosemarie i niemieckim językiem. Ja zostałem z Apolonią Kitti Kitti, która zatargała mnie do jednej z piwnic pod Zamkiem Książ i tam leczyła z ran. Byłem nieprzytomny przez długi czas i błądziłem w ciemności, gdzie każdy z zamordowanych na polanie więźniów prosił, bym zapamiętał jego imię, a ja odpowiadałem, że zapomniałem nawet własne. Gdy w końcu wróciłem do świata żywych, zobaczyłem, co jeszcze zrobili mi radzieccy żołnierze. Zostałem oskalpowany. Zamiast szczeciniastych włosów w kolorze ziemniaków miałem krwawą bliznę, wieczne przypomnienie tego, co stało się na polanie. Apolonia Kitti Kitti trzymała przede mną lustro, piękne zamkowe lustro w złoconej ramie, a z niego patrzył na mnie potwór, jakim się stałem. Moja czaszka wyglądała, jakby leżał na niej plaster surowego mięsa. Wtedy kociara zdjęła pilotkę, bez której nigdy przedtem jej nie widziałem, i włożyła mi ją na głowę takim gestem, jakby to była korona. Zostanie na mojej głowie do końca.

„Będę już leciała", powiedziała potem Apolonia Kitti Kitti i zrozumiałem, że to rozstanie. Że to już wszystko, co mogła dla mnie zrobić. „Gdzie jest Rosemarie?", zapytałem.

Pokręciła tylko głową. Bez pilotki wydawała się taka malutka i bezbronna. Jakby straciła swoją moc. Może zresztą tak było naprawdę, bo podejrzewam, że one mają pewien zapas dobra i troski, który pewnego dnia zostaje zużyty. Wtedy ich życie się kończy, znikają. Ale na ich miejsce przychodzą inne. „A ja? Co mam zrobić?". „Wróć tam. Poczekaj do zimy i wróć". „Tam? Do domu Gertrud?". Już nie odpowiedziała. Siedziałem przy wejściu do podziemnego korytarza, w pilotce, z lustrem, w które nie miałem zamiaru więcej patrzyć, a ona pobiegła w kierunku lasu, aż znikła na zawsze wśród bukowych drzew.

Zrobiłem, jak mówiła Apolonia Kitti Kitti, ale dom Gertrud był już zajęty i nikt mnie tam nie chciał. Przygarnęli mnie państwo Kukułka, wasi sąsiedzi. Znaleźli mnie w piwnicy chorego, z odmrożonymi nogami. „Jak masz na imię?", zapytali w śpiewnym łagodnym języku i powiedziałem „Albert", bo to było jedyne moje imię, jakie pamiętałem. Byli dobrymi ludźmi, bardzo smutnymi i skazanymi na wymarcie, bo nie udało im się zapuścić korzeni. Łączyło nas to, że nie byliśmy u siebie i próbowaliśmy zastąpić sobie to, czego nigdy zastąpić się nie da: prawdziwe życie. Ja, ich przyszywany syn, przeżyłem swoje jako Albert Kukułka i jako

mnie. Moja matka była Niemką i miała kiedyś na imię Rosemarie. Została zgwałcona przez pijanych żołnierzy i do jej środka dostały się kotojady. Nie udało jej się ocalić ani panu Albertowi, ani kociarom, kimkolwiek one są. Ani mojemu ojcu i nam. Ze zniszczonej dziewczynki wyrosła kobieta niszcząca wszystko, czego dotknęła. Dała nam życie i śmierć jednocześnie. Wykorzystywała seksualnie moją siostrę. Wbiła w moje ciało nóż i zostawiła bliznę. Byłam zmęczona, czułam się jak ten dom, poniemiecka i zniszczona, ale jutro rano już mnie tu nie będzie. W moim prawdziwym domu, ciepłym i pełnym światła, wezmę długą kąpiel, ogolę w końcu łydki, a potem spiszę listę rzeczy do zrobienia. Każdą cyfrę obrysuję równym kółkiem, przylepię na lodówce, czystej i lśniącej jak Antarktyda. Odzyskam kontrolę. Może za jakiś czas uda mi się wybaczyć sobie, że nie uratowałam mojej siostry przed kotojadami. Może któraś nieprzespana noc okaże się wystarczającą pokutą za tamtą, gdy zasnęłam i nie widziałam, jak Ewa wychodzi z domu. Na granicy lasu pewnie się obróciła, by jeszcze raz popatrzeć na dom, a potem znikła wśród ciemnych drzew pod zamkiem. Bosa nastolatka w sukience w maki. Obraz mojej siostry był tak wyraźny, że podskoczyłam, gdy komputer metalicznym dźwiękiem dał znać, że przyszła nowa wiadomość.

A więc znów mam łączność ze światem, ale niekoniecznie tym rzeczywistym, bo wiadomość wysłano z jednego z tych dziwnych kont spamowych, które nie podają ani nadawcy, ani tematu. Na tym polega nowy trik sprzedawców fałszywej viagry, prawdziwych podróbek i środków na powiększenie penisa. A jednak otworzyłam. „Dla ciebie, Alicjo. Homar". Wiadomość, napisana czcionką, jakiej nigdy wcześniej nie widziałam, miała załącznik. I znów kliknęłam bez zastanowienia, choć nieraz gubiła mnie podobna ciekawość. Na biało-czarnej fotografii była moja siostra. Na kocu w jakimś ogrodzie. Miała na sobie sukienkę w maki, w której umarła. Klęczała odchylona do tyłu w pozie gwiazdy kina, zsunęła ramiączka. Jej szyję oplatał podwójny sznur pereł z Jablonexu o blasku tak silnym, że pulsujące wokół drobnej dziewczęcej postaci światło zacierało kontury ciała. Była tylko jedna osoba, prócz śmierci, dla której Ewa ubrałaby się w ten sposób. Jak mogłam być tak ślepa!

„Dawid?", napisałam i wysłałam wiadomość. Czekałam, ale nie odpowiadał. „Spotkajmy się", zaproponowałam zniecierpliwiona. Już traciłam nadzieję, gdy znów zadźwięczał dzwonek wiadomości w komputerze, jakby cyborg klasnął w dłonie tuż przy moim uchu.

„Nie wychodzę z domu", napisał Dawid tą samą czcionką. Jeśli Homar rzeczywiście był Dawidem. Blade litery o niepokojącym kształcie rozpływały się jak namalowane akwarelą. Może Microsoft wypuścił specjalną czcionkę przeznaczoną do pisania tajemniczych listów.

„Przyjadę. Podaj mi adres", odpowiedziałam błyskawicznie banalnym Times Romanem. Homar-Dawid zareagował po dziesięciu minutach, wiadomość była jeszcze bledsza niż poprzednie.

„Znasz. Dziś przed północą".

A więc to on, ukochany mojej siostry, który zawiódł ją, jak my wszyscy. Spojrzałam na zegar komputera. Była prawie czwarta rano. Litery na ekranie przypominały z oddali wodne żyjątka obserwowane pod mikroskopem, zdechłe pantofelki. Przyszła mi do głowy dziwna myśl, że Homar nie miał siły na inne. Muszę spojrzeć mu w twarz i dowiedzieć się, co uczyniło z niego czającego się w ciemności Homara. Jednak nie wyjadę dziś z Wałbrzycha, pomyślałam i w tym samym momencie poczułam nieprzezwyciężoną senność. Byłam wyzuta z życia. Nie miałam siły na wspinaczkę po schodach i położyłam się na kanapie w wielbłądzim kolorze w pokoju ojca. Zapach starej skóry podszyty pleśnią wydał mi się kojący. Ktoś stukał do drzwi. Marcin, pomyślałam, ale nie byłam już w stanie się podnieść.

Spałam przez dwadzieścia godzin bez snów i bez przerwy, a gdy się obudziłam, głodna i zdrętwiała, ale pełna sił, zapadał wczesny zmierzch. I znów ktoś stukał, chyba niemożliwe, by była to wciąż ta sama osoba. Za drzwiami stał kominiarz tak czarny na tle śniegu, że wyglądał jak wycinanka z tektury. Na mój widok wyrecytował radośnie:

– Szczęścia życzenia od kominiarza! Co złe, niech się tu nigdy nie zdarza. A co dobre, niech przychodzi, ziarno sieje, owoc rodzi!

Nigdy nie nauczyłam się strachu przed tym, kto może przyjść, i gdy ktoś puka do drzwi, po prostu otwieram, bo złe i tak wejdzie bez pukania. Mężczyzna, który dawał mi portfele i torebki, poświęcił dużo czasu na to, by wyjaśnić mi niestosowność takiego bezmyślnego zachowania i przed snem zawsze sprawdzał, czy włączyłam alarm i zamknęłam zamek. Może miał trochę racji. Od lat nie widziałam kominiarza i nie miałam pojęcia, dlaczego mówi do mnie wierszem, patrzyłam na niego oszołomiona. Był wysokim i szczupłym mężczyzną, w którego twarzy uwagę przykuwały usta rozciągnięte w szerokim uśmiechu Jockera. Oczy tonęły w mroku.

– Kto kupi kalendarz od kominiarza, temu szczęście się przydarza. Pieniądz płynie, zdrowie służy, no i zima się nie dłuży! – Wilgotne usta znowu ułożyły się w uśmiech. Zrozumiałam i żeby się go pozbyć, kupiłam kiczowaty kalendarz na nadchodzący rok. Gdy sięgałam po portfel, zobaczyłam kątem oka odbicie twarzy kominiarza w lustrze pod wieszakiem. Już się nie uśmiechał i miałam wrażenie, że usiłuje zajrzeć w głąb domu. Z ulgą zatrzasnęłam za nim drzwi i wyrzuciłam kalendarz do śmietnika.

Wykąpałam się i wsiadłam w samochód. Musiałam pobyć na jakimś neutralnym gruncie, zobaczyć w miarę normalne, zwykłe życie, zanim spotkam się z Homarem-Dawidem, chłopakiem w martensach, który obiecywał nam wyprawę w Karkonosze. Na obrzeżach miasta, gdzie w czasach mojego dzieciństwa były pola, znalazłam nowy supermarket, a w nim sieciową restaurację. Zjadłam smutną pizzę, popiłam czymś, co nazywano tu kawą, takie jedzenie, bez przyjemności wypełniające żołądek, było mi teraz potrzebne. Potem patrzyłam na obładowane zakupami rodziny, pogrążone w pełnych emocji dyskusjach nad tym, co wybrać z karty. Na dziewczyny o włosach albo bardzo jasnych, albo bardzo ciemnych, wyprasowanych. Nosiły krótkie spódniczki albo dżinsy obcisłe jak rajstopy, kozaki na bardzo wysokich obcasach i kurtki z kapturem obszytym sierścią jakichś biednych zwierząt, które całe życie spędziły w klatkach. Poruszały się na tych obcasach z pełnym powagi uporem, jak brodzące w wodzie czaple. Gdyby Ewa żyła, pewnie też nosiłaby wysokie obcasy, ale nigdy takie jak wszyscy. Pomalowałaby je na szmaragdowo, ozdobiła pawimi piórami. W czasach gdy modne licealistki ubierały się na czarno jak greckie wdowy, ona kupiła za grosze w wałbrzyskim pedecie jaskrawożółty prochowiec i nosiła ten wzgardzony płaszcz z gracją modelki. Zamówiłam jeszcze jedną kawę, jak to robiłam od lat, obserwowałam cudze życie i grzałam się w jego cieple. Żebrak z brodą jak talib wyciągnął ode mnie jałmużnę mimo odrazy, jaką wzbudzał jego alkoholowy odór, bo stał nade mną tak długo, aż uległam. Jego fałszywy szeroki uśmiech przypominał mi o wizycie kominiarza poety, gesty taliba były podobnie przerysowane, sztuczne. Gdy zamknięto supermarket, przeniosłam się do McDonalda na pobliskiej stacji benzynowej, gdzie wypiłam kolejną kawę, jeszcze gorszą, i kwadrans po dwudziestej trzeciej ruszyłam przez ulice uśpionego miasta do Szczawna-Zdroju.

Śnieg sypał ze zdwojoną siłą. Tanie ubrania, bielizna, buty i torebki porozwieszane w oknach sklepików wyglądały jak przynęta dla błąkających się w ciemności duchów. Na skrzyżowaniu przy placu Grunwaldzkim zatrzymała się obok mnie taksówka i rozpoznałam kierowcę, który wiózł mnie z dworca. Zażył jakieś tabletki i popił je jaskrawoczerwonym napojem z plastikowej butelki. Wyglądał jak wampir odżywiający się krwią instant i tęskniący za świeżą. Dziwny talizman, na który zwróciłam wcześniej uwagę, kołysał się nad kontrolką jego starej łady. Chyba nie bardzo mu pomagają święte kości, bo wyglądał na cierpiącego. Ruszyliśmy i taksówkarz wkrótce zniknął mi z oczu. Samochodowe radio znów włączyło się nieproszone. Nie zdziwił mnie głos Kurwaminy, pogodziłam się z tym, że nawiedziła moją wypożyczoną toyotę.

– Od kiedy tka oska mnie wiła w uszy się mojej odbiła. Przepraszam bardzo! Jerzy Łabędź i ja pragniemy wnieść apel! Bronimy męki bolesnej Jana Kołka, a nasz apel brzmi, że Matka Boska Bolesna to nasz apelpelpelpleple. W imieniu narodu i Polonii zagranicznej wnosimy ten pelapelpleple. Przepraszam bardzo! Trzydzieści metrów, nie licząc korony.

– Wielka! – przyznała dziennikarka. – Czy mogłaby pani zdradzić nam więcej szczegółów na temat figury?

– Zdradzę świeżo poczętym wierszem! – ucieszyła się Kurwamina.

– Pod tytułem? – zachęciła ją dziennikarka.

– *Apel do świeżej krwi Królowej Polski.* – Kurwamina nabrała powietrza i zaczęła w stylu szkolnej akademii w rocznicę powstania listopadowego: – Naszduchnaszczywrożejhorziewbrewtakkrwawo. – Zanim zamilkła na dobre, wydała z siebie kilka charkoczących dźwięków. Przestraszyłam się, że ktoś nie wytrzymał i poderżnął jej gardło.

Wjechałam w uliczkę, przy której stał dom Dawida i gdzie ostatni raz byłam jako dziewczynka. Obrazy czekały tuż za progiem mojej pamięci: Ewa z ustami pociągniętymi bezbarwnym błyszczykiem, który pachniał tropikalnymi owocami, niedostępnymi w tamtych czasach poza palmiarnią pana Alberta. Pozwalała mi bawić się szklanym pojemnikiem zakończonym plastikową ruchomą kulką, którą wąchałam i lizałam w poszukiwaniu smaku ulubionych pomarańczy. „Wszystko wywąchasz, Wielbłądko", śmiała się. Widziałam nas. Dwie hipiski w wiankach na głowie. Stałyśmy przed kutą metalową bramą i podziwiałyśmy zadbany ogród z wodnym oczkiem i kamienną latarnią w japońskim stylu. Rosła w nim tylko trawa i ozdobne krzewy o ciemnozielonych listkach, lśniących jak wypolerowane. Wydał nam się niebywale elegancki w porównaniu z ogrodami naszych sąsiadów ze Szczawienka, pełnymi różnokolorowych kwiatów, z grządkami pietruszki, marchwi i buraków. Stałyśmy chwilę onieśmielone, aż Ewa powiedziała: „raz się żyje, siuśmajtko" i nacisnęła dzwonek. Modernistyczna willa, w której mieszkał Dawid, była dla mnie wtedy jednym z dowodów na to, jak niezwykła jest moja siostra, skoro potrafiła z naszego smutnego domu znaleźć drogę na ulicę Kasztanową i tak po prostu zadzwonić do drzwi.

Wszystko teraz było zniszczone. Z wyrwanego dzwonka druty sterczały niczym macki jakiegoś wodnego stworzenia, gotowego złapać przybysza za palec. Metalowa furtka zaskrzypiała, gdy ją pchnęłam. Ogród zamienił się w trupiarnię porosłą wysokimi chwastami, które wystawały spod śniegu. Wszędzie poniewierały się jakieś sprzęty, żelastwo, deski, fragmenty czegoś, co kiedyś było użyteczne, ale już do niczego się nie przyda. W oczku wodnym tkwiła przewrócona taczka i zwinięty w rulon stary dywan. Poczułam zapach dawno opuszczonego pogorzeliska. Bluszcz pożerał japońską latarnię, która jako jedyna zachowała swój urok. Od lat nikt nie dbał o to miejsce. Nie widać było ani ścieżki, ani żadnych śladów, nawet ptasich. Okna zasłonięto czarnym aksamitem albo takie wrażenie sprawiał oblepiający je brud. Przyszło mi do głowy słowo „kir". Ruszyłam do drzwi, grzęznąc w śniegu. Zastukałam starodawną kołatką i wytarłam rękę o spodnie, bo metal był wilgotny. Słyszałam tylko kapiącą wodę i szelest gałęzi, przez które nie docierało tu światło sąsiednich domów. Cała okolica wyglądała na wymarłą. Pomyślałam, że to wszystko jakiś żart, gdy po drugiej stronie drzwi usłyszałam ruch, stukanie, jak spóźnione echo kołatki. Odgłos otwieranych zamków, dwóch, trzech. Drzwi uchyliły się na długość łańcucha i zobaczyłam w ciemności błyszczące oczy, spotęgowany odór spalenizny uderzył mnie w twarz gorącą falą.

– Dawid?

– Nie jesteś Ewą – powiedział głos. Zachrypnięty głos kogoś, kto nie mówi wiele.

– Jestem jej młodszą siostrą. Mam na imię Alicja.

– Odsuń się.

Posłusznie zrobiłam krok do tyłu, a wtedy Dawid zapalił latarkę i skierował ją w stronę mojej twarzy tak, że porażona nagłym blaskiem musiałam zamknąć oczy.

– Otwórz oczy – poprosił. – Nie zmieniłaś się.

– Minęło trzydzieści lat.

– Masz takie same oczy. I włosy w wielbłądzim kolorze.

Zabolało mnie to określenie wymyślone przez Ewę i przez nikogo oprócz niej nieużywane.

– Marzyłaś o podróży do Egiptu. Pojechałaś tam?

– Pojechałam.

– Podobało ci się?

– Nie. Pozwolisz mi wejść?

– Tak. Ale nie chcę, żebyś mi się przyglądała.

– Chcę porozmawiać. Możemy siedzieć po ciemku, jeśli wolisz. – Ten człowiek przyłożył rękę do śmierci mojej siostry, pomyślałam. Nie powinien stawiać mi warunków. Ufała mu, a on ją zawiódł, nie umiał ocalić.

– Wiem, że mnie nienawidzisz – powiedział Dawid i zdjął łańcuch. Dopiero teraz mogłam dostrzec zarys jego postaci. Opierał się na lasce i to ona stukała jak kołatka.

– Nie nienawidzę cię. Chcę zrozumieć.

– Po co?

– Po co? – powtórzyłam i nie spodobało mi się brzmienie mojego głosu. – Dla mnie na tym polega życie. Żeby rozumieć.

Dawid wzruszył ramionami, tak chudymi, że kości mogły w każdej chwili przebić skórę.

Weszłam za nim w ciemny korytarz i starałam się rozpoznać w poruszającej się przede mną przygarbionej sylwetce chłopaka, którego pamiętałam. Spojrzałam na jego stopy, bo spodziewałam się, że zobaczę czarne martensy, ale Dawid nosił teraz filcowe, przydeptane kapcie. Weszliśmy do pokoju, który kiedyś był jadalnią, i Dawid poprosił, bym usiadła. Rozejrzałam się po zagraconym wnętrzu, które oświetlała tylko mała, stołowa lampka. Okna były szczelnie zasłonięte, mrok zalegał w kątach, ale zauważyłam, że fortepian stał na swoim miejscu niczym śpiące czarne zwierzę. Panował tu upał, ale w kominku nie płonął ogień. W dywan, pociemniały i brudny tak, że przypominał błoto, wdeptane były zmięte kartki papieru, jakieś szmaty i śmieci. Piękny mahoniowy stół, przy którym trzydzieści lat temu jedliśmy proszony obiad, a ja zachwyciłam się ciastem upieczonym przez matkę Dawida, zawalony był stosami kartonowych teczek, książkami, pudełkami po pizzy na wynos. Pośrodku stał komputer z jarzącym się ekranem. Dawid usiadł przed nim, zginając się z trudem jak stary człowiek. Miał na sobie ciemny szlafrok w absurdalny wzór owieczek hasających po obłokach.

– Wybacz, Alicjo. Odwykłem od przyjmowania gości. – Zaśmiał się nieprzyjemnym śmiechem, który odbierał sens tym kurtuazyjnym przeprosinom.

Zdjęłam stos teczek z krzesła naprzeciwko Dawida. W świetle, które wyglądało jak skażone, jego twarz był maską z podkrążonymi oczami i wąską kreską ust. Przypominał demona z teatru nō albo dybuka. Jego kiedyś czarne i gęste włosy wyglądały jak kurz, który osiadł na łysej czaszce i obsypał chudy tors przeświecający między połami szlafroka w owieczki. Odór spalenizny kleił się do mojej skóry, ukryłam dłonie w rękawach swetra. Wydawało mi się, że w pokoju jest coraz bardziej duszno i gorąco.

– Nie przyglądaj się – powtórzył Dawid. – Czekałem na ciebie. – W jego głosie był wyrzut, jakbym zaniedbała odwiedziny u ciężko chorego krewniaka.

– Jestem w mieście dopiero od dziesięciu dni.

– Czekałem od trzydziestu lat.

– Dlaczego?

– Bo tylko tobie mogę opowiedzieć tę historię.

– Jaką historię?

– O mnie i o Ewie.

– Dlaczego wcześniej mnie nie znalazłeś?

– To by nic nie dało. Musiałaś tu wrócić.

– Opuściłeś ją. Nie spodziewaj się ode mnie wybaczenia.

– Tylko Ewa mogłaby mi wybaczyć.

– Nic nie mogę dla ciebie zrobić. – Podniosłam na niego oczy, chociaż prosił, bym nie patrzyła. Przede mną siedział zniszczony mężczyzna, którego ciało trawiła jakaś choroba. Chłopak w martensach już nie istniał.

– Wiem, Alicjo. Jednak przyszłaś tu.

Poczułam, jak między nami zawirowało powietrze, i przez chwilę widziałam Dawida jak przez mgłę. Coś dziwnego działo się z moim wzrokiem, może po prostu się starzeję. Pociłam się jak w gorączce.

– Przyszłam, żeby zrozumieć, co stało się z Ewą. Ty mnie mało obchodzisz.

– Zawsze taka byłaś.

– Jaka?

– Opancerzona. Ewa wiedziała, że dasz sobie radę.

– Skąd wiesz, że dałam?

– Widzę. Żyjesz. A wiesz, kim ja jestem? Trollem. To komputerowa odmiana kotojada. Tak nazwałaby mnie teraz twoja siostra. Ona umiała nazywać rzeczy i ludzi. – Dawid wskazał na komputer i pogłaskał ekran nieprzyjemnym, obscenicznym gestem. – Moje rozkosze i świństwa, wszystko w sieci. Wiesz, co robią trolle?

– Trollują, to wie już każde dziecko, które ma komputer. Mam ci współczuć?

– A nie potrafisz? Miłosierdzie to przywilej silnych kobiet. Mnie na nie nie stać. – Nie podobał mi się jego głos, kpiący i jednocześnie błagający o litość, domagający się czegoś ode mnie.

– Nie użalaj się nad sobą. Miałeś wybór. Ciągle masz.

– Już nie. Jestem zmęczony. Chcę jeszcze tylko opowiedzieć ci moją historię. Jesteś reporterką. Słuchanie historii to twój zawód. Rozmawiałaś nawet z dzieciobójczynią. – Nic nie rozumiał, ale nie mogłam go zostawić, bo był ogniwem łączącym mnie z siostrą. Oboje pamiętaliśmy ją żywą.

– Mój zawód to pisanie o tym, co naprawdę się wydarzyło.

Dawid zaśmiał się, bo tym chyba był skrzekliwy odgłos, który wydobył się z jego piersi, zanim zmienił się w kaszel. Z jego ust dotarł do mnie zapach spalenizny.

– Jeśli wolisz tak to nazywać, proszę bardzo. Ale oboje wiemy, że nie masz wyboru. Musisz mnie wysłuchać, choć budzę w tobie odrazę.

Dusiłam się w tym niewietrzonym od lat domu.

– Wiem, do czego zmierzasz. Twoim zdaniem nie mam wyboru, bo opowieści to wszystko, co mogę dostać. Bo Ewa nie żyje. Ale mylisz się. Wiem, jak odróżnić to, co wymyślone, od tego, co prawdziwe. Każdy ma swoją prawdę, ale nie wszystkie są tyle samo warte.

Znów ten straszny śmiech i kaszel.

– Alicja mądra i sprawiedliwa jak Atena!

– Znów się mylisz. Ja tylko słucham i staram się zrozumieć. Niekiedy się mylę. Ale teraz wiem, że nie chcę tu dłużej być. Ewa zostawiła mi list. Ja wiem, Dawidzie. – Pokój rozpływał się przed moimi oczami i bałam się, że zemdleję. Podniosłam się i pomyślałam, że zaraz otworzę drzwi, wyjdę z domu tego smutnego trolla, a moją twarz owionie świeże nocne powietrze.

– I ten list zawiera prawdę? Czy prawdę, której potrzebujesz?

– Napisała go moja siostra i poszła do lasu, by się zabić. – Miałam nadzieję, że w tym dusznym pokoju, pełnym gęstego cienia, nie widać mojej rozpaczy. Przypomniałam sobie dawną twarz Dawida, gdy opowiadał o chodzeniu z plecakiem po górach, o Karkonoszach, w które wybierzemy się we trójkę. Miał kiedyś twarz, którą kochała Ewa. Teraz jego oczy były jak kamienie wciśnięte w obrzmiałe powieki. Pomyślałam, że musiał przejść długą i złą drogę.

– Wysłuchaj mnie – powtórzył.

Tyle mogłam dla niego zrobić.

Pierwsza i ostatnia opowieść Dawida

Gdy pierwszy raz zobaczyłem Ewę, siedziała w otwartym oknie obserwatorium astronomicznego naszego liceum. Nogi miała w środku, a głowę i tułów na zewnątrz, kołysała się, paląc papierosa, z twarzą wystawioną ku niebu. Dach za oknem był pochyły i niemal się na nim kładła, tak że widziałem tylko jej długie nogi i dym unoszący się w promieniach słońca. Pierwszy odruch, jaki we mnie wzbudziła, oprócz ukłucia pożądania na widok tych dziewczęcych nóg i bioder, był jednocześnie chęcią chronienia jej i uczestniczenia w tym ryzykownym zachowaniu. Chciałem znaleźć się tam z nią, między niebem i ziemią, daleko od szkolnej nudy, od nudnego chłopaka, jakim się nagle poczułem. Ewa lubiła robić takie rzeczy: wychylać się z okna, tańczyć na murze pałacowych ogrodów Zamku Książ i udawać, że ma zamiar skoczyć albo że spada. „Patrz, lecę!", wołała, a ja zamierałem ze strachu, że naprawdę ją utracę. Włazła do grożących zawaleniem się niemieckich grobowców w Dziećmorowicach i zachęcała mnie, bym jej towarzyszył. „Słyszysz?", szeptała, a gdy patrzyłem na nią pytająco, śmiała się, „głuptasie, głuszcu, ślepaku, jak możesz nie słyszeć?". Zawsze widziała i słyszała więcej niż ja.

Ewa mówiła mi potem, że zobaczyła moje odbicie w szybie i że już wtedy wiedziała, co się wydarzy. Zeskoczyła z parapetu, podeszła do mnie, powiedziała „cześć, jestem Ewa" i dotknęła mojej twarzy. Wtedy wszystko się dokonało. Do dziś nie udało mi się rozwikłać tajemnicy jej piękna. Były rzeczy oczywiste i widoczne dla każdego: owal twarzy z wysokimi kośćmi policzkowymi, lekko skośne, szeroko rozstawione oczy, duże usta. Urok niegrzecznej dziewczyny, która lubiła wyzwania i skutecznie udawała, że niczego się nie boi. Spotykałem potem podobne dziewczyny, niespokojne, w wiecznej pogoni za ogonem zjawy. Pogoń za ogonem zjawy to oczywiście słowa Ewy. Ale w niej było coś jeszcze, coś ważniejszego.

Otaczał ją cień. Tajemnica, której nie udało mi się zrozumieć, choć ojciec miał na nią konkretną medyczną nazwę. Ewa nauczyła mnie, że niektóre rzeczy mają tylko prowizoryczne nazwy, opakowania zastępcze, i tak było w tym przypadku. Byłem nowy w szkole, bo dopiero co przeprowadziłem się z rodzicami do Wałbrzycha, i dzięki Ewie wszystko zyskało sens. Przeprowadzka, którą przeklinałem, stała się dowodem na istnienie przeznaczenia. Gdy dziś ci to opowiadam, nie wiem, czy sam używałem wówczas takich słów, czy także one należały do Ewy. Nie byłem zbyt skomplikowanym chłopakiem. Chciałem po prostu być z Ewą i wyobrażałem sobie, jak robimy razem rzeczy, które lubię, i że jej też sprawiają one przyjemność. Chyba już w chwili, gdy zobaczyłem nogi Ewy, pomyślałem, że chciałbym chodzić z nią po górach. Wieczorami rozbijalibyśmy namiot, myliśmy się w strumieniu i patrzyliśmy w gwiazdy. Potem kochalibyśmy się. Słuchalibyśmy Genesis i Pink Floydów z walkmana, który ojciec przywiózł mi z Wiednia. Tak sobie wyobrażałem miłość: jako słuchanie muzyki na dwoje uszu z jednego walkmana. Nie myślałem o przyszłości, bo wydawała się oczywista. Gdy poznałem Ewę, byłem w maturalnej klasie i wybierałem się na medycynę, bo w mojej rodzinie od trzech pokoleń mężczyźni byli lekarzami, a kobiety z reguły wychodziły za lekarzy, nie licząc jednej ciotki, która sama została lekarką. Dziś nie pamiętam, na ile był to mój wybór, ale nie ma to żadnego znaczenia, całe życie podejmowałem złe wybory.

Tego dnia, gdy poznałem Ewę, poszliśmy po lekcjach na pączki. Niedaleko liceum była mała prywatna cukiernia. Już jej nie ma, niczego już nie ma. Kupiłem całą torbę pączków i kefir truskawkowy w spożywczym, a potem jedliśmy te lepkie od lukru, tłuste ciastka na skwerze przed szpitalem położniczym. Nigdy przedtem nie widziałem, by dziewczyna tak jadła. Nie łakomie, raczej zawzięcie. Odgryzała wielkie kawały i oblizywała wargi. Wokół ust miała drobinki lukru i marmolady. Patrzyłem zafascynowany i coraz bardziej podniecony. Chciałem całować jej polukrowane usta, zlizywać cząsteczki różanej marmolady. Ostatniego pączka zostawiła dla ciebie i wepchnęła tutkę do płóciennej torby na ramię. „Mam młodszą siostrę", powiedziała, „gdyby nie to, zjadłabym jeszcze jednego". Pamiętam tamtą chwilę tak, jakby zdarzyła się wczoraj. Tak się mówi, ale wymyślili to ci, których pamięć jest jak notatki księgowego małej, uczciwej firmy. Ja dogorywam tu, z pamięcią oszusta, i nie mam pojęcia ani mnie nie obchodzi, co zdarzyło się wczoraj. Chwila sprzed trzydziestu lat na ławce z twoją siostrą jest tuż obok i ja tam jestem. Tam zostałem. To, co widzisz teraz, to troll pogrążony w złości jak w smole. Zemściłem się, ale nie przyniosło mi to ulgi. Mój czas się kończy, Alicjo.

Siedzieliśmy w pełnym słońcu, trawa na skwerze była tak zielona, jak zdarza się tylko w snach. Ewa z przechyloną głowa wysączyła ostatnie krople kefiru, wytarła usta brzegiem dłoni. „Wiesz dlaczego trawa jest tu taka zielona?". Pokręciłem głową. „Bo chowają pod nią trupki". „Trupki?". „Ze szpitala. Martwe płody i noworodki. W jesienne noce zakopują tu całe kosze ciałek. Niektóre mają dwie głowy, cztery ręce, skrzela, pokryte są futrem". Martwe płody nie mogły mnie przerazić, bo byłem synem ginekologa i miałem za parę lat zostać lekarzem, ale chciałem zrozumieć sens jej opowieści. „Dlaczego je tu zakopują?". „Bo faceci z krematorium sprzedają węgiel na lewo. Piją", wyjaśniła, jakby to była najoczywistsza rzecz. „Podczas pełni księżyca unosi zainteresowaniem, a gdy Ewa zaczęła opowiadać o księżnej Daisy, perłach, karierze aktorskiej i planach naszego wspólnego domu we Wrocławiu, widziałem jej rodzącą się niechęć. Moja matka była ostrygą i kiedy coś jej się nie podobało, zatrzaskiwała się, a gdyby ktoś chciał podważyć krawędź, ucięłaby palec i powiedziała, że to niechcący. Ojciec nigdy nie mówił wiele, ale odrzucił was od pierwszego wejrzenia. Byłyście wszystkim, czego nienawidził: rozbita rodzina, brak korzeni, tradycji, brak pieniędzy. Ojciec uważał, że do wyższego wykształcenia potrzebne są trzy dyplomy: dziadka, ojca i własny.

Dopiero potem dowiedziałem się, że rodzice chcieli poznać Ewę głównie dlatego, że dzwoniono do nich ze szkoły w sprawie moich wagarów. Pamiętasz Kurwaminę? Zawzięła się na Ewę, która kpiła z niej w żywe oczy. Kiedyś Kurwamina zauważyła, jak Ewa drwi z niej na szkolnym korytarzu. Szła sztywnym krokiem łacinniczki, z wypiętym tyłkiem i kolanami ku sobie, recytując piskliwie, *atque ita compositas parvo curvamine flectit*. To ona zadzwoniła do mojego ojca i powiedziała mu, że niejaka Ewa Tabor sprowadza mnie na złą drogę. Była zresztą jego pacjentką i widziałem ją parę razy w poczekalni, spiętą i wystrojoną jak na randkę z diabłem. Moi rodzice postanowili sprawdzić, kim jest demoniczna dziewczyna z opowieści Kurwaminy, a ja dałem się nabrać na ich spontaniczną chęć wydania niedzielnego obiadu. Po waszej wizycie pokłóciłem się z matką i ojcem, choć nie wiedziałem wtedy, że nigdy już nie zawrzemy pokoju. Schizofrenia, w najlepszym razie choroba dwubiegunowa, zdiagnozował ojciec Ewę. „Nic z niej nie będzie. Szkoda tylko tej małej mądrali", westchnął na twój temat, bo był człowiekiem, którego nie przeraziłby wybór Zofii. Wybrałby po prostu dziecko zdolniejsze i lepiej rokujące jako materiał do przedłużenia rodu. Racjonalność była bogiem mojego ojca. Poradziłem mu więc, żeby skupił się na cipach, bo głowa to nie jego działka, choć nigdy wcześniej tak do niego nie mówiłem. Przestawałem być grzecznym chłopcem i za to też winili Ewę.

Wkrótce potem ojciec zrobił własne śledztwo i dowiedział się, że wasza matka trafiła do wariatkowa. Próbowała was zadziabać nożem, utopić czy jedno i drugie. To, że wasz ojciec snuł się po lesie wokół Zamku Książ jak zagubiony dybuk, nie było okolicznością łagodzącą. „Ten goj dybuk", tak mój ojciec nazywał waszego. Wariatka, córka wariatki i świrniętego poszukiwacza skarbów, zła rodzina, złe pochodzenie, to wszystko przemawiało przeciw twojej siostrze. Ale wtedy nic nie mogło już mnie od niej odciągnąć. Ojciec zmienił więc strategię. Syn musi się wyszumieć, zanim znajdzie sobie porządną dziewczynę, córkę lekarza, prawnika albo naukowca, dlatego trzeba syna zaopatrzyć w amerykańskie prezerwatywy, jakich nie miał żaden chłopak w Wałbrzychu i okolicach. Zobaczyłem w nim obcego człowieka i uświadomiłem sobie, że dopiero Ewa odkryła, kim jestem, i że nie mam nic wspólnego z ludźmi, którzy są moimi rodzicami. Ewa pytała, jak wypadła ta nieszczęsna wizyta, czy spodobała się moim rodzicom, jaka szkoda, żałowała, że nie może nas wszystkich zaprosić do was. W tym czasie zaczęła tworzyć niezwykłe konfabulacje na temat waszego ojca. Był tak blisko wielkiego historycznego odkrycia, że nie wolno mu było przeszkadzać. Nic jej nie powiedziałem o telefonie Kurwaminy, o tym, że wiem o waszej matce, o kłótni z rodzicami, chciałem ją chronić tak długo, jak to możliwe. Bo nie wyobrażałem sobie życia bez niej, choć dziś nie potrafił przypomnieć sobie tego uczucia całkowitej pewności, że nie ma nic ważniejszego niż druga osoba.

Koniec był nieunikniony, musiałem to jakoś przeczuwać, bo tamtego lata nie spałem całe noce, choć wcześniej byłem zdrowym chłopakiem, który potrafił złożyć głowę na kamieniu. Dopiero gdy wstawał świt, zapadałem w koszmary, za każdym razem traciłem w nich Ewę i zostawałem na jakimś martwym, szarym brzegu. Tego lata, które miało być ostatnie, zrobiłem to zdjęcie w ogrodzie. Była piękna, prawda? Pozowała jako przyszła gwiazda kina, Daisy Tabor, w sznurach sztucznych pereł. Kupiłem je we wrocławskim sklepie z czeską biżuterią podczas egzaminów wstępnych. Byłem już studentem medycyny. Słuchałem fantastycznych opowieści Ewy o naszym wspólnym wrocławskim życiu w mansardzie z oknem na park, której nie mieliśmy za co wynająć, sam opowiadałem o wrześniowej wycieczce w Karkonosze, na którą nigdy nie pojechaliśmy, i udawałem, że w to wszystko wierzę. Tylko gdy ciebie z nami nie było, Ewa opowiadała o rodzicach, a jej historie stawały się coraz bardziej niewiarygodne, w końcu zupełnie szalone. Mówiła, że wasza matka jest Żydówką ocaloną i wychowaną przez polską rodzinę, która przybyła tu po wojnie ze Lwowa. Naprawdę miała na imię Ruta i oczywiście była w skomplikowany sposób spokrewniona z księżną Daisy. Wiem, że tę żydowską matkę wymyśliła specjalnie dla mnie i że w ten sposób chciała spleść jeszcze ciaśniej nasze historie, ale to nie wszystko. „Gdzie teraz jest twoja matka?", zapytałem. „Wyjechała do Paryża, gdzież by indziej? Ma tam liczną rodzinę, a wszyscy mieszkają na Montmartrze". Ojciec waszej matki, a więc wasz paryski dziadek, jest dyrygentem, babcia pod męskim pseudonimem pisuje powieści i zdziwiłbym się, gdyby mi powiedziała, jak on brzmi. Niestety, nie może, bo obiecała dotrzymać tajemnicy, którą będzie można ujawnić dopiero za sto lat. Wasza matka w dzieciństwie ujawniła wybitny talent muzyczny i teraz po latach postanowiła go odświeżyć. Nic a nic się nie zmarnował i zaczęła dawać koncerty. Jesteście z matką w stałym kontakcie, ale z różnych względów utrzymujecie to w tajemnicy. Na razie wasza żydowska matka spokrewniona z angielską arystokratką nie wybiera się z powrotem do Polski, ale ona, Ewa, sama chce być artystką, więc to rozumie. Nie można sprzeciwiać się powołaniu. Poza tym wy tu radzicie sobie bardzo

Po raz pierwszy kochaliśmy się na polanie u stóp Zamku Książ. Ewa lubiła tam przychodzić, choć lubiła to zbyt letnie określenie dla jej emocji. Między jej umysłem a tym miejscem zachodził jakiś rodzaj wzajemnego przyciągania i nieraz musiałem biec za nią ścieżką przez las, gdy nagle, natychmiast zapragnęła się tam znaleźć. Moja wyostrzona dzięki Ewie wrażliwość odbierała na polanie dziwne sygnały. Jakby coś jeszcze było tam oprócz nas, a gdy jej o tym powiedziałem, popatrzyła na mnie tak, jakbym zdał jakiś egzamin. Polana była jednym z miejsc, które zdaniem Ewy kryły tajemnicę pereł księżnej Daisy. Może tu je zakopano, a może raczej pochowano tu kogoś, kto znał ich los. W zależności od nastroju zmieniała wersję historii. Bardzo chciała je znaleźć. Sztuczne perły, które jej kupiłem we Wrocławiu, były tylko namiastką, ale dzięki niej pragnienie oryginału stawało się silniejsze. Ewa uważała, że w klejnotach księżnej Daisy kryje się wielka moc i nie powinny dostać się w niepowołane ręce.

Pod koniec tamtego lata Ewa upodobała sobie mauzoleum Księżnej Daisy i spotykaliśmy się właśnie tam, a nie na polanie. Pamiętasz? Niepozorny, ośmiokątny budynek zwieńczony krzyżem był na parterze zabity dyktą i zakratowany, ale po kracie można było wspiąć się do okrągłego okienka i zajrzeć do środka. Ciała księżnej Daisy nie ma w mauzoleum i nie wiadomo, gdzie ostatecznie została pochowana. Ewa przekonywała mnie jednak, że powinniśmy tam czekać na znak. Daisy powiedziała jej o tym we śnie. Jaki znak? Kiedy się pojawi, będziemy wiedzieli. Za każdym razem Ewa wspinała się po kracie i zaglądała do środka grobowca, ale nigdy nie powiedziała mi, czego tam szuka. Rozmawialiśmy, całowaliśmy się, pili ciepławe wina, które podbierałem ojcu z piwnicy, i czekali. Mogłem tak z nią czekać do końca świata. Tamtego lata ogarnęło mnie dziwne uczucie i nawet jeśli tego nie potrafiłem ująć w słowa, wiedziałem, że moją rolą jest trwanie przy Ewie, bo zbliża się coś nieuniknione-go. Czasem zabieraliśmy cię tam ze sobą, a czasem chciałaś, by zostawić cię w Bibliotece pod Atlantami, gdzie stara bibliotekarka przynosiła ci wszystkie publikacje na temat pustyń, wielbłądów i Tuaregów. Wiem, że robiłaś to po to, byśmy mogli być z Ewą sami. Byłaś dziwnym, nad wiek poważnym dzieckiem i nikt nie zdrabniał twojego imienia.

Pamiętasz tamto lato? Bardzo chciałbym wiedzieć, co pamię-tasz, Alicjo, ale nie mam prawa cię o to pytać. W połowie sierpnia ekscytacja Ewy i jej niezmordowana energia zaczęły przygasać. Mój ojciec nazwałby to końcem epizodu manijnego, ale ona też wiedziała, co się z nią dzieje, bo znała swoje demony. Miała dla nich własne imiona. Prosiła, bym obiecał, że nie odejdę, gdy przyjdą. Kto? „Nie chciałbyś wiedzieć", odpowiadała. Kochaliśmy się tak, jakby miało nas to przed czymś ocalić. Tamtego mgliste-go dnia, zapowiadającego jesień, Ewa jak zwykle wspięła się po kracie, zajrzała do środka i krzyknęła. Spadła na ziemię i przez chwilę leżała nieruchomo, z nosa leciała jej krew, a ja przeraziłem się, że zrobiła sobie krzywdę. Gdy się ocknęła, sam zajrzałem do grobowca Księżnej Daisy i zobaczyłem leżące w półmroku małe nieruchome stworzenie. To był kot. Właściwie jeszcze kociak. Leżał na boku z przykurczonymi łapami. W pierwszej chwili myślałem, że to jego cień, ale coś było nie tak. Został obdarty ze skóry. Leżała obok jak zdjęte ubranie. To nie był zwykły akt okrucieństwa. Ewa to wiedziała. „Obudziły się kotojady". Tak mówiła, a ja zaczynałem rozumieć, że ma na myśli nie tylko to, co dzieje się na zewnątrz, i że obudzone zło dotyczy nie tylko kotów. Między jej umysłem a rzeczywistością zachodził jakiś rodzaj współbieżności, którego do dziś nie potrafię wytłumaczyć.

W mieście działy się wtedy dziwne rzeczy. Mam tu, w tych teczkach, które widzisz, dokumentację wszystkiego, co zdarzy-ło się w Wałbrzychu w miesiącach przed śmiercią Ewy. I moje teorie na ten temat. Ona mówiła, że otworzyły się wejścia i wyszły kotojady. Dlaczego kotojady? „Nie rozumiesz? To tylko nazwa. Trzeba ich jakoś nazywać". A więc sadystów, którzy tamtego lata i jesieni krzywdzili zwierzęta, nazywała kotojadami. Piwniczne koty znajdowano powieszone, zatłuczone w workach po kartoflach, spalone, porozrywane, jakby włożono im do środka bombę. Obdarte ze skóry precyzyjnie, jakby zrobił to lekarz albo wykwalifikowany taksydermista. Dorosłe koty i kociaki z letniego miotu. Potem przyszła pora na psy. Nigdzie w Europie ludzie nie trzymają tyle psów, co w Polsce, im biedniejsze osiedle, tym ich więcej. Wtedy były to najczęściej zwykłe kundle, czasem pudle albo jamniki. Mieszkańcy bloków z Piaskowej Góry albo Podzamcza, kamienic Nowego Miasta i Sobięcina wypuszczali je bez smyczy. Zaczęły znikać, a potem właściciele dostawali paczki z ciałami zwierząt. Pokawałkowany Burek, spalony Pirat, głowa Reksa. Coś tam o tym pisano, ale niewiele. Dopiero gdy w stadninie w Książu zaatakowano konie, podniosła się większa wrzawa, bo to były cenne zwierzęta. Ciężarne klacze. Ktoś zakradł się nocą i poranił im brzuchy ostrym narzędziem. Złapano jakiegoś narkomana z Sobięcina, który się do wszystkiego przyznał, pokazano nawet zdjęcie zakrwawionych nożyc fryzjerskich, ale niewielu w to wierzyło.

Na pewno nie kociary. Było ich wtedy w Wałbrzychu więcej niż zwykle, jakby miejscowe poprosiły o pomoc swoje krewne i przyjaciółki z innych miast. Jedna z nich kręciła się po lesie przy Zamku Książ i czasem potrafiła nas nieźle nastraszyć, bo wyrastała zawsze jak spod ziemi. Okutana w stare szmaty, z walizką kociego żarcia, w starych tenisówkach, z których wystawały jej paluchy. „Jestem Kocińska", przedstawiała się za każdym razem, jakby od ostatniego spotkania jej imię mogło ulec zmianie. Zatrzymywała się na chwilę i rozmawiała z nami, a właściwie z Ewą. O kotach, katastrofach i kotastrofach, o jakiejś Szkotce i Makocie, nie rozumiałem połowy słów. Ale na mnie kociara nigdy nawet nie spojrzała, nie istniałem dla niej. Któregoś razu Ewa przyniosła jej swoje buty. Czerwone śniegowce z napisem „Relax". Nigdy nie widziałem, by ktoś tak się cieszył z prezentu. Kocińska założyła buty i podziwiała je, podnosząc do góry to jedną, to drugą nogę. „Ale galancie kamaszki!". Chwyciły się za ręce na krzyż, jak robią to małe dziewczynki, i zaczęły kręcić się w kółko, wykrzykując: „galancie kamaszki! galancie kamaszki!", jak dwie wariatki albo wiedźmy. Wirowały przed moimi oczami, a ja, oparty o grobowiec księżnej Daisy, czułem, że należy do innego świata niż ten, w którym muszę żyć. Kręciły się tak i wrzeszczały, a ich śmiech stopniowo zmieniał barwę, wlewała się do niego słona fala i po chwili kręciły się, płacząc. Sama wiesz, że Ewa była mistrzynią zmiennych nastrojów, ale ten płacz był inny. Wtedy nie potrafiłem znaleźć dla niego właściwych słów i całe moje życie po Ewie było wysiłkiem, by nazwać to, co nienazwane, i przechować w tej opowieści dla ciebie. Parę lat później trafiłem do greckiej wioski na małej górzystej wyspie. Odcięta od świata, zawieszona na wietrznej przełęczy, była znana tylko paru wędrowcom. Przywieziono tam akurat ciało młodego chłopaka, który wyjechał pracować do Aten i zginął w wypadku. Wzdłuż wąskich uliczek stały stare kobiety i w zupełnej ciszy czekały, zwarty biodrami czarny szpaler żałobnic. Gdy pojawił się kondukt, zaczęły płakać i w ich zawodzeniu usłyszałem nagle głos Ewy i Kocińskiej. Staruszki wyrywały sobie włosy i rozdrapywały twarze, łkały nie tak, jak płacze się, użalając nad sobą czy opłakując stratę, ale jakby dawały ten płacz w darze komuś, kto go potrzebował. Myślę, że Ewa i Kocińska opłakiwały nie tylko śmierć zwierząt, ale coś, co dopiero miało nadejść.

Pod koniec sierpnia Ewa stała się milcząca, przepełniona rozpaczą, której przyczyny nie znałem, albo rozgorączkowana, zapalona do jakichś nowych pomysłów, które już po chwili wydawały jej się niewarte zachodu. Nie przychodziła wcale albo po kilku minutach odchodziła bez słowa wyjaśnienia. Kłóciliśmy się. Mówiła złe, straszne rzeczy. Znikała. Biegałem po mieście i szukałem jej. Na ogół udawało mi się ją znaleźć. Pijaną w Barbórce na rynku, z papierosem w ustach, w towarzystwie jakichś cinkciarzy z saszetkami przy pasku, recydywistów o pociętych przedramionach, z kropkami wytatuowanymi pod okiem. Wyciągałem ją z baru hotelu Sudety, gdzie siedziała z miejscowymi kurwami, ubrana jak jedna z nich. Patrzyła na mnie wyzywająco, jeśli tak może patrzeć topielica. Byli inni mężczyźni, przypadkowi, nieważni. Brała od nich pieniądze. Jeszcze wtedy rozumiała, że tonie i potrzebuje pomocy, i pozwalała mi wyciągać się z melin, cuchnąca tanim winem i dymem, z ustami pomalowanymi na neonowy róż. Płakała z głową na mojej piersi, a ja nie wiedziałem, co czuję. „Kotojady", mówiła. „To one. Wybacz", prosiła, i wybaczałem. Rzucała mi się na szyję, całowała i ciągnęła na polanę, gdzie znów kochaliśmy się, a ja coraz wyraźniej czułem trupi odór spod wyschłej jesiennej trawy. Złą obecność. Szukałem diagnozy tego, co się dzieje z Ewą, w książkach ojca. Miałem być lekarzem i tak patrzyłem na świat: a skoro Ewa była chora, musiało istnieć jakieś lekarstwo. Kurwamina powiedziałaby, że Ewę opętał szatan. Ewa mówiła o kotojadach zjadających ją od środka, ale czy to nie na jedno wychodzi? Ona ginęła, rozpadała się.

Czułem się coraz bardziej bezsilny. Ewa nie miała przyjaciół, nasz ojciec zniknął na parę tygodni, a co mogła mi pomóc taka dziewczynka jak ty? Zostałem z Ewą, mimo że zaczął się już rok akademicki, zostałem też dlatego, że jakiś cichy głos w moim umyśle mówił „uciekaj", a ja słyszałem go coraz wyraźniej. Tego dnia, gdy sadysta zmasakrował ciężarne klacze w stadninie przy Zamku Książ, spotkaliśmy się z Ewą na naszej polanie ostatni raz. Była podekscytowana, niespokojna, mówiła o kotojadach i brzuchach klaczy obciągniętych ciepłą skórą, w którą zagłębiło się ostrze. Zastanawiała się, czy nienarodzone źrebaki coś czuły, czy bały się ukryte w ciemności. Zrobiło się zimno i zza chmur wyszło czerwone późnojesienne słońce, które zapowiadało pierwszy przymrozek. Objąłem Ewę i wydała mi się tak krucha i delikatna, bardziej młodsza siostra niż kochanka. Jak zawsze ubrała się w za cienkie rzeczy, ale byłem zbyt głupi, by zrozumieć, że wasze dziwne, własnoręcznie przez nią upiększane ubrania nie były wyrazem ekstrawagancji, lecz biedy i braku opieki. „Wyjedźmy", powiedziałem. „Wyjedźmy w sobotę do Wrocławia". „Naprawdę?". Popatrzyła na mnie i na jej twarzy pojawił się cień dawnego uśmiechu. „W sobotę?", zapytała. „Dlaczego nie dziś?". „Mam coś do załatwienia. To tylko trzy dni. Pojedziemy wieczornym pociągiem, ty, Alicja i ja". „Ty, Alicja i ja", powtórzyła.

Nigdy już nie miałem zobaczyć tego uśmiechu, który sprawił, że przypomniałem sobie chwilę, gdy się poznaliśmy w obserwatorium astronomicznym. Dzięki temu uśmiechowi uwierzyłem, że się nam uda, i poczułem przypływ siły. Nocą włamałem się do sejfu i okradłem ojca. Nie wierzył w polskie banki i trzymał gotówkę w domu, wziąłem pieniądze i kilka sztuk biżuterii. I srebrne szczypczyki do cukru, które tak podobały się tobie podczas nieszczęsnego niedzielnego obiadu. Czekałem na was na dworcu, padał pierwszy listopadowy śnieg. Ewa przyszła w ostatniej chwili. Sama i bez bagażu, w rozpiętym prochowcu. Wyglądała na chorą i czuć było od niej alkohol. Powiedziała mi, że zmieniła zdanie i że wszystko było kłamstwem. Że jest ktoś inny, że nigdy mnie nie kochała. Powiedziała mi, że była w ciąży, ale nie chciała mieć mojego dziecka. A właściwie nie była nawet pewna, czyje ono było. Nie może się z nikim wiązać, bo jest artystką, czyżbym o tym nie wiedział? Artystki są niestałe w uczuciach, kapryśne, zmieniają mężczyzn jak rękawiczki. „Nie chcę cię więcej widzieć. Żegnaj! *Adieu!*". Nie wierzyłem jej. Powiedziałem, żeby przestała odgrywać artystkę ze spalonego teatru. Że jest pretensjonalna i żałosna. Złapałem ją za ramię i wtedy mnie uderzyła.

Wsiadłem do tego pociągu, Alicjo, i przez trzydzieści lat tutaj nie wróciłem. Nie skończyłem medycyny ani nawet nie zacząłem. Po prostu ruszyłem w świat. Pojechałam jak tysiące innych na wycieczkę do Wiednia, a tam kupiłem paszport. Nigdzie nie zagrzałem miejsca. Niczego nie miałem, tylko plecak i te buty, które tak ci się podobały. Poznałem wielu podobnych do mnie, czasem z kimś rozmawiałem, z kimś spałem, nikogo nie pamiętam. Zerwałem wszystkie więzy i nie zbudowałem nowych. Z lat wędrówki zapamiętałem tylko to, co przypominało mi Ewę. Gdy internet stał się częścią życia, szybko doszedłem do wniosku, że został stworzony dla takich jak ja, bo nie chciałem z nikim kontaktować się twarzą w twarz, a potrzebowałem informacji. I umiałem je zdobyć. Zacząłem od tego, który przed śmiercią Ewy krzywdził zwierzęta, bo to było proste zadanie. Był nikim, niczym się nie wyróżniał i zatarłem po nim wszelki ślad. Potem namieszałem trochę w głowie Kurwaminie.

Okazało się, że w wirtualnej przestrzeni poruszam się z większą wprawą niż w jakiejkolwiek innej i potrafię z łatwością dotrzeć do miejsc, które innym użytkownikom wydają się bezpieczne. Żałosne piwniczki małych cwaniaków! Bawią mnie naiwni posiadacze haseł, które można złamać w pięć minut. Imiona dzieci, daty urodzin, wszystko tak łatwe do przewidzenia. Zanim zapytasz, tak, ciebie też śledziłem. Wiedziałem, że w końcu przyjedziesz do tego miasta. Wróciłem, bo chciałem się z tobą zobaczyć właśnie tutaj. Jeszcze nie mogę odejść.

Pokój, którego nie ma

Gdy wróciłam od Dawida, było po trzeciej i wokół panowała zimna cisza. Nie zaszczekał nawet pies i czułam się jak ostatnia żywa istota w okolicy, przez którą przeszła zaraza. Las pod Zamkiem Książ przypominał wezbraną falę, gotową stoczyć się i pochłonąć wszystko na swojej drodze. Księżyc obwiedziony był zielonkawą aureolą i wyglądał jak chory. Pan Albert tej nocy pracował na parkingu, okno pokoju Marcina też było ciemne. Nie miałam pojęcia, co ten mężczyzna tu robi i gdzie znika na całe godziny, ale każde z nas miało swoje powody, by przyjechać do Wałbrzycha. Nie powinnam być wścibska. Szkoda, że nie pojechałam do Celestyny, ona na pewno przyjęłaby mnie nawet nad ranem i niczemu by się nie dziwiła, jej uśmiech rozjaśniłby moje myśli. Czułam niepokój, który był spowodowany czymś jeszcze oprócz nieprzyjemnej wizyty u Dawida i przygniatającego mnie smutku z powodu zaginionych dzieci oraz własnych wspomnień. Miałam wrażenie, że perła na mojej szyi jest zimna jak lód.

Pospiesznie zatrzasnęłam za sobą drzwi, ale wewnątrz nie czułam się bezpieczniej. Ten dom był pełen intensywnych zapachów, jakby nagromadzony tu czas zaczął się teraz psuć jak jedzenie w otwartej lodówce. Rano czułam naftalinę i świeżą ziemię, teraz fermentujące owoce, podszytą rozkładem woń, jaka unosiła się nad szklanym słojem przykrytym gazą, w którym przed laty moja siostra próbowała zrobić wino z dzikich jeżyn, cukru i cynamonu. Tych kilka rzeczy, które przywiozłam ze sobą, sportowa torba, komputer, drobiazgi na nocnej szafce, sprawiało wrażenie intruzów. Ten dom mnie nie chciał. Ściany napierały na mnie, sufit obniżał się jak obciążony wodą tropik namiotu, smród fermentujących owoców nasilał się i zrobiło mi się niedobrze. Czułam obrzydliwy posmak pizzy, którą zjadłam w centrum handlowym, przypomniały mi się szalone oczy Dawida i jego włosy jak popiół, poszarzałe ciało między połami szlafroka w owieczki. Dlaczego ciągle tu tkwiłam? Mogłam pojechać na dworzec i poczekać na pierwszy poranny pociąg do Wrocławia, a tam wsiąść w ekspres do Warszawy. Bałam się, że zaraz zwymiotuję, i gwałtownie otworzyłam okno. Obluzowany uchwyt został mi w dłoni, kolejny dowód postępującego rozpadu.

Za szybą ogród wydawał się jednocześnie znany i nierealny, jak lustrzane odbicie. Jabłoń, której owoce, zebrane dla mnie przez pana Alberta, nadal smakowały tak jak wtedy, gdy się na nią wspinałam w dzieciństwie, była naga i wydawała się już bardzo zmęczona. Wyglądała jak matka wielu dzieci, która dożyła późnej starości i nigdy nie udało jej się wyrazić swoich uczuć. Moja jabłoń. Coś wisiało na jej gałęzi. Niewielki podłużny kształt. Fala gorąca uderzyła mnie z taką siłą, że się zachwiałam, bo zanim udało mi się go rozpoznać, wiedziałam, że był wcześniej żywym stworzeniem. Przypomniały mi się poranione brzuchy ciężarnych klaczy ze stadniny Książ, zwierzęta spalone żywcem tuż przed moim przyjazdem do Wałbrzycha i te z opowieści Dawida, kawałkowane, odzierane ze skóry. Zbiegłam do kuchni i zanim otworzyłam drzwi do ogrodu, wzięłam ze stołu Gertrud Blütchen.

To był kot. Stary pręgowany kot z białym brzuchem i w białych skarpetkach, którego widywałam polującego w moim ogrodzie. Piękny dziki kot ze stada żyjącego w Zamku Książ. Z pyska zwisał mu język, spod przymkniętych powiek lśniły żółte oczy. Miał rzęsy jak dziecko. Musiał stoczyć w swoim życiu niejedną walkę, bo jego uszy były poszarpane, ale tę ostatnią przegrał. Dotknęłam wilgotnego od śniegu futra, została pod nim jeszcze resztka ciepła. Ktoś tu był niedawno i zostawił dla mnie znak. Zaczęłam wymiotować, pozbywając się ohydnej pizzy i kawy. Odcięłam zwierzę Gertrud Blütchen i położyłam pod krzakiem czarnych porzeczek. Zdjęłam pętlę z kociej szyi i wygładziłam sierść. Położyłam rękę na martwym łbie i poczułam istotę kotowatości, połączenie delikatności i siły. Kot czuły jak sejsmograf, jeden z tych, które księżna Daisy zostawiła na straży, jak mówiła moja siostra. Czy wiedział, że nadchodzą kotojady? Czuł ich zimny, cuchnący oddech? Jeśli prześladowca chciał mnie przestraszyć, odniósł skutek przeciwny do zamierzonego. Razem z pizzą wyrzygałam swój strach i porzuciłam plan ucieczki. Wzięłam szpadel i wykopałam grób. Ziemia była twarda, pełna korzeni. Poraniłam sobie dłoń. Gdy mocowałam się ze szpadlem, tak opornym w moich nieprzyzwyczajonych do fizycznej pracy rękach, przypomniały mi się dłonie Babcyjki, twarde kostropate łopatki. Owinęłam kota w ręcznik i pochowałam. Gdybym była buddystką, zmówiłabym modlitwę, a tak stałam nad kocim grobem i zaciskałam dłoń na ostrzu dobrego poniemieckiego noża.

Dopiero gdy wróciłam do mojego pokoju, zauważyłam, że coś zginęło. Znikła powieść Mareczka, którą położyłam na podłodze przy łóżku. Perły księżnej Daisy zabrała na pewno ta sama osoba, która powiesiła kota w moim ogrodzie. Czy to sam autor nagle zmienił zdanie i nie chciał, żebym poznała jego opowieść? Czy Mareczek Waszkiewicz byłby do tego zdolny? Przeczytałam tylko kilka pierwszych stron i żałowałam teraz, że nie zmusiłam się, by brnąć dalej. Bohaterem historii był nieustraszony inspektor Konrad Twardowski, ponury, cyniczny, lecz prawy i cieszący się niezwykłym powodzeniem u kobiet. W otwierającej scenie stał na łodzi, dzierżył w silnych dłoniach ster i czuł w swych stalowych mięśniach nucenie testosteronu. Włosy miał siwe, lecz twarz młodą i niemal ciągłą erekcję. Na kolejnych czterech stronach uprawiał seks z sędziną, jej sekretarką i młodą dziennikarką z Warszawy, która jednocześnie przeprowadzała z nim wywiad. Mareczek nie umiał pisać, ale tych kilka stron miało niezamierzony komizm i urok pastiszu. A może to, co widziałam, to pozór i Mareczek po zmroku zmienia się w twardziela Twardowskiego? Zakrada się do cudzych domów i morduje zwierzęta? Porywa dzieci? Czai się teraz w lesie pod Zamkiem Książ i mnie obserwuje? Zdawałam sobie sprawę z tego, jaką wiadomość przekazuje mi nieznajomy, który najpierw powiesił rudego Hansa z NRD, a teraz kota. Mało subtelne ostrzeżenie. Ja miałam być następna.

Byłam pewna, że Dawid jest jedyną osobą, która może naprowadzić mnie na ślad prześladowcy. Wiedział więcej, niż chciał mi powiedzieć podczas naszego spotkania, i ta wiedza była jego kartą przetargową, bo nic więcej nas już nie łączyło. Czułam, że zależy mu z jakiś powodów, by utrzymać ze mną kontakt. Postanowiłam sprawdzić, czy czai się w cyberprzestrzeni. Znalazłam na lokalnym portalu świeżą informację o spotkaniu pod kościołem Matki Boskiej Bolesnej i przemówieniu Jerzego Łabędzia. Położyłam obok komputera Gertrud Blütchen, jej ostrze lśniło w świetle ekranu. Jedno kliknięcie i ruszyła sfora.

Bluzg 11

Gość 02:22

Pirszy!! aleJAja!!!!!!!

Benek 02:23

a gdzie Kryśka?

Zagłoba 02:23

pod latarnia

A-theista 02:23

a ja kryske widziałem pod kościołem moher ja swendział

Fasionistka 02:24

Pierwsa!!!!! Polecam mega ciekawy nowy
blog o modzie www.blogKasi.com.pl !!!!!!!!!!

Bella 02:24

Popuściłas?

A-theista 02:25

owe jednoski spod kościoła powinno sie eksterminowac...
Nicztsche mialby tu cos do powidzenia....

Studentka 02:25

Nietsche, kolego. Stajemy się stopniowo kolonią Watykanu,
któremu zalezy na trzymaniu ludzi w ciemnocie, nieuctwie
i zabobonie. Niedlugo wszystkim nam zamontuja kamery pod
kołdrą, a w kazdym miescie w rynku będzie stała swieta figura
jakiegos zlotego cielca, do którego będą się modlic dewotki
niewydymki i pedofile.

Benek 02:26

pod koldra to ja bym mog się z toba skamerowac studentak

Studentka 02:26

ty to sobie możesz bzyknąć galerianke buraku

SexyRacjonalistka 02:27

oczywiście na figure jest kasa............ ciekawe, ze w takim biednym mieście jak WalbrzychMatka Boska Bolesna ukazala się, żeby sobie pomnik zażyczyć, a nie żeby kazac dac kase na znalezienie porwanych dzieci albo na szklankę mleka w szkole, czy schronisko dla bezdomnych zwierzat........

Benek 02:27

Je****bac siersciuchy!!1!1

A-theista 02:28

Dżisus był najaranym zydoskim hippisem, który włóczył się z kolesiami po pustyni i wciskał ludziom ciemnote żeby wyciągnąć od durnego ludu pare groszy na wino. A jego matka Zydowka miala 12 lat w chwili poczecia co stawia tatusia w nie najlepszym swietle. I jej się moze należy pomnik jako wykorzystanemu dziecku.

Anty-pederasta 02:29

Kastrować księży odcinac im jądra!!!! !!!!! !!!!!!! !!!!!!!!!!!1

A-theista 02:30

Mówią ze w Polsce antysemityzm A pomnik ciemnota stawia najbardziej wplywowej Żydówce w historii buahahahaha

PoliszKamikadze 02:30

Zwaszej kasy mojżesze czosnkowe? To morda wkubeł

Zagłoba 02:30

Bo zaracyklona podgrzeje buahahah

ProfessorHab. 02:32

.....Szatana pomnik przeciw CYWILIZACJI ŚMIERCI będzie raził zawsze i zawsze będzie go atakował. Moja propozycja która przedstawiłem niestety bez odpowiedzi odpowiednim „władzom i cynnikom" brzmi by w innych miastach POLSKI postawić podobne figury jako „WIAROMETRY" (© by Profes-sor-Hab).

Studentka 02:34
To wiarę można mierzyć super A jednostka to katodebil?

SexyRacjonalistka 02:34
Katomatoł!

Anty-pederasta 02:34
katopedofil

Studentka 02:34
Katokutas

Benek 02:35
Co studioujesz d*py dawanie lachonie?

Studentka 02:35
No nie mogę. Ja bym was wszystkich wyslala do Holandii z kuponem zniżkowym do Dignitas,. Nawet na pasze dla swin się nie nadajecie, smieci Europy, średniowieczne wypierdki Ciemnogrodu, katotaliby niemyte, wstydzę się za was i ten kraj naprawde.

GłosPrawdy 02:36
!!!Módlcie się do Matki Boskiej Bolesnej scierwo szatańskie hordo porozwsciekana!!!!!!!!

ProfessorHab. 02:37
ZMANIPULOWANY ....Wytworze „mediów masowych", człwoieku łatwowierny pamiętaj! Kiedy noc się splata z dniem odżywają UPIORY i wyciągają swe okrutnemacki.... Między nimi toczy się śmiertelna walka O „RZĄD DUSZ".... W dzisiejszych czasach możemy zaobserwować jak „czerwona zaraza" podstepnie się PRZEPOCZWARZAi pojawia w nowej szacie w służbie pachołków SZATAna. Ciągle „sieć pajęczą" snują W NIEPODLEGŁEJ zsobaczeni na moskiewskich szkoleniach i dietach Pomiot i popłuczyna mojżeszowa po ub, Sb, KGB, sięga po rząd Polskich Dusz... Porywają dusze naszych dzieci, a może same dzieci Nie

maja sumienia?.. Macki tej sieci znaleźć można w najbardziej UKRYTYCH naszych miejscach.... www.mackisiecimasona.pl

ZwykłyGość 02:40

Wara innym od naszej figury!!!11!1!1

PoliszKamikadze 02:40

Szacun niech wracaja do siebie cygany muzułmany ciapate

NormalnaNiunia 02:40

Nienormalni

MatkaPL 02:40

wszyscy inni!

Zagłoba 02:40

Wszyscy inni won stąd

Polakzcroydon 02:42

Ale żeby do nas nie przylexli. Tu i tak jest ich duzo, każdy Angol to powie, ze kiedys tego nie było. Kiedys inni byli u siebie a my tez u siebie. A Polki wiadomo leca na słitaśne buźki, na polaka tu nawet nie spojrzą

Benek 02:43

My nasza FIGURĄ!!!!111! Wam doj*biemy

ZwykłyGość 02:43

Pokażemy że zobaczycie

Zagłoba 02:43

Wszystkim innym pokażemy

Studentzwrocka 02:44

A my se większą Maryje postawimy, wsioki

A-theista 02:44

Wrocław siedziba Czarnej MAFii sukienkowych!!!!!111

Anty-pederasta 02:44

Kastrować księży odcinac im jądra!!!!!!!!!!!!!!!!!!!!!!!!!!!!!!1

RozaliaJasna 02:45

Ja bardzo proszę, nie uzywajmy takich slow, nie brudźmy naszych ust wulgaryzmami przez które przemawia ZŁO.Otworzmy

serca na świętość, która się dzieje tu, w naszym rynku, słuchaj-
my ludzi jak Jerzy Łabędź ludzi natchnionych, A ja zapraszam
serdecznie na mój blog dotyczący rzeczy nadprzyrodzonych,
jasnowidzenie, szukanie zaginionych. itp.: rozaliawidzijasnosc-
dusza.blogspot.com UWAGA link do petycji w sprawie pomnika
Matki Boskiej Bolesnej z widzenia Jana Kołka. Od ostatniego
razu mialam 107 wejsc☺ Serdecznie zapraszam!

Gość 02:47

a mnie gówno obchodzi wasz bałwan do modłów i inne łabędzie
czy kołki jade se jutro do jukeja i to za dobry hajsik

PoliszKamikadze 02:48

taa dobry hajsik na zmywaku u pakola albo turasa

Gość 02:48

I mam was w DUPIE zapomniałem dodac

Zagłoba 02:48

uwazaj żeby się nie zchylac u ciapategobo co innego w d*pie
beziesz mieć buahahaha

Polkazcroydon 02:48

Zostan na swoim blokowisku, nam tu nie trzbawiecej smieci
Mamy swoich ciapatychgood luck and good by pustaku

Benek 02:49

Ja to bym tych bezowych turasow normalnei wy*ierdolil

Anty-pederasta 02:49

doigrasz się młocie pobytu w jednej celi z klechą pedofilem....
ale może na to czekasz

POlakNAObczyśnie 02:50

hejka, takie zaszlo wydarzenia u nas na dzielnicy ze dwoch
pakoli się pobilo o jakas laske i posądzili POLAKOW. Jazda była
że maskra...duzo zdrowka dla wszystkich Wałbrzyszan z desz-
czowego dzis Dublina ☹

Studentka 02:53

A w czym wy jesteście lepsi Polaczki?

GościuBezwąsa 02:54

To może ja szerzej się wypowimChodzo o to, e mentalność południowców względnie Cyganow jest zupełnie inna i w rozmowie często nie maja granic, wiec czasami lepiej jest nie rozumieć o czym mówią. Mam szwagra serba więc wiem z czego są ulepieni...

PoliszKamikadze 02:55

Z goooowna

Zagłoba 02:55

nie lubię arabów poobcinałabym im pejsy

Benek 02:56

won ci*pyyyyy do paletyny

Studentka 02:56

Ty to najdalej do Świdnicy pojechałeś buraku chinski syf na bazarku sprzedawac buahahaha

NormalnaNiunia 02:58

Normalnie jak u siebie w domu się PANOSZA

MatkaPL 02:59

wszyscy inni!

NormalnaNiunia 02:59

nienormalni

Zagłoba 02:59

Wszyscy inni won stąd

Benek 02:59

od naszej FIGURY!!!!111! ręce Precz

Ramoh 03:00

a...

SexyRacjonalistka 03:01

w stosunku do Zachodu jesteśmy mentalnie jeszcze w głębokim buszu

Zagłoba 03:01

Żeby ciew tym buszu jakis bambus nie wy*uchal

Bella 03:02

Sam bys chciał cioto chichodajko

ProfessorHab. 03:02

Otumaniony narodzie szuje plują ci w twarz .....Bolszewizm znowu w modzie ubrany w RÓŻOWE PIÓRKA mąci młodzieży w głowie i oddala ja od Boga Honoru Ojczyzny, psuje nasze kobiety i odwrca Tylem do ich „powołania"....MĘŻCZYZNY. Wara innym od naszej FIGURY. Czas posprzątać „dom"! Na youtube znajdcie, co ostatnio mówił Jerzy Łabędź o matactwa władz itp, tam „wszystko" jest.....

Anty-pederasta 03:04

Rodzice !!!! Trzymajcie swoje dzieci jak najdalej od kościoła !!!

NormalnaNiunia 03:05

A jak najbliżej knajpy i burdelu to na pewno wyjdą na ludzi--jeszcze lektura do poduszki pani wisłockiej albo kamasrutra. chca na przykład w szkole uczyc dzieci o seksie i to od podstawowki. Jak dziecko nie wie to nie pomysli. Ja się pytam Po co normalnym dzieciom taka wiedza? Ja swoim w głowach macic nie pozwole

NiezadowolonyPolak 03:06

knuja bluznia dzieciom naszym w glowach mącą

MatkaPL 03:06

Bo trzeba dzieciom od dziecka wpajać

GościuBezWąsa 03:07

Jezuz Chrystus Królem Polski

MatkaPL 03:07

A MATKA boska Królową

NormalnaNiunia 03:08

nienormalni

MatkaPL 03:08

wszyscy inni!

Zagłoba 03:09
Wszyscy inni won stąd
A-theista 03:09
Katotaliby do katostanu!
Studentka 03:10
w BYDLĘce wagony do Ciemnogrodu
PoliszKamikadze 03:10
do gazu was do gazu
Benek 03:11
TRZEBA POWYRZUCAĆ TEN gNÓJ!!!!1
SexyRacjonalistka 03:12
.....A nie mógłby pan Jezus zostać dla odmiany cesarzem Japonii?
Tam miałby lepszą dietę....
A-theista 03:12
Sushi by się nawpier*alał popil sake i by mu się odechciało
krzyżowania
Stańczyk 03:13
Może Żółtki to też Żydzi
PoliszKamikadze 03:14
Nie bądź tak madry a niby skad maja japonce kase? może sami
z siebie taka cywilizacje osiągli?
Zagłoba 03:14
Toyoty Toshiby ch*j wie co a my co?
ZwyłyGość 03:14
gówno
Gość 03:15
goooooooowno
Gość 03:15
gowwwwwnooooooo
Stańczyk 03:16
My mamy misia.

PoliszKamikadze 03:16

Jakiego qrwwwa misia?????!!!111??? płcici ktos cwelu?

WiernyTomasz 03:17

zyciepozyciu.blogspot.com. pl jeśli kogoś zainteresuje ta stronka to proszę można się dowiedzieć z niej żeczy o których większość z nas nie ma pojęcia.......

Benek 03:18

Wy*ebb stad spamer

PoliszKamikadze 03:18

Do izraela

Benek 03:19

Ja bym takich spamerow normalnie wy*ierodolil!!!!!!11!!

WqrwionyPilot 03:20

Jezus królem, Matka boska królową a KUPY na mojej klatce dalej nikt nie posprzątał !!!!!!!!!!!!!!!!11111!!!

Doktor 03:20

Następny proszę!

Jan Kołek 03:22

Zapomniałem wam powiedzieć Też jestem Żydem i chce być królem

SexyRacjonalistka 03:22

...Ja proponuje postawic pomnik wszystkim pomordowanym przez kościół podczas dróg krzyzowych....

Anty-pederasta 03:23

Kastrować księży odcinac im jądra!!!!!!!!!!!!!!!!!!!!!!!!!!!!1

NormalnaNiunia 03:23

Przyjechałam do rynku z rodzinką i widziałam ten projekt na ulotce rozdawaliMoim zdaniem niepodobny do Matki Boskiej ☹

Studentka 03:24

Spotkałaś Matke Boska? Mogłas jej qrwa zdjęcie zrobić.

Napalony 03:24

ja bym ci porobill zdjęcia ze bys jenczała swinko

Poeta 03:26

W nadwiślańskim katostanie niech Maryja wielka stanie

Gość 03:26

Sranie w banie

Gość 03:27

Sranie w banie

Studentka 03:27

Nastepny kicz będzie straszył dzieci jak jest w Korei u Kim Ir
Sena. Ciekawe, że Matka Boska zawsze się ukazuje albo jakimś
niedouczonym amalfabetom zplebsu, albo dzieciom, a nie wykształconym ludziom.

Benek 03:28

Wykształłciuchy na odszczał

A-theista 03:28

A ja proponuje w wałbrzyskiej porcelanie produkować wersje
ogrodowe Rozne figury na rynek miejscowy i zagraniczny. Do
Niemiec blisko. Krasnalen, Kobolden, Matki Boskie und andere
figure.

Benek 03:29

Spadaj szkopie do gestapo

MatkaPL 03:30

Matka Boska KRÓLOWĄ

Studentka 03:30

Ciemna babo do figury Żydówki się modlisz

Benek 03:31

A ty co koorwa bylas tam ?? ???? ?? ?????Mogla się w Polsce
urodzic i wyjechac

SexyRacjonalistka 03:32

Jasne Wszyscy stąd Spie*dalaja to po co Matka Boska miala tu
siedziec i patrzyc na wasze burackie ryje

ProfessorHab. 03:33

Za „ciemnych czasów" Komuny w roku 1981 HOSTIA cudownie przemieniła się w TKANKĘ SERCA Matki Boskiej jednocześnie w trzech kościołach naraz.... To wiekopomne wydarzenie zaszło, gdy POLAK został powołany na „stolice Piotrowom" i sa na to naoczni świadkowie, a prawdziwość udowodniły badania DNA dwojga wybitnych naukowców z filii Uniwersytetu Medycznego w Skierniewicach.... A także została TKANKA wyslana do potwier- dzenia przez „niezalenychEKSPERTOW". Niestety ten widomy cud został zatuszowany w „potajemnym SPISKU", by pognębic Naród Polski.... Zwyciężymy Szatana naszą męką!.... Na you- tubie do obejrzenia po polsku „NIECNI ZŁODZIEJE ŚWIETej TKANKi

SexyRacjonalistka 03:35

Sklonujmy sobie Matkę Boską!

Studentka 03:35

Czemu jedna, calą armie, po jednej na kazde polskie miasto i wioske Po pare walnac na skrzyżowaniach i dworcach Reszta na handel. Niech każdy w Unii da to, co ma najlepsze.

Polakzcroydon 03:36

W uni to niestety wiadomo ze daja nasze panie. Sorki dziew- czyny ale taka jest prawda tu w jukeju dziewczyny tylko leca na słitasne buźki, zaraz dostają kiślu w gaciach a na polskiego normalnego mężczyzne nawet nei spojrzom
żczyzne nawet nei spojrzom

NiezadowolonyPolak 03:36

knuja bluznia dzieciom naszym w glowach mącą

MatkaPL 03:37

Bo trzeba dzieciom od dziecka wpajać

GościuBezWąsa 03:37

Jezuz Chrystus Królem Polski

MatkaPL 03:37

A MATKA boska Królową

NormalnaNiunia 03:37

Nienormalni

MatkaPL 03:37

wszyscy inni!

Zagłoba 03:37

Wszyscy inni won stąd

A-theista 03:38

Katotaliby do katostanu!

Studentka 03:38

w BYDLĘCe wagony do Ciemnogrodu

PoliszKamikadze 03:38

do gazu was do gazu

Benek 03:38

TRZEBA POWYRZUCAĆ TEN gNÓJ!!!!1

MatkaPL 03:39

A Matka Boska Królową!!!

Stańczyk 03:39

Matka z synem. Mi to pachnie kazirodztwem.

GościuZwąsem 03:40

ty bys Stanczyk moja pache powąchał po silce

GłosPrawdy 03:40

!!!Módlcie się do Matki Boskiej Bolesnej scierwo szatańskie hordo porozwsciekana!!!!!!!!

Studentka 03:41

Nadciąg Gandlaf Bialy Patron pedofilów. Zanim armia moherow z szydełkami

Benek 03:41

Pedaly cygańskie żydowskie paholki czoskowe

PoliszKamikadze 03:41

Do gazu was c*py do gazu

Zagłoba 03:42

Zapłacicie POLAKOMza dzici porwane

NormalnaNiunia 03:43

Ja od dawna mysle ze to ci ludzie o zboczonych popedach porywaja dzieci. Proszę bardzo, jak sa tacy jak my, to niech sobie sami normalniezrobia dziecko. Ja sobie w ogol e nie wyobrazam jak cos takiego może zachoodzic

Napalony 03:43

Normalnie w kakało niunia

NormalnaNiunia 03:43

Takich ludzi trzeba leczyc przymusowo

PoliszKamikadze 03:44

Ja bym cipolizki wyleczyl raz dwa Na ta chorobe jest jedno tanie lekarstwo

Studentka 03:44

Wyć się chce

Ramoh 03:45

al

Gość 03:45

Auuuuu

Gość 03:45

Auuuuuuuuuuuuuuu

RozaliaJasna 03:46

Ja bardzo prsoze bądźmy dla siebie nawzajem mili jak nie na co dzien to w obliczu tragedii nieszczęścia. Tylko w sercach prawdziwych Polaków połąconych wspólnym cierpieniem króluje Matka Boska Bolesna, Królowa Polski z naszegoWałbrzyszka. Spotkajmy się pod nia,kleknijmy u jej stóp, pomodlmy się za dzieci zaginione, za naszego brata Jana Kolka i jego syna Jerzego. Zapalmy swieczki, badźmy razem w nieszczęściu, w tej tragedii, która nas laczy. A ja zapraszam serdecznie na mój blog dotyczący rzeczy nadprzyrodzonych, jasnowidzenie, szukanie zaginionych. itp.: rozaliawidzijasnoscdusza.blogspot.com UWAGA link do petycji w sprawie pomnika Matki Boskiej Bolesnej z widzenia Jana Kołka. Serdecznie zapraszam!

RozaliaJasna 03:47

A kto nie może przyjść niech zapali tu wirtualna swieczuczke czy zniczyk (*)(*)(*)

PoliszKamikadze 03:47

Racja. Bądźmy razem pamiętajmy (*)(*)(*)(*)(*)(*)(*)(*)(*)

Zagłoba 03:47

(*)(*)(*)

Benek 03:48

(*)(*)(*) cześc i hwala

NormalnaNiunia 03:48

(*)(*)(*)(*)(*)(*)Albo te ich parady golizna, muzykaCzy normalni ludzie się tak obnosza publicznie z uczuciami do plci przeciwnej? (*)(*)(*) czy normalni ludzi potrzebuj a jakich parad a przeciez nas jest większość to bysmy mogli(*)(*)(*)(*) (*)(*)(*)(*)

MatkaPL 03:48

Dzieci pedofilom Bulgarskim sprzedają

PoliszKamikadze 03:49

Tą figura pokażemy niedowiarkom otworzymy im oczy

Benek 03:49

Wara innym od naszej figury!!!11!1!1

MatkaPL 03:49

wszyscy inni!

NormalnaNiunia 03:50

nienormalni

Zagłoba 03:50

Wszyscy inni won stąd

Gość 03:50

Jeśli o mnei chodzi to wszyscy inni mogą wyjechac Polka dla Polaków!

PolakNAObczyśnie 03:51

Hejka Byle nie do nas. Miałem takie przypadek w pracy, ze koelezanka tez Polka mowi do ciapatego turasa żeby sienie opier...

alał przy tasmie bo nie jest u sibie i tu się pracuje a on normalnei do niej z pyskiem. Polonia w jukeju jest z wami i trzymamy kciuki za wałbrzyskom Matkę Boską. Pozdrowionka z chlodnego dzis Dublina ☺

NormalnaNiunia 03:52

Ja myślę tez ze nie ma potrzeby wygrzebywac tego ze Matka Boska nie pochodzi stad i ze podobno była z żydoskiej rodziny. Przekazujmy naszym dzieciom tylko dobre rzeczy na temat naszej polskiej historii i tradycji a nie jakies niepotwierdzone zababony.

MatkaPL 03:52

Bo trzeba dzieciom od dziecka wpajać

SexyRacjonalistka 03:52

Kościoły przerobic na szkoły, Rozebrać te wszystki figury

PoliszKamikadze 03:53

Ciebie szybciej rozbiora Może jeszcze tej nocy boj się swinka i lykaj

Benek 03:53

Ja bym takie śfinki normalnei wy*ierdolil!!!!!!!!11!!

Bydlądynka 03:53

A ja chciałabym by ktoś mnie rozebrał tej nocy i jutro też mrrrrr-rrrrrrrrrrrrrrrrrrmrumrumruuuuu

Benek 03:54

Znow to koorwiszcze ukrainska tiróooowa

GorącaBrunetka 03:54

Zwiaz mnie drecz mnie ręcznie mruu uuuuuuu uuuuuu mrumru-rrrrrrrrrrrrrrrrrrrrrrrrrrrrrrrrrrrrrrrrrrrrrr

Zagłoba 03:55

To ciota się jakas podszywa pederasta zboczony

Benek 03:55

Ja bym taką ciote normalnie wypieeee8dolil111111!!!!!!

Ramoh 03:55

Ona jest tu

ProfessorHab. 03:56

Tylko EKSHUMACJA Jana Kołka i powołanie „NIEZALEŻNEJ komisji", która zbada faktyczne powody a zwłaszcza przyczny jego smierci może wyjasnić sprawę wielu NIEJASNOSCI i „nieścisłości"..... Poszlaki sa niejasne a wiele faktow z nimi związanych wyglada na fałszywe i wymyslone w celu MATACZENIA„męczeńskiej historii". Ekshumacja jest nasza na to odpowiedzia i pomstą. „Ekshumacja" = „PRAWDA"..... zonaczcie na you tube ciakwy film Piękno Eksumacji (polski)

PoliszKamikadze 03:57

Szcun mataczą

Zagłoba 03:57

Kołka pomścimy

RozaliaJasna 03:58

Ja bym chciala, abyśmy wszyscy zyli w pokoju, zjasnoscia w duszach czystych jak woda, bo kto wystepuje przeciwko nam sam siebie krzwdzi. Modlmy się za dzieci zaginione, zapalmy swieczuszki, wezmy się zarece pod figura NASzj Matki Bolesnej Serdecznie A ja zapraszam wszystkich na mój blog dotyczący rzeczy nadprzyrodzonych, jasnowidzenie, szukanie zaginionych. itp.: rozaliawidzijasnoscdusza.blogspot.com UWAGA link do petycji w sprawie pomnika Matki Boskiej Bolesnej z widzenia Jana Kołka. A także nowość: nasza najnowsza inicjatywa w sprawie ekshumacji Jana Kołka.

Studentka 03:59

Ale ty mnie wkoooorwiasz Rozalia. Uzyj tej swieczki i wycisz sie, laska.

A-theista 04:00

Niech sobie Kołka wykopie.

Studentka 04:01

Katonekrofile do roboty!

Ramoh 04:01

blisko

GłosPrawdy 04:03

!!Módlecie się hordo Porozwściekana!!!!!!!!Na Europe wkrótce spadnie gówien deszcz!!!!!!!!!!!!!!!!!!!!!!

Gość 04:03

Góóóówno

WqrwionyPilot 04:04

Załozę się gdzie wyląduje Na mojej klatce

RozaliaJasna 04:04

Ja Was bardzo proszę. Zamiast być dla siebie nawzajem tak nie-miłymi, chodzmy wszyscy do Rynku, wszyscy razem zapalmy (*)(*)(*)(*)swieczuszki, zniczyki (*)(*)(*)(*), pomodlmy się do Matki Boskiej Bolesnej za dzieci zaginione i pamiętajmy Tragedie jaką była łączaca nas w bólu śmierć Jana Kołka. Niech jego męka nas pojedna! A przy okazji A ja zapraszam serdecznie na mój blog dotyczący rzeczy nadprzyrodzonych, jasnowidzenie, szukanie zaginionych. itp.: rozaliawidzijasnoscdusza.blogspot.com UWAGA link do petycji w sprawie pomnika Matki Boskiej Bolesnej z widzenia Jana Kołka i naszej najnowszej inicjatywy – petycji w sprawie ekshumacji zwłok Jana Kołka. Serdecznie zapraszam!

Studentka 04:05

Mam już dość!!!!!! Katoland!!!!! KATOKRACJA! KatoTalibizacja!!! Katodebilizaja!!!! Katokastracja umysłowa!!!!! Katohołoto gnij tu i czcij katobałwany, kupuj święte kości i ugotuj se nanich katorosół!!!!! Ja jade na Erasmusa i mam was w dooooooopie. Jak mnei ten kraj wkoooooooo oooooo ooooooooo rwia!11!1!!!!!

WqrwionyPilot 04:06

Nie bardziej niż mnie

NormalnaNiunia 04:06

Ja dzis nie mogę być w rynku ale zapalam swieczuszke (*)(*)(*)

GościuZwąsem 04:07

(*)(*)

GościuBezwąsa 04:07

(*)(*)(*) (*)(*)(*)

A-theista 04:07

A może byśmy sobie najpierw złożyli jakąś ofiarę? Jest tu jakaś katodziewica?

PoliszKamikadze 04:08

A-theista nożykiem chrzczony jak umrzeż masz przes***ane. Najpier doznasz bolesnej rekonstrukcji napletka.W szatańskich kotłach czeka miejsce na takich jak ty i te cioty z TV

NiezadowolonyPolak 04:09

knuja bluznia dzieciom naszym w glowach mącą

MatkaPL 04:09

Bo trzeba dzieciom od dziecka wpajać

GościuBezWąsa 04:09

Jezuz Chrystus Królem Polski

MatkaPL 04:09

A MATKA boska Królową

NormalnaNiunia 04:09

nienormalni

MatkaPL 04:09

wszyscy inni!

Zagłoba 04:10

Wszyscy inni won stąd

A-theista 04:10

Katotaliby do katostanu!

Studentka 04:10

W BYDLĘCE wagony do Ciemnogrodu

PoliszKamikadze 04:10

do gazu was do gazu

Benek 04:10

TRZEBA POWYRZUCAĆ TEN gNÓJ!!!!1

RozaliaJasna 04:11

Bądźmy razem w nieszczęściu,w tragedii, połączmy się w męce, bo to nasz męka. Pod figurą płonie już tyle świeczuszek, zniczków (*)(*)(*), że aż się serce raduje, ze jednak Polacy potrafią się łączyć wspólnie ze sobą w nieszczęściu. Szczęście w nieszczęściu, ze w tym kraju jest tyle ludzi pozytywnie zakręconych! A ja zapraszam serdecznie na mój blog dotyczący rzeczy nadprzyrodzonych, jasnowidzenie, szukanie zaginionych. itp.: rozaliawidzijasnoscdusza.blogspot.com UWAGA link do petycji w sprawie pomnika Matki Boskiej Bolesnej z widzenia Jana Kołka. I do naszej najnowszej inicjatywy: połączmy się w wysilku ekshumacji Jana Kołka. Serdecznie zapraszam!

Anty-pederasta 04:13

kastrować księży odcinać im jądra !!!

ProfessorHab. 04:13

....Kastrować...owszem ale HORDĘ dziką o nazwie UE To nie jest wyzwolenie ale NIEWOLA popędów, które rosną wykładniczo i prowadzą do zboczeń i napadów.... Wprost zalewa nas przez to ppornorafia i zyjemy w nieustanym ZAGROŻENIU. mam nadzieję, że takich nieopogodzonych z dobrowolnym zezzwierzęceniem własnej osoby bliźniego jest więcej Tak dlaFIGURY! tak dla EKSHUMACJI!

Benek 04:14

Tak dla eshumacji11111!

PoliszKamikadze 04:14

Ekskumujmy Jana Kołka

Zagłoba 04:14

Tak dla figury tak dla eskumacji!!1

MatkaPL 04:14
   wszyscy inni!
NormalnaNiunia 04:14
   nienormalni
Zagłoba 04:15
   Wszyscy inni won stąd

Wypiłam cały dzbanek zielonej herbaty. Poszłam do łazienki
i sikałam tak długo, aż zmorzył mnie sen. Podziemne pukanie
umilkło i w obskurnej łazience panowała teraz doskonała cisza.
Przypomniała mi się znów wizyta w domu Dawida, ta sprzed lat,
gdy nasikałam do bidetu, a moja siostra w wianku na głowie i hipi-
sowskiej sukience przytuliła mnie, zwijając się ze śmiechu. I parę
miesięcy później tak samo ubrana odebrała sobie życie. Wróciłam
do kuchni, zaparzyłam kolejny dzbanek herbaty i jeszcze raz zaczęłam czytać posty. I znalazłam to, co zapisało się nieświadomie
w mojej pamięci. Ramoh. Homar. Dawid. Wciąż tu był i czuwał.

Alicja 04:27
   Ramoh napisał:-a
   ...
   Marny kamuflaż
Ramoh 04:27
   Nie chcę odwracać Twojej uwagi od tego, co ważne
Alicja 04:28
   Jak by ich nazwała?
Ramoh 04:28
   Kotojady
PoliszKamikadze 04:28
   Spie.....dalac stad masony
Alicja 04:29
   Przyjadę

Ramoh 04:29
   Nie. Dopiero po wszystkim
Alicja 04:29
   Dlaczego?
Ramoh 04:30
   Jest mało cza

Marcin po prostu dołączył do mnie, gdy wyszłam rano pobiegać. Po tym, jak Dawid przesłał mi wiadomość, na kilka godzin pogrążyłam się w męczącym półśnie z Gertrud Blütchen pod poduszką, bo urwane zdanie „jest mało cza" wprawiło mnie w stan bliski paniki. Dlaczego Dawid nie chciał powiedzieć mi więcej? Wpatrywałam się w litery, znów dziwnie wyblakłe i drżące, które rozpływały się przed moimi oczami jak atrament w wodzie, a Dawid umilkł i nie odezwał się mimo moich próśb. Zbluzgał mnie za to jeszcze raz PoliszKamikadze, który oprócz innych przypadłości cierpiał chyba na bezsenność. Już o szóstej byłam na ścieżce i zobaczyłam, jak we wciąż gęstej ciemności ktoś zbliża się od strony domu pana Alberta. Marcin. W sportowym stroju i śmiesznej czerwonej czapce z pomponem, jakby postanowił wzorem swojego gospodarza dołączyć do klubu miłośników ekstrawaganckich nakryć głowy.

– Prezent – wytłumaczył mi niepytany i ruszył truchtem doświadczonego biegacza.

Zawsze biegam sama, to dla mnie czas ciszy i skupienia, gdy nabieram siły na przeżycie dnia. Niemal czekałam, aż Marcin odezwie się i w ten sposób potwierdzi, że moja irytacja nie jest bezpodstawna, ale on milczał. Biegł ze mną ścieżką wśród bezlistnych drzew, słyszałam tylko jego oddech i uderzenia stóp o miękką ziemię. Przyspieszyłam i kątem oka zobaczyłam uśmiech Marcina pod czerwoną czapką, taki sam, jakim powitał mnie, gdy weszłam przez okno do jego pokoju. Przyszła mi do głowy myśl, że podobnie mógłby wyglądać Dawid, gdyby jego życie potoczyło się inaczej, gdybyśmy wtedy znaleźli mansardę z oknem na park i pojechali z plecakami w Karkonosze. Może biegnący ze mną mężczyzna dorósł i żył za tamtego chłopca w martensach? Tak jak ja żyję za moją utraconą siostrę?

– Chodziłeś kiedyś z plecakiem po górach? – zapytałam.

– Ostatnio po Pirenejach. Chciałabyś pochodzić ze mną?

– Może.

Postanowiłam dać szansę temu biegowi we dwoje i po chwili nasze kroki osiągnęły wspólny rytm. Biegliśmy w porannej ciszy lasu i tu, pod konarami drzew, zalegała mgła tak gęsta, że stawiała opór jak woda, a powietrze przesycone było zapachem starych liści i butwiejącego drewna, w głębokim cieniu bielały łaty śniegu. Zbliżaliśmy się do polany i po chwili wybiegliśmy na otwartą przestrzeń, pod perłowoszare niebo, z którego sypały się pojedyncze płatki. Wstawał świt. Z naszych ust unosiła się para, czułam przyjemny ucisk w piersi i szybko płynącą krew. Zbladła groza ostatniej nocy, a powieszony w ogrodzie kot i wszystkie moje podejrzenia wydawały się teraz złym snem. Marcin patrzył na mnie w tym bezlitosnym świetle, które odsłaniało nasze twarze takimi, jakie były. Moje oczy w nieokreślonym kolorze, zbyt jasne brwi i niesymetryczne usta. Wszystkie zmarszczki, pory i blizny. Miałam w życiu okres, gdy pragnęłam być piękna, aby zobaczyć, co czuła moja siostra, ale kobiecość, którą ona tak lubiła, w moim przypadku wydawała się nieporęczna i śmieszna jak kostium księżniczki ze szkolnego balu. Do tego, co było między mną i Marcinem, nie pasowały żadne słowa, jakich zwykle używa się w opowieściach o kobiecie spotykającej mężczyznę. Żadne z nas zresztą nie mówiło wiele. Pomyślałam o komplementach Dawida, które powtarzała mi Ewa, banalnych zachwytach zakochanego chłopca, jakie wówczas wydawały mi się tak piękne, i o jego strasznej teraz, zniszczonej twarzy. Marcin i ja byliśmy żywi, połączeni w naszych poszukiwaniach. Nawet jeśli nasza bliskość liczyła się tylko tu i teraz.

– Pięknie biegasz – powiedział Marcin i podobały mi się te słowa, pocałowałam go.

Kochaliśmy się na polanie pod Zamkiem Książ, szybko i trochę niezdarnie, jak licealiści, i kiedy leżałam potem na zamarzniętej trawie, zdałam sobie sprawę, że ja, siostra rozważna raczej niż romantyczna, zrobiłam coś, co Ewie wydałoby się godne gwiazdy kina Daisy Tabor. Marcin wyciągnął do mnie dłoń, śnieg nagle zaczął padać gęściej, jakby ktoś nad nami potrząsnął niebem, płatki osiadały nam na twarzach i topniały w zetknięciu z ciepłą skórę.

Gdy Ewa umarła, też padał śnieg. Wspomnienie mojej utraconej siostry sprawiło, że przypomniałam sobie twarze trojga zaginionych dzieci, którym też nie mogę pomóc: Andżelika, Patryk, Kalinka. Wypowiedziałam te imiona na głos i znów zabrzmiały jak wtedy, gdy zrobiłam to po raz pierwszy, nad stawem, skąd zniknęła pierwsza dziewczynka. Jak apel poległych.

– Andżelika, Patryk, Kalinka – powtórzył Marcin. – Myślę, że je znajdziemy. – Jego głos w gęstniejącym śniegu wydawał się płynąć z daleka.

Przypomniałam sobie, jak przed laty wyszłam ze swojej stancji na warszawskim Osiedlu Przyjaźń, by popełnić samobójstwo, a zamiast tego zaczęłam biec. Na tej polanie też było coś jeszcze, czuła to moja siostra i Dawid.

– Znajdziemy je? – powtórzyłam słowa Marcina, które w moich ustach pozbawione były pewności. – Skąd wiesz, że je znajdziemy?

– Wczoraj zajrzała do mnie Babcyjka.

– Znasz ją? – zdziwiłam się, choć już nic nie powinno mnie dziwić.

– Ona mnie zna. Podarowała mi czapkę.

– I Babcyjka powiedziała ci, że znajdziemy zaginione dzieci?

– Nie tymi słowami, ale to miała na myśli.

Uniosłam się na łokciu i popatrzyłam na Marcina. Leżał z za-
mkniętymi oczami, na jego ciemnych włosach osiadał śnieg.
Między spodniami i bluzą zobaczyłam skrawek nagiego ciała
i pępek. Był bardzo ładny.

– Ich jest więcej – powiedziałam. – Mają różne imiona, karmią bezdomne zwierzęta, ale to nie wszystko, co robią. Księżna Daisy była ich przyjaciółką, a może jedną z nich, dawała im
jedzenie z zamkowej kuchni, pozwalała nocować w piwnicach.
Jedne znikają, ale zawsze pojawiają się nowe, nie wiadomo skąd.
To miejsce je z jakiś powodów przyciąga. Pan Albert wie o nich
więcej niż inni. – Mówiłam do Marcina, ale to sobie streszcza-
łam na głos, w zwykłych słowach, to, co nie było ani zwykłe, ani
możliwe do streszczenia.

– Tak, Alicjo. – Marcin nie otworzył oczu.

– Wiesz, kim są? Babcyjka i inne kociary?

Marcin milczał przez chwilę, wydawało mi się, że słyszę pa-
dający śnieg.

– To kwestia nazwy. Te, które istnieją, kocie ciotki, kociary,
kocie mamy, kocińskie, nie do końca pasują. Łatwiej więc powiedzieć, że nie wiem, kim jest Babcyjka, ale jej wierzę.

– Ewa tak mówiła o kotojadach. Twierdziła, że nazwy, które
istnieją, nie zawsze pasują, ale trzeba jakoś ich nazywać.

Marcin otworzył oczy, jego tęczówki były ciemne, nieodróżnialne od źrenic.

– Niekiedy można zapobiec temu, co się nazwało i zrozumia-
ło – powiedział. – Niekiedy można coś naprawić.

Patrzyłam na niego tak intensywnie, jakbym chciała zajrzeć
do środka, ale nic z tego nie wynikało. Marcin był do słuchania
i dotykania. Położyłam więc głowę na jego brzuchu, tuż przy

ustach miałam pępek jak hieroglif pustki. Był bratankiem pana Alberta, synem Adalberta, którego jako dziecko przepełniało zło, zabijał zwierzęta i krzywdził ludzi. Adalbert był kotojadem i nie miałam pojęcia, jaką drogę przeszedł, zanim został ojcem Marcina. Nie wiedziałam też, kto był jego matką, a co gorsza, nie wiedziałam, co rzadko mi się zdarza, jak o to zapytać. Jednak teraz nie to wydawało mi się najważniejsze nawet dla kogoś, kto tak jak ja lubił znać historię każdego człowieka i przedmiotu. Jego ciało było ciepłe, podobał mi się jego zapach i smak. Dotknęłam językiem pępka. Zapytałam Marcina, czy zauważył buty Babcyjki. Czerwone relaxy. Ewa podarowała takie Kocińskiej. Czy to może być ta sama para?

– To ciągle dobre buty. – Marcin uśmiechnął się, wstał i wyciągnął do mnie rękę. Przez chwilę staliśmy twarzą w twarz. – Czy myślisz, że moglibyśmy kiedyś dla odmiany zjeść kolację i pójść do łóżka? Mam już swoje lata.

Roześmiałam się i zdziwiło mnie, jak jasno zabrzmiał mój głos. Pobiegliśmy z powrotem tą samą ścieżką, nad naszymi głowami krakały obudzone już wrony i wciąż padał śnieg.

Na skraju lasu minęliśmy dwóch mężczyzn z workami i szpadlami, przyspieszyli na nasz widok. Pewnie byli poszukiwaczami skarbów, którzy wciąż przekopują las pod Zamkiem Książ, jak kiedyś mój ojciec. Ich liczba wzrasta, gdy w lokalnej prasie pojawi się kolejny artykuł na temat projektu Riese i kosztowności Hitlera albo gdy archeologowie z Wrocławia odkopią nowy kawałek korytarza. Pod tym miastem ciągle toczy się życie, trwa w ciemności krecia robota. Ci dwaj wyglądali na amatorów. Różnili się tylko wiekiem, mieli niemal takie same twarze o jakby sparciałych nosach, wilgotnych wargach i oczach jak rodzynki wepchnięte w ciasto. Młodszy smarknął z wprawą w krzaki w spontanicznym popisie. Odprowadzili nas wzrokiem i jeden z nich wydał z siebie wstrętny

zawód polega na zadawaniu odpowiednich pytań i uzyskiwaniu potrzebnej wiedzy, nie jestem w stanie dowiedzieć się tego, co chcę. Do tego tych dwoje spiskowało za moimi plecami. Wiedziałam, że dziś znów nie uda mi się wyjechać z Wałbrzycha, ale nie mogłam dłużej tkwić w tym domu. Wrzuciłam Gertrud Blütchen do torby, wsiadłam w samochód i objechałam jeszcze raz trzy dzielnice, z których zginęły dzieci: Nowe Miasto, Sobięcin i Stary Zdrój. W mieście pojawiły się pierwsze bożonarodzeniowe dekoracje i panował ten szczególny pośpiech, który przez najbliższe tygodnie będzie się wzmagał, by na koniec mieszkańcy starych kamienic i starzejących się blokowisk mogli przetrwać kolejne święta w poczuciu, że się wystarczająco przedtem umęczyli, a potem znów za dużo zjedli. Pod tym względem miasto mojego dzieciństwa nie różniło się od innych w tym kraju. Zatrzymywałam się pod każdym z odwiedzonych przeze mnie domów i patrzyłam w okna, ale nie zrobiłam się od tego mądrzejsza. Na Sobięcinie była awaria prądu i pod kamienicą Zofii Sochy stała grupa zdenerwowanych ludzi, wykrzykując obelgi pod adresem tych wszystkich, którym w ich mniemaniu trafił się lepszy los, a przynajmniej nie gasły im telewizory, gdy oglądali ulubioną telenowelę. Pod Domem Dziecka „Aniołek" na Starym Zdroju ubrano wielką choinkę, która mrugała fioletowymi światełkami w rytm niesłyszalnej muzyki, i od patrzenia na nią zakręciło mi się w głowie. Na koniec pojechałam na Nowe Miasto, liczyłam na to, że może spotkam różową dziewczynkę Kamilę i jej ojca wędkarza, ale nie miałam dziś szczęścia. Okna kamienicy były ciemne, odbijało się w nich napęczniałe niebo i chmary ptaków wracających do miasta z żerowiska na wysypisku śmieci. Gdy stałam z zadartą głową i pustką w sercu, nagle obok mnie rozbiło się jajko, więc ruszyłam dalej, wyobrażając sobie, że to Barbara Mizera celowała we mnie ze swojej kuchni. Chyba że w tym mieście wrony znosiły w locie kurze jajka, co też było niewykluczone.

Miałam jeszcze godzinę i pojechałam do Rusinowej, zapomnianej dzielnicy na skraju miasta, gdzie jesienią spalono prywatne schronisko dla zwierząt. Od tego aktu przemocy wszystko się zaczęło, podobnie jak śmierć mojej siostry poprzedzona była mordowaniem kotów i psów. W Rusinowej zginęła właścicielka posesji, Małgorzata Felis, i sto dwadzieścia siedem kotów. Ciekawe, kto policzył spalone koty i jak się przy tym czuł? Nie mogłam odpędzić od siebie obrazu zwęglonych zwierząt ułożonych jak ptaki, które przed laty dla zabawy zabijał Adalbert. Do tej pory nie ujęto sprawców, nie wiem, czy ich szukano. Miałam wydrukowaną z internetu mapę, na której zaznaczyłam miejsce, gdzie stał dom Małgorzaty Felis, ale nie mogłam go znaleźć i błąkałam się po wyboistych ulicach Rusinowej. Nie byłam tu od dzieciństwa i patrzyłam na kolejne miejsce, z którego po zamknięciu kopalni uchodzi życie. Rusinową przecinała wyjazdowa szosa i samochody przelatywały po niej tak, jakby kierowcy bali się, że jeśli nie przyspieszą, coś ich tu zatrzyma i nigdy już nie wyjadą z Wałbrzycha. Wielki zapuszczony park niczym kambodżańska dżungla pochłaniał zaniedbane domy i sklepiki z krzykliwymi szyldami, a boczne ulice, po których krążyłam, były wyludnione i ciche.

Gdy w końcu trafiłam na właściwą drogę, po kilkuset metrach skończyła się na błotnistym porozjeżdżanym polu. Wysiadłam z samochodu i podeszłam do nowego płotu, na którym wisiała tablica informacyjna. Przeczytałam, że w miejscu, gdzie mieszkała Małgorzata Felis ze swoimi zwierzętami, powstawało teraz CH Paradis. Wokół panowała pustka, a maszyny budowlane wyglądały jak zwierzęta dużo większe od kotów, które przyszły tu pomścić ich śmierć, ale z jakichś powodów straciły na to ochotę i zamarły w bezruchu. Podciągnęłam się na rękach i zawisłam na chwiejnym ogrodzeniu z wiórowych płyt. Zabolała mnie zraniona dłoń. Maszyny stały na metr w wodzie, która gdzieniegdzie zamarzała, i tam uformowały się na niej wysepki śniegu, ale pośrodku zbiornika bulgotała złowieszczo jak gejzer. Po Małgorzacie Felis nie zostało ani śladu. Czułam, że cała moja wyprawa nie ma sensu, i ogarniało mnie pełne irytacji zniechęcenie.

Pies podbiegł do mnie tak cicho, że zauważyłam go dopiero, gdy mokrym nosem trącił moją dłoń. Był wielki i kudłaty, miał przekrwione ślepia, a z pyska kapała mu ślina. W jakimś wypadku stracił połowę szczęki, bo jego pysk był nie tylko cieknący, ale też wyjątkowo krzywy. Brakowało mu również połowy przedniej łapy. Zawarczał bez specjalnego przekonania i ukucnęłam, by się z nim przywitać. Zrozumiał, bo podał mi kikut łapy, a potem obwąchał i polizał dla pewności moją rękę. Nigdy nie bałam się zwierząt, a brzydkie nie wydawały mi się bardziej groźne niż ładne. Może z wyjątkiem karaluchów i much.

– Krzywy! – zawołał wysoki głos o trudnej do zidentyfikowania płci i spośród drzew otaczających plac budowy wyłoniła się niewielka pękata postać. Miała na sobie czerwoną puchową kurtkę, spod której wystawały łydki w podwiniętych do kolan spodniach i sportowych butach, w rodzaju tych, jakie noszą amerykańscy raperzy. Na głowie miała kaptur opadający na czoło i niemal zasłaniający twarz. Głos wskazywał na kobietę albo kontratenora, gęsto owłosione łydki na męską kobietę albo przeciętnego mężczyznę. – Nie pogryzł. – Istota wyglądała na zdziwioną.

– A gryzie?

– Nie tyle, że gryzie, ale przewraca i trzyma zębami za szyję. Myślę, że był kiedyś w policji.

– Pies?

– Ze schroniska. – Postać machnęła ręką w stronę placu budowy i uniosła nieco głowę, pod kapturem była twarz ogrodowego gnoma z pomalowanymi na czerwono ustami.

– Z tego, które spalili? – zapytałam.

– Bandyci! – zdenerwował się gnom ogrodowy. – Śmierdziele błotne! Armia Sarumana!

Kotojady – podpowiedziałam w myśli.

– Znał pan pani panią Małgorzatę Felis? – zapytałam zbita z tropu fizjonomią gnoma kontratenora i jego nadal niemożliwą do odgadnięcia płcią. Może był hobbitem transwestytą, jakiego nie wymyśliłby Tolkien.

– Pan czy pani – prychnął gnom – co to za różnica.

– Niewielka – zgodziłam się – ale niektórzy wyolbrzymiają.

– Krzywego interesuje tylko, czy człowiek będzie – zaczął gnom.

– Dla niego dobry – dokończyłam słowami Babcyjki.

Istota w czerwonej kurtce pokiwała głową.

– Brawo! – pochwaliła mnie i pociągnęła nosem. – Co tu gadać. Jak podłożyli ogień, Krzywy uciekł i przyleciał do mnie. Za późno dotarliśmy na miejsce. Straż już była, ale nic nie zostało do uratowania. – W głosie istoty słychać było łzy.

– Kto odziedziczył jej ziemię?

Gnom popatrzył na mnie mądrymi jasnymi oczami, ale nadal nie byłam w stanie rozstrzygnąć, czy ta twarz należała do kobiety, czy do mężczyzny, i postanowiłam się już nad tym nie zastanawiać.

– Nic niewart pociotek! Paradise chciał sobie zbudować! – zachichotały złośliwie czerwone usta hobbita transwestyty.

– I co się stało?

– Zalało! Wszystko szlag trafił. Jak zaczęli kopać, okazało się, że pod spodem jest woda. Cofnęli pociotkowi pozwolenie i kazali rozebrać. Tąpnęło, że się Rusinowa zatrzęsła. Czarna kopalniana woda. Pysznawodazdrowiadoda! – Gnom w czerwonej kurtce śmiał się teraz jak szalony, Krzywy ziewnął i zastygł z pyskiem rozdziawionym, jakby się zaciął. Trząsł się i machał kikutem. Miałam wrażenie, że z oczu lecą mu łzy.

– Co mu jest? – zaniepokoiłam się.

– Jak co? – zdziwił się gnom, z trudem łapiąc oddech. – Śmieje się!

– Dlaczego?

– Żeby nikt naszego płaczu nie usłyszał!

Gdy jechałam na spotkanie z Celestyną i Marcinem, cała ta sytuacja wydała mi się zupełnie niewiarygodna i absurdalna. Patrzyłam na swoje dłonie na kierownicy i nagle przyszła mi do głowy nieprzyjemna myśl, że nad nimi też nie mam przecież doskonałej kontroli. Prawa ręka, zraniona przy nocnym kopaniu grobu dla kota, mrowiła mnie i wydawała się zdolna do wszystkiego. Stałam się tu kobietą, która nosi w torebce poniemiecki nóż, własnoręcznie naostrzony o kamienny próg. Zaryzykowałam i delikatnie dotknęłam radia, a gdy Kurwamina naskoczyła na mnie od razu z „truposzczyznąmychmąkkrwawychsięnapawam", wrzasnęłłam: „cicho!". Umilkła jak podcięta Gertrud Blütchen.

Królicza nora okazała się sklepem zoologicznym nieopodal kościoła Matki Boskiej Bolesnej, w odrapanej kamienicy, która opierała się o swoją towarzyszkę, jakby zasypiała ze zmęczenia. Wcześniej mieścił się tu sklep mięsny i nieraz mijałyśmy go z Ewą, włócząc się po mieście. Mięsna mordownia, mówiła na niego moja mroczna siostra. „Kiedyś, Wielbłądko, ktoś się tu bardzo zdenerwował i poszła krew! Ciach, ciach, trachnęły kości. W kościach szpik!". „Umarł ktoś dobry czy zły?". „Bardzo, Wielbłądko, zły!". Była pełna takich opowieści, które powstawały z jakichś okruchów i rosły jak drożdże. Na hakach, które mnie przerażały swoją ostrością, w lepszych czasach wisiały płaty słoniny i pęta sinawej kiełbasy, a tuż przed upadkiem komunizmu nie wisiało nic. Otyła ekspedientka, wsparta biustem o ladę i melancholijnie zapatrzona w dal, wyglądała jak popiersie ulepione z plasteliny. Nigdy nie wiedziałam jej dolnej połowy, za to górna, zwieńczona fryzurą czarną i sztywna jak osmołowana, była imponująca. Brwi narysowane wysoko na czole nadawały jej twarzy wyraz zdziwionego Mefista, usta miała nieco karpie i różowe. Moja siostra uważała ją za osobę bardzo tajemniczą. Mijałyśmy sklep, ale długo jeszcze w powietrzu czuć było jego zapach: wędzonka, saletra i zwierzęce ciało na granicy rozkładu. Ewa uważała, że jest ohydny, a ja nie mogłam się zdecydować, czy budzi we mnie obrzydzenie, czy jednak głód.

Teraz nad wejściem pysznił się nowiutki szyld „Sklep Zoologiczny Królicza Nora". Oprócz małego kontuaru, gdzie stała kasa, całe wnętrze zajmowały klatki i akwaria, a nasze wtargnięcie stało się przyczyną zamieszania wśród stworzeń pokrytych łuską, futrem i piórami. Przez chwilę mrugałam oczami oszołomiona piskiem ptaków i błyskaniem ryb za szkłem. Stałam na wprost akwarium, w którym ławica szybkich ciałek przemieszczała się według sobie tylko znanego planu w rytmie walca, stworzenia miały po bokach podłużne paski, które jarzyły się jaskrawym blaskiem. Miałam wrażenie, że zaraz usłyszę Straussa, ale:

– Neon czerwony! – powiedział zamiast tego jakiś głos i zza akwariów wyłonił się człowiek.

– Adam! – ucieszyła się Celestyna.

– Adam Szymczyk – przedstawił się właściciel Króliczej Nory, trochę podobny do Putina mężczyzna w kolorze krupniku, o małych błyszczących oczach, z płowymi wąsami i blizną na czole. Miał na sobie kamizelkę z mnóstwem kieszonek, zwaną wędkarską, jaką można kupić na każdym osiedlowym bazarku w Polsce. Zwykle takie kamizelki noszą starsi smutni mężczyźni, którzy stracili nadzieję, że kiedykolwiek złapią rybę czy cokolwiek innego prócz grypy. Mają przy sobie najwyżej chusteczkę i paczkę papierosów, ale to nie dotyczyło właściciela Króliczej Nory.

W wypchanych ponad miarę kieszonkach Adama były szeleszczące worki foliowe, plastikowe pudełeczka z nieznaną zawartością, zapalniczki, kulki aluminiowej folii, długopisy, patyczki, bambusowe pałeczki, scyzoryk, puszka coli, kilka par okularów, w tym narciarskie gogle, batony dla kotów, siatka do odławiania rybek, lekko nadwiędły goździk i sterczący zawadiacko na lewej piersi byczy penis dla psa.

– Neon? – zapytałam zbita z tropu. Nie miałam pojęcia o rybach akwariowych.

– Zwany potocznie neonkiem. Ryba z gatunku kąsaczowatych. Dość wymagająca. Nie polecałbym początkującemu akwaryście – ostrzegł mnie Adam, a ja nie zdążyłam wyjaśnić, że nie zamierzam zakładać akwarium. – Neon lubi towarzystwo spokojnych ryb o podobnych wymaganiach. Na przykład neon Inessa nadaje się dla niego wyśmienicie. – Adam wskazał na sąsiednie akwarium, w którym wirowały mieniące się chude ryby. – Albo razbora klinowa. – Teraz moja uwaga została skierowana na złote, krągłe rybki z czarnym klinikiem na ogonie.

– Bardzo ładna – przytaknęłam.

– Przepiękna! – ucieszył się właściciel sklepu. – To na pewno spodoba ci się także kirysek pstry. Wręcz za to ręczę. Neonowi niektórzy zarzucają pewną krzykliwość i ostentację, podobnie jak skalarom czy welonom. Ale to nie dotyczy kiryska. Dyskretna uroda. Skromna elegancja! To cały on. Tylko spójrz! – Kirysek pstry był beżowoszary, nakrapiany jak lampart, miał wąsy i niewielkie, bardzo błyszczące oczy Adama.

– Rzeczywiście urodziwy – zgodziłam się.

– Jeśli będziesz chciała, opowiem ci takie historie o kirysku, że włos się jeży! Ale dopiero gdy dojdziemy do pielęgniczek, na co liczę, ujrzysz ryby w nowym świetle. Pielęgniczki! Opiekują się swoim potomstwem niczym ssaki i ptaki. Nie uwierzysz, w jak fantastyczny sposób się rozmnażają gębacze, czyli afrykańskie pielęgnice z jezior Malawi i Tanganika. Samiczka gębacza nabiera spermy samca do ust i.

– Adasiu – powstrzymała go Celestyna – może innym razem?

Adam spojrzał na bibliotekarkę z podobnym zachwytem jak na kiryska i pomyślałam, że bibliotekarka w dziwny sposób pasuje do tego niewielkiego i niepięknego mężczyzny w wędkarskiej kamizelce. Mogliby stanowić jedną z tych par, które zwracają się do siebie miłosnymi imionami, nawet gdy się sprzeczają: ona nazywałaby go Kiryskiem, on ją Pielęgniczką.

Miałam ochotę zapytać, co Adam Szymczyk ma w kieszeni umieszczonej w okolicach wątroby, gdzie coś się wyraźnie poruszało, ale nie zdążyłam.

– Dodam jeszcze, że neony natchnęły mnie do nowego wynalazku – powiedział właściciel Króliczej Nory, a Celestyna westchnęła jak polska żona, młoda i jeszcze pełna nadziei wersja Marii Waszkiewicz.

Obliczyłem, że światło odbite od niewielkiej ławicy neonów, a przez niewielką rozumiem taką w liczbie sztuk siedemdziesięciu, góra siedemdziesięciu pięciu, może zastąpić czterdziestowatową żarówkę. Co za oszczędność energii! Gdyby więc w każdej polskiej rodzinie było jedno akwarium i gdyby jeszcze zamontować urządzenie mojego pomysłu, to...

– Toby twoje neonki zjedli w occie i oleju – dokończyła Celestyna i Adam wyglądał na pokonanego. – Wiecie, dlaczego jest tu tyle zwierząt? – zapytała. – Adam sprzedaje je tylko ludziom, którzy mu się podobają. Ostatnio pogonił jednego pryszczatego, który chciał kupić szczura.

– Taki piękny mądry szczur dla bezmózgowca? Nigdy! – wtrącił Adam.

– Jeśli czuje, że ktoś nie będzie dbał o zwierzę, nawet głupiego gupika nie sprzeda – podsumowała Celestyna.

– Gupiki nie są głupie – zaprotestował Adam.

– Oczywiście. Gupiki nie są głupie i nawet tarantule przy bliższym wejrzeniu zyskują. Ale Królicza Nora to już nie jest sklep. To mieszkanie wynajęte zwierzętom, a dla wszystkich wałbrzyskich kociar punkt zaopatrzenia w darmową karmę.

A więc to tu Babcyjka dostaje kotrupki i kotpuszki – pomyślałam i szukałam w pamięci Adama Szymczyka sprzed lat. Był cichym chłopcem, który przyniósł kiedyś do klasy potrąconego przez samochód psa. Szkoda, że nie został moim przyjacielem. Byłabym odrobinę mniej samotna. Adam zauważył moje spojrzenie.

– Pamiętasz Stasia?

– Jakiego Stasia? – nie zrozumiałam.

– Tarkowskiego. Byliśmy z klasą w kinie Apollo na *W pustyni i w puszczy* i nauczycielka nas potem przepytywała. Jakim dzielnym polskim patriotą był Staś i tak dalej. Ty byłaś jednak ciekawa tylko wielbłądów i tak męczyłaś pytaniami nauczycielkę, która nie miała pojęcia, o co ci chodzi, że w końcu dała ci dwóję i kazała się zamknąć. Rzuciłaś piórnikiem i powiedziałaś, że Staś był zarozumiałym chuliganem i gdybyś była Nel, zostałabyś z Kalim, słoniem i wielbłądami w Afryce. Wszyscy się śmiali.

– Ja? Naprawdę zrobiłam coś takiego?! – Pamiętałam siebie jako wycofane dziecko, które w niczyjej pamięci nie mogło odcisnąć śladu, a to, o czym mówił Adam, bardziej pasowało do Ewy niż do mnie. – Jesteś pewny, że to byłam ja?

Adam przyjrzał się swoim krótkopalczastym dłoniom Putina.

– Nawet potem próbowałem się z tobą zakolegować, myślałem, że pójdziesz ze mną karmić koty pod Zamek Książ, ale wtedy.

– Wtedy twoja siostra popełniła samobójstwo – dokończyła brutalnie Celestyna. – I Alicja wyłączyła się z życia na trzydzieści lat.

– Ruszajmy już – wtrącił cichy dotąd Marcin i przerwał kłopotliwe milczenie, jakie zapanowało w Króliczej Norze.

Na tyłach sklepu, w starej szafie, która pamiętała niemieckie czasy, ukryte były wąskie drzwi, otwierały się na jeszcze węższy korytarz i zaproszeni przez Adama gęsiego weszliśmy w zaduch stawiający opór jak ektoplazma o lekkim zapachu wędzonki. Prowadzący pochód Adam oświetlał drogę latarką, a reszta podążała za jej nikłym blaskiem.

– Niedługo uda mi się dokończyć pracę nad pewnym wynalazkiem, dzięki któremu za pomocą energii słonecznej z paneli zamontowanych na dachu na specjalnych obrotowych wysięgnikach – zaczął tłumaczyć nasz gospodarz, ale jego zapędy zgasiło westchnienie Celestyny, która szła na końcu z drugą latarką i co chwilę potykała się w swoich szpilkach.

Dotarliśmy do schodów, głębokich jak studnia. Poczułam tytoń, pot, zwietrzałe perfumy. Taki zapach zostawiają starsze kobiety, które całe dziesięciolecia przechowują flakoniki ze swojej młodości.

– Już niedaleko! – zawołał Adam, a jego głos był stłumiony i obcy.

– Idziemy do pokoju, którego nie ma – dodała Celestyna i znów przypomniał mi się Dawid, jego upiorna twarz w świetle komputerowego ekranu. Poczułam nagle, że duszę się, jakbym połknęła kłąb waty. Martin uspokajająco uścisnął moją dłoń. Korytarz zamykała ściana i staliśmy, patrząc niepewnie na przystawioną do niej drabinę. Adam ruszył w górę z latarką w zębach, Celestyna zdjęła szpilki i zaklęła męskim głosem, chrząknęła i powtórzyła „kurwa" już kobieco. Jedno po drugim wyszliśmy przez podniesiony właz. Znaleźliśmy się w pomieszczeniu wypełnionym starą ciemnością. Adam zamknął klapę, usłyszałam kliknięcie przełącznika.

Byliśmy na niewielkiej drewnianej scenie z fortepianem w rogu, zobaczyliśmy z niej ośmiokątną salę oświetloną kryształowym żyrandolem. W oknach wisiały podpięte bordowe zasłony, za którymi zamiast szyb pyszniły się widoki obłażące płatami farby: Wenecja i Ponte Rialto, Paryż z wieżą Eiffla, londyński Big Ben, chińska pagoda i wieże cerkwi o kopułach kremowych jak bezy. Na zakurzonej podłodze stały stoliki nakryte obrusami z lureksu, tak wyblakłymi, że ich dawniej złoty kolor przypominał teraz skórę zdartą z jakichś bladych, śliskich stworzeń. Z oparcia któregoś krzesła zwisało boa z piór marabuta, szare jak zetlały papier, ruch powietrza porwał jedno piórko i patrzyliśmy zafascynowani na jego nagły wirujący lot. Zapach wyczuwalny na schodach tu zalegał w formie skondensowanej.

– Pokój, którego nie ma! – powtórzyła Celestyna i zakręciła się uwodzicielsko, jakby przy stolikach wciąż siedzieli gotowi podziwiać ją ludzie.

– Chciałem tu posprzątać, ale Celestyna powiedziała, że ma zostać, jak jest, żebyście poczuli atmosferę – wyjaśnił Adam.

– Atmosferę czego? – zapytaliśmy z Marcinem jednocześnie.

– Kiedyś był tu striptiz. – Celestyna wyglądała na zadowoloną z wrażenia, jakie wywarła na nas ta informacja.

– Burleska Moulin Noir – poprawił ją Adam.

– Do lokalu ze striptizem wchodziło się przez mięso-wędliny? – zapytałam poruszona mariażem.

– Były dwa wejścia – ciągnęła bibliotekarka. – To, którym się tu dostaliśmy, było drogą awaryjną, znaną tylko wtajemniczonym. Normalnie goście wchodzili od podwórza. – Celestyna wskazała na zasłonę, za którą najwidoczniej znajdowały się drzwi. – Dziś zobaczysz, jak wchodzą tędy sprzedawcy kości. Adam wynajął im ten lokal.

– Dlaczego?!

– Adam ma swoje tajemnice – westchnęła Celestyna. – Poza tym z wiadomych powodów sklep zwierzęcy nie przynosi aż takich zysków.

Rozglądałam się z niedowierzaniem. Sprzedawczyni z mięsnego, przedmiot żartów mojej siostry, prowadziła po godzinach nocny klub w pokoju, którego nie ma. Moulin Noir. Czarny Młyn w górniczym mieście.

– Ta gruba z brwiami jak Mefisto? – upewniłam się.

– Ta sama – przytaknął Adam. – Nazywała się Ludmiła Szymczyk i była moją matką.

– Przepraszam – szepnęłam.

– Nie szkodzi. – Adam uśmiechnął się. – Moja matka to nie twoja wina.

Przerwana opowieść
właściciela Króliczej Nory

Wszyscy mówili na nią „mama Ludmiła". Moje dzieciństwo upłynęło wśród mięsa i wędlin, które sprzedawała za dnia, oraz dziewcząt, które pracowały dla niej nocą. Pierwszy obraz, jaki pamiętam, to biel kafelków upstrzona cętkami krwi i uzbrojona w tasak ręka mojej matki.

Być może winę za to irytujące połączenie obrazów ponosi wypadek, jakiemu uległem na sankach, kiedy miałem cztery lata. Opowiadała mi o nim mama Ludmiła, bo sam zapomniałem, co mnie wówczas spotkało. Wtedy powstała dziura w moim czole i wiele przez nią wyciekło. Złamałem także obie nogi i rękę. Z tego wszystkiego na jakiś czas przestałem mówić. Moja ułomność nie mogła podobać się mamie Ludmile, która ceniła fizyczne piękno. Uważała nie bez podstaw, że jest podobna do Elizabeth Taylor, której zdjęcia wycinała z damskiej prasy i wklejała do specjalnego zeszytu. W tym samym zeszycie zapisywała życiowe maksymy: „Gdy Pan Bóg daje ci cytrynę, zrób z niej lemoniadę". „Niektóre marzenia są zbyt piękne, by je spełniać". „Szukamy szczęścia po świecie, a ono czeka pod drzwiami". „Kobieta musi przejść przez piekło, by zmienić się w anioła". To tylko kilka jej ulubionych. Mama Ludmiła była marzycielką. Lubiła operę i w naszym domu wciąż rozbrzmiewała muzyka, a ulubioną płytą mamy Ludmiły była *Traviata* z Marią Callas. Zanim została ekspedientką w mięsnym i moją matką, śpiewała w chórze wrocławskiej operetki i marzyła o dalszej karierze scenicznej. „Niestety", wzdychała mama Ludmiła nad zmarnowanym talentem „kobieta musi przejść przez piekło, by zmienić się w anioła". Skłonność do liryzmu łączyła z praktycznością. Nikt nie potrafił tak zakombinować jak ona. „No to ile dziś rwiemy, panie Karolku?", pytała dostawcę, który zasiadał w naszej kuchni przy szklance kawy plujki. Na blacie leżał jakiś kawał zwierzęcych zwłok i tasak. Gdy już się dogadali, matka Ludmiła brała tasak i rąbała. Owa trywialna czynność napełniała mnie niezrozumiałym przerażeniem, mokry plask mięsa, trzaskanie łamanych kości, nawet gdy wam o tym mówię po latach, czuję ból w mojej dziurawej głowie. Zawsze od urwanego dla siebie mięsiwa mama Ludmiła urywała kawałek dla kociar, które do niej przychodziły wiedzione chyba zapachem. Lidia Kociołek, Kokota, Ciotka Podkotek, Agnes Kociałapa, Święta Kocia, Makota, Maria Kocierzyńska, znałem je wszystkie, ale myliłem ich imiona i mama Ludmiła tylko wzdychała nade mną: „jak ty sobie żonę znajdziesz, synku, jak jednej baby od drugiej nie odróżniasz?". Reszta mięsa szła pod ladę.

Często ci sami brali od niej mięso i przychodzili do góry. Same grube ryby. Dyrektorzy, doktorzy, sekretarze, najbogatsi prywaciarze od pieczarek, krasnali i rajstop. „Iść do mamy Ludmiły", tak się w Wałbrzychu mówiło. Nazwa Moulin Noir, jaką wymyśliła dla swojego lokalu, nigdy się nie przyjęła, bo mało kto znał tu francuski, a wszyscy mamę Ludmiłę z mięsnego. W soboty przyjeżdżali nawet goście z Wrocławia, a zdarzali się i ze stolicy na oficjalnych delegacjach. „Striptiz na światowym poziomie, lepszy od tego, co ostatnio widziałem w Sofii czy Bukareszcie", chwalili, a ja nieraz dostałem czekoladę albo bombonierkę. Raz roztargniony klient po Barbórce zostawił w lokalu czapkę górniczą z białym pióropuszem i zrobiłem z niej jeden z bardziej udanych wynalazków: wodoszczelne gniazdo, które umocowałem za oknem na strychu, i jaka była moja radość, gdy trzy lata z rzędu wracała do niego para pliszek.

Sklep mięsny, pokój, którego nie ma, i nasze mieszkanie stanowią jeden organizm. Ta poniemiecka kamienica jest jak labirynt i ma wiele tajemnic. Po wojnie podzielono ją na mniejsze mieszkania tak pazernie i na chybcika, że ten pokój został niechcący odcięty i zamurowany. Odkryłem go przez przypadek. Po wypadku, o którym wam wspomniałem, przez jakiś czas nie wychodziłem z domu i nie wiadomo było, czy znów zacznę mówić, i w ogóle na ile będę zdatny do życia na zewnątrz. Mama Ludmiła napychała mnie klopsikami cielęcymi i smażoną drobiową wątróbką, najzdrowszymi, jej zdaniem, daniami dla rekonwalescenta, ale ja milczałem. Puszczała mi na cały regulator *Traviatę* i śpiewała razem z Callas, ale moje usta pozostawały zasznurowane. Fizycznie doszedłem jakoś do siebie, ale moja głowa ucierpiała najbardziej. Nudziłem się w domu i któregoś razu tak rozpędziłem się na rowerku, że wyrżnąłem w ścianę, aż osypał się tynk. Spadłem i powiedziałem pierwsze po wypadku słowo: „bum".

Mamę Ludmiłę, kobietę praktyczną i bystrą, zaraz po stanie mojej cielesnej powłoki zainteresowało to głuche „bum", jakie wydała ściana. Opukała ją, a potem rozwaliła z właściwym sobie zdecydowaniem. Przez dziurę zobaczyliśmy ten pokój. Wszędzie poniewierały się niemieckie gazety z 1945 roku, pośrodku stała para eleganckich damskich butów. Okazało się, że prowadzą stąd dwa ukryte przejścia: do sklepu na dole i do naszej piwnicy. Pierwsze zasłonięte było dyktą, która ustąpiła pod silnym uderzeniem mamy Ludmiły, drugie okazało się tylną ścianą piwnicznej szafy pełnej naszych przetworów. „Synku, trafił nam się pokój, którego nie ma", rozpłakała się wzruszona. „Szukamy szczęścia po świecie, a ono czeka pod drzwiami!". Marzeniem mamy Ludmiły była prawdziwa burleska o nazwie Moulin Noir,

Niedługo po odkryciu pokoju, którego nie ma, odbyło się w nim walne zebranie. Mama Ludmiła nie dopuściła mnie do niego, a lustro zamknęła, i widziałem tylko z okna, jak jedna po drugiej, rozglądając się na boki, kociary wchodzą do bramy od podwórza. Przyprowadziły ze sobą trzy kobiety, i to one zostały pierwszymi artystkami Moulin Noir. Te kobiety były ofiarami przemocy domowej, jak to się dziś mówi. Wtedy mówiło się, że ktoś tam miał ciężką rękę albo mu nerwy puściły. Uciekały z własnych domów przed mężami, ojcami, matkami, konkubentami. Do moich uszu docierały tylko fragmenty ich historii. Fryzjerka Edyta, gospodyni domowa Stasia, taksówkarka Mariola i Darek, który od dziecka uważał się za Darię. Mama Ludmiła potrafiła wydobyć z nich piękno, a może same piękniały, gdy przestawały się bać. W pokoju, którego nie ma, dostawały nowe imiona, a mama Ludmiła uczyła je tańca. Nawet gdyby ten, przed którym uciekały, był na sali, nie poznałby swojej żony czy córki pod scenicznym makijażem iła, i widziałem tylko z okna, jak jedna po drugiej, rozglądając się na boki, kociary wchodzą do bramy od podwórza. Przyprowadziły ze sobą trzy kobiety, i to one zostały pierwszymi artystkami Moulin Noir. Te kobiety były ofiarami przemocy domowej, jak to się dziś mówi. Wtedy mówiło się, że ktoś tam miał ciężką rękę albo mu nerwy puściły. Uciekały z własnych domów przed mężami, ojcami, matkami, konkubentami. Do moich uszu docierały tylko fragmenty ich historii. Fryzjerka Edyta, gospodyni domowa Stasia, taksówkarka Mariola i Darek, który od dziecka uważał się za Darię. Mama Ludmiła potrafiła wydobyć z nich piękno, a może same piękniały, gdy przestawały się bać. W pokoju, którego nie ma, dostawały nowe imiona, a mama Ludmiła uczyła je tańca. Nawet gdyby ten, przed którym uciekały, był na sali, nie poznałby swojej żony czy córki pod scenicznym makijażem i peruką. Zresztą mama Ludmiła nie wpuszczała byle kogo. To były piękne lata. Mama Ludmiła miała wyobraźnię godną diwy, ale musiała ją dostosowywać do przaśnych czasów i skromnych środków. Wymyśliła więc numer z kąpielą w wielkim kieliszku szampana, ale musiała zadowolić się wanną i oranżadą cytrynową, w której pławiła się na scenie Mariola taksówkarka. Napój dostarczał nam prywatny przedsiębiorca, który później dorobił się wielkiego majątku i został posłem. „Gdy Pan Bóg daje ci cytrynę, zrób z niej lemoniadę", powtarzała mama Ludmiła.

Siedziałem zwykle pod fortepianem i patrzyłem. Myślałem, że nocami wszystkie kobiety przebierają się w krótkie błyszczące rzeczy i tańczą na scenie przy dźwiękach skocznych piosenek albo kąpią się w wannie z oranżadą cytrynową. Artystki mamy Ludmiły wydawały mi się cudowne jak egzotyczne ryby, które widziałem we wrocławskim zoo. Bywało, że z ekscytacji zaczynała mnie boleć głowa, wszystko mi się mieszało i w rysach dziewczyn widziałem twarze kociar, a wtedy nagle zasypiałem i nadal śniłem tancerki w piórach i cekinach. Tylko mama Ludmiła i ja wiedzieliśmy, że ten pokój ma dwa wejścia, i raz zdarzyło się, że skorzystał z niego pewien partyjny dygnitarz, by uniknąć spotkania z innym gościem. Dostałem od niego stary plastikowy model radzieckiej rakiety z Łajką w środku. Nie był to udany prezent. Od tej pory nie przestaję myśleć o biednej Łajce, która zdycha z głodu i rozpaczy, krążąc po ziemskiej orbicie. Tego nie robi się psu. Gdy zarówno sklep, jak i drugi interes dochodowy były nieczynne, najczęściej w poniedziałkowe wieczory, mama Ludmiła spotykała się tu z kociarami. Widziałem, jak wchodzą przez sklep: Lidia Kociołek, Kokota, Ciotka Podkotek, Agnes Kociałapa, Święta Kocia, Makota, Maria Kocierzyńska, postawna Brygida Kocurkiewicz, która dołączyła do grupy którejś wiosny i tak naprawdę była mężczyzną. Mama Ludmiła nie pozwalała mi uczestniczyć w tych spotkaniach i moja ciekawość do dziś pozostała niezaspokojona, bo gdy wróciłem do Wałbrzycha i otworzyłem sklep, kociary pojawiły się od razu, ale niczego się od nich nie dowiedziałem. „Zostań, gdzie jesteś, chłopaku", powiedziała mi jedna z nich, podobna do Marii Kocierzyńskiej, gdy odławiałem młode skalary. „Tutaj?", zapytałem na wszelki wypadek. Potwierdziła, choć brzmiało to raczej jak miauknięcie. Zostałem.

Mieszkanko za weneckim lustrem, które kiedyś dzieliłem z mamą Ludmiłą, a do którego dziś mam zaszczyt zaprosić was na poczęstunek, znów stało się moim domem. Pokój, którego nie ma, od dawna pozostawał opuszczony. Mama Ludmiła zamknęła interes z bólem serca, bo gdy upadł dawny ustrój, pojawiła się plotka, że była donosicielką, współpracowniczką SB o pseudonimie Słonina. Zarzucono jej w lokalnej prasie, że czerpała zyski z nierządu, a przy okazji sporządzała materiały do teczki, podobno wszędzie były podsłuchy. Bardzo ją to bolało, zwłaszcza pseudonim Słonina, tak obraźliwy w przypadku kobiety podobnej do Elizabeth Taylor. Mama Ludmiła nie była więc zadowolona z transformacji. „To był porządny ustrój!", wspominała z nostalgią komunę i czasy prosperity swojego lokalu. Poza tym martwiła się o moją przyszłość. Synowskie zainteresowanie życiem zwierząt i pasja do majsterkowania nie budziły jej entuzjazmu. Wzdychała tylko, gdy patrzyłem na program Adam Słodowego i robiłem notatki. Nie byłem udanym synem dla tak przedsiębiorczej kobiety. Dziura w czole wykluczała mnie ze sportowej i intelektualnej czołówki męskiego gatunku. Szybko ogarniało mnie zmęczenie i łatwo zapominałem, czego się nauczyłem. „Ty nic dla siebie nigdy nie urwiesz, synku", martwiła się mama Ludmiła. „Ja osobiście bardziej bym wolała, żebyś nie miał tych swoich hobby".

Faszerowała mnie jak gęś: metodycznie i bez litości. Miała zamiar napchać mnie na zapas, z którego będę żył, gdy jej zabraknie. Posiłek musiał opierać się na mięsie. „Synku, jakby Pan Bóg chciał, żeby ludzie jedli trawę, dałby nam cztery żołądki.

A ile człowiek ma żołądków?", pytała. „Jeden", odpowiadałem pokonany, a ona wtedy z satysfakcją kończyła: „Właśnie!". Dostawałem na drugie śniadanie kanapki z mięsem wielkości odpowiedniej dla zawodnika sumo i jeśli wcześniej w drodze do szkoły nie spotkałem głodnej kociary, psa albo kota, zamieniałem się z innymi dziećmi na bułki z serem albo dżemem. Dzięki temu cieszyłem się w klasie pewną popularnością. Nie wiem, czy pamiętasz, Alicjo, ale z tobą też kiedyś zrobiłem interes. Nie miałaś drugiego śniadania i zaproponowałaś mi w zamian historię. Jadłaś moją bułkę z kotletem schabowym wielkim jak beret i jednocześnie wciskałaś mi najbardziej niewiarygodną opowieść o perłach księżnej Daisy, o wnuku Hitlera, który ma szklane oko i jest wałbrzyskim zegarmistrzem, i jak zechcę, to mnie do niego zaprowadzisz. Gdyby mama Ludmiła o tym wiedziała! Była kobietą o niewzruszonych priorytetach.

Na pierwszym miejscu u matki Ludmiły było jedzenie i interesy, dzięki którym można jedzenie zdobyć, na drugim Bóg. Do końca pozostała osobą głęboko religijną, a szczególną atencją darzyła spowiedź. Grzechy wyznawała tylko księżom nieznajomym i nigdy dwa razy temu samemu. „Dlaczego?", chciałem wiedzieć. „Synku, jak dorośniesz, to zrozumiesz, że kobieta musi przejść przez piekło, by stać się aniołem". W mojej pamięci spowiedzi matki Ludmiły, mój wypadek, jej uzbrojona w tasak ręka w jakiś sposób łączą się, ale nie potrafię tego związku zrozumieć. Jeździliśmy do różnych miast na Dolnym Śląsku, a mama Ludmiła kierowała się systemem, którego nie udało mi się rozszyfrować. W niedzielny poranek mówiła: „no to wypada, że dziś, synku, pojedziemy do Świdnicy". Nigdy jednak nie wiedziałem, jakie miasto będzie następne, Legnica, Kłodzko czy może znów Wrocław, który z racji liczby kościołów powtarzał się wiele razy w naszych wyprawach. Mama Ludmiła zawsze ubierała się wówczas wyjściowo i z taką samą troską stroiła mnie. Po przyjeździe szliśmy najpierw do kościoła, a tam mama Ludmiła obchodziła konfesjonały i starała się wybadać, czy siedzący w budce spowiednik jest młody i czy nie za chudy. Nieraz dopiero po trzech kółkach podejmowała decyzję i usadawiała się na końcu kolejki grzeszników. Ale zdarzało się, że żaden ksiądz jej się nie podobał i musieliśmy szukać innego kościoła. „Idziemy, synku", mówiła i brała mnie za rękę „tu nie ma do kogo gęby otworzyć". Nie miała zaufania do osobników młodych i chudych, ale mając do wyboru młodego grubego i starego chudego, stawiała jednak na więcej ciała. Gdy mama Ludmiła się spowiadała, ja siedziałem w ławce i przyglądałem się kościołowi. Najbardziej interesowały mnie zwierzęta i zawsze próbowałem znaleźć jakieś między obrazami ponurych świętych, którzy mieli takie miny, jakby przed chwilą otrzymali bardzo złą wiadomość. Jeśli udało mi się znaleźć choćby marnego, podobnego do gryzonia ptaszka na obrazie ze świętym Franciszkiem, byłem zadowolony. Notowałem swoje znaleziska i wyobrażałem sobie kościół, w którym byłyby tylko zwierzęta, i te pospolite, jak koty dachowce i kundle, i te rzadkie, jak lemur myszaty, prosię ziemne, szatanka, pancernik, dziobak albo okapi. Po spowiedzi mama Ludmiła wzdychała zadowolona i mówiła: „ach, ale mi lekko, synku, czas coś przekąsić". Nie ufała restauracjom, więc siadaliśmy na ławce, a ona wyjmowała wałówkę jak dla szkolnej wycieczki i mówiła, że w życiu piękne są tylko chwile.

Nigdy nie rozmawialiśmy o moim ojcu, który zniknął z naszego życia, gdy miałem cztery lata. Wyszedł po papierosy i nie wrócił, tak brzmi wersja oficjalna i jedyna, jaką znam. W ogóle go nie pamiętam. Gdy dorosłem, zacząłem szukać w gazetach z tamtego okresu znalazłem tylko tyle: Wacław Szymczyk, lat 33, wyszedł z domu 11 stycznia br. i nie powrócił. Oczekuje na niego zrozpaczona małżonka i syn. Zło z naszego życia, gdy miałem cztery lata. Wyszedł po papierosy i nie wrócił, tak brzmi wersja oficjalna i jedyna, jaką znam. W ogóle go nie pamiętam. Gdy dorosłem, zacząłem szukać. W gazetach z tamtego okresu znalazłem tylko tyle: „Wacław Szymczyk, lat 33, wyszedł z domu 11 stycznia br. i nie powrócił. Oczekuje na niego zrozpaczona małżonka i syn". Z opisu wynikało, że Wacław Szymczyk był blondynem średniego wzrostu, szczupłej budowy ciała, bez znaków szczególnych, i tak też wyglądał na zamieszczonej tam fotografii. Nikogo mi nie przypominał, ale nie był też do końca obcy. To ja po śmierci matki dopełniłem formalności, by uznać Wacława Szymczyka za zmarłego, i gdy podpisywałem dokumenty, czułem się jak ojcobójca. Mieszkałem z mamą Ludmiłą do dziewiętnastego roku życia. Potem, mimo jej łez, wyjechałem, by odnaleźć siebie. Nie byłoby to możliwe w jej obecności, bo każde z nas chciało odnaleźć we mnie zupełnie inną osobę.

Los jednak sprawił, że wszędzie wpadałem na mięso i wędliny. Gdy znalazłem stancję nad kwiaciarnią we Wrocławiu, ta po miesiącu przebranżowiła się na tani garmaż i budził mnie zapach wątroby smażonej z cebulą. Poznałem dziewczynę, okazało się, że jest na jakiejś dziwnej diecie i je tylko mięso, najchętniej żeberka wieprzowe. Wyjechałem w końcu do Anglii, ale jedyną pracą, jaką mogłem znaleźć, był kebab u Turka albo fabryka kiełbas. Uznałem, że z dwojga złego lepszy będzie kebab, bo miałem dość wieprzowiny. Tam właśnie poznałem Jerzego Łobodzia, zanim został Łabędziem. Właściwie do tego zmierzam, ale jakaś mnie dziś ogarnęła potrzeba, by opowiedzieć wam o mamie Ludmile i o pokoju, którego nie ma, a który był jej radością i dumą. Celestyna powtarza mi ciągle, że nie powinienem dusić emocji w sobie, i nawet zacząłem opracowywać projekt elektronicznego stymulatora, który reagowałby w sytuacjach tłumienia, ale brakuje mi jednego kluczowego elementu. Jerzy Łobodź wyrażał uczucia i były one na ogół wrogie. Nienawidził Anglii i Anglików, angielskiego jedzenia, Turków i tureckiego jedzenia,

347

nienawidził pracy na zmywaku, nienawidził godzin pracy i godzin odpoczynku. Wszyscy pracowaliśmy, bo potrzebowaliśmy pracy, a on uważał, że spotkała go niesprawiedliwość. Ciągle mówił o specjalnej sytuacji, w jakiej się znalazł. „W moim przypadku to specjalna sytuacja", powtarzał, ale nikt nie traktował go poważnie. Najbardziej denerwowało mnie jednak, że nasz Turek mylił mnie z Jerzym, bo wydawaliśmy mu się podobni: obaj blondyni o niepozornej aparycji. Pracowało nas u Turka pięcioro. Oprócz mnie i Jerzego, Ukrainka, Rumun i starsza Angielka, wszyscy na czarno. Zaprzyjaźniłem się z Angielką, ładnie się nazywała, Chantelle Chat, Chat z francuska, i miała kolczyk w języku. Duża kobieta, krwi mieszanej, matka z Haiti, ojciec pół Francuz, pół Irlandczyk, całe przedramiona i łydki miała w tatuażach. Trochę przypominała mamę Ludmiłę i na pewno świetnie prezentowałaby się na scenie Moulin Noir. Łączyła nas miłość do zwierząt i, przyznaję, podbieraliśmy co nieco od Turka, by karmić bezdomne koty na pobliskim cmentarzu żydowskim. Nazywaliśmy Łobodzia z Chantelle Special Situation. Jerzy Łobódź miał wielkie plany, za każdym razem inne. Gdzieś usłyszał, że można zarobić na podrabianych znaczkach pocztowych, i przez tydzień gadał o znaczkach, jak można by je tanio produkować w Polsce i przemycać do Anglii. Potem były opłatki. Zainwestował w produkcję i sprzedaż opłatków, ale go wykiwali jacyś cwańsi producenci spod Częstochowy. Wrócił do Turka. Próbował dalej. Poszedł któregoś razu na casting do *reality show* i przeszedł do drugiego etapu. Ufarbował się na jasny blond i przekłuł sobie język jak Chantelle, by być bardziej interesującym. Przez kilka tygodni ćwiczył dowcipne kwestie przy zmywaku, a nas ignorował, bo wydawało mu się, że już należy do lepszego świata. Ale w przekłuty język wdała się infekcja, spuchł i zaczął straszliwie seplenić. Postanowiliśmy go pocieszyć, bo w końcu był kolegą z pracy, i poszliśmy razem do pubu.

Coś w nim wtedy pękło. Chciał tańczyć poloneza i śpiewał polski hymn, śmiał się i płakał. „Chochoły!", darł się „wszystko chochoły!". Bredził o bułgarskim kulcie wampirów i specjalnej misji, w jaką wysłał go papież. Zaczął drwić z Chantelle. Nie powinien był użyć takich słów ani jej popychać. Chantelle bez słowa walnęła Łabędzia z liścia. Gdy podniósł się, wycedziła: „przeproś", a on splunął jej w twarz. Wtedy Chantelle złapała go za koszulę, przyparła do ściany. Dopiero wtedy zobaczyłem, jaka jest silna. Powiedziała mu coś na ucho. Długo mówiła, ale nic nie dało się usłyszeć. Twarz Łobodzia zmieniała się pod wpływem słów Chantelle Chat, jakby przez ucho coś włazło mu do środka. Gdy go puściła, wyglądał jak inny człowiek. Wyszedł i nie wrócił już do robienia kebabów u Turka.

Spotkaliśmy się dopiero tu, niedługo po pogrzebie mamy Ludmiły, Łobodź szedł w asyście trzech łysych młodzieńców. Albo mnie nie poznał, albo udawał, że nie poznaje. Wróciłem z Anglii, gdy dowiedziałem się, że mama Ludmiła się rozchorowała. Była już tak gruba, że nie mieściła się w drzwiach, i aby zabrać ją do szpitala, musieli użyć specjalnego dźwigu, który wyciągnął ją przez balkon. „Synku, mam ci coś do powiedzenia, ale przedtem zrobisz coś dla mnie?", poprosiła. Na płacz mi się zbierało, bo niedobrze wyglądała mama Ludmiła i wiedziałem od lekarza, że z nią kiepsko. „Tydzień, może dwa", powiedział. Ona też wiedziała. „Nie martw się", uspokajała mnie jedną ze swoich ulubionych maksym „kobieta musi przejść przez piekło, by zmienić się w anioła". „Co chcesz, mamo Ludmiło". „Obiecujesz?". „Obiecuję". „Przysięgniesz się?". Przysiągłem.

Chciała, żebym zjadł z nią pożegnalny posiłek, taki jak za dawnych czasów, choć była na ścisłej diecie. Podyktowała mi listę. Szynka, kiełbasa śląska, biała, lisiecka, kawałek metki łososiowej, kabanosy i krupnioki, papryka w occie, korniszony, delicje szampańskie, ptasie mleczko waniliowe, misie haribo i sernik krakowski. I żebym przyniósł jej płyty, koniecznie *Traviatę*, bo jak ma umierać bez muzyki, skoro żyć bez niej nie mogła.

Resztką sił mama Ludmiła uczesała się i umalowała. Wyglądała jak Elizabeth Taylor. „Płytę puść, synku, i jedz", powiedziała, „bo w życiu piękne są tylko chwile".

Co było robić, ona jadła z błogim uśmiechem, jakby od lat głodowała, a ja płakałem jak wtedy, gdy ruszałem w świat, by odnaleźć siebie.

„Co chciałaś mi powiedzieć, mamo Ludmiło?". „Jedz najpierw, synku", prosiła, więc jadłem. Przy delicjach szampańskich mama Ludmiła powiedziała: „Po mojej śmierci zajrzą do ciebie kociary, daj im tam, synku, co będą chciały". I jeszcze: „Wybacz, że musiałam twojego oj". Przerwała, ugryzła jeszcze kęs delicji. „Oooj", zajęczała i umarła. A wtedy ja...

Kociałapa wyniosła z Zamku Książ. Mrugali powiekami, bo musieli tu przejść przez piwnicę i ciemny korytarz, i rozglądali się niepewnie po pokoju, którego nie ma. Dwie młode istoty farbowane na czarno okazały się długowłosym chłopakiem i takąż dziewczyną, byli poprzekłuwani, mieli niezdrową cerę, oczy jak wałbrzyscy górnicy, stali nieco z boku. Na wypchanym plecaku, który trzymała ona, szczerzyła się trupia czaszka. Sprzedawcy kości czekali. Ich oczy omiatały weneckie lustro, obojętnym i czujnym jednocześnie spojrzeniem tych, którzy się naczekali, nastali w kolejkach i nieraz odchodzili z kwitkiem. Rozpoznałam dwóch mężczyzn, to oni rano minęli mnie i Marcina w lesie pod Zamkiem Książ. Mogli być ojcem i synem, starszym i młodszym bratem, ale możliwe, że ich podobieństwo narodziło się w wyniku podobnego zestawu życiowych nieprzyjemności. Coraz więcej sprzedawców kości wchodziło do pokoju, a ci, którzy byli już w środku, niechętnie robili dla nich miejsce. Popatrzyliśmy na siebie z Marcinem i poczułam nagły przypływ otuchy, że jestem po tej stronie lustra z mężczyzną, który dziś kochał się ze mną w śniegu. Mogli być ojcem i synem, starszym i młodszym bratem, ale możliwe, że ich podobieństwo narodziło się w wyniku podobnego zestawu życiowych nieprzyjemności. Coraz więcej sprzedawców kości wchodziło do pokoju, a ci, którzy byli już w środku, niechętnie robili dla nich miejsce. Popatrzyliśmy na siebie z Marcinem i poczułam nagły przypływ otuchy, że jestem po tej stronie lustra z mężczyzną, który dziś kochał się ze mną w śniegu. Znów otworzyły się drzwi, najpierw weszła starsza kobieta w ogromnym brązowym futrze, potknęła się, kichnęła i stanęła przed weneckim lustrem, sprawdziła dziurki w nosie, włochate i wilgotne. Była tak blisko, że odruchowo cofnęliśmy się, ale przecież nie mogła nas widzieć. Przypominała wielką nutrię, bo to chyba z tych gryzoni zrobiono jej futro. Po kichającej Nutrii pojawił się młody mężczyzna i wszyscy sprzedawcy kości zwrócili się w jego stronę. Z tej perspektywy trochę przypominał Łabędzia i nie wiem dlaczego zaniepokoiło mnie to. Wyglądał jak pracownik miesiąca jednej z tych firm, które niczego nie produkują, tylko zajmują się rzeczami tak bezsensownymi, jak promocja produktu albo analiza promocji. Miał na sobie garnitur i prostokątne okulary, jakie w telenowelach noszą pracownicy reklamy. Jego twarz, zwykła jak kromka chleba, była zaróżowiona od chłodu, spocone włosy przylegały do czaszki. Już go gdzieś widziałam albo wyglądał tak, że łatwo go było z kimś pomylić. On też podszedł do lustra, wyjął grzebień z tylnej kieszeni spodni i przyglądając się swojej twarzy z uwagą, przeczesał włosy. Poznałam go po plemiennym kolczyku rozpychającym płatek ucha. Mężczyzna z pociągu. Albo jego bliźniak. Wzdrygnęłam się, jakbym sięgnęła do bieliźniarki i trafiła niespodzianie na coś zimnego i mokrego. Spojrzałam na Celestynę, która uśmiechnęła się do mnie porozumiewawczo, i wiedziałam, że podziela moją niechęć. Martin wpatrywał się w mężczyznę intensywnie, a ten powiedział coś i pokazał na zegarek. Jego gesty były przerysowane, nadgorliwe, a ja znów poczułam niejasny błysk rozpoznania. W odpowiedzi kilka głów przytaknęło, grupa zakołysała się i znów zamarła w oczekiwaniu. Staruszka w futrze kichnęła, po czym wytarła nos w rękaw, człowieczek w tureckim swetrze wyjął paczkę papierosów, popatrzył na nie tęsknie i schował z powrotem.

– Opracowałem pewien wynalazek – powiedział nagle Adam tak głośno, że aż podskoczyłam przestraszona, że usłyszą nas ludzie z drugiej strony lustra. – Oni nas nie słyszą, ale my zaraz usłyszymy ich! – oznajmił nasz gospodarz i nacisnął guzik jakiegoś urządzenia, które przypominało radiomagnetofon kasetowy Grundig, z jakiego trzydzieści lat temu słuchałam z Ewą listy przebojów w piątkowe wieczory. Zazgrzytało i pyknęło, jakby przepaliła się starodawna żarówka z drucikiem, nadal panowała jednak cisza. – Nie działa – stropił się Adam. – Chyba muszę przełączyć przewód – dodał i zniknął W głębi mieszkania, robiąc taki hałas, jakby po drodze zrzucał łatwo tłukące się przedmioty.

Celestyna westchnęła i sięgnęła po paterę ciasteczek.

– Sama piekłam – zachęciła mnie i Marcina.

Były pyszne, miały intrygujący ziołowy posmak, zjadłam i sięgnęłam po jeszcze jedno. Ciasteczka Celstyny jednocześnie zaspokajały głód i apetyt na słodycze, powinna je opatentować, ją całą powinno się opatentować, a na pewno jej uśmiech. Mimo przygnębiającego obrazu za lustrem i poczucia klęski, jakie towarzyszyło mi od paru godzin, zaczęłam się rozluźniać. Nagle usłyszałam w głowie fragment arii Violetty z *Traviaty* w wykonaniu Callas, jakby ktoś włączył i wyłączył płytę mamy Ludmiły. Było to wprawdzie o wiele przyjemniejsze niż Kurwamina w moim radiu, ale równie niepokojące.

– Co ty dodałaś do tych ciasteczek? – zapytałam, ale Celestyna nie zdążyła odpowiedzieć, bo wtedy po drugiej stronie lustra otworzyły się drzwi i do pokoju, którego nie ma, wszedł Jerzy Łabędź. Fałszywy prorok, samozwańczy syn Jana Kołka, którego Adam Szymczyk poznał w Anglii w zupełnie innej roli. Marcin pokręcił głową, jakby coś mu się nie zgadzało, a ja poczułam falę niechęci tak silną, że z wdzięcznością wzięłam od Celestyny kieliszek wina i wypiłam je niemal duszkiem. Nagle zapragnęłam poznać słowa, które skierowała do niego tamta kobieta, Chantelle Chat. Podobnie jak podczas spotkania pod kościołem, Łabędź miał na sobie strój roboczy fałszywego proroka: białą koszulę rozpiętą pod szyją, ciemny płaszcz, dżinsy i kowbojskie buty w szpic. Grupa sprzedawców kości zafalowała i nagle zdałam sobie sprawę, że słyszę ich głosy. Najwidoczniej wynalazek Adama w końcu zadziałał. Pierwszy do Łabędzia podszedł mężczyzna z kolczykiem, ukłonił się jak asystent lizus, uścisnęli sobie dłonie.

Łabędź wydał dyspozycje, a okularnik zaczął kierować ludzi do stołów, by pokazali, co przynieśli.

– Demonstracja towaru! – zaklaskał. Potem sam zajął miejsce i delikatnie wydobył zawartość swojej aktówki.

Jedni układali kości wprost na blatach, inni na gazetach albo szmatach, w które były owinięte. Tyle kości. Pociemniałe przez lata leżenia w ziemi, inne żółtawe jak wosk, gładkie. Duże i małe. Kilka kości przedramienia, jedna udowa, ze dwa piszczele i drobnica, kostki dłoni, karku, stóp. Fragment biodra, łękotka. Ostre szpikulce żeber, kawałek szczęki z trzema zębami trzonowymi. Kości. Zęby. Tyle zostało z mojej rodziny – pomyślałam. Łabędź chodził między stolikami i przyglądał się z uwagą wyłożonemu towarowi. Wskazywał na tę czy tamtą kość i pytał, skąd pochodzi.

– Bardzo ładnie! – Zacierał ręce. – A te? – Pochylił się nad wyjątkowo okazałym stosem.

– Z polany pod Zamkiem Książ! – odpowiedzieli unisono dwaj podobni do siebie mężczyźni, którzy przynieśli tak pokaźny łup. Głowy innych sprzedawców obróciły się w ich stronę z zazdrością.

– Z polany?

– Jakiej polany?

– Tyle z polany?

– Ho, ho!

– Się wam trafiło – pochwalił Łabędź.

– Jak ślepej kurze ziarno! – zarechotały trzy przyjaciółki, dwie w kolorze siana i bakłażanowa pośrodku.

– Pod Zamkiem Książ?

– Na polanie, tej polanie, tyle było na polanie? – gdakały jedna przez drugą.

– To nasz rewir! – zaprotestowali podobni. – Niech każdy grzebie na swoim!

– A co od razu z mordą wyskakuje? Wzięłam mu? – naskoczyła na Podobnych Bakłażanowa Ondulacja.

– Każdy sobie niech grzebie! – nie dał się udobruchać starszy z Podobnych.

Łabędź uspokoił ich gestem dłoni.

– Nie ma obawy, panowie. Rewiry są przecież podzielone. Dużo tam tego jeszcze będzie?

– Siła kości, panie – odpowiedzieli Podobni jednym głosem. – Po pas się wkopalim i ciągle pod nogami chrzęściło – dodał starszy.

– Po pas, a ciągle chrzęściło – westchnęły dwie Ondulacje w Kolorze Siana.

– Może Niemce kiedyś tam cmentarz mieli – wyraził przypuszczenie młodszy z Podobnych.

Łabędź wziął jedną z kości i podniósł do światła. Długa i cienka, wyglądała na kość przedramienia. Przyjrzał się z bliska, powąchał i miałam wrażenie, że zaraz zębami sprawdzi kość, jak złoto.

– Nie niemieckie – przemówił w końcu. – To pradawne kości piastowskie. Nasze, polskie. Brawo dla panów!

Podobni nadęli się dumą, ale oklaski były słabe, widać, że nie cieszyli się sympatią. Łabędź ruszył dalej, przeszedł obok lustra i rzucił w naszą stronę zachwycone sobą spojrzenie. Celestyna powtórzyła je prześmiewczo i ogarnął mnie śmiech, jaki zdarza się młodym dziewczynom w windzie albo toalecie. Kiedyś śmiałam się tak z Ewą, potem już nigdy. Powstrzymałam szalony chichot, dostałam czkawki, Marcin pogłaskał mnie po przedramieniu, a bibliotekarka podsunęła mi paterę z ciasteczkami, dolała wina. Zjadłam cztery, z winem smakowały jeszcze lepiej. Wyobraziłam sobie, jak czerwone wino miesza się z moją krwią, krąży w żyłach. Popatrzyłam na swoje przedramię i pod skórą i mięśniami zobaczyłam długą cienką kość.

– A te? – zapytał Łabędź pulchną kobietę w średnim wieku. – Piękne kości! Towar, rzec można, takiej urody jak jego właścicielka.

Pochwalona Pulchna pokraśniała, poprawiła grzywkę, a trzy przyjaciółki roześmiały się nieszczerze.

– E tam, kostki takie drobne – odpowiedziała z kokieterią Pulchna. – Takie tam nic lichutkie wygrzebałam na starym cmentarzu w Dziećmorowicach.

– Porządne kości, nieprzepite – Łabędź był innego zdania. – Taka kość to na lata!

– Ale niemieckie, nie nasze – skrytykowali Podobni.

– Niemieckie wprawdzie, ale za to z patyną. Przez czasu upływ uszlachetnione – Łabędź miał ostatnie słowo. – A jak sytuacja na rewirze?

Pulchna sprzedawczyni kości, wyraźnie zadowolona z poświęconej jej uwagi, obciągnęła sweterek na wydatnym biuście. Miała dziwne zęby, szare i tak rzadkie, jakby poodsuwały się od siebie ze wstrętem. Jej oczy były młodsze niż reszta, wciąż odbijały się w nich lepsze czasy.

– Cichaczem, myk, myk, że niby z kwiatami na grób. Pokręciłam się, zdrowaśkę pod krzyżem zmówiłam, nikogo. Po deszczu ziemia miętka, że wystarczy widelcem dziabnąć i się coś wygrzebie.

– Byle nie gówno! – zarechotali Podobni, ale Pulchna nie zaszczyciła ich swoją uwagą.

– Grobowce poniemieckie już przebrane, bo nasi tam byli zaraz po wojnie – ciągnęła. – Co cenne, wzięli, bałaganu narobili. Czaszki, na ten przykład, już się nie znajdzie – dodała z żalem.

– Studenci medycyny se pobrali! – warknął niezadowolony mężczyzna w tureckim swetrze.

– Konowały! – poparło go dwóch Podobnych. – Bez koperty się pan nie dostaniesz.

– Takie czasy – westchnęły dwie Ondulacje w Kolorze Siana – czaszki pobrane, co lepsze wykopane.

– Ciężkie czasy, w ciężkich czasach straszna męka – poparła je jakaś chuda w starym kożuchu, która siedziała przy stoliku ze swoim milczącym towarzyszem i tak mocno trzymała go za ramię, jakby bała się, że ucieknie. Mężczyzna wyglądał na zawstydzonego, miał podkrążone oczy i dłonie kogoś, kto nigdy nie pracował fizycznie. Przed nimi leżała marna kupka kości, nad którą właśnie pochylił się Łabędź i westchnął.

– A co ja ostatnio mówiłem?

Mężczyzna opuścił głowę, a jego chuda połowica szturchnęła go łokciem.

– No co ostatnio pan Łabędź mówił?

Pogrążony małżonek tylko wzruszył ramionami.

– Mówiłem – Łabędź uniósł palec – że tylko ci, którym zależy na naszej sprawie, że tylko prawdziwi sprzedawcy kości mogą cieszyć się przywilejami i oczekiwać nagrody. Czy to są kości godne pamięci Jana Kołka? – Łabędź potrząsnął drobną kostką, z której osypał się piasek.

– Ale wstążki do wiązania przyniosłam – Chuda próbowała podwyższyć swoje notowania – wstążki biało-czerwone. Kostkę można młoteczkiem i kawałeczki do kwiatuszków przykleić biało-czerwonych. – Łabędź ją jednak zignorował, a Chuda przeniosła złość na zgnębionego męża. – Ty to zawsze w ogonie – zasyczała, a on skurczył się w sobie jeszcze bardziej.

Łabędź ruszył między stolikami i zaraz pochylił się nad kolejną kupką kości. Dwoje czarnowłosych Gotów popatrzyło na niego z nieprzeniknionym wyrazem twarzy. W ich towarzystwie Łabędź chyba nie czuł się tak dobrze.

– Drobnica, ale ładne kości – pochwalił mroczną parę, która wzruszyła z obojętnością czworgiem ramion. Wyglądali, jakby żywili się chińskimi zupami w proszku, parówkami i amfetaminą. – Bez przygód na rewirze? – zapytał ich Łabędź takim tonem, jakim dorośli mówią do młodzieży, gdy chcą wydawać się nie tak starzy i nie tak nudni. Goci popatrzyli po sobie i znów wzruszyli ramionami.

– Spoko – powiedziała Gotka.

– Spoko – zgodził się Got.

– Bardzo dobrze, bardzo dobrze – zatarł ręce Łabędź. – A jak było za szpitalem? – zwrócił się do małego spłoszonego mężczyzny w tureckim swetrze, pod którym ukrywał dziwny niby-ciążowy brzuszek. Miał przed sobą tylko dwie kostki, wyglądające do tego na kurze.

– Pogonili mnie w pizdu – powiedział i spłoszył się jeszcze bardziej. – Przepraszam za wyrażenie. – Stropiony spuścił głowę.

– Może – wyrwała się Bakłażanowa Ondulacja – jak ktoś sobie nie radzi na rewirze, trzeba przemyśleć, czy nie wprowadzić na jego rewir innych. Żeby zwiększyć obroty. Bo już nie ma tak, że czy się stoi, czy się leży, tysiąc złotych się należy!

– Dobrze mówi! – poparły ją dwie przyboczne Ondulacje w Kolorze Siana. – To są czasy dla odważnych. Teraz nie ma tak, żeby nie było.

– Ja na ten przykład – wyrwała się znów Bakłażanowa – mam dzieci w szkole i byłoby mi o wiele wygodniej na rewirze za szpitalem. Przez ulice przelecę i jestem. Chwilę mam, wyskoczę i a nuż coś ukopię.

– Wyskoczy i ukopie – poparły ją blondyny. – Matce dzieci się należy.

– A ja – ośmieliła się chuda – emerytką jestem biedną i mam nadciśnienie, więc jeśli kolega pod szpitalem sobie nie radzi, też chętnie się zamienię.

– Nieładnie się tak wpychać! – wykopały emerytkę młode samotrzeć. – Nieładnie! My już sobie zaklepałyśmy, a pani nagle na czwartą? My matki dzieciom w szkole, w przedszkolu, a pani co? Trzy matki młode mają pierwszeństwo, by sobie kości ukopać. Kto matkom polskim podskoczyć się ośmieli? Że korzonki sobie kopiemy, chrzan, ziółka zbieramy, zawsze możemy powiedzieć. Jak ktoś się przyczepi, już my go zagadamy! Zatrajlujemy, wokół palca owiniemy! Że my matki, powiemy, że dla dzieci.

– Się baby rozgdakały – unisono dwóch Podobnych zarechotało. – Jakie to teraz babstwo wyrywne!

– Ja – obruszyła się Matka Bakłażanowa – pracowałam w Szwecji przy truskawkach. To co pan mi tu może?

– Nadciśnienie i kołatanie – nie ustępowała chuda emerytka. A gdy zorientowała się, że nikt nie zwraca na nią uwagi, szturchnęła swojego milczącego męża, który dodał cicho:

– Żylaki i hemoroidy. – Ale to ją tylko jeszcze bardziej rozsierdziło.

– Proponuję – uciszył kłócących się Łabędź – dać koledze jeszcze jedną szansę. Ostatnią. Jeśli mu się nie uda, jeśli nas znów zawiedzie, przejdziecie panie na jego rewir za szpitalem.

Trzy koleżanki przybiły piątkę, poklepały się po udach sześciorgiem rąk.

– Pogonili mnie – wyszeptał zgnębiony człowieczek w tureckim swetrze. – Psem poszczuli, od zboczeńców zwyzywali.

Ale Łabędź już pochylał się nad towarem staruszki w wielkim futrze.

Szumiało mi w głowie. Pomyślałam nagle o pępku Marcina i o tym, jaki pępek może mieć Celestyna? Jaki ma babcia nutria? Ktoś znowu podsunął mi talerz z ciasteczkami. To nie były normalne ciasteczka. „Ciasteczka”, powiedziało coś we mnie, a Marcin i Celestyna wymienili porozumiewawcze spojrzenia.

– A u babci co słychać?! – wrzasnął Łabędź po drugiej stronie weneckiego lustra, a kobiecina w nutriach podniosła głowę i zapytała:

– Że jak?

– Jak u babci kości!?! – powtórzył Łabędź.

– Czego tak wrzeszczy? Przecież głucha nie jestem. Trzy nowe groby mój kopał i takich się dokopał, że wam oko zbieleje. Kości jak malowane, a moc ich wielka. Jak pod kranem je obtoknęłam, to jasność się pojawiła i ścięło mi się mleko w kartonie. – Zadowolona z siebie staruszka podniosła potężną żółtą kość, która dla mojego niewprawnego oka mogła należeć do mistrza krzyżackiego, wołu albo mamuta.

– Brawo dla babci! – zawołał Łabędź. Na koniec podszedł do mężczyzny z kolczykiem i pochylił się nad kośćmi ułożonymi na kwiecistej chustce. – Ładne świeże kości – powiedział.

Były niemal białe, drobne. Z różowym nalotem. Zrobiło mi się niedobrze, Martin pocałował mnie w policzek i podał ciasteczko.

– Dobra Alicja – szepnęła do mnie Celestyna tak, jak mówi się do kota.

– Trudny rewir i proszę, jak się chce, to można. – Łabędź był zadowolony. – Pan Jacek, nasz sprzedawca tygodnia. Uczciwą pracą ludzie się bogacą! Kość do kości i z biedaków zrobimy gości. Brawo! Brawo dla pana Jacka. – Łabędź podniósł ramię mężczyzny jak sędzia w ringu.

– Kość do kości i z biedaków zrobimy gości! – chórem wrzasnęli wszyscy zebrani. Wzór na chustce, na której leżały kości sprzedawcy tygodnia, był jaskrawy, czerwone kwiaty pulsowały jak głodne usta. Czułam się coraz dziwniej.

– Napij się jeszcze. – Ktoś, pewnie Celestyna, napełnił mój kieliszek, a jakiś głos w mojej głowie powtórzył „brawo!" i kontynuował po włosku arią Violetty: *Libiamo, libiamo ne'lieti calici che la belleza infiora. E la fuggevol, fuggevol ora s'inebrii a voluttà.*

Trzy matki poderwały się od stolika i zaczęły wymachiwać nogami, spomiędzy których wypadały dzieci i wzbijały się w górę na anielskich skrzydełkach, wirując ciężko jak bąki. Niepozorny chłopina w tureckim swetrze mrugnął do mnie porozumiewawczo i rozpoznałam w nim nagle kominiarza, a to, że uczestniczy w zebraniu sprzedawców kości, wydało mi się oczywiste i jakoś doniosłe. Nutria w futrze wybijała rytm kością mistrza krzyżackiego, a za każdym stuknięciem na blacie jej stołu rosła czerwona kałuża. „Ona tu jest, blisko", przypomniałam sobie słowa Dawida, a może wypowiedział je Marcin? Co się ze mną dzieje? Zacisnęłam powieki. W mojej głowie pędził kolorowy pociąg, z okiem wagonu Warsa cała obsada *Traviaty* śpiewała *Libiamo, Libiamo*, Violetta miała na sobie futro z nutrii i była kościotrupem, ciałotrupem, krwiotrupem. Alfred wyciągał sobie z ust chustkę w kwiaty, która powiewała na wietrze jak ogon pożogi. Chciałam do nich dołączyć, ten pociąg nie mógł odjechać beze mnie.

– Poczekajcie! – zawołałam, ale odpowiedział mi śmiech, *Libiamo, libiamo ne'lieti calici che la belleza infiora. E la fuggevol, fuggevol ora s'inebrii a voluttà!* – Co dodałaś do tych ciasteczek? – zapytałam, zanim straciłam świadomość. Uśmiech bibliotekarki był ostatnią rzeczą, jaką zapamiętałam.

Gdy obudziłam się o trzeciej w nocy, ciągle miałam w ustach smak ciasteczek Celestyny i szumiało mi w głowie. Nawet nie zdziwiło mnie, że mój sen znów został przerwany o tej samej porze, bo od kiedy tu przyjechałam, powtarzało się to co noc. Katolicy wierzą, że o trzeciej po południu otwiera się niebo, i zmawiają wtedy koronkę, to godzina miłosierdzia. Dwanaście godzin wcześniej otwarte jest piekło, które czułam na języku wyschniętym i szorstkim jak przypalony. Nie pamiętam, jak dotarłam do domu. Oprócz przyprawiającej mnie o mdłości woni wina czułam na sobie zapach Marcina. A więc był tu, kochaliśmy się. Był? Pamiętało go moje ciało, ale w głowie miałam papkę z kości i arię *Libiamo*, zatoczyłam się, gdy wstałam z łóżka. Spod poduszki wypadła Gertrud Blütchen i lśniła w świetle księżyca, wzięłam ją i zeszłam do kuchni, by zrobić sobie herbaty, a przedtem

wypiłam trzy szklanki lodowatej wody. „Pysznawodazdrowiadoda!", zachichotał w mojej głowie gnom, którego spotkałam na
miejscu spalonego schroniska w Rusinowej. Dopiero teraz rozpoznałam ziołowy posmak w ustach. Marihuana. Bibliotekarka
nafaszerowała ciastka trawą, od kiedy się spotykałyśmy, miałam
wrażenie, że jestem przedmiotem jej eksperymentów. Może to
ona nasyła na mnie te wszystkie dziwaczne postaci i odpowie-
dzialna jest za obecność Kurwaminy w samochodowym radiu.
Nie mam wielkiego doświadczenia z używkami, bo lubię być
trzeźwa, wykąpana i zdolna do długiego biegu. Teraz w miejscu
Alicji Pancernika znalazła się wymięta i cuchnąca kobieta, która
znów zapomniała ogolić nogi.

Nastawiłam czajnik i spojrzałam przez okno. Ponad czarną
falą lasu wieże Zamku Książ wystawały jak maszty tonącego statku, światełko zapłonęło, przemieściło się między dwoma oknami
i zgasło. Księżna Daisy znów szuka swoich kotów i nie wie, że jeden z nich nigdy nie wróci, bo ktoś go powiesił w moim ogrodzie.
Oddałabym wszystko za to, żeby moja siostra była tu ze mną. Wyobraziłam sobie przez moment, że nasze losy potoczyły się tak,
jak sobie wymarzyła: ona przyjeżdża tu w odwiedziny ze świata,
który zdobyła, ja skądkolwiek, bo nie mam pojęcia, kim stałabym
się, gdybym nie musiała jej opłakiwać. Nasz ojciec żyje, wychodzi
ze swojego pokoju i uśmiecha się szczęśliwy, że wróciły jego córki,
a skarb, którego szukał, leży zapomniany pod ziemią. Wizja była
jednocześnie wyraźna i nierealna, jak obraz w nagłym błysku
flesza, który wydobywa z ciemności ludzi o czerwonych oczach
i płaskich twarzach. Dopiero od Dawida dowiedziałam się, jak
daleko Ewa posuwała się w swoich genealogicznych fantazjach
o prababkach i praciotkach, o paryskich matkach pianistkach
żydowskiego pochodzenia. Czy wiedziała albo przeczuwała, że
naprawdę jest córką Niemki? Odczuwałam satysfakcję, że wiem
więcej o mojej siostrze, i zarazem dziwny rodzaj żalu, że część

jej życia toczyła się poza mną. Dawid. Coś nie dawało mi spokoju. Jak bolesna zadra. Usiadłam z kubkiem zielonej herbaty i odtwarzałam w myślach jego opowieść. Wiedziałam, że Dawid zostawił dla mnie trop niczym ciemny korytarz do pokoju, którego nie ma. W tym, co mi powiedział, było tajemne przejście, które powinnam odnaleźć, a wtedy zrozumiałabym i przeszłość, i to, w co teraz uwikłałam się w tym mieście. Opowieść Dawida i list mojej siostry nie zgadzały się ze sobą do końca, ale nie potrafiłam jeszcze wskazać niepasujących elementów. Obie narracje starały się przede mną ukryć jakąś tajemnicę tak, by jednak mnie kusiła. Otworzyłam plik, w którym zapisałam internetowe forum, wypowiedzi Dawida zaznaczyłam pogrubioną czcionką. „Ona tu jest. Blisko. Jest mało cza". Tylko tyle. Pamiętałam, co napisał, ale jego słowa znikły z zapisanego pliku, naprawdę się rozpłynęły. Nie mogłam przestać myśleć o Kalince, dziecku ze złego gniazda, skażonym jak po Czernobylu, jak to określił Marian Waszkiewicz, dyrektor Domu Dziecka „Aniołek". Czy Dawid wyczuł moją słabość do tego dziecka? Czy znał miejsce pobytu dziewczynki? Chciał naprowadzić mnie na jej ślad? Problem polegał na tym, że potrafiłam napisać o zniknięciu Kalinki, ale nie byłam pewna, czy potrafię szukać zaginionego dziecka w realnym świecie. Moim światem były słowa, nie czyny. Irytowała mnie gra, jaką Dawid ze mną prowadził. Zajrzałam do sieci, ale nie było tam ani Homara, ani Ramoha. Żarówka pod sufitem dożyła swoich dni, zamrugała jeszcze raz i zgasła. Wyłączyłam komputer, w kuchni zapadła ciemność. Roztargnienie, obżeranie się do nieprzytomności ciastkami z marihuaną, podziemne korytarze i weneckie lustra, miałam wrażenie, że to wszystko przytrafia się jakiejś innej Alicji. Taką Alicję mogłaby wymyślić moja siostra.

Siedziałam przy stole w towarzystwie sponiewieranego rudego Hansa z NRD i myślałam o przeszłości. O tym, jak Dawid czekał na Ewę na wałbrzyskim dworcu, i że obie znane mi opowieści o tych ostatnich dniach ich miłości są równie prawdziwe albo równie fałszywe. I że nie podoba mi się łatwość, z jaką można wymienić jedno z tych określeń na drugie. Może więc oboje mnie okłamali? Tylko co chcieli przede mną ukryć? Może nie znałam Ewy tak dobrze, jak sądziłam. Zaczęło padać i do szyby przyklejały się mokre płatki śniegu, czułam, jak trzeźwieję i ogarnia mnie smutek. Gdyby była tu Celestyna, pocieszyłaby mnie, gdyby był Marcin, mogłabym dotknąć jego ciepłego ciała i zatopić się w nim. Ale towarzyszył mi tylko miś kaleka z rozprutym ramieniem i utkwionymi we mnie głupimi oczkami. Przyzwyczaiłam się do tego, że jestem sama, czy raczej pojedyncza, niezwiązana i niezobowiązana do pamiętania o kimkolwiek prócz moich zmarłych, ale nagle poczułam ogromną potrzebę obecności drugiego człowieka. Zamiast roztkliwiać się nad sobą, pojadę do Dawida, postanowiłam. Skoro nie chce ze mną rozmawiać, spróbuję go zmusić, będę dobijała się tak długo, aż mi otworzy.

Odstawiłam pusty kubek, a wtedy coś zawirowało w ciemności za oknem i omal nie umarłam z przerażenia, gdy nagle otworzyły się drzwi do ogrodu. W ich progu stała jakaś pokraczna figura i oddychała ciężko. Odruchowo złapałam Gertrud Blütchen. Postać zatupała i otrząsnęła się z wilgoci jak zwierzę, poczułam zapach mokrej sierści.

– Masz jakąś okryjbidę? – zapytał w końcu nieproszony gość.

– Babcyjka?

– A kto ma być? Święta Kocińska z zaproszeniem na bal u Daisy? – prychnęła i w mroku zalśniły żółtawo jej oczy. – Okryjbidkę masz? – powtórzyła powoli, jakby przypomniała sobie, że nie jestem zbyt rozgarnięta.

– Co mam?

– Paletko jakieś, dziewczyno – podpowiedziała.

– Potrzebujesz paletka?

– Śnieg sypie. Zima mamka długa! – wyjaśniła, jakby to czyniło całą sytuację normalną i oczywistą. Odłożyłam Gertrud Blütchen, poczułam, jak rozluźniają się moje napięte mięśnie. Babcyjka miała rację. To była oczywista sytuacja: padał śnieg i potrzebowała okrycia, a ja je miałam i przynajmniej w tym momencie nie było mi niezbędne.

– Wejdź – zaprosiłam ją. – Napij się ze mną herbaty.

– A nie – zaparła się – zaraz muszę lecieć dalej.

– Dlaczego?

– Kotrupki głodnym niosę. – To była cała jej odpowiedź. Zdjęłam więc z wieszaka swoją ciepłą kurtkę i podałam Babcyjce. – No! – ucieszyła się. Pomacała materiał i powąchała go. – Galancia okryjbidka! – Założyła kurtkę, która sięgała jej do kolan, i zakręciła się wkoło.

Kurtkę kupiłam przed wyjazdem w sportowym sklepie, nadawała się nawet na górską wspinaczkę, bo lubię trwałe, porządne rzeczy, w których jestem przygotowana na wszystko. W kieszeni noszę zawsze zapalniczkę, ołówek i latarkę.

– W kieszeni masz zapalniczkę, ołówek i latarkę – dodałam, ale Babcyjka już odwracała się, by jednym susem zniknąć w ciemności ogrodu.

– Zostań w domu, po polu nie lataj! – przestrzegła mnie.

– Poczekaj! – zawołałam, ale nie posłuchała.

– Drzwi zamknij na skobelek! – rzuciła na koniec przez ramię, błysnęło jeszcze światło odbite w odblaskowym pasku na okryjbidce. Mogłabym nabrać wątpliwości, czy ta wizyta rzeczywiście miała miejsce, gdyby nie fakt, że na wieszaku nie było mojej kurtki.

Zamknęłam drzwi, jak kazała kociara, wypiłam jeszcze kubek herbaty i przypomniałam sobie opowieść pana Alberta i kurtkę, którą Apolonia Kitti Kitti dała małej Rosemarie, mojej przyszłej matce. Po tym skojarzeniu, które miało moc iluminacji, nagle poczułam senność tak mocną, że z trudem wspięłam się po schodach i padłam na łóżko. Zasnęłam na brzuchu, głębokim snem, jaki rzadko mi się zdarza, zanurkowałam w nim głębiej niż zwykle, przebiłam głowę cienką warstwą szkła. Dostałam się tam, gdzie żyją endemiczne stworzenia morskie, krakeny, świecące ryby, władcy podwodnej ciemności. Pływałam z Ewą w basenie obok poniemieckiego stadionu na Nowym Mieście. Woda była przejrzysta, prześwietlona słońcem, a my umiałyśmy pod jej powierzchnią oddychać jak ryby. Ewa miała na sobie jasnozielony kordonkowy kostium, który sama zrobiła na szydełku, i w ogóle jej nie dziwiło, że teraz to ja jestem starszą siostrą. Spod wody patrzyłyśmy na pływające po powierzchni liście, fikałyśmy koziołki i łapałyśmy się za ręce, a moje ciało ogarniała niezwykła błogość. Byłam lekka, czysta i pozbawiona pamięci. Potrafiłam czytać z ust mojej siostry, mówiła mamAlicjęmamAlicję to było piękne być miećjątamnie Nagle coś sięstało jakby nadciągnęła ciemna chmuraciemna i wszystko wokół poszarzało mojasiostra posmutniała i zaczęła się oddalać onażyjemartwa pomyślałam zauważyłam że woda robi się mętna i potem Ciemna woda ciemna Ewa pokazywała mi coś palcem czarnawodazdrowiadoda zobaczyłam że to Gertrud Blütchen niezabijaj pomyślałam mówiła do mnieniezabijaj z jej ust wykrzywione usta bąbelki powietrza jak rana Poranioneusta wiedziałam toważne nic nie słyszałam niezabijaj chciałam krzyknąćalecisza cisza onażyjemartwa. Moja siostra zniknęłarozpłynęłasię wtedy zauważyłam że toja trzymam w dłoni Gertrud Blütchen nie pomyślałamnie czerwona woda wokół mnie pływają kawałki mięsakości.

Obudziłam się gwałtownie, łapiąc powietrze, jakbym naprawdę wynurzyła się z wody, i dopiero po chwili zrozumiałam, że za nagłe przerwanie mojego snu odpowiedzialny jest dźwięk telefonu. Ktokolwiek do mnie zadzwonił, byłam mu wdzięczna za wydobycie mnie na powierzchnię, ale gdy odebrałam, po drugiej stronie słyszałam tylko oddech, ciężki, jakby ktoś przedrzeźniał mnie albo cierpiał na jakąś chorobę. Nie odpowiedział na moje „halo, słucham" i rozłączył się po chwili pełnej dyszenia i wahania. Głuchy telefon wykonał ktoś niedoświadczony, bo na mojej komórce wyświetlił się numer, oddzwoniłam. Pamiętam głosy ludzi, z którymi rozmawiam, i długo po zakończeniu wywiadu słyszę je w głowie. Czasem śnię albo wyobrażam sobie podczas podróży, że mówią do mnie to, czego nie udało im się wyrazić w wywiadzie, albo to, czego się domyśliłam, ale nie mogłam napisać, bo nie zostało powiedziane. Rozpoznałam ją od razu, Zofia Socha, babcia Patryka, która ugościła mnie pieprznym rosołem na wałbrzyskiej Palestynie.

– Tu Alicja Tabor. Co chciała mi pani powiedzieć?

– Jaaa? – przeciągłe nieszczere zdziwienie.

– Dzwoniła pani do mnie.

Zofia milczała.

– Możemy się spotkać? Przyjadę do pani – zaproponowałam.

– W szpitalu jestem – wystrzeliła Zofia Socha. – Serce mi wysiadło, żyła się zapchała. Jutro biorą mnie pod nóż.

– Bardzo pani współczuję. Odwiedzę panią przed operacją. Mogę przyjechać zaraz.

Sapanie, ciężkie i bolesne.

– Wątróbkę siekałam i jak mi nagle dech zaparło, tak padłam. Jutro będą ciąć – powtórzyła. Strach w głosie Zofii Sochy był namacalny, podszyty żółtą złością. Pewnie była zła, że obca dziennikarka jest jedyną osobą, do której może zdzwonić w takiej chwili.

– Wszystko będzie dobrze – uspokoiłam ją, bo takie słowa czasem są potrzebne, choć nie mają smaku, jak woda. Milczenie, sapanie, Zofia się wahała. Czułam, jak wzbiera w niej opowieść.

– Pod szóstką leżę, na wewnętrznym.

Zbiegłam do kuchni, by napić się kawy, i jeden rzut oka na ogród wystarczył, wiedziałam, że nocą ktoś w nim był. Moja jabłoń miała połamane gałęzie, ziemia była zdeptana. Przestraszyłam się, że ktoś skrzywdził Babcyjkę, i wybiegłam w poranny chłód, pachnący już zimą. Od razu zauważyłam, że intruz próbował otworzyć kuchenne drzwi. Na progu leżał pogrzebacz i skórzana rękawiczka, w kilku miejscach naruszono framugę i spod obłażącej farby widać było drewno jasne jak ciało, ale solidny niemiecki zamek nie puścił. To dlatego Babcyjka kazała mi zamknąć drzwi, które zwykle zostawiałam otwarte. Chroniła mnie przed złem, które nocą czaiło się pod moimi oknami. Być może rzeczywiście powinnam zmienić obyczaje, skoro kolejna osoba nakazuje mi taką ostrożność. Ukucnęłam, by przyjrzeć się ciemnej plamie na kamiennym stopniu, dotknęłam jej i ze wstrętem wytarłam palec, na pół zamarznięta krew, miękka pod lodową powłoczką. Więcej krwi dostrzegłam na obsypanej śniegiem trawie, która wyglądała, jakby stoczono tu walkę. Pod krzakiem porzeczek, gdzie pochowałam kota, zobaczyłam odciśnięty ślad sportowego buta, przyłożyłam do niego stopę, był o parę numerów większy od mojego i pewnie należał do mężczyzny. Albo do kobiety o wielkich stopach. Coś musiało przestraszyć intruza. Zranił się albo ktoś go zaatakował. Pochyliłam się i dokładniej przyjrzałam śladom, spod śniegu przebijał mocny zapach ziemi. Obok wielkiej stopy było tu coś jeszcze. Odciski łap wyjątkowo dużego kota. Kota?! Chyba nie nadawałam się na detektywa. Przez chmury przedarło się słońce, gdzieś rozległ się dźwięk samochodowego silnika, ktoś trzasnął drzwiami, a przelatujący nade mną ptak rzucił delikatny, blady cień, jakby został stworzony tylko na próbę. Byłam tu, ale jednocześnie coś mnie od „tu" oddzielało, znalazłam się pod jego podszewką.

Czułam, że muszę się śpieszyć, czyjś gorący oddech parzył mi kark. Nie miałam innego okrycia niż podarowana Babcyjce kurtka, a w szafie znalazłam tylko żółty prochowiec Ewy, zakurzony, o przykrótkich rękawach. Założyłam go na gruby sweter i spięłam starym skórzanym paskiem, który też poniewierał się w szafie i należał pewnie do mojego ojca. Gdy zwieńczyłam swój ekstrawagancki strój sportową czapką, doszłam do wniosku, że bardziej przypominam jedną z kociar niż reporterkę największej polskiej gazety. Jeśli nie uda mi się stąd wyjechać, dołączę do nich, zamieszkam w piwnicach Zamku Książ i stanę się lokalną atrakcją. Wrzuciłam Gertrud Blütchen do torby i pojechałam do szpitala, by odwiedzić babcię Patryka. Spóźniłam się jednak. Lekarz, wyglądający jak zmięta kartka papieru z nieudanym wierszem, powiedział mi, że stan Zofii Sochy nagle się pogorszył i zabrano ją na salę operacyjną.

– Kiepsko! – westchnął i jeszcze bardziej skurczył się w sobie. – Serce do wymiany, trzustka do niczego.

– Wyjdzie z tego? – zapytałam, a lekarz popatrzył na mnie żałośnie, jakbym popełniła nietakt, zadając pytanie niewłaściwej osobie. Zatarł drobne, kościste dłonie, które zaszeleściły jak liście.

– Ciało ludzkie jest pełne niespodzianek – oznajmił w końcu z taką rezygnacją w głosie, że zrobiło mi się go żal. Być może potrzebował pewności, jak ja, a skazany był na profesję, która jej nie daje. Nachylił się, przez straszną chwilę myślałam, że zamierza mnie pocałować, a on wyszeptał mi do ucha tonem spiskowca: – Medycyna to studium przypadku.

Umówiliśmy się, że zadzwonię wieczorem, a jeśli sytuacja się zaostrzy, jak się wyraził, on zadzwoni do mnie. Przedstawiłam się jako córka przyrodniej siostry Zofii Sochy, gdy wypowiadałam to niewinne kłamstwo, poczułam nagłe pokrewieństwo z tą obcą, niezbyt sympatyczną kobietą. Czy coś zmieniłoby się w moim życiu, gdybym była córką czyjejś przyrodniej siostry? Ciotką zaginionego Patryka o wielkich spiczastych uszach, troszkę nawet podobnych do moich? Czułam, że babcia Patryka miała dla mnie ważną wiadomość. Coś przede mną ukryła? Matka małej Andżeliki spisała córkę na straty, Zofia Socha żyła dla tego malucha, karmiąc go pieczonymi udkami z Reala i swoją miłością. Tęskniła za swoją paskudną córką i wychowywała wnuka, który znikł jak kamfora. Może nie potrafiłam z nią rozmawiać, może czekała na pytanie, którego nie zadałam? Ogarnęła mnie rozpacz, jak zawsze wobec straconych historii. Gdy jestem na cmentarzu, myślę o tym, czego zmarłym nie udało się opowiedzieć, jakby w każdej trumnie gnił plik kartek albo pendrive zamiast kości. Teraz od opowieści Zofii Sochy zależało być może życie jej wnuka. Postanowiłam poczekać w Bibliotece pod Atlantami, jak wówczas gdy byłam dzieckiem, które nie ma dokąd pójść.

W rynku i prowadzących do niego ulicach zebrał się tłum ludzi, był wilgotny i niespokojny jak wyrzucona na brzeg ośmiornica. Czekał na figurę Matki Boskiej Bolesnej z widzenia Jana Kołka i na Jerzego Łabędzia, który wraz z nią miał tu pojawić się dziś po południu. Im bliżej rynku, z tym większym trudem przebijałam się przez gąszcz ciał w zimowych paltach. Docierały do mnie fragmenty rozmów i czułam te słowa, jakby obrzucano mnie śnieżkami.

– Wykopać! – wrzasnęła tuż przy moim uchu gruba Pani z Wąsem.

– Wykopać! Nakopać! – podjęli inni.

– Raz-dwa w chuja! – potwierdzili ochoczo trzej łysi pryszczole. Miałam wrażenie, że mój kanarkowy prochowiec niepotrzebnie zwraca na mnie uwagę, naciągnęłam mocniej czapkę.

– Robactwo się sypie ze wsypów – ktoś syknął mi w ucho i poczułam zapach zsypu z jego ust.

– Wyjechali, nie ma komu się pożalić – zajęczał ktoś inny cichutko i zamilkł.

– Bo męka, męka – poparł go starczy kobiecy głos pełen złości, której destylat byłby silniejszą trucizną niż arszenik.

– Wszędzie mnie boli, że się dotknąć nie mogę – poskarżył się mężczyzna kobiecie.

– A przykładał pan kości? Ja przykładam i przechodzi. Na noc bandaż elastyczny, ale trzeba trochę wazeliną posmarować, siemieniem lnianym popić.

– Kości, same kości zostały – ten sam szept wwiercił mi się w mózg, ale w tłumie nie widziałam, kto to mówi. Poruszałam się powoli jak we śnie, bo znów byłam koło grubej Pani z Wąsem.

– Kości pogruchotane! – ryknęła, aż echo odbiło się od ścian poniemieckich kamienic. Spojrzała na mnie i wycelowała palec w moją pierś, jakby miała z niego wystrzelić. – Trupy, strzępy, płonie mięso!

Poczułam uderzenie paniki, znów się zanurzyłam w brudnej wodzie ze swojego snu i bardziej zdecydowanie przepchałam się parę metrów w kierunku biblioteki.

– Krwawa miazga z Jana Kołka! Pchli go nago, podeptali! – krzyczała za mną wąsata, i może to do mnie osobiście miała pretensję o śmierć wizjonera.

– Wykopać! – ryknęły unisono dwa męskie głosy i rozpoznałam starszych panów, znów trwali tu ramię w ramię, podkręceni alkoholem, zjeżony Lwi i oklapnięty Łysawy. Ostatnią osobą, jaką zauważyłam, była Staruszka we Fiolecie, która kręciła się przy ekipie filmowej i bezskutecznie usiłowała skłonić Sandrę Pędrak-Pyrzycką, by jej wysłuchała.

– Proszę panią, ja mieszkam na trzecim, a na czwartym obywatel sąsiad narkotyki pędzi z policją. Od piętnastu lat jestem gnębiona, męczona. – Zauważyła mnie, gdy wchodziłam na schody biblioteki, i złapała za rękaw. – I tak mnie powiedzieli: „Jak nie zamkniesz mordy, kurwo, to w torbę i do lasu!". – Z trudem się uwolniłam i gdy zamknęłam za sobą ciężkie drzwi, moje serce waliło, jakbym przebiegła maraton.

Czytelnia była pusta, nie licząc staruszka pochylonego nad jakimś opasłym tomiszczem z nowoczesnym palmtopem i lupą przy oku. Wyglądał bardziej na część wystroju niż żywego człowieka i nie drgnął, gdy weszłam. Celestyna dziś miała wolne i zamiast niej obsługiwała mnie kobieta w średnim wieku, podobna do starej bibliotekarki z czasów mojego dzieciństwa. Miała taką samą brodawkę pod nosem, z której wyrastały białe włoski, ruchliwe jak kocie wibrysy. Nie zdziwiłabym się, gdyby podała mi jakąś nowość na temat wielbłądów i Tuaregów.

– Jestem córką – powiedziała, zanim zdążyłam o cokolwiek zapytać.

– Słucham?

– Córką starej bibliotekarki. To ona przechowała dla ciebie książkę – zawiesiła głos, jakby na coś czekała. Może na hasło.

– *Mnicha* Lewisa – podpowiedziałam niepewnie.

– Dokładnie – ucieszyła się wzruszona. – Przechowałyśmy dla ciebie *Mnicha* Lewisa.

– Dziękuję.

– Drobiazg. Mamy wiele innych książek, które czekają na ludzi.

– Wszystkie się doczekają?

– Niestety, nie. Te, którym się nie udało, przenosimy po dwudziestu latach do piwnicy. Ale wiedziałyśmy, że ty wrócisz. Moja mama tak mówiła. Ona się nie myli w takich sprawach.

– Bardzo jesteście podobne, ty i mama.

– Tak – westchnęła bibliotekarka. – To dziwne, zważywszy, że zostałam adoptowana. Nie mogłam więc mieć pretensji.

– Pretensji?

– Że tak wyglądam.

– Wyglądasz w porządku – powiedziałam zgodnie z prawdą. Niewysoka drobna kobieta o okrągłej twarzy, z dużymi żółtawymi oczami, ostrzyżona na chłopaka.

– „W porządku" brzmi nieźle, ale wiesz, o co chodzi. Nie mam urody Celestyny.

To fakt. Żadna z nas nie miała. Zmieniłam temat:

– Dobrze pamiętam twoją mamę.

Bibliotekarka uśmiechnęła się z czułością.

– Ona już nie wychodzi z domu i mówi, że nie zamierza umrzeć, tylko zaczytać się na śmierć.

– To piękny sposób na odejście – przyznałam.

Bibliotekarka spojrzała na wypisaną przeze mnie sygnaturę.

– Chcesz zobaczyć te same roczniki gazet – powiedziała w końcu.

– Te same?

– Był tu jeden ostatnio, nie podobał mi się.

– Kto?!

– Taki ciężki, niewywrotny. Aurę miał fatalną. – Bibliotekarka skrzywiła się jak kot, który spodziewał się tuńczyka, a dostał makaron.

– Błota naniósł! – zagrzmiał nagle staruszek z lupą tak dziarsko, jakby wydawał wojskową komendę.

– Wujek Leon – wytłumaczyła bibliotekarka. – A dokładnie wujkodziadek.

– Leon Odrowąż! – przedstawił się starszy pan.

– Wujek Leon pisze książkę o Zamku Książ. Daisofil. Znalazł ostatnio nieznane listy księżnej Daisy. Ma już siedemset stron maszynopisu – wyjaśniła bibliotekarka.

– Siedemset dziewięć i pół! – poprawił ją staruszek. – Nie wolno udostępniać cennych źródeł byle komu. – Pogroził nam palcem.

Ciężki, niewywrotny, z fatalną aurą, chyba wiedziałam, o kim mówi bibliotekarka.

– Marek Waszkiewicz? – zapytałam. – Marek Waszkiewicz wypożyczył te same roczniki gazet?

– Przecież mówię, że on – potwierdziła. – Ale nie wypożyczył.

– Nie? A dlaczego?

– Bo mi się nie podobał.

– Nie podobał! – potwierdził wujkodziadek Leon Odrowąż. – Brudas! Nogi w błocie uflogane.

– To wiele tłumaczy – przyznałam. – A powiedział ci może, czego szukał?

– Powiedział – przyznała bibliotekarka i wymieniła z wujkodziadkiem szybkie spojrzenia.

– I?

Kobieta patrzyła na mnie z trudnym do odgadnięcia wyrazem twarzy, jej żółtawe oczy kogoś mi przypominały. Babcyjka! Uświadomiłam sobie w tej chwili, że ma oczy jak kociara, która przyszła do mnie poprzedniej nocy.

– Interesowała go zbrodnia sprzed sześciu lat. Wtedy w Dziećmorowicach Adam Ryba, bezrobotny optyk, zamordował swoją siostrę-kochankę. A potem wykłuł sobie oczy i nago poleciał w pola.

– Ich dziecko cudem przeżyło i odnalazło się po paru dniach – wtrąciłam.

– Ale nikt nie wie, co dalej z nim się stało. Słyszałaś o tym. – Bibliotekarka wpatrywała się we mnie i poczułam się jak na przesłuchaniu.

– Coś słyszałam – przyznałam ostrożnie. – A ty wiesz coś więcej?

– Ludzie mówią, wiatr słowa nosi. – Machnęła ręką i zmieniła temat. – Ten Waszkiewicz mówił, że pisze powieść.

– Naprawdę pisze – potwierdziłam. Bibliotekarka wzruszyła ramionami.

– Można pisać w dobrej albo w złej intencji. On pisze w złej.

– To lepiej, by wcale nie pisał! – oświadczył wujkodziadek Leon i walnął pięścią w biurko.

– I co mu powiedziałaś?

– Że wypożyczyłam te roczniki tobie.

– Mnie?!

– Tak – przytaknęła zadowolona z siebie bibliotekarka.

– Dobrze zrobiła! – pochwalił ją wujkodziadek. – Zuch dziewucha!

Marek Waszkiewicz! A więc to on próbował włamać się do mnie nocą. Trzeba go odnaleźć.

Wybiegłam w takim pośpiechu, że o mało nie przewróciłam sprzątaczki w niebieskiej sukience, która stała na schodach i paliła papierosa w szklanej lufce, przyglądając się z dezaprobatą temu, co dzieje się u jej stóp. Tłum zgromadzony w rynku wlał się już na schody Biblioteki pod Atlantami. Kilka osób siedziało na środkowym stopniu i posilało się kanapkami z kiełbasą.

– Bo to kłamstwo jest Kołkowe – powiedział jakiś mężczyzna z pełnymi ustami.

– Amstwo – zgodził się drugi.

– Pani patrzy – pokazała w stronę rynku Niebieska Kobieta – chyba się będą prać.

– Kto z kim?

– Jedni z drugimi – odpowiedziała i wypuściła chmurkę dymu.

– O co będą się prać?

– Jedni są przeciw, a drudzy za. Albo odwrotnie.

– To bez znaczenia? – upewniłam się.

– Bez – przyznała.

Perspektywa ponownego przedzierania się przez rynek wydała mi się straszna, ale nie miałam czasu do stracenia.

– Pani pójdzie pod spodem – doradziła mi niespodzianie Niebieska Kobieta.

– Pod jakim spodem?

– Za mną!

Zgasiła papierosa i weszłam za nią z powrotem do biblioteki, w której chłodnym wnętrzu już zbierał się mrok. Otworzyła ukryte za schodami niskie drzwi, podała mi latarkę czołówkę, sama założyła podobną i ruszyła schodami w dół tak szybko, że nawet ja, biegaczka, nie mogłam za nią nadążyć. Schody kończyły się w korytarzu, którego ściany były od podłogi po sufit zastawione książkami, pędziłyśmy, biorąc ostre zakręty. Pod spodem Biblioteki pod Atlantami była druga biblioteka, jak odbicie w ciemnej wodzie, i zastanawiałam się, czy to właśnie przechowywane tu książki nie doczekały się ludzi? Miałam wrażenie, że ściany korytarzy to wysokie regały, za którymi są następne regały i korytarze, i inne istoty oprócz nas. Szeleściły kartki, słuchać było szepty i zgrzyt ołówków po papierze. A może tylko mi się wydawało.

– Szybko! – ponaglała mnie sprzątaczka, jej plecy połyskiwały niebiesko i wydawała komendy jak GPS: – Ostro w lewo, prosto, po dwudziestu metrach w prawo, nie rozglądać się! – W końcu wypchnęła mnie przez małe drzwi na końcu korytarza i zatrzasnęła je, zanim zdążyłam podziękować. Zdyszana mrugałam oczami. Znalazłam się w podwórzu jakiejś kamienicy i z okna na parterze patrzył na mnie znad skrzynek z trupami pelargonii młody mężczyzna w podkoszulku i czerwonym szaliku. Wyglądał, jakby tkwił tam od zawsze i na nic już nie czekał. Wyszłam na ulicę, na której słychać było wrzawę w rynku, i znalazłam swój samochód. Gdy jechałam do Domu Dziecka „Aniołek", wiedziałam, że jestem coraz bliżej rozwiązania tajemnicy.

Pod domem dziecka stał policyjny samochód, obok niego młodziutki policjant w nerwach i świeżych strupkach po goleniu.

– Co się stało? – zapytałam przerażona, że znikło kolejne dziecko albo któreś odnaleziono martwe.

– Udzielać informacji mi nie kazano! – wystrzelił mundurowy i zesztywniał na baczność, dałam mu więc spokój i pobiegłam przez pusty teraz plac zabaw, na którym wielka choinka tkwiła jak uśpiony troll. Bałam się, że gdy odwrócę się plecami, kosmata łapa złapie mnie za gardło. Na schodach minęłam trzech innych policjantów, jeden miał twarz ściągniętą w supeł wokół wielkiego nosa i też wyglądał na trolla.

Marian Waszkiewicz siedział za biurkiem z twarzą ukrytą w dłoniach. Zaczeska odkleiła się od jego czaszki i zwisała smętnie nad prawym uchem. Przez moment miałam ochotę poprawić te smutne włosy, poczułam się, jakbym go podglądała.

– Zaginął – powiedział, nie podnosząc głowy, i dopiero teraz zrozumiałam, że płacze.

– Kto?!

– Mareczek, mój syn. Wczoraj rano wyszedł i nie wrócił. Telefonu nie odbiera – załkał. Podeszłam do biurka i dotknęłam jego ramienia. Czułam, jak wstrząsa nim płacz.

– Mieliśmy dziś jechać z dzieciakami na wycieczkę – wydusił. Podniósł na mnie w końcu czerwoną, napuchniętą twarz i w jego oczach było coś jeszcze oprócz rozpaczy. Mój strach rozpoznał w nich swojego brata. – Do Wrocławia na wystawę mieliśmy. Autokar załatwiony, prowiant. Dzieci muszą z pięknem obcować! Panorama Racławicka to jest sztuka, a nie, że baba nago pójdzie do łaźni i zdjęcia zrobi grubym babom. Ostatnio w telewizji jeden artysta mówił, że inspirują go mięsożerne rośliny i sztuczne zęby! Ja tego nie rozumiem – zapłakał stary Poleszuk i wiedziałam, że nie ma na myśli sztuki współczesnej.

– Czego pan się boi?

Marian Waszkiewicz spojrzał na mnie.

– Wie pani, co robi w takiej sytuacji prawdziwy Poleszuk? – Wysmarkał nos w wielką kraciastą chustkę, nie wiedziałam, że ktoś ich jeszcze używa i że ktoś zgadza się je potem prać. – Prawdziwy Poleszuk wódki się napije i strzeli sobie w łeb! Napije się pani ze mną? Ja w pani czuję poleską duszę, jak u Tadzika. Skąd pani pochodzi?

– Stąd.

– Nie szkodzi!

Wypiliśmy po setce. Nadal czułam ogień w przełyku, gdy Marian Waszkiewicz nalał drugą setkę.

– Wie pani, co bym zrobił, gdybym był młodszy? Zacząłbym wszystko od początku. Od nowa! – Zamierzał walnąć pięścią w biurko, ale w połowie się rozmyślił i dźwięk zabrzmiał żałośnie jak klaps.

Wypiliśmy i chwilę siedzieli w milczeniu tak ciężkim i łykowatym, że można by je posiekać na desce jak zimową polską natkę. Ktoś zastukał do drzwi i usłyszałam głos żony Mariana.

– Precz! – warknął mąż i nawet nie spojrzał w stronę głosu, który zamilkł, kroki żonine odczłapały, ucichły. Dyrektor dolał mi wódki. – Matki nie mają pojęcia o dzieciach! – wybuchnął, poderwał kieliszek i wypił z ponurą determinacją jak Sokrates cykutę. – Tak go mamuśka ustawiła. Chuchała, dmuchała i jak go wykierowała? – Popatrzył na mnie i też wypiłam. Paliły mnie policzki, powietrze, które wdychałam, nie było ożywcze. A więc to on. Żałosny mamisynek z chorymi nerkami. To on jest odpowiedzialny za zniknięcia dzieci.

– Proszę mi powiedzieć o Marku.

– Nie wierzyłem! Wrobili go. Zawsze był łatwowierny, wrażliwiec taki. Dusza artysty.

– W co go wrobili? – zapytałam, ale Marian Waszkiewicz leciał kłusem w innym kierunku.

– Wybroniliśmy chłopaka. Mam tu jednego Poleszuka w policji, syn jego też w policji, gruba ryba, ustawiony. Nawet myślałem, że Mareczek też kiedyś, ale. Jak Poleszuk z Poleszukiem pogadaliśmy, wypiliśmy. Sprawy nie było, ale załamał się, studia rzucił. A bez życia studenckiego się chłopak nie otrzaska. Najlepiej jak i studia, i wojsko! Wojenka, szabelka, to jest szkoła dla mężczyzny. Za mundurem panny sznurem. Czy ja pani mówiłem o Tadziku? Studiowaliśmy razem, wszystko razem, z jednej miski, i tak dalej. Pani mi nawet trochę Tadzika przypomina. Piękna z pani kobieta!

Znów napełnił kieliszki, łzy mu obeschły. Musiałam się dowiedzieć, co dręczy tego mężczyznę, zanim się upijemy. Kręciło mi się w głowie i próbowałam skupić wzrok na popiersiu Piłsudskiego, który z tej perspektywy przypominał Jerzego Łabędzia i mrugał do mnie porozumiewaczo. Słowa „z tej perspektywy przypominał Jerzego Łabędzia" wydały mi się znaczące i powtórzyłam je w myśli. Widziałam niedawno kogoś, kto przypominał Łabędzia, ale to z pewnością nie był Piłsudski. Siedziałam obok palmy w dużej doniczce, jej liść łaskotał mnie w ramię, jakby roślina usiłowała mi coś podpowiedzieć.

– Marek dzieci lubi. Normalnie, bez podtekstów – kontynuował dyrektor. – Dzieci lubi – powtórzył i bałam się, że znów zacznie płakać.

– Lubi dzieci – zachęciłam go łagodnie.

– Pod przedszkolem na Nowym Mieście go złapali w krzakach, że niby się. Się onanizował. A on za potrzebą wyskoczył. Nerki ma chore. A teraz ja, ojciec, muszę o takich rzeczach z kobietą! – Prawdziwy Poleszuk walnął pięścią w biurko w bezsilnej złości i teraz mu wyszło, aż podskoczył Piłsudski. Wypił i nalał następną kolejkę, a potem chwiejnie podszedł do regału z oprawionymi w staroświeckie okładki książkami. Korzystając z jego nieuwagi, wylałam wódkę do doniczki z palmą. – Pani patrzy. – Usiadł na oparciu mojego fotela, poczułam zapach starzejącego się, smutnego mężczyzny. Wyobraziłam sobie ponurą sypialnię i ponury seks albo jego ponury brak, Marię Waszkiewicz w zadartej koszuli nocnej. Na fotografiach był Marek i dzieci, na wycieczce, na placu zabaw, pod choinką. Dużo Mareczków, zawsze wśród dzieci. Moją uwagę przykuło zdjęcie, na którym w oślepiająco białym śniegu kolorowe plamy dziecinnych kurtek i czapeczek wyglądały jak kwiaty. Na pierwszym planie przysadzisty mężczyzna ciągnął sanki, a siedząca na nich drobna figurka zasłaniała rękoma twarz, może raziło ją słońce. Zanim uświadomiłam sobie, kogo mi przypomina, dyrektor domu dziecka powiedział: – Kalinka.

Miałam już wyjść, gdy poczułam, jak moje ruchy powolnieją w nagle zgęstniałym powietrzu, które otaczało mnie jak ektoplazma z opowieści mojej siostry.

– Marek ma dom po babci – przypomniałam sobie.

– Nie ma go tam – załkał Marian Waszkiewicz, ale w jego głosie było coś jeszcze, gorzkiego jak świeży gniew. – Wolał tu siedzieć, bo mamusia ugotuje, opierze, jak to kawaler. Ale czasem tam chodził pisać. Tę głupią książkę! Nawet tam mu obiadki w trojaczkach nosiła. Ciągle tam latała, a nie upilnowała!

Zapragnęłam nagle zobaczyć ten dom, w którym Mareczek przeistaczał się w dzielnego inspektora Twardowskiego. Skoro on zakrada się do mnie nocami, to teraz ja sprawdzę jego norę – pomyślałam. Zrozumiałam, że ktoś tak pozbawiony talentu musiał popełnić zbrodnię, by móc o niej napisać. Ktoś tak pozbawiony życia musiał zrobić coś naprawdę potwornego, by poczuć, że żyje. Na myśl o tym, że ten mężczyzna porwał i skrzywdził dzieci, zniszczył ich małe ciała, ogarnęła mnie wściekłość. Wiedziałam, że posługuję się logiką, która nie ma nic wspólnego z regułami mojej pracy i mojego życia, ale granica została już przekroczona. Ktoś nocą wchodził do mojego domu, ja teraz zrobię to samo, bo być może uda mi się ocalić zaginione dzieci. Nie napiszę tego reportażu, gra toczy się już o większą stawkę.

– Adres i klucze. – Wyciągnęłam rękę do dyrektora Domu Dziecka „Aniołek".

– Myśli pani, że to on?

– Musimy to sprawdzić.

– Musimy? – Znak zapytania rozwiał się jak obłoczek dymu, Marian Waszkiewicz wyjął klucze z kieszeni spodni, były ciepłe.

Kości, pomyślałam, w ludzkim ciele ciepłe kości. Nasze dłonie zetknęły się na moment. – Mogłaby pani być moją córką! – wybuchnął jak arbuz zrzucony z dachu. Miał rozczochrane, dzikie brwi, oczy jak jeziorka zanieczyszczone przez ścieki z mleczarni na coś jeszcze czekały. Ogarnęła mnie dziwna tkliwość. Pocałowałam go w czoło, lepkie, pokryte warstwą pofałdowanej skóry. Podziękowałam temu mężczyźnie, bo mimo wszystko coś nas ze sobą łączyło.

Maria Waszkiewicz stała pod drzwiami przyklejona do ściany, „won stąd, suko!", warknęła albo odczytałam to z jej wykrzywionej twarzy. Znów miała na sobie tę garsonkę w mięsny wzór jak zbiorowa mogiła ofiar etnicznej czystki, było mi niedobrze, wypita wódka wracała kwaśnym posmakiem. Żona dyrektora podniosła rękę, jakby chciała mnie zatrzymać albo uderzyć, ale odepchnęłam ją i wpadłam do toalety, gdzie rzygałam na klęczkach do poniemieckiego kibla, uważając, by nie pochlapać sobie ubrania. W tym mieście zostało jeszcze dużo tych strasznych sedesów z półką, na której każdy może poddać swoje odchody inspekcji. Umyłam twarz i wypłukałam usta. W lustrze wydawałam się sobie inna, jakby patrzyła z niego moja siostra. Nie mogłam w takim stanie prowadzić samochodu i to, że pozwoliłam sobie na chwilę odebrać samodzielność, zirytowało mnie. Wybiegłam pod sypiące śniegiem szare niebo i zadzwoniłam do Celestyny, a gdy nie odebrała, do Marcina. Nawet nie zdziwiło mnie specjalnie, że po dziesięciu minutach pojawili się razem, jakby znów coś knuli za moimi plecami. Żołądkowy taksówkarz, który ich podwiózł pod Aniołka, otworzył okno i krzyczał za nimi:

– Lichwa, rozpijanie chłopów, nieruchomości w Warszawie, a do lekarza bez koperty nie pójdziesz!

Jechaliśmy w milczeniu do domu Mareczka, a ja bałam się, co tam zastaniemy. Śnieg lepiący się do szyb wydawał mi się ohydny jak plwocina. Ogarnęło mnie uczucie utraty tak dojmujące, jakby skumulowały się w nim wszystkie odejścia i śmierci, jakich doświadczyłam do tej pory. Przelazłam niezdarnie na tylne siedzenie i objęłam Celestynę, wtulając twarz za jej ucho, w rude włosy, które pachniały sianem i pudrem jak kocia sierść. Nie zdziwiła się, tylko wyciągnęła do mnie ramiona i poklepała mnie po plecach, jak robi się z niemowlętami, by je uspokoić. Jak mogłam o niej zapomnieć? Jak mogłam zapomnieć o tańcu księżniczki i Rudolfa Valentino? Czyżbym przeżyła te lata w Warszawie, pamiętając nie o tym co trzeba? Celestyna miała termos z ciepłą i bardzo słodką kawą, jakiej nigdy nie pijam, a która teraz smakowała mi tak bardzo, że nie mogłam oderwać ust od kubka. Wolałam się nie zastanawiać, co do niej dodała. Z głową na piersi bibliotekarki odzyskiwałam siły, słyszałam bicie jej serca. Okazało się, że w towarzystwie moich przyjaciół Kurwamina milczy, w lokalnym radiu dziennikarka Sandra ekscytowała się liczbą ludzi, którzy wciąż zbierali się w wałbrzyskim rynku. Gdy Marcin zatrzymał samochód, moje zmysły były wyostrzone jak po krzepiącym śnie.

Mareczek mieszkał niedaleko palmiarni, dobrze znałam tę okolicę. Stąd do mojego domu można było dotrzeć w piętnaście minut, byliśmy więc niemal sąsiadami. Tu zostało jeszcze mniej życia niż na mojej ulicy. Wysiedliśmy przy opuszczonej czynszówce z zabitymi oknami, której dach zapadł się pod ciężarem lat i wyglądała, jakby jakiś olbrzym powalił ją ciosem karate. W czasach mojego dzieciństwa w tym domu, już wtedy zniszczonym i obskurnym, mieszkała cygańska rodzina, a na schodach, teraz pustych, siedziała prawie zawsze wielka, jaskrawo ubrana kobieta, odwijała cukierki i zjadała jeden po drugim na złość przyglądającym się dzieciom. Zatrzymywaliśmy się obok niej z panem Albertem, ale nie pamiętam, byśmy o czymś rozmawiali, może po prostu Cyganka i mój przyjaciel wyczuwali swoje pokrewieństwo i cieszyli się lub smucili nim w milczeniu.

Obok kamienicy zaczynała się uliczka, przy której stały stare domki bliźniaki, nadludzką siłą opierające się rozpadowi. Przed pierwszym z nich, pomalowanym na jadowicie zielony kolor, rósł piękny świerk, ozdobiony już przez mieszkańców bożonarodzeniowymi światełkami. Wokół panowała jednak taka cisza, że wydało mi się niewiarygodne, by ktoś tu żył i obchodził święta. Celestyna wyjęła błyszczyk i pokryła usta świeżą powłoką różu takim gestem, jakby nakładała barwy wojenne. Przypomniałam sobie o Gertrud Blütchen spoczywającej w mojej torbie.

– Wszyscy są dziś w rynku – powiedział Marcin.

Za zielonym bliźniakiem była pusta parcela, a potem ciemny dom, który pozostał samotny po wyburzeniu przylegającego doń bliźniaka.

– Tam – wskazał Marcin. Nie zapytałam, skąd to wie.

Na zaśnieżonej ścieżce prowadzącej do drzwi Mareczka wciąż widniały pojedyncze ślady. Nasze pukanie pozostało jednak bez odpowiedzi. Wyciągnęłam klucze, zamek puścił dopiero, gdy Celestyna kopnęła drzwi stopą w malinowym kozaczku. W tym kraju zimą wszyscy ubierają się na czarno lub buro i nie wiem, skąd brała rzeczy w kolorach z ogrodów Celnika Rousseau. Na spotkanie wybiegł nam zapach rzadko wietrzonego domu. W przedpokoju wciąż stały czarne damskie buty z zapoconą wkładką, na wieszaku wisiała laska i ciężki płaszcz z futrzanym kołnierzem, pogrążony w takiej nieruchomości, jakby pogodził się już z wiecznością. Najwyraźniej Mareczek nic tu nie zmienił po śmierci babki.

– Panie Marku! – zawołała Celestyna, a jej głos zabrzmiał niczym nieudana kwestia w teatrze i bez śladu wsiąkł w ciszę.

Na dole był pokój stołowy, kuchnia i łazienka. Obeszliśmy każdy kąt, brodząc w zielonkawym świetle, które wpadało przez staroświeckie firany, i miałam wrażenie, że znalazłam się we wnętrzu jednego z akwariów Adama Szymczyka. Na wiekowym radzieckim telewizorze marki „Rubin" stała tandetna pozytywka, ale gdy ją otworzyłam, nie usłyszeliśmy muzyki i przez chwilę patrzyliśmy na baletnicę wirującą w ciszy, przejęci niezrozumiałą grozą. W ponurym pochodzie weszliśmy na schody. Pierwszy pokój okazał się sypialnią z ciężkim łóżkiem i szafą, wionęła z niego taka martwota, jakby go nie otwierano od lat. Kobiece ubrania w szafie wyglądały jak zamarznięte. Gdy Marcin otworzył drugie pomieszczenie, schowek bez okna, zamarłam, bo w środku stała ciemna nieruchoma postać i dopiero gdy Celestyna włączyła światło, zobaczyliśmy, że to krawiecki manekin, ubrany w poupinaną szpilkami sukienkę w kratę. Kupony materiału, stara maszyna do szycia w drewnianej walizce, worki pełne ścinków były dowodem na to, że w tym domu kiedyś toczyło się życie, ktoś przychodził do przymiarki, ktoś mówił: „dzień dobry, na dole chciałabym falbankę, a przy karczku dwa guziczki". Ostatni pokój był używany, a ten, kto go zamieszkiwał, nie potrzebował wiele. Biurko, fotel na kółkach i wąskie łóżko, przykryte poliestrowym kocem w tygrysy, żadnych rzeczy, które mówiłyby coś o guście i upodobaniach gospodarza. Na biurku stała tylko szklanka z plastikową osłonką, a w niej kawowe fusy. Celestyna przyglądała im się przez chwilę, jak wróżka szukająca w nich dobrych albo złych znaków, Marcin gdzieś znikł i słyszałam, jak opukuje podłogi albo ściany. Przyjrzałam się lekarstwom na stołku pełniącym funkcję nocnej szafki. Były tam leki na nerki, witaminy, silne tabletki uspokajające i nasenne, puszka ze Śpiącą Królewną, a w niej zatyczki do uszu, ugniecione w kulki koloru ludzkiej skóry. Do jednej przykleił się włos. Między podwójnymi szybami okna wzbiła się do lotu ciężka jesienna mucha i waliła w nie, nie mogąc się wydostać. Zawsze brzydziłam się much, moja siostra uważała, że podobnie jak karaluchy są wysłanniczkami piekła. Usiadłam przy biurku, fotel wydał mi się ciepły, jakby ktoś przed chwilą z niego wstał, i ogarnęło mnie nagle silne obrzydzenie. Poczułam zapach spalenizny.

– To złe miejsce – powiedziała Celestyna.

Zeszliśmy na dół i jeszcze raz obejrzeli wszystkie pomieszczenia, jednak cała wyprawa powoli traciła sens. Mnie przypadła w udziale łazienka, w której najpierw długo myłam ręce, starając się niczego nie dotykać, chociaż nie było tu brudno, raczej panowała taka atmosfera jak w kostnicy. Moja zraniona dłoń ciągle nie wyglądała dobrze, zaogniona na brzegach rana przypominała strzałkę wskazującą w dół. Wytarłam ręce w chusteczkę higieniczną i odruchowo nacisnęłam przycisk kosza na śmieci.

Był pełen nadpalonych kartek, które wepchnięto tu w pośpiechu, poczułam silniej zapach spalenizny, w powietrzu uniosły się jak muchy czarne strzępki materii. Wyciągnęłam zwinięte w rulon kartki, rozsypały się po podłodze. *Perły Księżnej Daisy*, powieść Mareczka. Może ten sam egzemplarz, który zniknął z mojego domu. Ktoś musiał trzymać książkę nad płomieniem, bo pozostały fragmenty możliwe do odczytania. *Inspektor Konrad Twardowski podejrzewał od dawna, że dziewczynka była ma Oparła się o jego silne ramię i zsunęła dłoń na jego męską pierś, w której biło szlachetne serce wojow Znajdę ją i perły, ukochana, obiecał i sięgnął jej us Ten cyniczny mężczyzna mnie kocha, pomyślała Daisy To nie on Uciekajmy Inspektor Konrad Twardowski zszedł pod ziemię z odwagą lwa prosto ze swo Perły lśniły jak księżycowe łzy Inspektor Twardowski wiedział, że ta, która mu zagraż Czołgał się Mroczny jak jego zdeptane serce i pełny wilgoci jak jego oczy. Ona wiedziała, że Pod ziemią biły młoty duchów gór i wołały go po imieniu: Konrad, Konrad, Ko Nie chciała go pu Nieustraszony inspektor Konrad Twardowski konać jeszcze tego najpotężniejszego wro Zejść znów w ciem Tam cień pogrze Wszystko było inaczej niż się wydawało pektor Konrad Twardowski w swoim przenikliwym choć mrocznych umyś Wiedział, że ona tu jest, blisko.*

Serce waliło mi tak, że nie rozumiałam, dlaczego Marcin i Celestyna jeszcze tu nie przybiegli zwabieni jego łomotem. Czasoprzestrzeń zapętliła się jak pępek, z mojej zranionej dłoni wypadła ostatnia kartka powieści Mareczka, strzałka wskazywała w dół. Byłam groszem, który wpadał coraz głębiej pod podszewkę rzeczywistości. Zauważyłam metalowy uchwyt w spękanej, szarej podłodze, „znów wygrzebałaś Niemca ze szpary, Wielbłądko!", usłyszałam w głowie głos mojej siostry. Brzmiał ostro, słowa ze szkła. Szarpnęłam uchwyt i płyta przesunęła się z łatwością, jakiej się nie spodziewałam, a może to ja doznałam niespodziewanego przypływu siły. Piwniczne powietrze uderzyło mnie w twarz. Otwarta nagle ciemność pociągała mnie z taką siłą, jakby odezwały się we mnie geny ojca, który większą część życia spędził pod ziemią. Zaniepokojeni hałasem, Marcin i Celestyna pojawili się wreszcie w łazience i zanim wszyscy zeszliśmy pod ziemię, patrzyliśmy przez chwilę na czarną dziurę ziejącą u naszych stóp.

Schody prowadziły stromo w dół, chodnik był wąski i niski. Tylko Marcin miał latarkę, bo moja została w kieszeni kurtki, którą podarowałam nocą Babcyjce, i oświetlałyśmy sobie z Celestyną drogę telefonami komórkowymi. Gdy skończyły się schody, w niebieskawym świetle zobaczyliśmy kamienny tunel. Powietrze w nim było brązowe i gęste jak kawowe fusy.

– Któreś z nas powinno zostać – powiedział Marcin, ale wszyscy mieliśmy swój powód, by zejść pod ziemię, i było oczywiste, że dalej pójdziemy razem.

To przejście było o wiele starsze niż betonowe korytarze zbudowane przez Niemców i na pewno nie tak pociągające jak książkowy tunel, którym Niebieska Kobieta wyprowadziła mnie dziś z Biblioteki pod Atlantami. Przypomniały mi się legendy o podziemnym labiryncie, jaki rozciąga się pod miastem, z których wynika, że tutejsi mieszkańcy zawsze poświęcali dużo energii na grzebanie w ziemi, być może rozczarowani tym, co znaleźli na powierzchni. Pan Albert i mój ojciec opowiadali o zbudowanej przed wiekami setce korytarzy, którymi z różnych miejsc można dojść do Zamku Książ, podobno jeden biegł na wskroś Wzgórza Szubienicznego, a inny prowadził z palmiarni pod lipową aleją wprost do zamkowej spiżarni. Nieraz pytałam pana Alberta, gdzie dokładnie w palmiarni jest wejście do podziemi, ale nigdy mi nie odpowiedział. Tylko jeden korytarz wiódł do skarbu, któremu ojciec poświęcił życie, i bałam się teraz, że ja też skazana jestem na porażkę.

Niemal biegliśmy, bo każde z nas czuło, że mamy mało czasu. Marcin zatrzymał się tak nagle, że na niego wpadłam, a Celestyna na mnie. Obok stopy Marcina leżał dziecięcy but. Tandetny różowy but kilkuletniej dziewczynki wyglądał jak coś, co kiedyś było żywe.

– Jak pisklę – powiedział Marcin, pochylił się nad znaleziskiem i ogarnęło nas bliskie paniki uczucie, że jest już za późno. Pobiegliśmy, ale teraz ja prowadziłam podziemny maraton, nie pozwoliłam Marcinowi się wyprzedzić. Nagle korytarz rozgałęził się, w pierwszej chwili pomyślałam, że to złudzenie spowodowane grą światła i cienia, ale naprawdę mieliśmy przed sobą trzy drogi prowadzące w trzech różnych kierunkach.

– Rozstajemy się – zdecydowałam – nie ma czasu.

– Alicja. – Marcin bał się o mnie, ale nie potrzebowałam jego strachu, potrzebowałam siły. Dodał mi jej sposób, w jaki wymówił moje imię.

– Zobaczymy się u góry – powiedziałam, by uniknąć patosu, ale inne słowa przyszły mi na myśl, nieużywane od lat. Nie chciałam go utracić. Nie chciałam utracić Celestyny. Potem wybrałam drogę prowadzącą w lewo. Czasem skręca się w jakąś stronę tylko dlatego, że trzeba iść do przodu, choć wszystkie drogi wydają się równie beznadziejne.

Kroki Marcina i Celestyny umilkły i zostałam sama w ciemności oświetlonej tylko niebieskawą lampką mojego starego telefonu. Zapomniałam naładować baterię i wiedziałam, że światełko wkrótce zacznie słabnąć. Wydawało mi się, że gdzieś z głębi mrocznego tunelu, w ciemności gęstej jak kurz zbity w pojemniku odkurzacza dochodzi odgłos kroków, zgrzyt metalu o kamień. Korytarz zrobił się wąski i musiałam zwolnić, a potem strop obniżył się tak, że szłam pochylona, szorując plecami o kamień, zaczęłam w myśli odmawiać szaloną modlitwę mojej siostry, by nie sparaliżował mnie strach. „Matka boska kura nioska co ma skrzydła dwa pod skrzydłami pod kołdrami niech pochowa nas". W tym cuchnącym grobie nagle przypomniały mi się obrazy tak wyraźne, że musiały czekać tuż pod powierzchnią mojej pamięci. Rudy Hans, ja i Ewa skulone w skrzyni. „Kryj się, pancerny!". Ona siedząca na górze, wielka. Pasek jej szlafroka, różowy wąż, w szparze światło wąskie jak brzeg kartki. „Siuśmajtko, znów nas zasikałaś, ciii". Walenie w wieko nad moją głową. „To się nie dzieje, śpisz, Siuśmajtko, śpisz. Matka boska kura nioska co ma skrzydła dwa pod skrzydłami pod kołdrami niech pochowa nas". Mojej siostrze nie udało się ocalić mnie przed pamięcią, nosiłam ją w sobie jak skamieniały płód, ale udało jej się otulić mnie tak, że odnalazłam kotojada we mnie dopiero teraz, gdy mam więcej sił. Gdybym zrobiła krok głębiej w ten obraz jak bagno, nie dałabym już rady iść, bo ruch straciłby sens tam, gdzie jest tylko śmierć. Byłam u kresu sił, gdy zobaczyłam w świetle telefonu drugi różowy but. Zrozumiałam, że dobrze wybrałam drogę i idę tropem zaginionego dziecka. Przyspieszyłam, chociaż teraz szłam niemal na kolanach. Gdy dotarłam do końca tunelu, nie wiedziałam, czy oczy zalewa mi pot, czy łzy.

Wyrosła przede mną ściana zamykająca chodnik i badałam ją ręką w świetle nikłym jak bagienny ognik. Mój telefon nie miał tu zasięgu, a wkrótce miał się stać zupełnie nieprzydatny. Ściana była oślizgła, porośnięta mchem przypominającym mokrą sierść rudego Hansa z NRD, a gdy podniosłam głowę, zobaczyłam tylko ciemność. Ogarnęła mnie rozpacz. Na próżno się łudziłam. Tak jak mój ojciec wybrałam ślepy korytarz. Tak jak on przegrałam. Zgasiłam telefon, bo jeśli bateria wyczerpie się do końca, nie zdołam się stąd wydostać. Przejście tej samej drogi bez światła byłoby ponad moje siły. Usiadłam i oparłam plecy o ścianę, zrezygnowana. Nie widziałam nawet własnej dłoni, gdy podniosłam ją do twarzy, a dotyk palców na policzku wydał mi się obcy i niesamowity, jakby przycupnęła przy mnie pod ziemią moja mroczna bliźniaczka. Wokół panowała zupełna cisza. Nie wiem, jak długo tak trwałam, przestałam się bać.

Moje oczy powoli przyzwyczajały się do ciemności, która wydawała się nieprzenikniona, ale teraz miałam wrażenie, że ku górze mrok rozrzedza się lekko, jakby coś go wysysało. Wytężałam wzrok i byłam już pewna, wąski tunel prowadził gdzieś, gdzie powietrze było czystsze i jaśniejsze. Wspięłam się na palce i albo był to trik litościwej wyobraźni, albo rzeczywiście poczułam inny zapach, delikatną woń, w której było życie. Ogarnęła mnie ekscytacja jak po ciasteczku Celestyny. Może nie wszystko stracone. Zaczęłam dotykać wilgotnego muru, aż znalazłam to, czego szukałam. Na wysokości mojej twarzy była metalowa drabina, gdy pociągnęłam za stopień, wysunęła się ze zgrzytem i rozpoznałam dźwięk, który wcześniej słyszałam z daleka. Komin zwężał się ku górze i wspinając się, szorowałam plecami o kamień. Dotarłam do metalowej kratki, która zamykała wyjście. Ciepły zapach ziemi i roślin był już bardzo wyraźny i niósł ulgę. Zaparłam się i spróbowałam wypchnąć kratkę, ale trzymała się mocno. Hałas, jakiego narobiłam, przestraszył mnie i przyczaiłam się na moment, ale nie usłyszałam żadnego innego dźwięku. Kolejna próba wydostania się też zakończyła się niepowodzeniem, jednak w końcu przypomniałam sobie, że w torbie przewieszonej przez ramię mam Gertrud Blütchen. Włączyłam telefon i w jego słabnącym świetle przyjrzałam się konstrukcji kratki, a potem, trzymając go w zębach, podważyłam nożem metalowy bolec. Udało się, ale straciłam telefon, który spadł w ciemność, a żadna siła nie zmusiłaby mnie, by tam wrócić.

Wysunęłam głowę i od razu rozpoznałam, gdzie jestem. Tunel z domu Mareczka Waszkiewicza prowadził do palmiarni i wychodził w sztucznej jaskini, której ściany porastał świecący mech, *Schistostega osmundacea*, przypomniałam sobie nazwę, której nauczył mnie pan Albert. *Schistostega osmundacea* nadal tam była i jaśniała zielonkawym blaskiem, to jej światło wyprowadziło mnie spod ziemi. Ucieszył mnie widok tej rośliny, jakbym spotkała dawną przyjaciółkę. Ostrożnie wyszłam z jaskini. Na szklany dach sypał śnieg, tu panowało lato, parne i gorące. Palmiarnia podupadała i od wielu miesięcy była nieczynna, wystawiono ją na sprzedaż, ale brakowało chętnych, rośliny żyły pozostawione same sobie. Oaza. Tak wyobrażałam sobie oazę, gdy byłam dzieckiem, i jakże rozczarowały mnie te prawdziwe, które potem zobaczyłam na pustyniach Afryki. Wciągnęłam w płuca żywe powietrze, czułam się jak intruz, który zakłóca spokój tego miejsca. Nie zastanawiałam się nad tym, że ktoś mógł zwabić mnie tu, naiwną i bezbronną. Oczywiście jeśli nie liczyć noża, ale przecież nigdy nie użyłam go do walki. Chciałam znaleźć dziewczynkę, która zgubiła pod ziemią różowe buty. Nic więcej mnie nie obchodziło. Czułam, że ona tu jest, choć nie rozumiałam źródła tej pewności.

Leżała w sali z palmami bananowymi i oczkiem wodnym. Nie żyła albo spała. Kalinka. Dzieliła nas tylko alejka wśród pnączy i wielkich paproci. Dziewczynka była naga. Obok niej maskotka, pluszowy kot, i koc w kratę. Ktoś to dziecko tu przyniósł i zostawił, ktoś przedtem je rozebrał. Kalinka. Moja siostra – ja – Rosemarie. Wydawało mi się, że słyszę szelest liści, kroki, zacisnęłam dłoń na Gertrud Blütchen. Nie wiedziałam, że mogę czuć aż taką nienawiść. W głowie zadudniły mi słowa morderców, z którymi rozmawiałam jako reporterka, i dopiero teraz poczułam ich zapach i smak. „A wtedy jakby mnie kto oblał garem wrzątku i jak go nie sieknę przez ryło", tłumaczyła kobieta, która po dwudziestu latach bycia ofiarą męża sadysty złapała chlebowy nóż. „Wiązaneczka granatów do stodoły, i tyle było po jeńcach", wyrwało się staremu partyzantowi. „Upuściłam, główka trachnęła o próg", płakała matka. „Sydełkiem go dziabłam, i tak wysło, ze w oko", seplenila staruszka w gazowej chustce na siwych włosach, błękitnooka jak z bajki, która obroniła się przed bandytą. Kalinka żyła. Oddychała powoli i gdy bezskutecznie próbowałam ją obudzić, zrozumiałam, że podano jej jakieś leki. Dziewczynka była chłodna, ale czoło miała rozpalone, pokryte potem. Zdjęłam żółty prochowiec i zawinęłam w nią ciałko o chudych ramionach i nogach. Nie chciałam dotykać koca, który miał w sobie coś odrażającego, jak martwa skóra. Fakt, że ktoś mógłby zniszczyć to małe ciało, napełnił mnie taką zgrozą, że przez moment poczułam bezwład i miałam ochotę zostać tu, w palmowej oazie, na której dach sypie się śnieg, i przytulać tę dziewczynkę tak, jak przytulała mnie siostra. Jednak Alicja Pancernik przejęła ster i miałam w tym momencie nadzieję, że już mnie nigdy nie zawiedzie. Podniosłam bezwładną Kalinkę, zabrałam kota maskotkę i ruszyłam najszybciej, jak mogłam z takim ciężarem. Byłam pewna, że ktoś mnie obserwuje, czułam czyjąś obecność, ale w tej chwili nie obchodziło mnie, kto to i jakie ma intencje. Kalinka jęknęła i miałam wrażenie, że jej oddech słabnie, biegłam wśród araukarii, cantedeskii, euforbii, nie przejmując się teraz czynionym hałasem. Musiałam jak najszybciej dostać się do szpitala. Gdzieś zazgrzytał metal, za moimi plecami ktoś schodził pod ziemię przez tunel w jaskini.

Najpierw usłyszałam głosy, jeden stanowczy, drugi niezadowolony, i zobaczyłam światło silnej latarki.

– Alicja! – krzyknął ktoś, zanim zdążyłam się ukryć.

Adam Szymczyk, właściciel Króliczej Nory. Towarzyszył mu strażnik, ledwo trzymający się na nogach staruszek, który powtarzał, że nic nie wiedział, nic nie słyszał i nie chce mieć żadnych kłopotów. Schował banknot, który dał mu Adam, i z wyraźną ulgą wypuścił nas z palmiarni. Świat pokrywała coraz grubsza warstwa śniegu, który wciąż prószył, i zdziwiło mnie, że ciągle trwa dzień, tak niewiarygodny po podziemnej ciemności i mroku palmiarni.

– Co z nią? – zaniepokoił się Adam.

– Czymś nafaszerowana. Śpi.

Adam pochylił się nad dziewczynką, a ja odruchowo chciałam ją zasłonić.

– Znam się na żywych stworzeniach – uspokoił mnie i dotknął szyi dziecka, zamknął oczy. Pachniał kocią karmą i wodą po goleniu, był jednocześnie podobny do Putina i piękny jak kirysek pstry. – Musimy się spieszyć – powiedział i otworzył drzwi starej błękitnej furgonetki z napisem „Królicza Nora". Dwa radosne króliki skakały przez napis, na masce płynęła ławica egzotycznych ryb wyciętych z kolorowej folii. Karoseria wyglądała jak pomalowana ręcznie farbą olejną.

– Może lepiej wezwijmy pogotowie?

– Moim będzie szybciej – uspokoił mnie Adam, ale wygląd jego samochodu na to nie wskazywał.

Usiadłam z przodu z Kalinką w ramionach. Spod kurtki wystawały jej bose stopy, miała pomalowane paznokcie. Żałowałam, że nie wzięłam różowych butów, które zgubiła w podziemnym korytarzu. Kupię jej nowe – pomyślałam, tak właśnie zrobię, kupię kurtkę dla siebie i porządne sportowe buty dla Kalinki.

– Oddychaj, jesteśmy już blisko – prosiłam śpiące dziecko.

Ruszyliśmy o wiele szybciej, niż można by oczekiwać po ciężkawej furgonetce Adama, i pomyślałam, że ten człowiek musi mieć więcej sekretów. Być może nieporadność, dziura w czole i wędkarska kamizelka to tylko kamuflaż, bo chłopak, który wychowywał się pod okiem kociar, z taką matka jak Ludmiła, musi być wyjątkowy.

– Celestyna, Marcin? – zapytałam – wszystko z nimi w porządku?

– Tak. Cali i zdrowi. Marcin mnie tu przysłał. Mam nie zostawiać cię samej.

– Tak powiedział? – Adam nie odrywał wzroku od drogi. – On myśli, że nam ktoś zagraża. Boi się o ciebie.

A więc znów Marcin wiedział więcej niż inni. Ciekawe, czy w końcu dowiem się, kim jest i po co przyjechał do tego miasta.

– Ktoś chciał, by uratowano tę dziewczynkę – powiedziałam i mocniej przytuliłam dziecko, które zamruczało coś cichutko. Adam wyprzedził cztery samochody z rzędu i miałam wrażenie, że zaraz wzniesiemy się w powietrze. – Kto, jeśli nie Mareczek? – zapytałam retorycznie, a Adam wzruszył ramionami. To musiał być on. Czułam jednocześnie ulgę, że wszystko się wyjaśnia, i coś w rodzaju rozczarowania, że winnym okazuje się ktoś tak bardzo wyglądający na winnego. – Porwał Kalinkę, a potem ruszyło go sumienie? Przestraszył się, bo wiedział, że jesteśmy na jego tropie? – Adam milczał i znów wzruszył ramionami. Dziewczynka śpiąca na moich kolanach lekko poruszyła głową, jej rzęsy były długie i bardzo ciemne. – Jesteś zdziwiony, że to on? – zapytałam.

– Przychodził niekiedy do Króliczej Nory.

– Mareczek? Po co?

– Patrzył na rybki. I na dziewczynki patrzące na rybki. Rozmawialiśmy trochę. Ktoś musiałby odpowiednio nim pokierować, by naprawdę skrzywdził dziecko.

– I ty wiesz już, kto zepsuł Mareczka?

– Po rozmowie z bratem Andżeliki mam pewne podejrzenia.

Spojrzałam na właściciela Króliczej Nory.

– Rozmawiałeś z małym Oskarem Mizerą?

– Celestyna na to wpadła. Ona umie rozmawiać nawet ze zwierzętami. A ten mały nie jest głupi, tylko lekko autystyczny.

Przypomniałam sobie dziecko o oczach jak bryłki lodu, brudny dom, ryczący telewizor i jeszcze mocniej zapragnęłam chronić dziewczynkę uratowaną z ciemności. „On nie ma Andżeliki. Czarny pan z telewizora", tak wtedy powiedział Oskar Mizera. Dlaczego to zlekceważyłam? Przecież wytłumaczył mi, kto porwał jego siostrę. Czarny pan z telewizora. Musiał widzieć Łabędzia w lokalnym programie.

– Łabędź?

– A kto inny? – potwierdził Adam. – Celestyna uważa, że byłby do tego zdolny – dodał.

– Ale ty go znasz lepiej – wtrąciłam.

Adam nie odrywał wzroku od drogi, wycieraczki rozgarniały śnieg zabarwiony przez światła samochodów na czerwono.

– Łabędź zrobiłby wiele dla pieniędzy, ale więcej dla sławy – powiedział.

– Nikt nie będzie podziwiał go z takiego powodu. Raczej go zlinczują – przyznałam.

– Dlatego coś mi tu nie pasuje. Bo albo zrobili to razem, Łabędź i Mareczek, albo to nie był żaden z nich. – Właściciel Króliczej Nory pędził przez miasto i gdy spojrzałam na jego twarz, wydał mi się nagle starszy, pradawny jak kociary.

Mareczek i Łabędź. Pedofil mamisynek, który w swojej książce przemieniał się w nieustraszonego inspektora Twardowskiego, i fałszywy prorok żerujący na śmierci Jana Kołka. Pasowali do siebie. Łabędź mógł spuścić ze smyczy to, co w autorze *Pereł księżnej Daisy* trzymane było pod kontrolą, wmówić Mareczkowi, że ma prawo ulec swoim pragnieniom. Podbechtać w nim arogancję pisarza, któremu wolno więcej niż zwykłym ludziom. Głaskałam głowę Kalinki, jej oczy ruszały się pod powiekami, może śniła zły sen, miała bladą, prawie przezroczystą skórę i resztki szminki na ustach. Otuliłam ją ciaśniej żółtym prochowcem, choć to mnie przeniknął chłód.

– Ona musi przeżyć – powiedziałam.

– Musi – przytaknął Adam. Wyprzedził dwie ciężarówki, wjechał na chodnik, by uniknąć zderzenia, i z powrotem na jezdnię.

– Jak to wszystko się skończy, opowiesz mi o życiu tych ryb, które się opiekują swoim narybkiem. O życiu pielęgniczek. Dobrze?

– Z przyjemnością. Musisz usłyszeć o odmianie zwanej księżniczką z Burundi. – Właściciel Króliczej Nory, nie odrywając oczu od drogi, poklepał mnie czule po udzie jak psa albo konia.

Przyjął nas ten sam lekarz, z którym rozmawiałam rano. Pokręcił głową wyraźnie rozczarowany, że nadal nie ma dla mnie dobrych wieści. Wyglądał na człowieka, który dźwiga brzemię ponad siły, ale wie, że nie ma nikogo, komu mógłby je powierzyć. Moja ciocia, jak nazwał Zofię Sochę, wciąż nieprzytomna leżała na oddziale intensywnej terapii, a teraz przywiozłam mu następną pacjentkę. W szpitalnej poczekalni, w jaskrawym świetle, które nadawało naszym twarzom zielonkawy odcień mchu *Schistostega osmundacea*, oprócz mnie i Adama był tylko młody, żałośnie wyglądający mężczyzna z pluszową pandą na kolanach. Usiedliśmy w drugim rogu i dopiero wtedy właściciel Króliczej Nory powiedział mi, że to Celestyna znalazła Andżelikę, a ja po sposobie, w jaki to zrobił, od razu wiedziałam, że dziewczynka nie żyje. Przypomniała mi się jej matka, Barbara, paląca papierosy w brudnej kuchni, kalkulująca, czy da się zarobić na nieszczęściu. Jej braciszek Oskar. Dzieci Matki Boskiej Bolesnej z Wałbrzycha, równie nieporadnej w ich chronieniu jak te ziemskie. „Szukaj niekochanych". Tak brzmiały słowa wędkarza Eugeniusza, które powtórzyła mi wtedy nad stawem jego córka.

Już wiedziałam, co miał na myśli. Nikomu nie zależało naprawdę na Andżelice i Kalince, nikt nie umiał ich chronić.

– A chłopiec? Patryk Miłka? – zapytałam Adama.

– Nikogo więcej tam nie było. Tylko martwa Andżelika.

Korytarz Marcina kończył się w podziemnym pomieszczeniu, w którym porywacze nagrywali filmy pornograficzne z udziałem dzieci i zwierząt. Tam przetrzymywali Andżelikę i Kalinkę, pod ziemią, za ciężkimi drzwiami, w betonowej jamie, do której prowadził ciemny korytarz. Wszystko tam było: sprzęt, scenografia z łóżkiem i dziecinnym pokojem, zabawki, dużo pluszowych maskotek i lalek, i erotyczne gadżety. Komplet narzędzi chirurgicznych i ginekologicznych, leki nasenne, strzykawki. Komputery. Obroża, smycz, klatki. Dwa oszalałe ze strachu psy. Były zdjęcia Kalinki, Andżeliki i kilku innych dziewczynek. Dziewczynki i zwierzęta. Małe ciała penetrowane, bezczeszczone, zmuszane do obnażania intymnych miejsc. Niekiedy nieprzytomne, jak trupki ułożone w obscenicznych pozach. Zdziwiony kot na brzuchu dziewczynki, której włożono do pochwy wibrator. Męska ręka na psim łbie, pies liżący krocze dziewczynki. Związana dziewczynka spółkująca z psem, jej twarz wykrzywiona z bólu, oba stworzenia w obrożach. Czułam, że mamy przeciw sobie coś o wiele potężniejszego niż Łabędź i Mareczek Waszkiewicz. „Kotojady”, szepnęła z zaświatów moja siostra.

Marcin odkrył, w jakim celu porwano dziewczynki, i on z pewnością najlepiej z nas wszystkich wiedział, kogo i czego szukał, ale to jednak Celestyna znalazła zwłoki Andżeliki. Jej korytarz był najdłuższy i najtrudniejszy, pełen ślepych odnóg i rozgałęzień. Odór rozkładu nie pozostawiał wątpliwości, że nie znajdzie tam nic dobrego, ale doszła do samego końca. Na jednym odcinku było tak mało tlenu, że zasłabła i albo miała halucynacje, albo naprawdę kogoś tam spotkała, jakąś małą kobietę w czerwonych butach, która dała jej wody i pomogła ruszyć dalej. Korytarz prowadził do betonowego pomieszczenia, było duszne, jakby napełniono je kisielem, Celestyna odruchowo pomacała ścianę w poszukiwaniu włącznika. To, co zobaczyła w świetle, przeraziło ją bardziej niż ciemność, przez którą przedzierała się tak długo. W betonowej kadzi, przypominającej pralnie w poniemieckich kamienicach, coś leżało przykryte poplamionym prześcieradłem. Celestyna podniosła je i zobaczyła martwą dziewczynkę. Była pewna, że to Andżelika, chociaż dziewczynka nie żyła od wielu tygodni. We włosach miała spinkę z motylkiem. Była naga, brakowało jej przedramion. Celestyna nie wiedziała, co robić, bo nie chciała tam zostawić Andżeliki, ale gdyby wzięła te resztki w ramiona, rozpadłyby się. Uklękła więc przed utraconym ludzkim dzieckiem i płakała tak długo, aż znalazł ją Marcin. Jednak Celestyna nadal nie chciała opuścić Andżeliki. Była w dziwnym stanie, bliskim transu, i upierała się, żeby ją tam zostawić, by mogła dalej płakać.

– Dlaczego? – zapytałam Adama, choć chyba znałam odpowiedź.

Właściciel Króliczej Nory patrzył na wiszący na ścianie plakat z płucami jak zwęglone koralowce, który przestrzegał przed skutkami palenia, i wiedziałam, że robi to z delikatności, by żadne z nas nie widziało łez drugiej osoby.

– Celestyna powiedziała, że potem już nikt nad tym dzieckiem nie zapłacze.

– My płaczemy.

Mężczyzna z pluszową pandą na kolanach najpierw spoglądał na nas niepewnie, a po paru minutach pociągania nosem zapytał:

– Państwo nie będą mieli nic naprzeciwko, że się dołączę?

Nie wiem, jak długo opłakiwaliśmy Andżelikę Mizerę z Nowego Miasta, ale czułam, że te łzy nie idą na marne. Gromadziłam je przez tyle lat, miałam ogromny zapas i odnosiłam wrażenie, że oczyszczająca słona fala spływa we wszystkie miejsca budzące mój smutek, zalewa piwnicę mojego domu, unosi skrzynię, w której chowałyśmy się z Ewą przed matką, wstępuje na schody, porywa sprzęty domowe, kanapę w wielbłądzim kolorze, rudego Hansa z NRD, wszystkie zapiski i mapy z biblioteki ojca, i przez okna wylewa się do ogrodu, do lasu, wspina się na polanę, gdzie niemieccy żołnierze zamordowali żydowskich więźniów, gdzie radzieccy żołnierze zgwałcili niemiecką dziewczynkę, tam, gdzie umarła moja siostra, a teraz sprzedawcy kości ryją w poszukiwaniu towaru. Płakaliśmy w szpitalnej poczekalni, każde osobno, ale ramię w ramię, właściciel Króliczej Nory, mężczyzna z pandą i ja, Alicja Pancernik. Pod koniec tego płaczu, jaki nigdy wcześniej mi się nie zdarzył i jakim już pewnie nie zapłaczę, dołączył do nas lekarz i powiedział:

– Będzie żyła.

A gdy na jego niosące nadzieję słowa ani ja, ani właściciel Króliczej Nory nie przestaliśmy szlochać, usiadł obok nas w poczekalni, zdjął okulary i najpierw westchnął, a potem machnął ręką i po chwili płakał z nami. Dopiero teraz zobaczyłam, jak się nazywa. Na plakietce na jego piersi było napisane: Edgar Smutny.

Potem wróciłam na chwilę do domu i otworzyłam komputer, by zobaczyć, czy nie czai się tam Homar Ramoh Dawid. Potrzebowałam go. Czułam, że on jeden może rozwiać moje wątpliwości, Dawid powiedział mi, że jest mało czasu, i miał rację, od niego dowiedziałam się też, że Kalinka była blisko, ukryta niemal pod moją piwnicą. Troll-mściciel, kimkolwiek był, wiedział coś jeszcze, czego do tej pory mi nie zdradził. Wściekła sfora kłębiła się pod świeżą informacją o zgromadzonym w rynku tłumie zwolenników Jerzego Łabędzia. Przeszli po mnie jak Armia Czerwona po Rosemarie.

Bluzg III

Krysia 17:10
Śpicie mendy? ᴘɪrwszaaaaa!!!!!

Nawalilemsie 17:11
a jasie znownawliłem

Benek 17:11
Jestem na pirszej stronie ja piee!!!!!!!!!!!!!!!!! !!!!!!!!!!!!!!! !!!!!!! !!!1

Krysia 17:11
Ale nie pirwszyyyyy

RozaliaJasna 17:13
Kochani! Połączeni razem cierpieniem zapalmy świeczuszki i zniczyki módlmy się, bo zbliża się godzina prawdy. Zebraliśmy dotychczas tysiąc dwieście siedemdziesiąt sześc podpisików pod ekshumacją Jana Kołka i to wielki nasz sukces. Prawda zaraz się okaże na naszych oczach. Wielu jest na tej ziemi ludzi pozytywnie zakręconych! Tak trzymać kochani. A ja zapraszam serdecznie na mój blog dotyczący rzeczy nadprzyrodzonych, jasnowidzenie, szukanie zaginionych. itp.: rozaliawidzijasnosc-dusza.blog.com. Znajdziecie tam linki do dwoch petycji w sprawie ekshumacji. A kto nie może być z nami niech zapali tu wirtualny zniczyk (*)(*)(*)

GościuZwąsem 17:14
(*)(*)(*)

GościuBezWąsa 17:14

(*)(*)(*)(*) (*)(*)(*)

PoliszKamikadze 17:14

Umar śmierciom meczennika.Wykopac to się okaże komu na tym zalezalo(*)(*)(*)

Benek 17:15

Szacun jak sie wykopieSie okaże! (*)(*)

Zagłoba 17:15

Się okaze!!! (*)

Studentka 17:15

Co się okaże buraki? Że waszKołek naprawdę umarł?buahahaa

A-theista 17:16

że go sukienkowy przedtem molestował

Studentka 17:16

Albo potem buahahahaha

Benek 17:17

Ja bym takie studentki normalniewy*ierdoooolil

Przechodzień 17:17

Lachon!!!!1 rozklapicha!!!

ZwykłyGość 17:17

Lachon pejsiasty cipoliska

PoliszKamikadze 17:17

doooopy daje za niemieckom kase

GościuZwąsem 17:17

Za żydowska kase ojczyzne oczernia

MatkaPL 17:18

Dzieci pedofilom Bułgarskim sprzedaje

GościuZwąsem 17:18

Zrobic się powinno konferencje prasowa w celu zwrocenia uwagi mediow na brak rozpoznania zwlok

GłosPrawdy 17:19

Prawdziwego rozpoznania brakowalo

GościuZwąsem 17:19

Ciało w błocie leżało i go nie przypominalo!

GościuBezWąsa 17:19

Najsampier przypominalo potem przestalo w tym problem

GłosPrawdy 17:20

Prawda może być starszna ale bywa prawdziwa

SexyRacjonalistka 17:20

Ja jestem tylko ciekawa ile to kosztuje.... I z czyjej idzie keiszeni Takei koszta można by użyć na coś pożyteczniejszego jak biedne dzieci czy głodni staruszkowie, albo odwrotnie,Na co trup ma się przydac mi czy spoleczenstwu?.....

Studentka 17:21

Te buraki i tak cie nie rozumia

MatkaPL 17:21

Trupa jego dla dzieci trzeba trzymac

Zagłoba 17:21

Cicho swinka Racjonistka swinki sa do dymania

Benek 17:22

Ja bym taka świnkę normalnie wypie*doooollllll!!!1111!

PoliszKamikadze 17:22

Z czyjej kasy my już wiemy

Polakzcroydon 17:23

Sorki dziewczyny ale się powtorze taka jest prawda tu w jukeju polki dajom na kazdym kroku, polki polisz terrorist rodzą A na Polskiego normalnego mężczyzne nawet nei spojrzą

Bydlądynka 17:23

Poliż mnie Polisz Terrorist mruuuuuuuuuuuuumruuuuuuuuu uuuumrrrrr

ProfessorHab. 17:24

.....Naprawdę coraz mniej rozumiem współczesny świat i jego WSPÓŁCZESNE KOBIETY.... Straciły one NATURALNE dla swojej PŁCI zainteresowanie „normalnym BIAŁYM mężczyzną" z jego

wszystkimi wadami ale i niewątpliwymi ZALETAMI jak pomysło-
wść, inteligencja, umiejętność dokonywania napraw, TWARDOŚĆ,
hart ducha, waleczność, skłonność do podbijania „nieznanych
ladow"…. Lata feminizmu, genetycznie modyfikowanej żyw-
ności, stała kontrola kamer, tatuowanie laserowe i wczepianie
podskórnych chipów; satelitarne namierzanie ludzi, mieszanie
się ras w „In vitro", Czernobyl, Japonia, składowanie na terenie
POLSKIodpadów radioaktywnych i „kosmicznych śmieci" oraz
globalne ocieplenie przez rożne damskie mydelka, dezodoran-
ty itepe doprowadziły do wykoślawienia genetycznego oraz
umysłowego….. Spójrjmy ile teraz wydarza się katastrof, a będziemy mieć ogląd sprawy. Brawo dla pań! Dzięki wam koniec
RASYludzkiej jest blisko…..

NormalnaNiunia 17:25
Ja dla przykładu mysle ze kiedys tylu innych w ogóle nie było

GościuZwąsem 17:25
Wszystkie inne są takie same żadne się one od sibie nie rozniom

GościuBezWąsa 17:25
nie rozniom się wcale

MatkaPL 17:26
Dzieci pedofilom Bułgarskiem sprzedają

Benek 17:26
Ja bym normalnie tych wszystkich innych wyyyyyy***iero-
doooolil

Studentka 17:26
Się buraku nie ze*rajw swoje dżiny z bazarku

SexyRacjonalistka 17:28
Dzieci Gina bezrobocie Pomyślcie gnoje co tu gadacie

Benek 17:28
ja nienawidze i tu nie trzeba myśleć

Tirowiec 17:29

dokładnieA najgorsze sa liwtiny. Ciekawe, że jest ich tylko 3.5 mln, a gdzie nie się nie pojedzie, tam tiry na litewskich blachach, z beznadziejnie popier... kierowcami. Serio! Luknijcie na tego linka www.litewskieblachy.com

A-theista 17:30

"Litwo, ojczyzno moja..." to po ch*j się tego musiałem uczyć na pamięć?

ProfessorHab. 17:30

Żeby tylko naSPOGNĘBIĆ się się wszyscy spzrysiegli Trzeba powiedziec wprost ze upadek naszego miasta jest spowodowany przez wiadome SIŁY, Ich cel to zapomnienie o naszej niegdysiejszej dawnej POTEDZE. O niezwyciezonej naszej kawalerii pod Wiedniem i innych naszych sukcesach takich jak panowanie w Moskwie co się nawet Napoleonowi nie udało. Dlatego figura musi stanac i stac się musi zadość ekshumacji Jana Kołka. Ku chwale OJCZYNY.Starożytny Egipt PODOBNIE skończył Zobaczcie www.polskajakegiptx.com.pl

Zagłoba 17:32

Kopmy razem jak brat z bratem

Benek 17:32

Kto nie kopie ten pedałem

GościuZwąsem 17:33

Przywiezlki Kołka w czarnej pochowali w brazowej, dłuższa była krótsza zakopali

GościuBezWąsa 17:34

Do trumny został włożony nie ten sam Miał najpierw garnitur buty a potem się okazalo ze same skarpetki, przodem upadl a z tylu GUZ? wlosy przystrzyżone a potem w ogóle

A-theista 17:34

W ogole co? Sukienkowy go molestował?

Benek 17:34

Chyba ciebie holenderski pedale

ProfessorHab. 17:36

Zmataczyli podmienili

ZwykłyGość 17:36

Krzyczmy razem Prowokacja!!!1!!

GościuBezWąsa 17:36

O tym się na miescie mówi

MatkaPL 17:36

Trzeba dzieciom uszu zatkać

GościuZwąsem 17:37

Sie mówi ze bezdomnego cygana wsadzili zamiast Jana Kołka

Przechodzień 17:37

Kto?

PoliszKamikadze 17:38

Kto?/ ty mnie wkuuuuurwiasz Masonie Wiadomo kto A zamach kto zrobil w Nowym Jorku może krasnoludki?/>>> Takie parchy jak ty Z CIA bin ladena przekupily

Zagłoba 17:38

Żydzii do I\$\$raelaaaa!!!. Ale cyganie problem bo oni nawet znikąd nie pochodza

GościuZwąsem 17:39

A wszystko nam polakom na złość

GościuZwąsem 17:39

Zmataczyli podmienili

Zagłoba 17:39

Kopmy razem jak brat z bratem

PoliszKamikadze 17:40

Nasz grób nasz trup Mamy prawo

SexyRacjonalistka 17:42

A ja bym chciala tylko wiedziec jakie sa koszta takiej imprezy z wykopywaniem ścierwa....??. Bo ja się z mojej kieszeni nie

zgadzam. Za wlasne możecie sobie caly park jurajski wykopac ale nie zamoje. Takei koszta można by przeznaczýcna coś
pożytecznego, na szklanke mleka czy bezdomne zwierzeta .....

Benek 17:42

Sierściuchy do gazu!111!!!11 ja bym te sierściuchy normalnie
wypie*doooolił! 111!!!!!!

GościuZwąsem 17:43

na kontrakcie widziałem W Azji jest tyle pomników buddy wy-
budowane Wielkie błyszczące i nikomu to nie przeszkadza jesteśmy strasznie zacofani do tych krajów jak Tajlandia.Czas zmienić
to na swoją korzyść. Tak dla figury! Tak dla ekshumacji!!!!1

NiezadowolonyPolak 17:44

urodzic się polakiem to jest po prostu pech

MatkaPL 17:44

Nie masz, nie masz mękom końca!

ProfessorHab. 17:44

To zrobiły OBCE słuzby...".KOMUŚ" na tym zależało.........

GościuZwąsem 17:44

Ciało w błocie leżało i go nie przypominalo

ProfessorHab. 17:44

Zmataczyli podmienili

ZwykłyGość 17:44

Krzyczmy razem Prowokacja!!!1!!

MatkaPL 17:45

Trzeba dzieciom uszu zatkać

PoliszKamikadze 17:45

Chcecie prawdy to wykopcie

GościuZwąsem 17:45

Do trumny został włożony nie ten sam

GościuBezWąsa 17:45

Obcy jakis a nie nasz

MatkaPL 17:46

Trupa jego dla dzieci trzeba trzymac

Zagłoba 17:46

Kopmy razem jak brat z bratem

Benek 17:46

Raz dwa w chuja

A-theista 17:47

Kopcie kopcie czarna maso

Zagłoba 17:47

Raz dwa w chuja

Studentka 17:47

W ciemnej dupie sredniowiecza

MatkaPL 17:47

Naszym dzieciom w głowach mącą

Benek 17:48

Niech ta trumna nami rzadzi

PoliszKamikadze 17:48

Nasz grób nasz trup Mamy prawo

Stańczyk 17:50

A ja nic nie widzę mgły tu Ruskie napuścili

ProfessorHab. 17:52

Wbrew matactwom wiadomych czynników sa możliwe RZECZYO których się nie „śniło" FILOZOFOM. W googlu sporo jest na TEN temat.

Benek 17:52

Filozofy Wykształciuchy do gazu!!!!1!!!

PolkaLondon 17:53

Jak pomysle ze tam jestem zwami to mi się rzygac chce polaczki.

BussinesmanUK 17:54

Z mojej pensji 1000 funta na reke kozystam z zycia jak nigdy ... wakacje w tropikach, super sportowe autko takie nie klepane, duze mieszkanie z ogrodem gdzie w weekendy robimy berbekju i ogólnie troche zostaje zeby odlkadac na przyszlosc..jak to mówia HAJF LAJF ☺

Benek 17:56

A co tam robisz już widze jak dajesz pakolom i turasom Ja bym takich normalnie wypie*****dolilllllll1l1l1 ll1l1ll

Studentka 17:59

zacznijmy od tego, że za granicę wyjeżdża sama hołota z polski co robi, niestety nam porządnym Polakom wielki obciach na tym świecie.....

A-theista 18:00

I na tamtym amen

NiezadowolonyPolak 18:01

Ja może wtrące od siebie ze Gdy wyjechalem do hiszpanii na winnice z grupa ludzi i kobietami To polki puscily sie praktycznie wszytkie z Marokanczykami.Mezate,dzieciate.....bez roznicy a do niektórych przez okno włazili ciapaci jak malpy i to po trzech czterech na razTo jak może normalny mezczyzna mieć jakas nadzieje????!!!

ZwykłyGość 18:02

Jak patrze co się dzieje to Nie ma mezczyzna nadziei

GościuZwąsem 18:02

Matactwa złodziejstwo

GościuBezWąsa 18:03

Polski rozkradanie

NormalnaNiunia 18:04

Moja siostra mieszka w uk i wiem ze takich spraw jest naprawde sporo.... . polki kompletnie sie nie szanuja , wszystkiepuszczaja sie na kazdym kroku z mezczyznami ktorzy nie sa polakami, A gdy pyta się takie osoby dlaczego to robia to ze dla kasy, ze fajnie miec mezczyzne z innego kraju Albo nawet ze dla „przyjemności"...

Murzynek Bambo 18:05

ja lubic biala duuuu*upa, ja lubic polska duuu8u8aupa

Bydlądynka 18:05

Ja bym murzynka czarniutkiego schrupala mruuuuuuuuuuuu-
uuuuuuuu mruuuuuu

Stańczyk 18:06

Bydlądynka to znany facet od mody

Benek 18:06

Ja bym tych zboczencow odmody normalnei wy*ierdooooo-
lil!!!!!1 1111!!1

ProfessorHab. 18:07

Ludzie, obudźcie się. Dzięki sprzedajnym polkom do naszego
kraju i miasta Wałbrzych przenikająTERORYSCI którzy porywaja dzieci. To jest zorganizowany spisek zydowski, by od środka
zniszczyc nasza RELIGIE i kulture!!!! By te ziemie odwiecznie
polskie zasiedlic mieszancami. Nie dajmy sobei wmówić ze
Jan Kołek zmarl śmiercią NATURALNĄa, bo dokonany zostal
mord, straszliwa i PODSTEPNA ZBRONIA. Tylko jego ekshu-
mowane cialo może udzielic odpowiedzi na pytania, które
chcemy mu zadac. To cialo znow obudzi w nas DUCHA! Zrob-
my to razem, Rodacy, ekshumijmy!!!!! Przypominam o filmie
Piękno Ekshumacji na youtubie. Naprawde JEST na co po-
patrzyc

GłosPrawdy 18:09

!!1!111Szacun nie dajmy obcym nie ekshumowac!!!!1

Benek 18:09

Szacun nie ekshumoac

Zagłoba 18:09

Ekshumowac matole

Jan Kołek 18:10

Przestańcie pie*dolić, tylko mnie w końcu wykopcie

polakNAobczyśnie 18:11

Hejka, przepraszam was dziewczyny pisze z dublina i żeby nie było mam porzadna prace w fabryce wedlinpowiem tylko tyle Polki w kraju sa cnotliwe ale za granica zachowuja sie jak kuuurwy – wiem co mowię choc mi przykro tak wprost i na temat. Pozdrawiam z mglistego rano Dublina. ☺

ProfessorHab. 18:12

Należałoby przetłumaczyć RODZICOM że jak ich corka fascynuje się innymi krajami, jak jej się „zachciewa" wczasów w Egipcie..., to SZATAN się nia już zainteresowal. Jak odwraca oczy od naszych chłopakow, jak nie chce wyjsc z Jankiem czy Markiem, to tam już Ahmed stoi pod drzwiami.... Jak mowi nie na chleb z kielbasa, na „normalne" POLSKIE jedzenie i prosi, żeby dac na kebab, na chińczyka, to ...WIRUS.... już został w niej posiany. Ocalmy nasze corki przed terrorystami, bo czyż nie chcielibyśmy ich ocalic przed dżumą albo GORSZĄ hOROBĄ?.......

Benek 18:13

Do czadu suczki do gazu!!!!111!1

MatkaPL 18:13

Trzeba dzieciom uszu zatkać

MurzynekBambo 18:14

Ja lubić polska tłusta pupa. Ja lubić też pirogi.

PoliszKamikadze 18:14

Gdyby nie takie QRWY nie zabiliby Jana Kołka. Calą alkaide tu niedlugo nam przywioza. Dziwne, że wychodzą za mąż za BRUDASOW, ale mieszkać to już chcą w Europie i d*pe nosic po galerii, cyce wywalone d*pa krenci i zadowolona.

Zagłoba 18:15

Arab sam z siebie na nic nie wpadnie za wszystkim stoja czosnkowi

NormalnaNiunia 18:15

Moim zdaniem osoby, które chca mieszkac z nami w Europie powienny być doglebnie badane pod katem róznych zboczen.

MatkaPL 18:15

Dzieci pedofilom bułgarskim sprzedają

Napalony 18:16

Niunia pobawimy się w lekarza? Zbadam cie dogłębnie czy jestes normalna

ZwykłyGość 18:17

W TV nei ma już wogole blondynów o niebieskich oczach a jak już to psychol albo faszysta. To się kaze zastanowic. Dlaczego w Tv sa sami ciemni wlosy krecone oczy piwne?

RycerzPL 18:17

Dla przykładu na zlocie bractw rycerskich pod Grunwaldem zabronili nam kręcić żadnych filmów. A po to żeby nie pokazać pozytywnych aspektów życia młodych polskich patriotów,za to w telewizji publicznej aż roiło się od tzw. festiwali kultury żydowskiej cygański itd. A wszystko na świeżym grobie Polski, na kościach Jana Kołka podskakiwali młodzi ludzie nazywani Polakami.

Bydlądynka 18:18

Rycerzuuuuuuuuuuuuuuu, to ja i moja mokra c*pka na wieży

RozaliaJasna 18:19

Kochani moi! Lecą minutki i mamy kolejne dwieście podpisików pod petycja w spr. ekshumacji. Bardzo was proszę zjednocz-my się tu razem pod haslem ekshumacji. Tak dla figury Matki Boskiej Bolesnej, tak dla ekshumacji Jana Kolka, dwa razy tak i wygramy. Jesteśmy już blisko, wszyscy pozytywnie zakręceni przyjacile ekshumacji i figury. A ja zapraszam serdecznie na mój blog dotyczący rzeczy nadprzyrodzonych, jasnowidzenie, szu-kanie zaginionych. itp.: rozaliawidzijasnoscdusza.blogspot.com

UWAGA link do petycji w sprawie pomnika Matki Boskiej Bolesnej z widzenia Jana Kołka. Niedługo nowe zapisy na wyciczke
do Lichenia z obiadkiem w cenie Do wyboru kurczaczek albo
schabowszczaczek. Serdecznie zapraszam!

SexyRacjonalistka 18:20

kupie ci wibrator, tylko się już wyłącz.

A-theista 18:20

Pewnie ją sukienkowy przy spowiedzi molestował

Benek 18:20

Ja bym ichnormalnie wypie****dooooooliiiil!!111!!1

MatkaPL 18:21

Trzeba dzieciom uszu zatkać

RycerzPL 18:21

Ja jeszcze o zlocie Bractw Rycerskich pod GrunwaldemWieczo-
rem między namiotami, bielejącymi jak śnieg wdychałem dym
ognisk i zapach pieczonego miesiwa, wsłuchiwałem się w pod-
niosły śpiew młodych patriotów również z naszego pieknego
miasta. Umielismy odeprzec krzyżacka nawałnice, nie balismy
rozlac krew, nie straszna nam żadna męka za nasza gwałcona,
bita i krzyzowaną ojczyzne. Pomimo ataków ze strony WROGA
zewnetrznego i zwlaszcza wewnetrznego Polska wita mnie jak
matka ukochana, z kwiatami na łące i słońcem słowiańskim,
które nigdzie na świecie nie jest takie piękne.

SexyRacjonalistka 18:22

Rycerz, nie rozdziewiczyłbyś Rozalii zamiast tak na sucho
pie*dolic?

ProfessorHab. 18:23

Gdy PRAWOustanowione przez WROGI ELEMENT „wiadome-
go" pochodzenia się temu sprzeciwia, gdy prowokacja za prowokacja „usiluje" skłocić PRAWDZIWYCH POLAKÓW, ja jak za
okupacji nie cofnąłbym się do tyłu przed niczym Zrobiłbym
to potajemnie z gronem „zaufanych".... Po kryjomu, NOCĄ, za

murem cmentarnym, wespół z duchami przodków, „niemych" świadków naszych DZIADÓW. Wykopac trzeba, aby Polska była Polską.... Prawda jest w tej trumnie! Niech ta TRUMNA nami rządzi!!!11!!!!!

Benek 18:23

Szacun! Niech ta trumna nami rządzi

Studentka 18:24

Spieprzaj dziadu rowy kopac w Ciemnogrodzie

Benek 18:24

Wykopać wykopać ja bym tych co nie kopia normalnie wypie*****dolilllllllllllllllllllllllllllllllll!!!1111

GłosPrawdy 18:25

Majestat ŚMIERCI ma to do siebie, że mordercy, jako „kreatury małe", zawsze zostawiają ślady. Po tych śladach pójdzie za nami do trumny znaczna część społeczeństwa. WYKOPAĆ!!1

MatkaPL 18:25

Trupa jego dla dzieci trzeba trzymac

Gość 18:26

Sprawdź: http://poznajdateswojejsmierci.com to będziesz wiedział co ważne w życiu. Ja sprawdziłem i wiem!

Zagłoba 18:26

spadaj spamer bo ci się data smierci przyspieszy

RozaliaJasna 18:27

Kochani tak się ciesze miłośc zwycieża już mamy dwa tysiące podpisików przeciw wrogom ekshumacji i Figury prawda zwycięża Jest nas coraz wiecej, coraz bliżej celu. Tak dla figury, tak dla ekshumacji, kochani, badźmy razem. A kto nie może być tu z nami niech zapali zniczyk (*)(*)(*)A ja zapraszam serdecznie na mój blog dotyczący rzeczy nadprzyrodzonych, jasnowidzenie, szukanie zaginionych. itp.: rozaliawidzijasnoscdusza.blogspot. com. I przypominam: Zapisujcie się na wycieczkę do Lichenia. Obiadek w cenie.

SexyRacjonalistka 18:29

Nie macie na co wydawac, katotaliby? Cala Europa się z kato-
landu smieje Ty Rozalia najlepiej zajdz w ciaze niepokalana, nie
mecz się już dłużej.

PoliszKamikadze 18:29

Cala ta unia to jedno wielkei gejoskie nieporozumienie

Benek 18:29

Ja bym te geje z uni normalnie wypie888888 888888888dolil

ProfessorHab. 18:30

!!!!111Widomo KOMU zależy na wmawianiu nam najwalecznie-
szemu narodowi na ziemi HOMOFOBII... my poprsotu chcemy
zdrowych silnych polakow oraz piekne kochajace polki które czekają na zołnierza z kwiatami i znaja swoje POWOŁANIE
Pomyslcie logicznie ...przeciez podobno ziemia moze wykar-
mic miliardyMILIARDYludzi a Nwo twierdzi ze jest nas za duzo
i powoduje susze w afryce a także celowo ucza ludzi gejostwa
i lesbijstwa..do czego to doprowadzi – odpowiedzi na wszystko
szukajcie w INTERNECIE!!1!

RycerzPL 18:30

O tym samym miałem reflekcje pod Grunwaldem

Studentka 18:30

Spieprzaj dziadu do gazu

ProfessorHab. 18:32

....Zawartośc TRUMNY Kołka celowo zakłócono by zmataczyc
i rozsadzić wątpliwościami naszą PATRIOTYCZNĄ inicjatywe
w wałbrzyskim rynku To jest ZAMIERZONA MANIPULACJA i SPI-
SEK celowo uknuty przed świętami Świętami BOŻEGO Naro-
denia których jak wiadomo pewna grupa ludzi nie obchodzi,
gdy PRAWDZIWI Polacy będą zażarcie dykutować przy stołach.
COŚ, KTOŚ musiał to TAK Z A A R A N Ż O W A Ć , by – wyszło
jak wyszło!

GościuZwąsem 18:33

Wielokrotnie wniesiono Kołka nogami do przodu tylko nieraz głową. Jedyny wyjątek że "głową naprzód" mógl być na schodach kościoła- nie wypadało by "nogami w górę". Ale poza tym tak być nie może, by święty mąż raz głową w tą, raz w tamtą.

GościuBezWąsa 18:33

Czlowiek w trumnie nie przypominal Jana Kołka. Przywiezlki w czarnej, pochowali w brazowej. Zamienili.

PoliszKamikadze 18:33

Zmataczyli podmienili byle „waga" się zgadzala

GościuZwąsem 18:34

Prawo do EKSHUMANCJI blokują ZABÓJCY

Benek 18:34

Ja to bym tych zabojcow normal;nie wypie**********doooo-oooliL!!!!!!11!!!!

Stańczyk 18:34

Każdy prawdziwy polski patriota powinien choć raz być ekshumowany

Benek 18:34

Szacun chociaż raz

PoliszKamikadze 18:34

A jak trzeba to do skutku

NiezadowolonyPolak 18:35

urodzic się polakiem to jest po prostu pech

MatkaPL 18:35

Nie masz, nie masz mękom końca!

ProfessorHab. 18:35

To zrobiły OBCE słuzby...".KOMUŚ" na tym zależało.........

GościuZwąsem 18:35

Ciało w błocie leżało i go nie przypominalo

ProfessorHab. 18:36

Zmataczyli podmienili

ZwykłyGość 18:36

    Krzyczmy razem Prowokacja!!!1!!

MatkaᴘL 18:36

    Trzeba dzieciom uszu zatkać

PoliszKamikadze 18:37

    Chcecie prawdy to wykopcie

GościuZwąsem 18:37

    Do trumny został włożony nie ten sam

GościuBezWąsa 18:37

    Obcy jakis a nie nasz

MatkaᴘL 18:37

    Trupa jego dla dzieci trzeba trzymac

Zagłoba 18:38

    Kopmy razem jak brat z bratem

Benek 18:38

    Raz dwa w chuja

A-theista 18:38

    Kopcie kopcie czarna maso

Zagłoba 18:38

    Raz dwa w chuja

Studentka 18:39

    W ciemnej dupie sredniowiecza

MatkaᴘL 18:39

    Naszym dzieciom w głowach mącą

Benek 18:39

    Niech ta trumna nami rzadzi

PoliszKamikadze 18:40

    Nasz grób nasz trup Mamy prawo

Homar 18:40

    Płonę, Alicjo

Matka Boska Bolesna

Było ciemno, prawie noc, gdy dotarłam z Marcinem do rynku. Dawid nie odezwał się więcej, a jego słowa: „płonę, Alicjo" głęboko mnie poruszyły. Wciąż czułam zapach spalenizny, który w domu Mareczka naprowadził mnie na ślad jego zniszczonej książki. Byłam już właściwie pewna jego winy i doszłam do wniosku, że moje wcześniejsze wątpliwości spowodowane były współczuciem, jakie we mnie budził autor *Pereł księżnej Daisy*. Musieliśmy go znaleźć. Nie wiem, co zamierzał Marcin, ale ja chciałam zadać Markowi Waszkiewiczowi pytania, bo później, gdy trafi w ręce policji, nie będę już miała okazji. Zadzwonił do Marcina z mojego telefonu, który straciłam w podziemnym korytarzu, ale rozmowa została przerwana, jakby rozmówca rozmyślił się albo ktoś go odwiódł od zamiaru siłą. Mareczek zdążył powiedzieć, że chce się zobaczyć ze mną, z Alicją Tabor. Marcin słyszał w tle wrzawę tłumu, a w tym mieście tylko jedno miejsce było o tej porze tak ludne i żywe: rynek, gdzie od rana ludzie gromadzili się w oczekiwaniu na figurę Matki Boskiej Bolesnej. Miała dziś przybyć tu z Łabędziem i w końcu stanąć koło fontanny.

– Musimy go znaleźć – powiedział Marcin i w jego głosie była taka determinacja, że zaczynałam znów się zastanawiać, kim jest ten mężczyzna, do którego sypialni weszłam przez okno.

– Kim jesteś, Marcinie Schwartzu?

Jak zwykle nie odpowiedział i wiedziałam, że tak go zapamiętam, jako jedyną osobę, która nie chciała mi podarować swojej historii. Musiało mi wystarczyć to, co robił, od kiedy go poznałam. I uścisk jego dłoni w tłumie niezbyt przyjaznych ciał. Mareczek nie powiedział Marcinowi, dlaczego mnie szuka, ale wiedziałam, że ludzie zwykle chcą spotkać się ze mną po to, by mi opowiedzieć swoją wersję wydarzeń, którą nazywają prawdą i do której próbują mnie przekonać. Nawet ten żałosny pedofil ma prawo do swojej opowieści i jestem gotowa jej wysłuchać. Gdzieś tu był, może nas obserwował. Ale mnie o wiele niebezpieczniejszy wydawał się Łabędź.

Oczekiwanie tłumu było gęste jak stężała galareta ze świńskich nóżek. Zaplanowany moment ceremonii odwlekał się i nikt nie wiedział, jak tłumaczyć rosnące opóźnienie. W rynku pojawiły się prowizoryczne stoiska: sprzedawano kanapki ze smalcem i ogórki kiszone, z przenośnych grilli unosił się ostry zapach wieprzowej łopatki i kiełbasy, a wśród tłumu chodzili obładowani torbami mężczyźni i zachęcali:

– Grzane piwko, zimny lech, wódeczka, grzane piwko, zimny lech.

Jakaś przedsiębiorcza babina z wózkiem przepychała się i wołała:

– Domowe pirogi, hierbata!

Ukryci w bramie sprzedawcy kości rozłożyli towar na polowym łóżku przykrytym ceratą, ich stanowisko było oblegane. Wszyscy najwierniejsi trwali wciąż na posterunku. Gruba Pani z Wąsem drzemała z odchyloną głową na schodach pod zamkniętym sklepem spożywczym, miała otwarte usta i szeroko rozstawione łydki. Dwóch panów, Łysy i Lwi, rozpijało nieopodal butelkę amareny i sprzeczali się ze sobą, ale robili to od niechcenia, najwyraźniej stracili już impet. Łysy zacietrzewił się na pół gwizdka:

– Niech mi pan tu nie tego, że on.

A Lwi warknął:

– Że niby ja tego? To nie ja tego, że on, to pan!

Popatrzyli na siebie nieprzyjaźnie, pociągnęli po łyku i umilkli.

– Nudzę się – jęknęło dziecko zapakowane w srebrną kurtkę jak indyk w folię, a matka, nie patrząc na nie, zagroziła:

– Nie męczżeż mnie, bo dostaniesz po dupie.

Z okna kamienicy kilku chłopaków zrzuciło baner z napisem „Welcome in Ciemnogród", ale nikt nie zwracał na nich uwagi, stali tam więc, podrygując w rytm muzyki, która nie dobiegała do tłumu. Tam gdzie kiedyś była kawiarnia Madras, zwarta grupa starszych kobiet z żółtymi plakietkami na piersi przysiadła na rozkładanych stołeczkach, każda miała plastikową torbę usadzoną przy nodze jak pies, bo najwyraźniej przy okazji porobiły zakupy. Jedna, z trwałą ondulacją jak baranie runo, wyjęła robótkę i machała zawzięcie szydełkiem nad skaczącym kłębkiem białej włóczki.

– Na krzest? – zapytała ją sąsiadka.

– Na krzest dla krześniaczki – potwierdziła z dumą.

Kobiety odprowadziły nas wzrokiem, takie jak one zawsze rozpoznają, kto pasuje do tłumu, kto nie. W ich szemranie wdarł się nagle inny dźwięk, rytmiczne walenie metalu o kamień, podobne do tego, które słyszałam często spod mojego domu. Dotarliśmy do rynku, gdzie łysi pryszczole najwyraźniej przeczekali się i burzyli fontannę.

– Fontannę rozpiździają – powiedział ktoś z podszytym wahaniem podziwem. Twarze łysych błyszczały jak polakierowane, walili w transie podlanym piwem, rąbali zaciekli i rozjuszeni, jakby fontanna z imitacji marmuru była winna wszystkich ich klęsk i to z jej powodu musieli nosić dresowe spodnie i jeść sterydy, po których dostawali trądziku.

– Panowie, tak nie można! Się nie godzi – próbował ich powstrzymać jakiś człowiek wyglądający na emerytowanego nauczyciela fizyki, ale nie zwrócili na niego najmniejszej uwagi.

– Zawsze się musisz wychylać? – Żonina ręka złapała wyrywnego za rękaw i wciągnęła w tłum. Teraz ich rozpoznałam, byli sprzedawcami kości, którzy przynieśli do pokoju, którego nie ma, marny łup. Małżonka zahaczyła ramieniem o mężowskie ramię i zatrzasnęła je jak karbińczyk. Ta scena rozśmieszyła dziecko w srebrnej kurtce, a jego ojciec, nie odwracając głowy od łysych, rzucił:

– Cicho, bo dam ci po dupie.

Trzaskały płyty z czarnego kamienia, kruszyły się szklane osłonki reflektorów, pryskały odłamki i woda.

– Raz, dwa, w chuja!!!

– Wal, Zagłoba!

– Wal, Benek!

– Wal, Kamikadze!

– W chuja z fontanną!

– Wszystko w chuja!

– Chuj w chuja!

– Raz, dwa, w chuja!!!

W końcu coś się działo i kilku innych próbowało dołączyć się do łysych pryszczoli, ale zniechęcała ich obawa oberwania rykoszetem i tylko przebierali nogami w pobliżu, zagrzewając do walki. Powietrze wokół niszczonej fontanny tak pełne było złości, że mogło eksplodować jak opary benzyny. Gdy została już tylko kupa mokrego gruzu, stojący bliżej rzucili się na nią, by te resztki rozpirzyć do końca. Żołądkowy taksówkarz skorzystał z okazji, wyszedł na plan pierwszy i wygrażał pięścią niewidocznemu wrogowi, perorując na temat przekupnych lekarzy:

– Pan ordynator, wielka figura, kopertę wziął, a potem mówi: „Za taką sumę pan cudu oczekuje? Pan jest naiwny". A ja mu na to: „Ja naiwny? Ja od razu po nazwisku poznałem, kto pan jest".

– Łże! – wyjątkowo zgodnie odpowiedzieli mu dwaj starsi panowie, Łysy i Lwi, w stanie postępującego upojenia.

– Spieprzaj, dziadu! – uciszyła taksówkarza na dobre jakaś mocna dziewucha przypieczona na brązowo jak Rozalka prosto z pieca. Rąbnęła w resztkę fontanny rozwirowaną parcianą torbą, w której musiała mieć coś naprawdę ciężkiego, bo kawałek kamiennej płyty poleciał w tłum i uderzył w plecy jakiegoś staruszka, a on jęknął, pochylił się, ale nie padł.

– W partyzantce pod Lublinem – zapiszczał, lecz zagłuszył go ryk łysych, którzy podskakiwali wokół gruzowiska, wołając:

– Kto nie skacze, ten pedałem!

Nie zdołali jednak w ten sposób ani porwać tłumu, ani wyładować wszystkiej energii i w końcu polecieli w gęstniejącą ciemność. Ich wrzaskowi towarzyszył brzęk rozbijanego szkła.

– Pizdnij to w pizdu! – poradziła przypieczona blondyna swojej nieco bledszej koleżance, która kopnęła w resztkę fontanny. Trysnęła w górę woda.

– Woda! – pisnęło dziecko w srebrnej kurtce tak przenikliwie, że niektórzy zatkali uszy. Dziewuchy wybuchnęły śmiechem i poleciały w ślad za łysymi, pohukując jak Indianie ze starych filmów, którzy mimo groźnych min i wielkich pióropuszy skazani byli na zagładę.

– Woda! – jęknęła Kurwamina, która pojawiła się rozogniona, z siwą kitką powiewającą jak sztandar, z plikiem jakichś kartek w ręce. – Nie przez przypadek Matka Boska Bolesna jest tak biała jak w słowach wieszcza uwiecznionych w wierszu – zaczęła, ale nikt jej nie słuchał. – Przepraszam bardzo. – Niezrażona Kurwamina wspięła się na rozwalone kamienne płyty, by przemówić z podwyższenia, odchrząknęła i spróbowała jeszcze raz: – Drodzy razem tu zebrani! Przepraszam bardzo. Petycja w sprawie nazwania szkoły imieniem brata naszego Jana Kołka. – Wyciągnęła rękę z kartkami, ale nikt nie był zainteresowany podpisywaniem petycji. Po całym dniu czekania ludziom należało się coś więcej. Rozwalenie fontanny dostarczyło tylko chwilowej rozrywki.

– Gdzie jest Łąbedź?! Gdzie figura?! – chcieli wiedzieć, ale Kurwamina nie znała odpowiedzi. Nie poddawała się jednak.

– Przepraszam bardzo, ale zapalmy świeczki, utopmy ruiny fontanny w morzu świeczek. A jak trzeba, przykujmy się tu do ruin! Własną piersią w imieniu Jana Kołka!

Tryskająca spod ruin woda zmieniła kierunek i strumień uderzył w Kurwaminę, która wypuściła kartki z petycją, zachwiała się, straciła równowagę i padła. Ekipa filmowa pod wodzą Sandry Pędrak-Pyrzyckiej, która przegapiła dewastację fontanny, przypuściła teraz atak na pławiącą się w wodzie Kurwaminę.

– Jakie nastroje panują dziś wśród zebranych? – dziennikarka rzuciła odważnie pytanie i wyciągnęła mikrofon.

– Przepraszam bardzo! – Kurwamina poprawiła okulary i spojrzała w kamerę nieświadoma, że mokra biała bluzka przylgnęła do jej piersi. – Osamotniona, z zimną krwią zostałam rzucona na pastwę rozszalałych mediów!

Ktoś zarechotał:

– Miss mokrego podkoszulka.

Ktoś zaklął:

– Popierdolony kraj. Miała być Matka Boska, a jest mokra stara dupa.

– Duuupa – z satysfakcją powtórzyło dziecko w srebrnej kurtce, a matka, wciąż zafascynowana poniżeniem Kurwaminy, pouczyła je mechanicznie:

– Niemęczżeszmniebodostanieszpodupie.

Marcin odebrał telefon i rozmawiał przyciszonym głosem po niemiecku.

– Wiem kto – usłyszałam. I jeszcze: – Już niedługo.

Dziennikarka tymczasem porzuciła Kurwaminę i chciała wiedzieć, co inni ludzie sądzą o kontrowersjach wzbudzanych przez figurę Matki Boskiej Bolesnej.

– Kto nie z nami, jak to mówią, ten przeciw nam – poinformował ją starszy pan Lwi, a Łysy dodał, że się nie zgadza, bo kto przeciw nam, ten w ogóle nie jest Polakiem. A jak nie Polakiem, to wiadomo kim.

– Kim? – zainteresowała się dociekliwa dziennikarka, ale odpowiedź została zagłuszona przez głośną grupkę kolorowej młodzieży, która nadeszła z transparentami: „Precz z Katostanem!". Coś się działo. Nastrój tłumu zmieniał się, jakby do kwaśnego przeczekania dodano coś słodkiego, śmietankę w proszku, tak lubianą przez emerytów. Obok nas pojawili się dwaj starsi panowie, Łysy i Lwi, na sztywnych kolanach pijanych, którzy jeszcze wiedzą, że są pijani, i mają siłę udawać, że jest inaczej.

– Jak to się, świnie, spiły – skomentowały samotrzeć sprzedawczynie kości, które przeciskały się do przodu, trzymając się pod ręce. Matki sprzymierzone, nie ma na nie mocnych.

– Won stąd, zboczki! – wrzasnęły do kolorowej młodzieży. Miały podobne kozaczki z dużą ilością ozdób i wyglądały jak trzy muszkieterki. Matkom nikt nie podskoczy! Staruszka we Fiolecie, korzystając z marnego stanu Kurwaminy, chwyciła ją za ramię i przystąpiła do ataku.

– Proszę panią! Ja mieszkam na trzecim, a na czwartym obywatel sąsiad narkotyki pędzi z policją. Robactwa mnie napuścili. Żadne media się mną nie interesują – zaskomlała.

Kurwamina też nie zwracała na nią uwagi. Marcin wciąż ściskał moją rękę i przebiegał wzrokiem tłum, ale nie wiedziałam, kogo wypatruje. Marka Waszkiewicza? Łabędzia? „Wiem kto", tak powiedział przed chwilą do telefonu, a ja bardzo chciałam wiedzieć, z kim rozmawiał po niemiecku. Dlaczego tak dobrze mówi po polsku? Co się stało z Adalbertem, jego ojcem? I dlaczego nie lubi opowiadać o sobie w żadnym języku? Domyślałam się już, że Marcin Schwartz, bratanek pana Alberta, nie był poszukiwaczem przygód ani włóczęgą. Nie szukał też skarbu, jak mój ojciec. Przyjechał tu po to, by uratować dzieci i znaleźć sprawców zbrodni, i nie robił tego po raz pierwszy. Czułam jego napięcie i myślałam o tym, co uczyniono dzieciom w podziemiach.

Wtedy przez tłum przeszedł dreszcz, jakby ktoś wrzucił kamień w ławicę ryb. Coś się działo i dopiero gdy wspięłam się na palce, zrozumiałam. Trumna. Przesuwała się ponad głowami tłumu.

– Łabędź – powiedział Marcin i ja też go zauważyłam, w białej rozpiętej koszuli, długim płaszczu. Czarny pan z telewizora, a za nim sprzedawcy kości z trumną na ramionach. Tłum rozstąpił się, niektórzy się żegnali, inni klękali, powiało grobowym chłodem. Kondukt dotarł do ruin fontanny i zatrzymał się na znak Łabędzia. Postawili trumnę.

– Jerzy Łabędź, wybawiciel!

– Krew i męka, orzeł biały!

– Święte szczątki, święte, święte.

– Trup tej ziemi.

– Piękny!

– Święty.

– Trup nad trupy uśmiercony.

– Zamęczony!

Łabędź stał z oczami wzniesionymi ku niebu. Pojedyncze płatki śniegu wirowały nad rynkiem, a on milczał, gęstniało milczenie ludzi, tylko krople wody z fontanny spadały na trumnę Jana Kołka i bębniły jak deszcz o parapet.

– Nie przyjdę dziś do was – powiedział w końcu Łabędź modulowanym kobiecym głosem i zamilkł.

– Co mówi? – Staruszka we Fiolecie nie dosłyszała.

– Że nie przyjdzie dziś do nas! – ryknęła Pani z Wąsem i nie była z tej informacji zadowolona.

– Nie przyjdzie? O męka ma krwawa – stropiła się staruszka.

– Nie przyjdę do was – powtórzył Łabędź. – Nie przyjdę do was, o ludzie tej ziemi odwiecznie polskiej umęczony, dopóki. – Wzniósł palec ku niebu i zamarł jak skamieniały Kinder.

– Dopóki, do jakiej póki? – powtórzyła bezradnie Staruszka we Fiolecie.

– Cicho być – usadziła ją Pani z Wąsem – bo w końcu mnie nerwy puszczą!

– Nie przyjdzie dopóki – powtórzyła powoli, jakby tłumaczyła z obcego języka. Tymczasem Kurwamina pozbierała się, zapięła płaszcz i stanęła tak, by było jasne, że jej miejsce jest w pobliżu Łąbędzia. Łabędź nabrał powietrza:

– Nie przyjdę do was, dopóki nie pomścicie figurą kości Jana Kołka niesłusznie zamordowanego. W trumnie tej okrutnie nieżywe ciało Jana Kołka uśmiercone do was apeluje o dalszą pieniężną ofiarę. Figurę mą widzę ogromną – Łabędź ciągle mówił tym łagodnym kobiecym głosem i pierwsze zrozumiały, co się dzieje, trzy przyjaciółki w kozaczkach.

– Matko Boska! – zawołały. – Matka Boska Bolesna przez niego przemawia! Jak do Jana Kołka. Do nas! Ludzie! Figury pragnie ogromnej!

Łabędź skromnie spuścił oczy i milczał przez chwilę, by ta wiadomość mogła wsiąknąć w tłum.

– Figury pragnę ogromnej – potwierdził – nie małej. Ciało okrutnie nieżywe Jana Kołka wam tu przynoszę, by do waszej przemówiło hojności. Niech trup ten nieżywy wam słowa moje do niego powiedziane przypomni, a hojność wasza niech pomści jego umęczone szczątki.

– Trup ten nieżywy – powtórzyła Staruszka we Fiolecie – przez sąsiada mego uśmiercony.

– Czy chcecie – ciągnął Łabędź – by zaginione dzieci niewinne cudem wróciły w ramiona najbliższych stęsknione? By figurę podziw swą wielkością budzącą, jakiej nie ma żadne inne miasto w Polsce, a nawet na świecie, widać było aż z Wrocławia?

By do jej stóp po najświętsze relikwie, w które ta ziemia bogata jak w węgiel, ciągnęły wiernych tłumy?

– Chcemy! Chcemy! Chcemy!

Zrozumiałam, że Łabędź wszystko miał zaplanowane. Być może śmierć Andżeliki była przypadkowa i na początku wyobrażał sobie, że wyłudzi pieniądze na figurę, a potem odda wykorzystane dzieci tak, by wyjść na bohatera. I wyłudzić jeszcze więcej. A czarną robotę wykonał biedny, głupawy Mareczek. Najwyraźniej nie wiedział jeszcze, że Kalinki nie ma już pod ziemią i że Mareczek go zdradził. A może wiedział i postanowił zagrać swoją ostatnią wielką rolę?

– Chcemy! – skandował tłum.

Miałam ochotę zakończyć to żałosne przedstawienie, ale Marcin mnie powstrzymał.

– On nam nie ucieknie.

– Obiecujesz?

Marcin pokiwał głową i nagle zdałam sobie sprawę, że nie ma zamiaru zatrzymać Łabędzia, tylko zabić. Pochylił się i pocałował mnie, a duża Pani z Wąsem zabiła nas wzrokiem.

– Bez świństw mi tutaj!

– Szczątki Jana Kołka bestialsko w wyniku spisku zamordowane, pokrwawione, zamęczone – przekonywał Łabędź – wołają do was.

– Wołają „zakop nas z powrotem, nekrofilu!" – krzyknął z okna kamienicy chłopaczek w okularach i parę głów zwróciło się w stronę baneru „Welcome in Ciemnogród".

– Welcome, welcome – powtórzyła duża Pani z Wąsem. – Oni sobie „welcome", a schab w Realu już po piętnaście sześćdziesiąt. – Wyglądała na wkurzoną.

Łabędź nie poddawał się:

– Te nieżywe szczątki dopominają się o skromny datek, serca ofiarę, by mogły spoczywać w spokoju. By syna tej ziemi najczystszego i niepomszczonego w męce zjadły robaki, czyż chcemy?

– Chcemy! – wyrwała się Staruszka we Fiolecie.

– Chcemy!

– Nie chcemy!

Łabędź ciągnął dalej:

– Niech datki sypią się jak manna na tę trumnę do przygotowanej skrzyneczki. Ludzie, bądźcie silni nad tym trupem! Hojni bądźcie nad szczątkami! To miasto zasłużyło na większą figurę niż Chrystus z Rio de Janeiro. Nie będzie obcy plúł nam w twarz: postawmy większą. Zwyciężmy w trupa tego imię!

– Zwyciężmy! – powtórzyła duża Pani z Wąsem, ale w jej głosie pojawiła się nowa gorzka nuta i odchrząknęła zawstydzona.

– W dzień Bożego Narodzenia figura tu stanie z waszych datków, obiecuję wam. – Łabędź wciąż mówił kobiecym głosem. – A jeśli – wzniósł palec ku niebu – postąpią z wami tak, jak dwa tysiące lat temu z synem moim, nie nasza to wina, że znów się poleje krew.

– Krew, męka, robaki! – powtórzył tłum.

– Nie pozwolimy znikczemnionym, ubłoconym, by zapomniano o męczeńskiej śmierci Jana Kołka i działkach zaginionych, bo nas są miliony. I na figurę zbierzemy miliony!

– Miliony! – wrzasnął tłum, ale zamiast entuzjazmu w jego ryku słychać było żółtą złość, jakby nagle wszyscy pomyśleli o tych milionach w totka, które zawsze trafiają się innym.

– Zjednoczeni z każdą kroplą krwi nie zapomnimy o krwi poległego bohatersko Jana Kołka. Naszych serc hojnych miliony!

– Miliony! Krew, męka Jana Kołka! – skandował tłum, tak bardzo teraz wzburzony, że pod jego naporem puściłam dłoń Marcina i zniknął mi z oczu. Poczułam falę paniki, bo zniosło mnie i przyparło do ściany kamienicy, bałam się, że gniewne ciała mnie zmiażdżą.

– Będziemy tej krwi bronić nad trumną do ostatniej kropli polskiej krwi! – Łabędź mówił już męskim głosem, ale tłum nie zwrócił uwagi na tę przemianę, bo wymknął się spod władzy jego słów i zagotował.

– Krwi! Krwi trumna Jana Kołka! – krzyczęli coraz bardziej podnieceni ludzie.

– Ku czci krwi niewiniątek, pieniężne ofiary dla dzieci złóżmy zaginionych! Datki w paszczę nienawiści, niech uczczą krew bohatera tej ziemi – coraz głośniej upierał się Łabędź, ale sens jego słów już nie docierał do ludzi.

Poczułam zapach fermentujących owoców, bulgotanie, „datki--sratki", warknął obok mnie ktoś na granicy nerwowego załamania. Czekali na cud, a cudu nie było. Czekali na figurę Matki Boskiej Bolesnej, ale znów się nie doczekali. I wtedy niesforne dziecko w srebrnej kurtce, które ojciec wziął na barana, by lepiej widziało, krzyknęło przenikliwie:

– Ten pan chce pieniążki! Z mojej świnki chce pieniążki?

– Pieniążki, pieniążki – zaszumiał tłum – z naszych rent, na lekarstwa?

– Pieniążki? – powtórzyła Pani z Wąsem i nie spodobało jej się to.

– Od matek pieniążki? – zaszemrały trzy muszkieterki i też były już na nie.

– Na narkotyki – dodała Staruszka we Fiolecie i po chwili wrzasnęła: – Do torby go i do lasu!

– To oszust! – skorzystała z okazji liderka grupy młodzieżowej i wyrwała do przodu z transparentem „katotaliby do Katostanu!".

– Szatan wyprał wam mózg, abyście prawdziwie nie myśleli – bronił się Łabędź, ale topniała jego moc. Cofnął się i potknął o trumnę Jana Kołka.

– Oszukał? – chciał wiedzieć starszy pan z pożyczką.

– Zmataczył! – Lwi już nie miał wątpliwości i walnął o ziemię butelką po amarenie.

– Oszust was okradł! – zawtórowali z okna młodzieńcy z banerem „Welcome in Ciemnogród!". – Nie ma żadnej figury.

– Krew męka robaki! – Potężny był głos tłumu, wbijał się w niebo jak widelec w purée ziemniaczane. – Dziś! – zapiał chór. – Chcemy krwi! Krwi!!! Krwi!!!

Kto pierwszy rzucił się na trumnę Jana Kołka? Pod czyją pięścią ustąpiło drewno? Łabędź próbował jeszcze coś powiedzieć, ale już nikt nie zwracał nie niego uwagi i omal nie został stratowany. Zdołał umknąć, ale nie udało się Kurwaminie i nieźle ją poturbowano. Poszli jak burza, kto pierwszy, ten lepszy, kto lepszy, gorszemu nie ustąpi, rwanie i szarpanie, łamanie kości, miażdżenie, trzask. Wylatywały w górę strzępki materii, guziki, gwoździe, skarpety, pasek i buty, białe gacie, podkoszulek, trupięgi made in China, których nigdy żaden robak nie zeżre. Jeden but złapała jak bukiet panny młodej Staruszka we Fiolecie i z niedowierzaniem patrzyła na ten nagły dar niebios. Najwyraźniej dodał jej sił, bo z bojowym okrzykiem rzuciła się w tłum nad trumną Jana Kołka. Rwali, szarpali, kto pierwszy, ten lepszy, kto silniejszy, ten pierwszy, pazurami, zębami, pilniczkiem do paznokci, tipsami, szydełkiem, scyzorykiem. Kto uszarpał, ten chował, co jego, i wiał, bo nikomu nie można było ufać, człowiek człowiekowi wilkiem nad trupem! Piękny był trup Jana Kołka, z tej ziemi świętej świeżo wygrzebany! Twardy może trochę, bo szybko mrozy w tym roku przyszły, a może co roku tu szybko przychodzą, biednemu zawsze wiatr w oczy.

– Piękny trup! – jęknęła duża Pani z Wąsem. – I jakże męczeńsko uśmiercony.

– To trup, którego można z dumą pokazać światu – wydyszał starszy pan z pożyczką. A Lwi dodał, że się nie zgadza, bo świat nie zasługuje.

– Nie dla psa kiełbasa. I świątynię trzeba by jak Licheń w Wałbrzychu pobudować albo lepiej Zamek Książ przerobić na nowy wałbrzyski Licheń. Większy, piękniejszy! Tam trupa wystawić!

– Książ na Licheń! Książnalicheń! – podchwyciły trzy matki – Księżnalicheń! – Ale zaraz zawarczały i rzuciły się, by dalej szarpać.

– Tylko dla wybranych taki trup! W gablocie w sali pałacowej. Zamek przekuć trza na grób! – Lwi się rozognił, uszami szedł mu dym. Znów w zgodzie dwaj starsi panowie rzucili się z bojowym okrzykiem na resztki, ale trudny to był bój. Kobiety padały na szczątki Jana Kołka i zagarniały je pod siebie rozkrzyżowane jak rozgwiazdy, mężczyźni pragnęli trupa mocy i, ach, niektórzy ją już czuli, co to był za trup! Młodzi rzucili transparent i postanowili spróbować, co wrogom tak smakuje. Smakowało!

– Trup, trupek, trupiątko! – trzy matki dzieciom rozczuliły się samotrzeć, ale nie czas na czułości, gdy wkrótce może trupa zabraknąć dla trzech samotnych matek i jednej emerytki, która się wcięła między nie na krzywy ryj, straszna byłaby to niesprawiedliwość, więc zanurkowały w masę ciał nad trumną, przygniatając dwóch starszych panów i Staruszkę we Fiolecie. Za łby się wzięły matka bakłażanowa z młodą niematką o silnych rękach pracownicy sezonowej.

– Ręce precz od naszego trupa! Jego kości żołnierskie, ostre jak szabla. Oczy klejnoty!

– Paznokcie jak muszelki – wyszeptał nieporadny mężczyzna w tureckim swetrze, zamykając w dłoni swoją drobną zdobycz. Jakiś przysadzisty z wąsem co sił w krótkich nogach uciekał z głową Jana Kołka pod pachą, drugi gonił go i wołał:

– Oddaj, kurwa, moją głowę!

Starsza pani z trwałą jak baranie runo i krwią spływającą z ust nabiła na szydełko coś, co mogło być i członkiem, i palcem, upchnęła zdobycz do foliowego worka z napisem „Real" i pokłusowała w ciemność. Duża Pani z Wąsem zdobyła nogę i trzymała ją na ramieniu, dumna i potężna jak wojownica Swarożyca, a gdy w złych zamiarach podszedł do niej jakiś głodny trupa i podpity, wystarczyło, że się raz zamachnęła, i chłop własne zbierał zęby! Dziennikarka Sandra Pędrak-Pyrzycka nie mogła już hamować się dłużej i z rykiem blond lwicy wbiła pazury w resztki uczty, jej ząbki świeżo wybielone wgryzły się w mięso z apetytem. W jej ślady poszły dwie dziewczyny z transparentem „katotaliby do Katostanu!", który leżał zapomniany na bruku. Gdy trupa rozebrali, poleciały wióry z trumny, bo ci, którym nic nie udało się uszczknąć, doszli do wniosku, że na beztrupiu i trumna trup. Sosnowe drewno jak ciało, poplamiona różowa szmata skóra jego, śnieg, co napadał i stopniał, święta krew.

Na miejscu fontanny nie zostało nic oprócz paru rozbitych butelek i papierowych tacek po jedzeniu. Łabędź znikł w tłumie i przez moment pomyślałam, że może spotkał go taki sam los jak trupa Jana Kołka. Do mojego policzka przylgnął strzępek jakiejś lepkiej materii i starłam go z obrzydzeniem. Ludzie rozchodzili się szybko, kryli twarze. Poczułam się zupełnie zagubiona i wtedy go zauważyłam. Mareczek. Stał w cieniu bramy przy zamkniętym sklepie obuwniczym i przyglądał się znikającemu tłumowi, nagle jego twarz się zmieniła i zgiął się wpół, jakby doznał ataku bólu, rzucił się do ucieczki, ale nie widziałam, co go przestraszyło, przed kim ucieka. Toczył się, kołysząc z boku na bok na masywnych iksowatych nogach. Przestraszyłam się, że mnie zauważył, ale gdy ruszyłam za nim, zrozumiałam, że nagły pośpiech Mareczka miał inną przyczynę. Nie uciekał. Szedł za Łabędziem. Podążyłam za nimi. Mareczek nie obejrzał się, ale chyba poczuł czyjąś obecność, bo przyspieszył. Widziałam ich plecy, zwykłe plecy, widziałam stopy, zwykłe, każda miała pewnie po pięć palców. „Dlaczego kotojady wyglądają tak jak my?", pytałam siostrę. „Bo oni są tacy jak my", odpowiadała, a ja przeczuwałam raczej, niż rozumiałam, straszną prawdę ukrytą w jej słowach. „Czy ja mogę stać się kotojadem?". „Ty nie, Wielbłądko. Ty nie". „A jak się nazywają ci, którzy walczą z kotojadami? Czy to są czterej pancerni? A może Stirlitz, co udaje Niemca?". „Nie wiem, musisz coś wymyślić, *meine kleine*". Myślałam o mojej siostrze, o Rosemarie i Andżelice. O śpiącej dziewczynce, którą zawiozłam dziś do szpitala. O Gertrud Blütchen w mojej torbie. Chciałam, żeby był tu ze mną Marcin, żeby wyjął broń i zastrzelił tych dwóch tak, jak robią to w amerykańskich filmach akcji. Wyobraziłam sobie ciche higieniczne kliknięcie, choć nigdy nie widziałam, by ktoś kogoś zabijał naprawdę. „Niektórzy nie zasługują na to, by ich zrozumieć", mówił dyrektor Domu Dziecka „Aniołek". Co się ze mną stanie, gdy przyznam mu rację? Łabędź skręcił w ulicę, przy której była Królicza Nora, Mareczek trzymał się w pewnej odległości za nim, a gdy Łabędź przystanął, schował się do bramy. Nie rozumiałam, skąd ta ostrożność? Czy skoro Marek Waszkiewicz uratował Kalinkę, jego więź z Łabędziem została zerwana i teraz są wrogami? Wszystko wskazywało na to, że nie chce, by Łabędź go zobaczył. Ja też nie chciałam, by ktoś mnie rozpoznał, ale w żółtym prochowcu wyglądałam jak kanarek, który uciekł z klatki. Minęliśmy kościół Matki Boskiej Bolesnej i gdy skręciliśmy w uliczkę, przy której znajdował się sklep zoologiczny Adama, wiedziałam już, że Łabędź zmierza do pokoju, którego nie ma.

Królicza Nora została zdewastowana i pod stopami Łabędzia zachrupało szkło z rozbitej szyby wystawowej, Marek Waszkiewicz przeszedł po nim na palcach jak tańczący niedźwiedź. Zobaczyłam potłuczone akwaria, martwe rybki na podłodze, nieruchome kiryski pstre, welony, skalary i neonki, jakieś futerkowe zwierzątko z roztrzaskaną głową, martwe ptaki w kolorze mojego prochowca. Łabędź przyspieszył i zniknął w bramie prowadzącej do pokoju, którego nie ma. Byłam tuż za Markiem Waszkiewiczem, słyszałam jego oddech, widziałam rozdrapany pryszcz na jego karku i spocone włosy. Wyjęłam z torby Gertrud Blütchen. Jak poręczna była jej rękojeść, jak lśniące ostrze. Marek zatrzymał się, obejrzał przez ramię, nie wiem, czy w jego oczach była nienawiść, czy strach, „mamusia", wyszeptał. Nagle, jak na szybko przewijanym filmie, zobaczyłam ludzi i zdarzenia, wszystko zaczęło łączyć się w jedną całość, która wydała mi się jednocześnie oczywista i niewiarygodna. Odrażająca. Zanim w pełni dotarł do mnie sens tych obrazów, ktoś uderzył mnie z tyłu w głowę i rozsypały się jak mak. Gertrud Blütchen wypadła mi z dłoni, poczułam, jak po czole płynie mi krew. Zrobiłam kilka kroków w kierunku Króliczej Nory i upadłam między martwe kiryski.

Gdy odzyskałam świadomość, mojej twarzy dotykało coś miękkiego i żywego. Zobaczyłam ślepka jakiegoś stworzenia, które wzięłam za kota. Łaskotał mnie wibrysami, a żółtawe oczy wpatrywały się we mnie badawczo. Miałam nadzieję, że się mylę, ale chyba to samo stworzenie przed chwilą zlizywało krew z mojej twarzy.

– Łeb ma cały. Łapy też – powiedział kot. Miał pomarszczoną skórę i ludzki nos, kapelusz z piórkiem na głowie kolczyk w brwi.

– Łeb masz cały – powtórzył. – Wstawaj, dziewczyno, bo zamykamy wejścia.

– Wejścia? – Moje słowa smakowały krwią jak tatar.

– A niby co? Bar mleczny z kotrupkami? – Kot zaśmiał się chrapliwie i teraz go rozpoznałam.

– Babcyjka? To ty, Babcyjko?

– A kto? Apolonia Kitti Kitti na ziemskich wczasach? Nie leż jak ten zezwłok. Do roboty. – Podała mi silną dłoń, której uścisk pamiętałam. – Trzeba posprzątać – powiedziała stanowczo – bałaganu się narobiło!

– Bałaganu – powtórzyłam niezbyt mądrze.

– Trupa zeżarli – westchnęła Babcyjka. – Czasem tak bywa w kraju nad Wisłą. – Miała na sobie moją kurtkę i te co zawsze

433

czerwone buty z napisem „Relaks". Zatupała ponaglająco i pchnę-
ła mnie w kierunku wyjścia z Króliczej Nory. – Ruszaj!

– A ty?

– Czas ucieka. Wejścia lecę pozamykać – powtórzyła i znikła
na zapleczu, usłyszałam, jak otwiera szafę, w której zaczyna się
podziemny korytarz.

– Jakie wejścia?! Dlaczego nie możesz ze mną porozmawiać
jak człowiek! – krzyknęłam za nią, ale usłyszałam tylko śmiech,
jakbym powiedziała coś zabawnego.

Gdy wyszłam z Króliczej Nory i nabrałam w płuca chłodnego
powietrza, poczułam, że jak na przejścia ostatnich godzin i cios
w głowę czuję się zadziwiająco silna i rześka. Straciłam Gertrud
Blütchen, ale zachowałam torebkę i zanim tak naprawdę zrozumiałam, co się stało, zobaczyłam Łabędzia. Wybiegł z podwórza
z wejściem do pokoju, którego nie ma, i do mieszkania Adama.
Stanął w bramie i rozglądał się nerwowo. Stracił gdzieś po drodze
swój czarny płaszcz. Trzymał się za lewe ramię i zauważyłam,
że jest ranny. Mało przypominał natchnionego mówcę z rynku.
Przestraszyłam się, że w walce, którą stoczył, ucierpiała Celestyna albo Adam. Albo Marcin. Łabędź zauważył mnie i zobaczyłam
w jego oczach błysk rozpoznania.

– Dziennikareczka – wycedził. Oceniał nasze siły, sprężył się
do skoku i myślałam, że mnie zaatakuje, ale po chwili wahania
rzucił się do ucieczki. Potrącił mnie i pobiegł w dół ulicą. Zobaczyłam jego plecy i nie myślałam, co zrobię, gdy go dopadnę.
Straciłam Gertrud Blütchen, ale moje ciało było nadal sprężyste
i lekkie, może dzięki temu kociemu stworzeniu, które zlizało
krew z mojej twarzy. Pobiegłam. Łabędź przyspieszył, jednak
wiedziałam, że nie będzie w stanie mi uciec, i poczułam się
dziwnie radosna, jakby lekko pijana. Dotarliśmy do placu Grun-
waldzkiego, gdzie ludzie czekali na ostatnie autobusy, przebie-
gliśmy przez drogę czarną jak jęzor lawy, roztrąbiły się klaksony

i zdążyłam zauważyć przerażony wzrok kobiety w samochodzie, który niemal dotknął mojego biodra. Łabędź obejrzał się, nasze oczy się spotkały.

– Biegnij! – krzyknęłam i niemal wpadliśmy na siebie, ale zaraz przyspieszył, ciężko tupały jego stopy, pryskało spod nich błoto. Gdzieś za nami zawyła policyjna syrena, przed nami była ściana drzew, Wzgórze Szubieniczne, na nim park Sobieskiego. Wycie przybliżyło się i mogłam tylko podejrzewać, że samochody na sygnale jadą po Mareczka żywego albo martwego i po osobę, która zaatakowała mnie pod Króliczą Norą. Dobiegliśmy do pomnika wałbrzyskiego górnictwa i widziałam, że Łabędź boi się ściany drzew, w którą będzie musiał się zanurzyć, jeśli chce dalej uciekać. Lawirował między kamiennymi postaciami górników, zastygłych w rozpaczy, bo w tym mieście zalanych wodą kopalń mieli co opłakiwać. Jakaś spóźniona para, obściskująca się na ławce i popijająca wino z butelki, patrzyła na nas mętnie i rozpoznałam w niej dwoje Gotów.

– Się gonią – rozwlekle powiedziało jedno.

– A niech się gonią – obojętnie dodało drugie.

Łabędź rzucił się w końcu na oślep w krzaki porastające zbocze Wzgórza Szubienicznego, ja wbiegłam za nim w ciemność. Kawałek wyżej zaczynała się stroma spacerowa ścieżka pokryta śniegiem, czysta jak Droga Mleczna. Milkły odgłosy miasta, powietrze było zimne i przejrzyste, ponad konarami drzew niebo pełne gwiazd ostrych jak ze szkła. Nie czułam zmęczenia. Wiedziałam, że mogę tak biec przez kilka godzin. Gdy ścigany zwalniał na coraz bardziej stromej i śliskiej ścieżce, ja też zwalniałam. Chciałam, by ten bieg nigdy się nie skończył, a zarazem pragnęłam mieć już to wszystko za sobą, stanąć twarzą w twarz z tym człowiekiem, który wygrzebał Jana Kołka i kto wie, jakich jeszcze winny jest zbrodni. Chciałam poznać, do czego jestem zdolna. Po drugiej stronie parku zobaczyłam światła miasta, które nagle wydało mi się przyjazne. Łabędź pędził z góry, w kierunku Starego Zdroju, ale nie dałam mu odetchnąć, przyspieszyłam. Goniłam go po pustych o tej porze chodnikach, pośród uśpionych kamienic, zakratowanych sklepików, obok cukierni Oleńka i kina Apollo, wzdłuż nieczynnych zakładów przemysłowych, które przerobiono na hurtownie nie wiadomo czego. Słyszałam ciężki oddech ściganego, rozmokły śnieg plaszczący pod jego stopami. Mój umysł był czysty i otwarty, nie czułam nic oprócz ruchu, nie czułam już nienawiści. Nagle nabrałam pewności, że Kalinka wydobrzeje. Nie została utracona jak moja siostra i Rosemarie! W rozpiętym żółtym prochowcu goniłam Łabędzia przez Szczawienko uśpione i ciche, płonęły światełka na iglakach, plastikowe Mikołaje wspinały się na gzymsy, pędziły plastikowe renifery. Przez pokryte śniegiem pole, nieskalane i lśniące jak lukier, dotarliśmy do lasu. Wiedziałam, że Łabędź już dłużej nie da rady. Chciał zboczyć, ukryć się w ciemności drzew, ale nie mógł się przedrzeć, bo las go odtrącał, zamykał się przed nim. Wracał na ścieżkę, po której go ścigałam, potykał się i dyszał, podpierał rękoma. Przewrócił się w końcu. Zwolniłam, byłam tuż za nim.

– Ty kurwo – wycharczał.

– Biegnij! – krzyknęłam i las odpowiedział mi echem.

Wiedziałam, że nie jestem sama, bo wśród drzew przemknęła ciemna postać, która towarzyszyła nam od chwili, gdy zanurzyliśmy się między drzewa. Rozpoznałam kurtkę, którą podarowałam Babcyjce, czerwone buty. W jaki sposób kociara znalazła się tu tak szybko? I czy to naprawdę ona? Nigdy się tego nie dowiem. Przez mój umysł przemknęła myśl, że to ja, inna ja, towarzyszę sobie w ciemności.

– Biegnij!

Łabędź podniosł się, ruszył, księżyc przedarł się przez śnieżne chmury i zrobiło się prawie jasno. Wypadliśmy na polanę u stóp Zamku Książ, on pierwszy, ja tuż za nim. Poczułam, jak wszystko wokół nas zamarło w oczekiwaniu.

– Kim jesteś?
– Mam na imię Alicja.
– Przyszłaś do mnie?
– Przyniosłam twojego kota.
– Posiedzisz ze mną?
– Tak.
– Czy teraz jest noc?
– Tak, długo spałaś.
– Spałam i śniło mi się morze. Byłaś kiedyś nad morzem?
– Byłam.
– Umiesz zaszumieć jak morze?
– Spróbuję.

Świt może być równie dobrą porą na kolację, jak zmierzch, bo przez moment są bardzo podobne – powiedział filozoficznie pan Albert.

– Istnienie zmierzchu i świtu nie wyklucza jednak różnicy między dniem i nocą – dodał Marcin.

Było to jedno z dłuższych zadań, jakie wygłosił bez pytania, od kiedy go poznałam. Siedzieliśmy w mojej kuchni. Nie wiem czemu zawsze chcieli spotykać się tutaj, może na przekór całemu złu, które wydarzyło się w tym domu. Pan Albert, Marcin, Adam i Celestyna. I rudy Hans z NRD, którego nadal nie miałam serca wyrzucić. Gdy wróciłam nad ranem wyczerpana do granic możliwości zajściami w rynku, nocnym pościgiem i wizytą w szpitalu u Kalinki, zszyłam łapę misia i wrzuciłam go do pralki. Zapragnęłam po tym wszystkim zrobić coś zwykłego: uprać brudne, zszyć rozdarte. Pan Albert, Marcin, Adam i Celestyna pojawili się jedno po drugim na moim progu, nierealni w szarym blasku jak ektoplazma, która przybrała chwilowo kształt moich przyjaciół. Twarz Celestyny nosiła ślady łez, które przelała pod ziemią nad Andżeliką, i jej uśmiech nie odzyskał jeszcze pełni blasku, ale szalona fryzura była na swoim miejscu. Rudy irokez i sukienka w kolorze świeżych wiśni. Zamiana kostiumów na szkolnym balu sprzed lat sprawiła, że to, co w nas było niepewne i niedopowiedziane, przeważyło szalę. Obie wtedy wyruszyłyśmy w drogę, bo do szkolnej szatni przybyła po nas karawana wielbłądów. Jak mówił Dawid, każdy ma taki moment, od którego wszystko się zaczyna. Życie ma sens dopiero wtedy, gdy się go przypomni i zrozumie.

Celestyna przywiozła gorący chleb i patrzyłam, jak otwiera szuflady w poszukiwaniu noża, każdy jej ruch był jak taniec, postukiwały rytmicznie wysokie obcasy. Właściciel Króliczej Nory nie odrywał wzroku od Celestyny. Oczywiście miał swoją wędkarską kamizelkę, ale teraz, zamiast psiego gryzaka, z czegoś w rodzaju butonierki wystawała mu drewniana łyżka z przyklejonymi ziarnami maku, pod kamizelkę włożył białą, krzywo zapiętą koszulę, a na szyi zawiązał krawat. Wyglądał jak człowiek, który stracił nadzieję i z dna rozpaczy, gdzie już miał położyć się i umrzeć, zobaczył, jak ktoś daje mu znak latarką i wyciąga rękę. Tym kimś była na pewno Celestyna. Na czole miał plaster z opatrunkiem, do którego co chwilę sięgał ręką, jakby mu się przypominało coś, w co nie jest w stanie uwierzyć. Marcin smażył jajecznicę i chyba żadne z nas nie rozumiało do końca, jak po tym wszystkim, co widzieliśmy, nadal tak pięknie może pachnieć rozpuszczone masło, a my możemy odczuwać głód. Kawałek ciała Marcina między paskiem spodni i szarą koszulką wydał mi się tak piękny, że zapragnęłam go dotknąć, smakować jak ciepły chleb.

Jedliśmy w milczeniu, sprawdzając językiem, czy naprawdę przeżyliśmy i rozpoznajemy smaki. Nawet pan Albert miał wilczy apetyt. Dopiero potem przyszła pora na opowieści o tym, co wydarzyło się poprzedniego dnia. Pan Albert popatrzył na nas, jakby starał się zapamiętać każdą twarz po kolei, poprawił pilotkę gestem, który znałam od zawsze, rozłożył świeże wydanie wałbrzyskiej gazety i zaczął czytać:

Sensacja w naszym mieście! Reporterka kontra oszust

Alicja Tabor, urodzona w naszym mieście znana reporterka, popisała się wczoraj niezwykłą odwagą i bystrością umysłu. Wyprzedziwszy spodziewaną interwencję naszej policji, samodzielnie ruszyła w szaleńczy pościg za rannym Jerzym Ł. (ps. Łabędź, l. 39). Samozwańczy prorok, który okazał się manipulatorem i bezwzględnym oszustem, rozpaczliwie starał się umknąć nieustraszonej reporterce, która z wnikliwością detektywa rozszyfrowała jego niecne zamiary. Nie zważając na grożące jej śmiertelne niebezpieczeństwo, nocną porę i niesprzyjające warunki atmosferyczne, Alicja Tabor ścigała Jerzego Ł. od wałbrzyskiego rynku aż pod Zamek Książ. Tym razem płeć słabsza okazała się silniejsza i po dramatycznej piętnastokilometrowej gonitwie serce oszusta nie wytrzymało. Z zawałem został przewieziony do miejscowego szpitala, gdzie na straży jego pożałowania godnej egzystencji czuwają nasi lekarze. Jerzy Ł. jest podejrzany o przywłaszczenie ponad sześciuset czterdziestu pięciu tysięcy złotych, które bezwzględnie wyłudził od ufnych mieszkańców miasta. Chwytając się wszelkich sposobów, skłonił grupę swoich popleczników do bezczeszczenia miejsc pochówku, by zdobyte w ten sposób kości sprzedawać jako relikwie. Ponadto, obiecując mieszkańcom naszego miasta figurę Matki Boskiej Bolesnej z widzenia Jana Kołka, o którym wielokroć pisaliśmy na naszych łamach, wydarte z wdowich portfeli fundusze wydał na zakup luksusowych towarów i samochodu. „Że tak się wyrażę, przyszła kryska na Matyska", powiedział szef naszej komendy, kpt. Leopold Mackiewicz, którego poprosiliśmy o komentarz.

– Tylko?! – zapytałam. – Nie postawiono mu innych zarzutów? Ta druga osoba to nie Łabędź?!

Pan Albert i Marcin wymienili spojrzenia, Celestyna westchnęła, a Adam przyjrzał się ze smutkiem łyżce w butonierce.

– Najlepsze przed nami – powiedział.

– Najgorsze – poprawiła Celestyna.

– Najgorsze – zgodził się pan Albert i rozłożył gazetę.

Szok! Straszliwa zbrodnia pary zwyrodnialców

Ubiegłej nocy wyjaśniła się sprawa zniknięć dwóch dziewczynek, Andżeliki M. (l. 6) i Kalinki J. (l. 5). Mimo iż każdy normalny człowiek wzdraga się przed wypowiedzeniem na głos tak szokującej i okrutnej prawdy, jesteśmy odpowiedzialni za dostarczanie naszym czytelnikom prawdziwych i rzetelnych informacji. Za porwanie dziewczynek odpowiedzialność ponoszą Maria W. (l. 58) i Paweł K. (l. 42). Dziewczynki były przetrzymywane w podziemiach na terenie dzielnicy Szczawienko w lokalu należącym do Marii W., która przebywa w areszcie śledczym. Niestety, drugi zwyrodnialec wymknął się z rąk sprawiedliwości i mamy nadzieję, że nasza dzielna policja wkrótce natrafi na jego ślad. Jak wiemy z dobrze poinformowanego źródła, Paweł K. stanowi część międzynarodowej szajki czerpiącej zyski ze szczególnie okrutnej pornografii dziecięcej. Czujemy się w obowiązku poinformować, że w szokujących filmach nagrywanych przez zwyrodnialców brały też udział zwierzęta. Dzięki szybkiej akcji naszej policji udało się uratować niestety tylko Kalinkę J., która dochodzi do zdrowia pod troskliwą opieką naszych wałbrzyskich lekarzy. Dziewczynka jest sierotą wychowywaną w Domu Dziecka „Aniołek", którego dyrektor, Marian Waszkiewicz, zasłużony obywatel naszego miasta, był wczoraj zbyt poruszony, by skomentować zajście. Pocieszenia dostarcza mu syn Marek (l. 35), z zawodu pisarz, który w krótkiej rozmowie powiedział, że dołoży wszelkich starań, by pomścić tę tragedię piórem. Śmierć małej Andżeliki z rąk zwyrodnialców kładzie się czarnym cieniem na bolesnej historii naszego pięknego miasta, a policja dokłada wszelkich starań, by odnaleźć trzecie zaginione dziecko, Patryka Miłkę (l. 5) z Sobięcina. Obszerny materiał dotyczący sensacyjnych szczegółów tej wstrząsająco makabrycznej i szokującej historii zostanie zamieszczony w weekendowym wydaniu naszej gazety.

Pan Albert skończył, zdjął okulary i popatrzył na nas bezbronnymi oczyma krótkowidza. Poprawił pilotkę i pokiwał głową, bo tyle informacji mu najwyraźniej wystarczyło, by wszystko zrozumieć, ale ja miałam pytania. Pierwsze było retoryczne i brzmiało: „pomści piórem?". Na drugie, „kim jest Paweł K.?!", pragnęłam odpowiedzi natychmiast. W gazecie zamieścili tylko niewyraźne zdjęcie przestępcy, na którym Paweł K. wyglądał tak jak każde z nas, włączając rudego Hansa z NRD, mogłoby wyglądać z daleka i w kapeluszu. Wtedy odezwał się milczący dotąd Marcin:

– Paweł Kupczyk, lat czterdzieści cztery, a nie czterdzieści dwa, syn Kazimierza Mierzwy i Urszuli Mierzwy z domu Kupczyk. Urodzony w Wałbrzychu. Jego ojciec popełnił samobójstwo, matka zmarła niedawno. Ukończył technikum budowlane i wyjechał do Niemiec. Spędził sześć lat w jednym z tamtejszych więzień za kradzieże i włamania. Pod celą nawiązał kontakt z ludźmi zajmującymi się pornografią dziecięcą. Spodobało mu się. Po wyjściu zaczął używać panieńskiego nazwiska matki. Paweł Kupczyk znany jest także jako Arnold Schmidt, Mirosław Makara, Claus Lebioda i Agnieszka Mulawa.

– Agnieszka? – jęknęła Celestyna.

– Agnieszka Mulawa – potwierdził Marcin. – Poszukiwana listem gończym. Pracowała jako opiekunka dzieci w przedszkolu w Szczecinie. Paweł Kupczyk potrafi zmieniać powierzchowność, wtapiać się w tło.

– Po co? – zapytałam zupełnie wyprowadzona z równowagi.

– Niekiedy robi to tylko dla zabawy, dla własnej przyjemności. Z tego samego powodu zabija zwierzęta. Lubi, gdy inne stworzenia cierpią.

– Cholerny gnojek – wtrącił Adam.

– Gnojek – przyznałam – a poza tym?

– Zadanie Pawła Kupczyka polega na zdobywaniu kontaktów – ciągnął Marcin.

– To znaczy? – chciał wiedzieć Adam, który wyglądał, jakby miał zemdleć albo zwymiotować.

– Szuka odpowiednich ludzi, takich jak Maria Waszkiewicz, i za ich pośrednictwem znajduje nowe dzieci. Zaciera ślady. Wprowadza zamieszanie i dobrze się przy tym bawi.

– To dlatego starał się rzucić podejrzenie na Łabędzia – domyśliła się Celestyna.

– Bo pasował – podpowiedziałam – pasował idealnie.

– Są nawet do siebie podobni, czy raczej Paweł Kupczyk bez trudu się do Łabędzia upodobnił. Mącił, podszywał się, siał zło – słowa Marcina brzmiały jak oskarżenie.

– To dlatego brat Andżeliki mówił o czarnym panu z telewizora. Nad stawem widział Pawła Kupczyka, który dołożył starań, by wyglądać jak Łabędź. – Celestyna ukryła twarz w dłoniach.

– A ja pomyliłam go z tobą w moim ogrodzie! – wtrąciłam i dotknęłam ramienia Marcina.

– Jego łatwo z kimś pomylić – przyznał Marcin.

– Powiedz nam w końcu – poprosiła Celestyna – który to ten Kupczyk? Widzieliśmy go? Znamy drania?

– Pokażę wam kilka zdjęć.

Pochyliliśmy się nad ekranem iPoda. Rozpoznałam go od razu. Mężczyzna z pociągu, smętny listonosz, nadgorliwy sprzedawca kości, radosny kominiarz z kalendarzami, talib z pizzerii. Na jednym ze zdjęć był ubrany tak samo jak Łabędź. Czarny pan z telewizora. Kotojad. To on powiesił kota, zakradał się do mojego domu, spalił schronisko w Rusinowej. Nie do poznania, nierzucający się w oczy, taki jak my. Moja siostra miała rację.

– Paweł Kupczyk zniknł z miasta – Marcin zwrócił się do mnie. – Wypłoszył go Mareczek, który zaczął się czegoś domyślać po zniknięciu Kaliny Jakubek. Znalazł pod ziemią materiały pornograficzne i zwłoki Andżeliki. I ukrytą tam Kalinkę, którą wyniósł przez korytarz do palmiarni.

– A więc Mareczek ma jednak w sobie coś z inspektora Konrada Twardowskiego. – Pokręciłam z niedowierzaniem głową. – A co dalej z Pawłem Kupczykiem?

– Już drugi raz mi się wymyka – odpowiedział z gniewem.

– Drugi raz? – Marcin i pan Albert znów wymienili spojrzenia.

– To teraz nie jest istotne. – Marcin nie miał zamiaru powiedzieć nam nic więcej. – Istotne jest, że uciekł.

– Szkoda, że za tym Kupczykiem też nie pobiegłaś – westchnęła Celestyna. – Łabędziowi się należało, ale temu o wiele bardziej.

– Jestem reporterką, a nie morderczynią na zlecenie.

– Szkoda. Znam parę innych osób, które powinnaś tak po-gonić.

– Na przykład tych, którzy zniszczyli Króliczą Norę – ze smutkiem wtrącił Adam. – Wszystkie pielęgniczki przepadły, i większość kirysków.

Przypomniałam sobie martwe zwierzęta ze sklepu Adama, spalone schronisko. Kota powieszonego w moim ogrodzie.

– Chyba rzeczywiście szkoda – przyznałam.

– Może będziesz jeszcze miała okazję. – Marcin uśmiechnął się. – Jeśli zechcesz.

– Myślę, że będę chciała – odpowiedziałam. – Ale jak właści-wie udało się nam z tego wyplątać? W gazecie nie piszą, w jaki sposób znaleziona została Kalinka.

– Marian Waszkiewicz – wyjaśniła Celestyna – dyrektor Aniołka.

– Byłaś u niego?

– Smutny człowiek, wrażliwy! – wzruszyła się. – Długo roz-mawialiśmy. Chciał namalować mój portret.

– Omotałaś go?

– Omotała – potwierdził Adam.

– Dyrektor ma jednego Poleszuka w policji – ciągnęła Celes-tyna – tego kapitana Leopolda. Im też nie zależało na tym, żeby się rozniosło, że to my znaleźliśmy kryjówkę, a ty uratowałaś Kalinkę. Marian Waszkiewicz prosił, żeby ci przekazać, że musi się z tobą koniecznie zobaczyć. Z Alicją Tabor. Że to bardzo ważne. Masz jeszcze jakieś pytania?

Pokręciłam głową, zbyt tym wszystkim przytłoczona.

– Ale ja mam.

– Pytaj. – Uśmiechnęłam się blado do Celestyny.

– Zawsze nosisz tylko takie buty, w których można biegać?

– Zawsze.

– Dlaczego po prostu nie dogoniłaś Łabędzia?

– Nie wiem. Chyba umiałam tylko za nim biec.

– Pogoniłaś mu kota! – Uśmiech bibliotekarki znaczył, że zrozumiała.

Przy kawie parzonej z kardamonem, którego zapach był tak intensywny, że nie czuć było oddechu starego domu, Celestyna i Adam opowiedzieli, jak odkryli prawdę o Marii Waszkiewicz. Tropili Mareczka, przekonani wtedy nadal, że to on porwał dzieci. To matka Maria naprowadziła ich na ślad syna. Gdy ją zobaczyli, wiedzieli, że też szuka Mareczka, wyglądała na zdesperowaną, więc postanowili nie spuszczać jej z oczu. Nie interesowały jej wydarzenia pod fontanną, przepychała się przez tłum i pytała ludzi o syna, oganiała się od natrętów, którzy rozpoznawali w niej jedną z przybocznych Łabędzia i pytali, co z figurą Matki Boskiej Bolesnej, kiedy w końcu przybędzie. Maria wołała imię syna z taką mocą, że ludzie zasłaniali uszy i pytali, czego tak się baba drze jak stare prześcieradło. Na mózg jej się rzuciło? Dorwała jednego z łysych pryszczoli i przyparła go do muru, krzycząc „oddajcie mi dziecko!", ale chłopak wyrwał się, pokazał jej faka i uciekł. Wdała się w szarpaninę z Panią z Wąsem, którą oskarżyła o ukrywanie Mareczka, a nawet o to, że chce go na siłę wyswatać ze swoją, jak to ujęła, wywłokowatą córką, podczas gdy on zasługuje na coś o wiele lepszego, tak dobrego, że sobie tego nawet w tym zasranym mieście wyobrazić nie potrafią. Biegała, zataczając kręgi wokół wałbrzyskiego rynku, węszyła jak pies myśliwski.

– Ja jeszcze nie mam dzieci – zadumała się Celestyna – i nie wiem, czy to możliwe, by swoje małe rozpoznać węchem.

Marcin, pan Albert i ja nie wiedzieliśmy, ale właściciel Króliczej Nory sądził, że tak. Ponoć mama Ludmiła miała genialny węch. Chciał od razu więcej nam o tym opowiedzieć, ale Celestyna kazała mu wracać do węszącej Marii Waszkiewicz. Widzieli, jak wpadła na schody Biblioteki pod Atlantami i załomotała do drzwi, może złapała trop, poczuła, że jej syn tam niedawno był, ale nikt jej nie otworzył. Poleciała dalej, rozpoznały ją pielgrzymki czekające na Matkę Boską Bolesną pod dawnym Madrasem i obskoczyły, żądając, by wyjaśniła, dlaczego dziś nie ma sprzedawców kości. Obiecywali, że będą, i co, gdzie te kości? Specjalnie spod Wałbrzycha przyjechały pekaesem, jedna aż z Legnicy, zza Jaworzyny i spod Świdnicy, to kosztuje siły i pieniądze, a obu tych rzeczy im brakuje. Ładnie to tak oszukiwać ludzi przed samymi świętami? Nie odpuszczały, ale matka Mareczka w końcu wyrwała się i chyba zwęszyła świeży trop, bo pognała stamtąd prosto w kierunku Króliczej Nory. Stanęła pod kamienicą i zadarła głowę, choć stąd nic nie mogła zobaczyć, stała tak i oddychała ciężko, trzymając rękę tam, gdzie pod miękką wielką piersią biło jej serce. Celestyna i Adam obserwowali ją ukryci w bramie sąsiedniego domu.

– Żal mi się jej zrobiło – westchnął właściciel Króliczej Nory – a wtedy...

– A wtedy pojawili się trzej łysi z kijami bejsbolowymi i łomami, a Maria Waszkiewicz stała im na drodze jak skała – westchnęła Celestyna. – Chyba wyczuła promieniującą z nich energię, by komuś jeszcze przywalić, a sama też była w podłym nastroju. „Żeby takie zboczeńce w naszym mieście się plenili", powiedziała, ale łysi nie zrozumieli najpierw, co i kogo ma na myśli. Właśnie zburzyli fontannę i byli tak nabuzowani, że chyba wzięli jej słowa do siebie. „Że co, kurwa, Benek?", zapiał jeden, „że w chuja, Kamikadze!", podjudził drugi, jeszcze chwila, a by ją poturbowali. Wtedy Maria Waszkiewicz drogą wyjaśnienia dodała: „Ten tu, niby że zwierzątka sprzedaje, a z kim się prowadza?". „Że niby z kim?", zainteresowali się Łysi. „Z tą transkurwą z biblioteki", wypaliła. „Raz, dwa, w chuja?", niepewnie popatrzyli po sobie Łysi. Najwyraźniej nie znali bliżej żadnej bibliotekarki. „Ta ruda z biblioteki to chłop, nie kobieta", uprościła matka Mareczka. „Ruda z cycami?", zaświtało coś jednemu Łysemu, ale zgasło. „To znaczy, że jak?". „Tu zwierzątka sprzedaje, że niby normalny, a tam za plecami pedał!", podsumowała matka Maria. Zaskoczyli. „Pedał!", zawyli z ulgą. „Kto nie skacze, ten pedałem!", podskoczyli w zgodnym trio. „Tu zwierzątka, a tam pedał. Spedalone zwierzątka sprzedaje!". „Mi raz nie chciał szczura sprzedać", wyrwał się Zagłoba. „Mówię, że szczura, a on nie, ten szczur zarezerwowany". „Nie chciał ci, w chuja, szczura? Nie chciał? Pedał! To pedał! Spedalone szczury sprzedaje! Wal, Zagłoba! Wal, Kamikadze!". Posypało się szkło.

– Trzymałam go – powiedziała Celestyna – wskoczyłam mu na plecy i trzymałam z całej siły.

– Szarpnąłem się i uderzyłem głową w ścianę – wyjaśnił Adam i znów sięgnął do opatrunku na czole. – I różne rzeczy mi się poprzypominały. Z przeszłości mojej i mamy Ludmiły. – Patrzył na nas ze zdumieniem, które, zaczęłam się obawiać, może odtąd być stałym wyrazem jego twarzy.

– Niszczyli sklep Adama, a ja go trzymałam – ciągnęła Celestyna – bo łysym wtedy było bez różnicy, kirysek pstry, chomik czy człowiek.

– Robak – powiedział Adam.

– Co robak? – zapytaliśmy jednocześnie z Marcinem i napełniło mnie to dojmującym smutkiem, jakbym już wspominała spędzony z nim czas.

– Ten chomik, co go zabili, tak miał na imię. Robak. Zawsze daję imiona zwierzętom, choć potem trudniej mi się z nimi rozstać. – Z oczu Adama pociekły łzy, nie znalazł chusteczki w żadnej z kieszeni wędkarskiej kamizelki, więc podała mu ją Celestyna, która opowiedziała nam, co działo się dalej. Gdy łysi polecieli podochoceni dokonanym spustoszeniem, do Króliczej Nory wpadła Maria Waszkiewicz, obwąchała ściany i podłogę, ale wyglądała na rozczarowaną, że trop, jaki tu znalazła, też okazał się nieświeży.

– Byliśmy wtedy prawie pewni, że domyśliła się udziału syna w porwaniach dzieci i że postanowiła zasłonić go własnym ciałem przed zbliżającą się sprawiedliwością – powiedział Adam.

– Nic nie rozumieliśmy – przyznała Celestyna.

– Nic. Ale to, czego nie rozumieliśmy, okazało się jeszcze gorsze. – Adam wyglądał na zdruzgotanego.

– Zostaliśmy i próbowaliśmy uratować, co się dało, z Króliczej Nory. Część zwierząt uciekła, ale oczywiście nie rybki.

– Nie rybki – powtórzyła Celestyna i westchnęła. – Niedługo potem na horyzoncie pojawił się Łabędź.

– Jakby pomniejszony – dodał Adam.

– Skurczony i wyżęty – zgodziła się Celestyna. – Za nim Mareczek. Przyczajony.

– Ale też jakby większy i zdecydowany – uściślił Adam.

– Poszliśmy za nimi i zauważyliśmy, że Łabędź wchodzi do pokoju, którego nie ma, oficjalnym korytarzem od piwnicy. A więc polecieliśmy do mieszkania Adama, by przez weneckie lustro popatrzeć, co się będzie działo – powiedziała Celestyna.

– Się działo – powtórzył Adam i wymienili z Celestyną spojrzenia, które wydały mi się przerażone.

– Najpierw do pokoju, którego nie ma, wpadł Łabędź, za nim Mareczek – kontynuowała opowieść Celestyna. – „Co zrobiłeś z chłopcem?!", wrzasnął i rzucił się na Łabędzia.

– Jak dzielny inspektor Konrad Twardowski z jego powieści – dodałam.

– Dzielny – przyznał Adam.

– Ale też niezbyt wprawny, bo po chwili Łabędź siedział mu na piersi i wrzeszczał „durna cioto, to nie ja!" – Celestyna wczuła się w rolę i pan Albert aż sięgnął tam, gdzie pod pilotką było jego ucho.

– I wtedy do pokoju, którego nie ma, wtargnęła Maria Waszkiewicz. – Adam przyglądał się wyciągniętemu z kieszeni breloczkowi z Matką Boską, chyba nie wiedział, skąd się tam wzięła.

– Maria z nożem w ręce – uściśliła Celestyna.

– Moim nożem – dodałam. – Uderzyła mnie w głowę i zwinęła Gertrud Blütchen.

– „Mareczek!", zawołała matka Maria. „Dziecko moje!". I dziabnęła Łabędzia w ramię, choć celowała raczej w plecy. – Celestyna zamierzyła się nieistniejącym nożem. – Wtedy uwolniony spod Łabędzia Mareczek złapał ją za rękę i wyrwał nóż. Zamierzył się na nią! – Bibliotekarka mówiła tak szybko, jakby chciała pozbyć się tej opowieści niczym niechcący połkniętej muchy.

– A ja – wtrącił Adam – uruchomiłem swój wynalazek i muszę wspomnieć, że dodałem pewne ulepszenie do nagrywarki, nad którą ostatnio sporo pracowałem. Kto wie – rozjaśnił się na chwilę – może uda mi się ją opatentować?

– I tym razem sprzęt zadziałał. – Celestyna popatrzyła na Adama. – Ranny Łabędź uciekł, a matka i syn zostali. Matka i syn w pokoju, którego nie ma. – Celestyna przyjrzała się swoim pomalowanym na granatowo paznokciom. – Zawsze chciałam mieć dzieci, ale od kiedy zobaczyłam ich razem, straciłam pewność. To może zacznę od początku. – Wyprostowała się, wypiła łyk nalewki cytrynowej pana Alberta, której butelka, nie wiem kiedy, pojawiła się na stole. – „Synku! Dziecko moje!", zawołała Maria Waszkiewicz i nóż wypadł z ręki Mareczka, który zmiękł i oklapł.

– Widzieliśmy go. Nieswojo nam było. – Adam się wzdrygnął.

– Mareczek siedział pod ścianą z twarzą ukrytą w dłoniach i wydał mi się taki mały. Bardziej dziecko niż dorosły mężczyzna. Płakał, a gdy podniósł twarz, wydawało mi się, że patrzy na nas i wie o weneckim lustrze. „Synku! Dziecko mamusi!", rzuciła się na niego Maria Waszkiewicz, a on nie wstał, tylko na czworakach odsunął się od niej tak gwałtownie, jakby się bał.

– Mareczek o niczym nie wiedział – wtrącił Adam. – Przynajmniej na początku, gdy zniknęła Andżelika Mizera z Nowego Miasta. Nie znał jej i nigdy nie widział. To prawda, podniecały go niedojrzałe dziewczynki, Celestynie udało się zauroczyć jednego policjanta i dowiedziała się, że Mareczek był znanym podglądaczem. Kiedyś złapali go pod przedszkolem na Nowym

Mieście, kiedy indziej przegoniono go ze szkolnego boiska na Podzamczu.

– Ale nie skrzywdził żadnego dziecka – dodała Celestyna. – Gdy zaczął pisać książkę, jego życie nabrało sensu, w końcu znalazł coś swojego, i wtedy go poznałam. Nigdy nie rozmawialiśmy, nigdy nie spojrzał mi w oczy, ale oboje zdawaliśmy sobie sprawę ze swojego istnienia. Przychodził do biblioteki, szperał w starej prasie, robił tajemnicze miny, zapisywał dziesiątki karteluszek, co rusz biegał do toalety. – Celestyna wzdrygnęła się. – Miał taki tik, ciągle dotykał nosa, łapał go między wskazujący i środkowy palec, jakby wyciskał, i zawsze miałam wrażenie, że nasmarka na czytaną książkę. Nie lubiłam go tak, jak nie lubi się osób, których jest nam szkoda, ale jednocześnie budzą w nas obrzydzenie.

– Paskudna odmiana współczucia – przyznałam.

– Ale lepsza niż żadna – wtrącił Marcin, na co pan Albert tylko chrząknął, jakby nie do końca się zgadzał.

– Ciągle wchodzili sobie w drogę z innym naszym stałym klientem, panem Leonem, który też pisze książkę o księżnej Daisy. – Celestyna uśmiechnęła się na wspomnienie dziarskiego daisofila.

– Poznałam go – wtrąciłam. – Leon Odrowąż interesuje się księżną Daisy i napisał już ponad siedemset stron.

– Moim zdaniem, od kiedy go widziałaś, dobił do ośmiuset! Obu interesowały pozycje dotyczące historii Wałbrzycha i okolic, obaj mieli zamiłowanie do różnych krwawych szczegółów i fascynowały ich perły księżnej Daisy. Staruszek nie znosił Mareczka do tego stopnia, że gdy ten szedł do toalety, podbierał mu materiały i przeglądał zapisane kartki. A potem mi opowiadał. Gdy znikła Kalinka, Marek chyba zaczął coś podejrzewać. Ale niełatwo żyć z takim podejrzeniem i chyba nie umiał stawić mu czoła. Znał tę dziewczynkę i na pewno lubił, choć tu trudno dobrać właściwe słowa, bo co znaczy lubić jakąś dziewczynkę, gdy jest się pedofilem? – Żadne z nas nie znało dobrej odpowiedzi i Celestyna opowiadała dalej: – Od kiedy Kalinka zaginęła, Marek częściej przychodził do biblioteki. Teraz myślę... – Bibliotekarka sięgnęła po kieliszek, ale był pusty i pan Albert nalał jej cytrynowej nalewki. – Teraz myślę, że Mareczek celowo zostawiał po sobie ślady. Chciał skierować nasz wzrok na coś, na co sam nie miał odwagi spojrzeć. Ale my wszyscy patrzyliśmy tylko na niego, tak bardzo pasował do układanki. Niewydarzony, brzydki perwert, podjudzony do prawdziwego zła przez kogoś takiego jak Łabędź.

Ukryłam twarz w dłoniach. Byłam o krok od tego odkrycia, gdy Maria Waszkiewicz mnie uderzyła. Coś mi wtedy przyszło do głowy, olśnienie, które rozbiło się jak szklanka pod jej ciosem. Celestyna mówiła dalej i miała taką minę, jakby z ust wydobywała nie słowa, ale brudne kawałki gazy podczas wizyty u dentysty.

– „Zrobiłam to dla ciebie!", zaszlochała matka Maria, ale syn nadal odsuwał się od niej i kulił, zwijał w sobie jak jeż. Tylko że nie miał kolców. – Celestyna otrząsnęła się, jakby z kolcami obraz był łatwiejszy do ujęcia w słowa.

– Nie miał – potwierdził Adam.

– Zobaczyliśmy, że siedzi w kałuży. Zesikał się w spodnie. Jego tłusta cera świeciła się bardziej niż zwykle, ciągle łapał się za nos. „Dla ciebie!", powtórzyła matka i podpełzła do niego, zapędziła syna w kozi róg. „Żebyś miał na przeszczep. Za pieniądze wszystko można kupić, synku. Nerkę, dziecko". „Nie", wyjąkał syn, a matka go uspokoiła: „Już dobrze, dobrze, ciii. Ty zawsze byłeś dusza artystyczna, w obłokach bujasz. Za delikatny na ten świat, zbyt wrażliwy. Mój wrażliwiec! A ja dla ciebie wszystko. Żeby tylko tobie. Dla ciebie!". Marek podniósł na nią twarz, napuchniętą, żółtawą, byli tacy do siebie podobni. „Mamusiu", wydusił tak cicho, że raczej odgadliśmy to z ruchu jego ust. „Synku! Dziecko mamusi. Ja już się interesowałam, już się orientowałam", matka podczołgała się jeszcze bliżej, już dotykała kolanami kolan syna, już głaskała jego ramię. „Nerkę, synku, można kupić. Wszystko prywatnie, z ręki do ręki, po cichu. Będziesz zdrowy. Wszystko zaplanowałam. Wyjedziemy! Koniec tej męki". „Ona była nasza", odezwał się w końcu Marek. „Z naszego domu. Jak mogłaś?". Twarz matki Marii była teraz wykrzywiona, straszna. „Nasza? Ty jesteś mój. Tylko ty! Wszystko dla ciebie poświęciłam! Tyle lat męki z twoim ojcem. Co ja się napoświęcałam. Ty nie wiesz, co znaczy być kobietą z takim mężczyzną. Codziennie! Co noc! Dla ciebie męka! A ty matkę poniewierać tylko umiesz". Syn jeszcze walczył. „Lubiłem ją. Lubiłem Kalinkę. Była dla mnie jak siostra". „Tobie się, synku, z choroby, z bólu, różne rzeczy wydawały, poplątały. Zawsze ci się dużo śniło. Jak mały byłeś, to tylko: mamusia, mamusia, a wiesz, co mi się dziś śniło? Sen mara, Bóg wiara! Wyzdrowiejesz pod opieką mamy, wychucham cię, wydmucham, ugotuję, co lubisz". Przysunęła się jeszcze bliżej. „Mała dziewczynka", upierał się Marek. „Dlaczego ona, mamo?". „Mała gówniara! Cygański pomiot. Żmijka przebiegła. Gęba jej się nie zamykała. Taka mała, że nic pamiętać nie będzie. Taki los kobiety, im prędzej się dowie, tym lepiej". „Ona ma pięć lat", Marek pokazał dłoń z rozpostartymi palcami. Jakby znów był dzieckiem. – Celestyna pokręciła głową.

– Nigdy nie przestał – wtrącił Marcin.

– „Pięć lat!". Maria Waszkiewicz znów się wykrzywiła i teraz Adam trzymał mnie, bo miałam ochotę pobiec tam i rozwalić jej łeb.

– Trzymałem – potwierdził Adam.

– Matkę zirytowała synowska dłoń. „Pięć lat? Czy ty chcesz mnie zabić, synku? Zamordować chcesz matkę swoją? Ja przez trzydzieści sześć lat cierpię dla ciebie! Trzydzieści sześć lat męki. Patrz", pokazała skaleczoną rękę. „Krew przelałeś matczyną!". Mareczek przestraszył się. „Boli?". „I to jak! Krew, ból i męka. Wszystko poświęciłam, dla ciebie tylko żyję! Synku. Taka męka. Nawet Chrystus cierpiał krócej niż ja. Ja co dzień byłam krzyżowana i w końcu powiedziałam: dość. Dość! A teraz ty wbijasz mi nóż w serce". Matka szarpnęła poliester i prysnęły złote guziki, jej piersi uwięzione w cielistym staniku celowały w syna. „Nie chciałem, żebyś dla mnie została morderczynią". „To był przypadek! Nie moja wina, że się nie obudziła. Może chora była!". „Skąd znałaś Andżelikę?". „Jej matka sama do nas przylazła w zeszłym roku, bo nie wiedziała, durna baba, że to nie tak się załatwia. Chciała oddać nam ją i upośledzonego bachora. Nie radziła sobie, tak mówiła. I tak dzieci takie na zmarnowanie! Ja bym takie matki wyrodne karała śmiercią, synku. Śmiercią w męczarniach!". Mareczek trząsł się, był na skraju jakiegoś ataku, ale wiedzieliśmy, że podobnie jak my chce poznać całą prawdę. „Syneczku", matka chwyciła go za rękę i zaczęła całować. „Mnie przy tym nie było. Ja tylko pomogłam znaleźć odpowiednie dzieci. Mnie przy tym nie było! Chyba nie myślisz, że mogłam być? Pieniążki dla ciebie ciułałam. Ja bym sobie dla ciebie rękę dała uciąć, nerkę wyciąć. Jak ja cierpiałam, jak powiedzieli, że moja nerka się dla ciebie nie nadaje. Jak nie matka, to kto ci pomoże?". „A ten chłopiec, Patryk Miłka z Sobięcina, też trafił do podziemi?", zapytał matkę Mareczek. To ją na nowo rozjuszyło. „Chłopiec?! Czy ty masz matkę swoją za jakiegoś zboczeńca? Ja do czegoś takiego bym nigdy ręki nie przyłożyła. Za skarby świata. Ty chcesz mnie wpędzić do grobu", zaszlochała i chwyciła porzuconą Gertrud Blütchen, skierowała ją w lewą pierś. „Proszę, zabij matkę swoją!". Myśleliśmy, że taki będzie koniec Marii Waszkiewicz – westchnęła Celestyna i czułam jej żal, że stało się inaczej. – „Mamusiu!", Marek dał się nabrać i sięgnął po uzbrojoną matczyną dłoń, a wtedy ona chwyciła prawicę syna i przyłożyła sobie Gertrud Blütchen do piersi. „To serce, synku, bije dla ciebie. Mamusia zawsze wszystko dla ciebie, cała moja męka dla ciebie. Ja znam dziewczynki z takich domów. Małe kurewki. Ledwo od ziemi odrośnie, a chłopu się na kolana pcha, dupą kręci, oczami strzela,

Wyjeżdżamy

Pożegnałam się z Celestyną i Adamem, a potem pojechałam do Szczawna-Zdroju, by jeszcze raz zobaczyć Dawida. Zamykałam sprawy w tym mieście, a on był jedną z nich. Ewa go okłamała, ale Dawid nigdy nie pogodził się z jej utratą. Chciałam go jakoś pocieszyć, nawet jeśli nie wierzyłam, że pocieszenie ciągle może znaleźć do niego drogę. Nie wiedziałam, czy mi otworzy, skoro przestał się ze mną kontaktować, ale chciałam powiedzieć mu na koniec, że pamiętam chłopaka w martensach, który chodził z plecakiem po górach. Że będę zawsze nosić jego obraz w sercu, bo miłość, jaką czuła do niego moja siostra, jest częścią historii Alicji niedobitka.

Wcześniej byłam tu nocą, pomyślałam więc, że w świetle dnia pomyliłam ulice. To jednak była Kasztanowa, ale pod numerem trzynastym stał odnowiony dom o oknach tak czystych, że lśniły jak tafle lodu. Piękna poniemiecka willa. Na parapecie kwitły fiołki afrykańskie i wybujałe gwiazdy betlejemskie. W miejscu oczka wodnego bałwan ulepiony z mokrego śniegu, z marchewkowym nosem, uśmiechał się buraczanym uśmiechem, obok stały sanki. Młoda kobieta w puchowej kurtce ozdabiała świerk błyszczącym łańcuchem, robiła to ze spokojem i przyjemnością podszytą poczuciem obowiązku. Miała mieniące się na skroniach kryształkami wielkie słoneczne okulary, które zdjęła, gdy ją pozdrowiłam i zapytałam o Dawida. Wyglądała na zaskoczoną.

– To się pani bardzo spóźniła. Tu od lat nikt nie mieszkał. Dom stał pusty, aż w ubiegłym roku znalazł się daleki spadkobierca w Kanadzie. Kupiliśmy ruinę.

Oparłam się o furtkę i wpiłam palce w chłodny metal. Kości – pomyślałam – w zimnej ziemi zimne kości. Blondynka poprosiła, bym weszła do ogrodu.

– Kupiła pani ten dom w ubiegłym roku? – zapytałam głosem, który brzmiał tak, jakbym go wydobyła z jednego z korytarzy pod Zamkiem Książ.

– Czego tam w środku nie było! – westchnęła blondynka. – Stosy papierów, spleśniałe książki, w fortepianie gniazdo myszy, na strychu dwie sowy, cały tydzień wyrzucaliśmy i paliliśmy. Teściowa chciała egzorcystę wzywać, bo diabła czuła. – Kobieta uśmiechem odcięła się od przesądnej teściowej. Miała ładną, spokojną twarz i tlenione włosy. Wyglądała jak ktoś, kto codziennie woła rodzinę do stołu, daje dzieciom na imię Julia i Kuba i umie upiec ciasto. Patrzyła na mnie badawczo, ale przyjaźnie. – Znała pani tego Dawida? Tu mówią, że to była dziwna rodzina. Wśród papierzysk znalazłam teczkę, a w niej wycinki sprzed dwudziestu lat na temat jego śmierci. Dziwne, prawda?

– Śmierci? – powtórzyłam.

– Nie wiedziała pani? W samochodzie się spalił. Ponoć go na stopa wziął jakiś młody Grek i razem w przepaść wpadli koło Aten.

„Płonę, Alicjo", litery ostatniej wiadomości Dawida zabłysły w mojej głowie, poczułam zapach spalenizny, który rozpłynął się w powietrzu. Zapach mokrego pogorzeliska.

– Było nawet zdjęcie. Przystojny wysoki brunet. – Kobieta zawahała się i widziałam, jak ciekawość walczy w niej z powściągliwością. – Znała go pani? – zapytała w końcu, ale nie mogłam wydusić ani słowa z zaciśniętego gardła, jakby tłumił je żar, w którym sczezł Dawid. – Dobrze się pani czuje? Proszę wejść do domu, zrobię pani coś do picia – zaproponowała. – Mam świeży sernik. Z brzoskwiniami. Moja teściowa mówi, że sernik to tylko z rodzynkami, ale ja wiem swoje.

Potrząsnęłam tylko głową, a wtedy blondynka podeszła i mnie objęła.

– Wszystko będzie dobrze – mówiła, klepiąc mnie po plecach, tak zapewne mówi do swoich dzieci, gdy przydarzy im się coś złego. Stałyśmy pod jaskrawym zimowym słońcem, zrozpaczona i pocieszycielka, obce sobie. Trzymała mnie mocno i czułam, jaka jest silna nowa pani tego domu, która wie swoje, pogromczyni jego duchów.

– Dziękuję – powiedziałam i już przy furtce, zupełnie innej niż ta, pod którą trzydzieści lat temu stałam z siostrą onieśmielona perspektywą proszonego obiadu u rodziców Dawida, odwróciłam się do blondynki chcącej mnie poczęstować sernikiem:

– Dawid kochał pewną dziewczynę. Nosił martensy i lubił chodzić z plecakiem po górach.

O drugim pożegnaniu nikomu nie powiedziałam, bo obiecałam milczeć i zamierzam dotrzymać słowa. Zofia Socha obudziła się i chciała mnie widzieć. Mam jej nie męczyć, wolno mi zostać najwyżej piętnaście minut, ostrzegł mnie doktor Edgar Smutny, a gdy zapytałam, w jakim stanie jest moja znajoma, zmiął się tak strasznie i spojrzał na mnie z tak pełnym wyrzutu smutkiem, że nie musiał nic mówić, bym odgadła, że babcia Patryka umiera. To, że w ogóle się obudziła, uznał za dziwne, ale dodał, że czasem pacjenci tak się budzą, gdy naprawdę muszą, chociaż jedną nogą są już po drugiej stronie.

– A tam nic nie ma – dodał doktor Smutny i bałam się, że zaczniemy płakać jak wtedy, gdy przywiozłam tu Kalinkę.

– Ile? – zapytałam i znów miałam wrażenie, że go ranię.

– Dzień, może dwa – powiedział i pobiegł do pacjentów w głąb jasno oświetlonego korytarza, uparty, niepocieszony.

Zofia Socha leżała w izolatce pomalowanej na jadowicie żółty kolor, który zapewne miał chorych rozweselać. Wciąż czuć było świeżą farbę. Zobaczyłam jej twarz z kącikami ust, które dawno temu opadły i zdecydowały, że nie warto się podnosić, bo nawet jeśli zdarzy się coś dobrego, to i tak zaraz potem przyjdzie nowa zgryzota. Czujne czarne oczka, jedyna ruchoma teraz część jej pokrojonego i mocno zużytego ciała, były matowe, jakby przeleżały dzień w piachu. Babcia zaginionego Patryka patrzyła na mnie z dobrze udanym niezadowoleniem.

– Przez rurkę muszę sikać – oświadczyła. – Mówię siostrze, że dojdę. Ale nie, mądrale. Wszystko lepiej wiedzą.

– Poproszę lekarza, żeby kazał wyjąć cewnik – próbowałam ją pocieszyć, bo byłam przekonana, że ktoś, kto umiera, ma prawo sikać, jak chce i gdzie chce.

– Leżę tu jak ten Łazarz! Ani ugotować, ani koło siebie nic zrobić!

– Czasem trzeba odpocząć.

Prychnęła drwiąco na moje niezdarne pocieszenie.

– Też mi odpoczywanie!

Zapadło tak ciężkie milczenie, że wskazówka ściennego zegara z ogromnym trudem posuwała się do przodu, jakby mechanizm zanurzono w tężejącej galarecie.

– Jedzenie – wykrzywiła się w końcu Zofia Socha – paskudne. Jarzynowa i duszone warzywa. Co ja, krowa?

– Pozwolili pani jeść po operacji? – zdziwiłam się.

– Nie, ale zapach czułam!

– Jak wróci pani do domu, nagotuje pani sobie rosołku.

Powstrzymała cień złośliwego uśmiechu, który pojawił się w głębi chomiczych oczek. Wiedziała, że kłamię. Jej ponakłuwane z jagodami. Zupa na gazie dochodziła. Patryk, jak on pierogi lubi od małego. Dzwonek, idę, pytam, kto tam, a tu jakiś dziwny głos: „dzień dobry, proszę bardzo otworzyć". „Obcym nie otwieram", mówię. A głos: „ja nie obca, ja stąd". Coś mnie w sercu tknęło, otwieram. Para stoi, w pani wieku, młodzi, ale już nie najmłodsi, ubrani porządnie, czysto, jakieś papiery w ręce trzymają. Już ja znam takich grzecznych z papierami. „Jak Jehowy, to dziękuję", ja na to. A ona: „żadne Jehowy, proszę nie zamykać" i do mnie rękę wyciąga, „nazywam się Magdalena Katzman", mówi. „A to mój mąż, Jürgen. Bardzo przepraszam, że panią niepokoję", tak mówi do mnie grzecznie, „ale moja babcia i dziadek kiedyś tu mieszkali". „Co za babcia, co za dziadek?", pytam. „Jestem Niemką z Berlina, moja babcia i dziadek tu mieszkali przed wojną. W tym mieszkaniu". Zgłupiałam. „To Magdalena to nie polskie imię?". A tej łzy lecą i mówi: „i polskie, i niemieckie. Polski na uniwersytecie studiowałam i dlatego mówię, mąż też trochę". A ten na to „dzińdbry, jestem bardzo miły". Zlękłam się, serce mi wali. Żeby Niemiec polski język studiował, to podejrzana, ciemna sprawa. Może ich kto nasłał? „Ale to moje mieszkanie", mówię. „Własnościowe. Mam wszystkie papiery. Jeszcze mąż wszystko w urzędzie załatwił, zanim umarł". „Nie, nie, to nie o to chodzi", Magdalena na to. „Ja chciałam tylko zobaczyć. Tu", pokazuje, „mam stare zdjęcia, zdjęcia babci, dziadka, jak siedzą w tym mieszkaniu, młodsi niż ja teraz. Dopiero niedawno je znalazłam. Chciałam tylko na własne oczy zobaczyć". Ja na to: „czy ja wiem, czy tu jest co oglądać?". Patryk za mną się schował, za fartuch mnie ciągnie i pyta: „babcia Hoka, goście przyjechali?". Co było robić, „to chodźcie", mówię, „pierogi lepię, zupa dochodzi. Barszcz czerwony lubicie? Ja gotować skończę, wy sobie popatrzycie". Ale spod oka zerkałam, czy czego nie wynoszą. Smakowało im, z Patrykiem umieli się dogadać, bo on, Jürgen, prawie Jurek po naszemu, jest takim lekarzem, co uczy mówić ludzi, którzy źle mówią. Logoped. A ona nauczycielka na uniwersytecie. „A dzieci macie?", pytam. A ona w ryk. Magdalena. Oczy w mokrym miejscu ma. Z wyglądu do pani podobna, ale bardziej w sobie. Przyszli raz, drugi, zabrali nas samochodem na wycieczkę do Zamku Książ. Patryk był tam pierwszy raz, bo gdzie ja sama dam radę taki świat drogi, i aż się bałam, że się rozchoruje z tych emocji. Magdalena wszystko wiedziała, naopowiadała mu o księżnej Daisy, o jakichś tam perłach, kocich ciotkach, co perły tylko wybranym dzieciom rozdają, takie śmoje-boje. Aż czkawki dostał. „Ja, babcia, nie chcę już być astronauta, tylko pisarz", mówi. „Babcia Hoka, ja to wszystko opiszę!". Im więcej z nim mówiła, tym mniej było słychać, że Niemka. Taka tam Niemka, nie-Niemka ta Magdalena, dla mnie jak Polka. Madzia. Mówi o sobie, że kot dachowiec jest, nierasowa. Po miesiącu wrócili. I znów przed świętami. Nie chciałam, żeby w kamienicy gadali, bo złych oczu dużo, a Mossadam Husain nie śpi, więc się spotykaliśmy a to w Szczawnie, a to w Książu, a to na pizzy w markecie. Raz się do samego Wrocławia wypuściliśmy! Niech dziecko nałyka się zdrowszego powietrza, bez gazu – pomyślałam i w drogę. Ciocia Zosia, tak na mnie zaczęła Madzia mówić. Niech będzie ciocia. „I jak córka?", pytali. „Wraca? Zabiera małego do siebie?". Rower mu kupili, ja tam nic nie chciałam, ale przecież dziecku roweru nie pożałuję. Tylko paragon z kodem im kazałam zaraz wyrzucić. Strzeżonego Pan Bóg strzeże. Pokazywali zdjęcia, swój dom piękny z ogrodem, kotów pełno, opowiadali, jak spędzają wakacje. „Przyjedźcie do nas", mówią, ale gdzie ja tam będę jeździć na stare lata? Dla mnie to już na jeżdżenie za późno. Poza tym co, jak moja córka wróci?

Chomicze oczka wpatrywały się we mnie intensywnie, badały, czy naprawdę można mi zaufać.

– Ja głupia nie jestem. Wiedziałam, że go chcą. Ale legalnie nie dałoby rady. Widziałam, jak jednym menelom z kamienicy dzieciaka odbierali. Pięć lat zeszło i nic, aż w końcu chłopak za

piłką poleciał i wpadł pod samochód, jak napici leżeli. Zanim-
by co, ja bym strzeliła w kalendarz, a dzieciak się zmarnował.
Mossadam Husain tylko czeka na takie dzieci bez opieki zostawione, szast-prast i nie ma dziecka. Zabrali go na wakacje, a ja
sama wymyśliłam tę historię ze zniknięciem. Bo zła byłam na
córkę. I mówię jej: „przyjeżdżaj, Patryczek zniknął". Akurat tamta dziewuszka z Nowego Miasta przepadła. Myślałam, że może
córka przyjedzie, pokaże, że jej jednak zależy. Nie przyjechała.
„Nie przyjadę, mama", mówi. „Przecież go sama nie będę szukać.
Gdzie mam sama latać? Od tego jest policja!". Krew mnie zalała.
No to zadzwoniłam na policję i wymyśliłam całą tę historię ze
zniknięciem w supermarkecie. Pyta pani, dlaczego w supermarkecie? Że ludzi tam pełno? Na takich jak my nikt nie zwraca
uwagi. „Ale ciocia Zosia narozrabiała", powiedziała Madzia przez
telefon. „Jesteśmy teraz trójką przestępców". A potem mówi:
„dziękuję". I płacze. W mokrym miejscu ma oczy ta kobieta. Co
tydzień, dwa przysyłają mi zdjęcia. W szufladzie jest torebka.

– Słucham?

– W torebce klucz. – Zofia Socha pokazała brodą w kierunku
nocnej szafki. – Pójdzie pani do mojego mieszkania i weźmie
te zdjęcia. W sypialni w komodzie pod pościelą. Nikt nie może
ich znaleźć. Po mojej śmierci na pewno córka się pojawi, żeby
rozdrapać, co zostało. Obiecuje pani? – Na twarzy babci Patryka
zakwitły czerwone plamy, jej dłoń znów znalazła moją.

– Już obiecałam. Dotrzymam słowa.

– W torebce jest taka mała kieszonka. Pani otworzy. Jest, nie
ukradli?

Wyjęłam pierścionek z różowym korundem, jaskrawym jak
wylizana landrynka, zaśnił w szpitalnym świetle.

– Pani da Magdalenie. Niech trzyma. Kiedyś Patryczek znajdzie sobie narzeczoną, to będzie miał po babci. Prawdziwy ruski
rubin.

– Chce pani, żebym się z nimi skontaktowała?

Powiedziała coś tak cicho, że nie usłyszałam. Nachyliłam się, poczułam zapach śmierci.

– Chcę, żeby pani tam pojechała. Jakby co, powie pani, że jest z rodziny. Że moja krześniaczka.

Leżeliśmy z Marcinem w jego pokoju w domu pana Alberta. Po raz pierwszy weszłam tu drzwiami, a nie oknem, i to tylko dlatego, że ciągle miałam nadwerężone ścięgno po nocnej gonitwie za Łabędziem. Stara poniemiecka kanapa była niewygodna, w powietrzu wirowały drobinki kurzu, a lustro dębowej szafy, ogromnej jak czołg, odbijało nasze ciała w zielonkawym kolorze. W moim domu była podobna szafa i zanim rozpadła się i została spalona w piecu, jej lustro zdążyło wchłonąć i pomieszać wizerunki niemieckich i polskich mieszkańców. Może lustro, które ojciec miejscowym zwyczajem wystawił pod płot i które zaraz znikło, zabrane przez śmieciarza, nadal komuś służy i czasem pojawia się w nim moja siostra. Szepce bezgłośnie: „kryj się, pancerny" i przykłada palec do ust. Może czasem pojawia się w nim też Gertrud, Albert i Adalbert, mój ojciec, Rosemarie, Anna Lipiec, moja matka.

Jakiś niewydarzony mól, może też poniemiecki, wzbił się z czeluści pod szafą i zniknął mi z oczu, lustro nawet nie odbiło jego mizernego istnienia. Kochaliśmy się powoli, w milczeniu, a potem patrzyliśmy, jak za oknem pada śnieg. Pierwszy raz od śmierci mojej siostry nie wydawał mi się złowieszczy i dopiero teraz czułam, że Ewa spoczywa głęboko pod nim, pod trzydziestoma latami śniegu. Trzymałam dłoń na piersi Marcina. Zawsze miałam słabość do dziwnych części ciała: pępek, męskie sutki, miękkie zagłębienie pod kolanem, pachwina. Miejsca, gdzie widać, że ciało jest tak kruche, tak podatne na zranienie.

– Dokąd teraz pojedziesz? – zapytałam.

– Znajdę Pawła Kupczyka. Już go namierzyli i teraz mi się nie wymknie.

– Co zrobisz, gdy go znajdziesz?

– Przedstawię mu wyrok. Wymienię wszystkie jego zbrodnie, łącznie z ostatnią.

– A potem?

– Mam pewien ślad, który prowadzi na Bliski Wschód. Dziewczynka, znikła podczas wakacji w Portugalii.

– Mam na myśli to, co zrobisz, gdy już przedstawisz mu wyrok. Temu Kupczykowi.

Marcin milczał, bo przecież oboje wiedzieliśmy, jednak musiałam zapytać, to było silniejsze ode mnie. W ciszy, jaka zapadła, patrzyłam na pępek Marcina. Przypomniała mi się szalona opowieść właściciela Króliczej Nory, z której wynikało, że jego matka przy pomocy kociar pozbyła się raz na zawsze ojca sadysty, choć Adam tego wprost nie powiedział ani nam, ani pewnie sam sobie. I to najwyraźniej za pomocą tasaka. „Jeden kotojad mniej", powiedziałaby Ewa w swojej młodzieńczej bezkompromisowości. Ja tak nie potrafiłam. Ale mogłam spróbować zrozumieć tego, kto potrafi. Zrozumieć Marcina. Pomyślałam o Pawle Kupczyku. Takim nijakim, mizernym. Sprytny, niepozorny kotojad. Zmieniłam pozycję na niewygodnej kanapie tak, żeby lepiej widzieć twarz Marcina.

– Kiedy będziesz przedstawiał mu wyrok, wymienisz jej imię? Andżelika Mizera, tak się nazywała zamordowana dziewczynka. Lubiła różowy kolor i opiekowała się bratem.

– Tak, Alicjo. Wymienię jej imię.

– I tak po prostu go potem zabijesz?

Milczenie. Dłoń powoli wędrująca w dół moich pleców.

– My nie stosujemy tortur. Tu nie chodzi o zemstę.

– Nie powiesz mi, kim jesteście?

Czułam, jak Marcin uśmiecha się w półmroku. Podniósł moją dłoń i pocałował jej wnętrze, w moim ciele znów odezwało się pragnienie.

– Chciałabyś znać daty, nazwiska?

– Lubię fakty. W szkole byłam dobra z matematyki. Matematyka jest jak bieg. Prowadzi zawsze skądś dokądś.

– Faktem jest, że ty też masz tajemnicę, Alicjo.

Oparłam się na łokciu i popatrzyłam na zmęczoną męską twarz, jeszcze młodą, już nie najmłodszą. Widziała wiele złych rzeczy.

– Tajemnicę? – Sądziłam, że Marcin ma na myśli Dawida, ale myliłam się.

– Gdy przyjedziesz do Berlina, by zobaczyć się z nową rodziną Patryka Miłki, daj mi znać.

– Wiedziałeś wcześniej! To dlatego nie przejmowałeś się jego losem. Od początku wiedziałeś, gdzie jest ten chłopiec.

Marcin nie zaprzeczył.

– Zofia Socha poradziła sobie nieźle jak na nowicjuszkę. Zostawiła jednak mnóstwo śladów i szybko dowiedzieliśmy się, co i dlaczego zrobiła.

– Obiecałam jej!

– I dotrzymasz obietnicy. To najlepsze miejsce dla tego chłopca. My nie zawsze działamy zgodnie z prawem. Właściwie przeważnie je omijamy. Nikt się nie dowie. Nie ma żadnych śladów.

– To dzięki tobie zniknęło nagranie z supermarketu, na którym widać Zofię Sochę? – domyśliłam się.

Martin uśmiechnął się leciutko.

– Ty też złamałaś prawo, Alicjo. Znalazłaś się po naszej stronie.

– Po czyjej stronie się znalazłam?

– Wiem, że lubisz fakty. Ale my nie jesteśmy organizacją, która spotyka się w katakumbach przy blasku świec. Nic malowniczego. Nie nosimy czarnych peleryn i kapeluszy, nie tatuujemy sobie tajemniczych znaków ani nie zawieramy braterstwa krwi. Nie należymy do żadnych partii politycznych. Spotykamy się w internecie, czasem przy kawie, jak inni ludzie. Jedni z nas odchodzą, gdy czują, że się wyczerpali. Pojawiają się nowi. Niektórzy nie są w stanie przestać, bo to, co niszczymy, odrasta.

– Jak nazywasz to, co robicie? Potrzebuję nazwy, taka jestem.

Zapadło milczenie, skrzypiały stare podłogi, małe żuchwy chrupały drewno wiekowych mebli, cicho padał śnieg. Myślałam, że Marcin mi nie odpowie, ale w końcu się odezwał.

– Tropimy kotojady, jak nazywała ich twoja siostra. Ja ich nie nazywam. Umiem ich rozpoznać. Ty jesteś podobna do mnie. To wystarcza.

– Wystarcza – powtórzyłam. Do pokoju wlewała się ciemność w kolorze rtęci, jaka zdarza się tylko zimą, tylko tutaj. Moją siostrę fascynowała rtęć. Rozbijała termometry, które za grosze można było kupić w aptece w rynku, i zbierała płynny metal w szklanej menzurce. „Patrz, Wielbłądko, to żyje. Co ci przypomina?". Bardzo chciałam zabłysnąć jakimś oryginalnym porównaniem godnym Ewy, przyszłej gwiazdy sceny i ekranu. Ale rtęć była dla mnie tylko rtęcią. „Tak wygląda skondensowana ciemność, siuśmajtko. Rtęć to fusy ciemności!". „Fusy ciemności", powtarzałam zauroczona. Żałuję, że nie ma już rtęciowych termometrów, z których moja siostra wylewała skondensowaną ciemność. „Czy wiesz", pytała, tańcząc po pokoju z menzurką, „że gdybym to wypiła, sczerniałabym? Chciałabyś mieć czarną, czarną siostrę? Powtarzaj za mną, Wielbłądko, był czarny, czarny las, w tym czarnym, czarnym lesie był czarny, czarny dom", na końcu jak zawsze biały trup. Poczułam chłód, jakby powiew wiatru, mimo ciepłego ciała, które leżało obok mnie. Nie poruszyłam się, a Marcin na chwilę wstrzymał oddech i wiedziałam, że też doświadczył tej drobnej zmiany wokół nas.

Chłonęłam bliskość, jaka może się już między nami nie powtórzyć i jakiej nigdy przedtem nie czułam z mężczyzną. Ale nadal chciałam wiedzieć więcej.

– Zawsze ich rozpoznajesz? Nigdy się nie mylisz?

– Nie mogę się pomylić.

– Przecież wszystko wskazywało na Mareczka, a okazało się, że nie był winny. Przeciwnie, na moment stał się bohaterem, inspektorem Twardowskim ze swojej powieści. Gdy odkrył, że jego matka i ten Kupczyk trzymają dzieci w podziemiach pod domem, wyniósł stamtąd Kalinkę. Niewiele brakowało, żeby zginęła jak Andżelika. – Poczułam nagle obezwładniającą radość i ulgę, że to dziecko żyje. Czułam, jak Marcin uśmiecha się w ciemności.

– Jeśli mam wątpliwości, zawsze znajdzie się jakaś kociara, by mi pomóc.

– A Łabędź? Od początku wiedziałeś, że jest tylko tchórzliwym oszustem?

Śmiech Marcina był ożywczy jak woda i pomyślałam, że trzeba wielkiej siły, by po tym wszystkim mieć w sobie miejsce na taki śmiech.

– Tak, ale zasłużył, żeby pogonić mu kota. Nie znałem przedtem kobiety, która zmusiłaby tchórza do takiej gonitwy. – Pochylił się i pocałował mnie. Lubiłam jego usta, lekko krzywe dolne zęby.

– Jeszcze jedno pytanie. Zaczęło się od Elwiry? Tej dziewczynki z Zamku Książ, która znikła, gdy pan Albert i Adalbert byli dziećmi?

– Znalazłem jej kości. To ich szukałem w twoim ogrodzie, gdy mnie napadłaś. Każdy z nas ma swoją działkę. Ja szukam dzieci, które zaginęły. To coś, co muszę robić, tak jak ty musisz zbierać opowieści i zadawać te swoje pytania. Czasem jest za późno, jak w przypadku Elwiry i Andżeliki. Ale czasem się udaje.

– Powiedziałeś, że ich nie nazywasz. Tych, na których moja siostra mówiła kotojady. To dlatego nigdy nie mówisz o Adalbercie? O swoim ojcu?

– Tamto pytanie miało być ostatnie.

– Możemy się umówić, że to jest ostatnie? – nie ustępowałam.

– On się nie liczy. Uważam, że niektóre historie i imiona nie są warte przechowania. Adalbert nie zasłużył na swoją opowieść.

– Kto ma o tym decydować? Przecież nigdy nie wiadomo, co może wyniknąć ze złej historii. Ty jesteś jego synem. Nie byłoby cię bez niego. – Czułam, jak ciało Marcina napina się, oboje wiedzieliśmy, że nigdy już nie wrócimy do tej rozmowy. Przypomniało mi się, jak skoczyłam na niego w ogrodzie tej nocy, gdy się poznaliśmy, i poczułam pod skórą chudych ramion i nóg twarde, napięte mięśnie. Jakby zawsze był gotowy do odparcia ataku. To też nas łączyło. Pomyślałam o broni, którą nosi. O zabijaniu. O tym, co nas dzieli.

– Ciągle kłócimy się o to z Albertem – westchnął Marcin. – Nie chciałem, żeby opowiadał ci o naszej przeszłości. Nic nie powinien był ci mówić. Nie chcę, byś wiedziała, co zrobił Adalbert, nie dlatego że ci nie ufam, ale dlatego, że jego historia nie jest warta opowiadania. Jakie znaczenie ma to, skąd pochodzimy, czyja komórka jajowa i plemnik były na początku? Liczy się to, co robimy teraz.

– Ja lubię znać historie rzeczy i ludzi. Im dalej sięgają, tym lepiej.

– A kiedy ktoś nie chce opowiedzieć ci swojej historii?

– Każdy w końcu chce. Czekam na właściwy moment i właściwe pytanie.

Marcin westchnął, pocałowałam go w ciemności srebrnej jak rtęć. Sięgnął do moich piersi, a ja pomyślałam, że chciałabym zobaczyć otwartą przestrzeń, wielką wodę, zamknąć oczy i zanurzyć się tam, gdzie czekają endemiczne ryby.

Gdy obudziłam się, w powietrzu czuć było zapowiedź świtu, pierwszy raz tak spokojnie przespałam noc w towarzystwie innego człowieka niż moja siostra. Podeszłam do okna i zobaczyłam świat pokryty śniegiem, nieruchomy i świeży, jak dopiero wyłoniony z niebytu. Przez chwilę miałam wrażenie, że tylko my dwoje zostaliśmy w tej śnieżnej pustce, ja i śpiący nagi mężczyzna. Ale wtedy w ogrodzie pojawił się młody czarny kot, tak chudy, że wyglądał jak wycięty z papieru. Skradał się na ugiętych łapach, z wyraźnym obrzydzeniem zanurzając je w śniegu. Zatrzymał się naprzeciwko okna i popatrzył w moją stronę. Przyłożyłam czoło do zimnej szyby. Kot przyglądał mi się, ziewnął, ukazując różowe wnętrze pyska i dwa rzędy ostrych kiełków, wskoczył na płot i zniknął wśród drzew. Zostały po nim ślady jak napis w nieznanym języku i pomyślałam, że Babcyjka pewnie potrafiłaby go odczytać. Usłyszałam kroki Marcina, który objął mnie i z brodą na mojej głowie patrzył na zimowy krajobraz.

– Wyjeżdżam dziś przed południem – powiedział. Robiło się coraz jaśniej i w szybie blakły nasze odbicia.

– Już czas – powiedziałam.

Staliśmy naprzeciwko siebie, bezlitosne światło pokazywało nasze ciała bez retuszu. Marcin miał zbyt długie paznokcie u stóp i spiczaste kolana. Ja, od kiedy tu przyjechałam, nie goliłam nóg ani cipki. Zdziczałam tu i odpowiadało mi to. Może pozwolę wszystkim swoim włosom rosnąć, jak chcą.

– Bardzo się cieszę, że cię poznałam – powiedziałam tak, jakbym właśnie skończyła wywiad do reportażu, bo to były dobre słowa pożegnania. Marcin wyciągnął do mnie rękę, którą uścisnęłam.

– Ja też, Alicjo, biegnij.

Ubrałam się w porozrzucane po podłodze rzeczy, otworzyłam okno i zeskoczyłam w miękką biel.

To był pomysł pana Alberta. Pożegnalny spacer do Zamku Książ, gdzie akurat trwał przedświąteczny jarmark.

– Jak za dawnych czasów – powiedział, gdy wzięłam go pod ramię.

Przyjechaliśmy samochodem, bo mój znajomy nie miałby już siły wspinać się tu przez las, jak za dawnych czasów. Pan Albert, jak zawsze w pilotce, włożył staromodny garnitur i takież okrycie, które nazywał jesionką. Czerwone rękawiczki, zrobione na drutach przez kogoś, kto dopiero wprawiał się w tej sztuce, wyglądały jak kwiaty i pan Albert co chwilę przyglądał im się z podziwem.

– Bardzo pan elegancko dziś wygląda.

– Prawda? – ucieszył się – dawno nie miałem okazji.

Gdy wysiadaliśmy z samochodu, upuścił rękawiczkę i zanim zdążyłam ją podnieść, zrobiła to jakaś dziewczyna, która obok zaparkowała starego fiata.

– Pani tata zgubił – powiedziała, a ja zamarłam z otwartymi ustami i takim bólem w sercu, że miałam wrażenie, jakby wbito mi tam Gertrud Blütchen.

Szliśmy z panem Albertem pod ośnieżonymi drzewami, mijaliśmy rodziny i pary, które przyjechały do Książa, by poczuć ciepłą atmosferę świąt, jak zachęcała do imprezy Sandra Pędrak-Pyrzycka. Mieszkańcy miasta chcieli odetchnąć po tych wszystkich potwornościach, życie trwało dalej. Na straganach sprzedawano jedzenie i grzane wino, ozdoby choinkowe, wielkie lukrowane pierniki i cukrowe sople. Usiedliśmy z panem Albertem przy jednym ze stoisk i zamówiliśmy frytki z keczupem. Nie mogłam sobie przypomnieć, kiedy jadłam je po raz ostatni, jedyne, jakie pamiętałam, to te z nieistniejącej od lat budki naprzeciwko palmiarni. Najlepsze frytki świata. Uśmiechnęliśmy się do siebie.

– Araukaria, cantedeskia, euforbia – powiedziałam.

– *Nolina microcarpa, Datura, Passiflora alata, Schistostega osmundacea* – odpowiedział pan Albert. Potem kupiłam dwa duże kubki grzanego wina i weszliśmy na dziedziniec Zamku Książ.

– Piękny dzień – powiedział ktoś obok nas.

– Ale zajebiste zamczysko – zachwycił się turysta wyglądający na uczestnika wyprawy integracyjnej z firmy sprzedającej armaturę łazienkową.

– Miała na imię Daisy – dodała rozmarzonym tonem towarzysząca mu kobieta. Odruchowo sięgnęłam do szyi, gdzie w zagłębieniu między obojczykami, przykryty szalikiem, spoczywał dar Babcyjki. Perła księżnej Daisy. Słońce roziskrzyło śnieg i dzieci próbowały ulepić z niego kulki, ale był zbyt zimny i rozsypywał się w ich rękach.

– Tutaj było ognisko – powiedział pan Albert, a ja mimo chłodu poczułam żar ognia, zapach spalenizny, usłyszałam pijanych żołnierzy Armii Czerwonej.

– Nie biegaj, bo się zgrzejesz – strofowała swoje pociechy jakaś nieporadna matka. Uśmiechnęłam się do małego stworzenia o szarych oczach, życząc mu, by nie wyrosło ani na tchórza hipochondryka, ani na autodestrukcyjnego ryzykanta. W miejscu, gdzie we wspomnieniach pana Alberta wciąż płonął ogień, dziecko nagle się zatrzymało, jakby miało dar odczuwania cudzych wspomnień.

– Uratowałaś tę małą – powiedział pan Albert i pębieniu między obojczykami, przykryty szalikiem, spoczywał dar Babcyjki. Perła księżnej Daisy. Słońce roziskrzyło śnieg i dzieci próbowały ulepić z niego kulki, ale był zbyt zimny i rozsypywał się w ich rękach.

– Tutaj było ognisko – powiedział pan Albert, a ja mimo chłodu poczułam żar ognia, zapach spalenizny, usłyszałam pijanych żołnierzy Armii Czerwonej.

– Nie biegaj, bo się zgrzejesz – strofowała swoją pociechę jakaś nieporadna matka. Uśmiechnęłam się do małego stworzenia o szarych oczach, życząc mu, by nie wyrosło ani na tchórza hipochondryka, ani na autodestrukcyjnego ryzykanta. W miejscu, gdzie we wspomnieniach pana Alberta wciąż płonął ogień, dziecko nagle się zatrzymało, jakby miało dar odczuwania cudzych wspomnień.

– Uratowałaś tę małą – powiedział pan Albert i przytknął do skroni palce w prześmiewczym salucie, a dziecko roześmiało się i uciekło.

– Chyba raczej byłam we właściwym miejscu o właściwym czasie, jak to się mówi – odpowiedziałam.

– Na tym polega ratowanie.

Wiedziałam, że pan Albert ciągle wini się za to, co spotkało Rosemarie, i nagle zrozumiałam, jak podobna jest historia Kalinki. Właśnie to usiłował mi pokazać mój stary dobry pan Albert.

– Co mówią lekarze?

– Fizycznie Kalinka wyzdrowieje. Nie wiadomo jednak, co i jak będzie pamiętać.

– Tego nigdy nie wiadomo. Na przykład kiedy patrzę na ciebie, często przypomina mi się księżna Daisy – powiedział.

– Daisy?

– Ten dzień, gdy spotkałem ją w ruinach starego zamku. To, jak mówiła, że jestem prawdziwym dżentelmenem, kiedy zanosiłem jej przesyłki od Fredka Ogrodnika.

– Moja siostra była podobna do księżnej Daisy, nie ja.

– Tak to jest z pamięcią, Alicjo. Ja pamiętam, że Ewa wyglądała jak Rosemarie, wasza matka.

Przez chwilę patrzyliśmy sobie w twarz w zimowym słońcu i wyobraziłam sobie chłopca, którym był ten starzec w pilotce i czerwonych rękawiczkach, gdy poznał Rosemarie na polanie pod Zamkiem Książ. Mój umysł bronił się przed tym, bo przyzwyczaiłam się, że tam, gdzie była moja matka, nie zostało nic prócz śmierci. Za sprawą pana Alberta pojawiła się teraz dziewczynka w białej sukience, a tej jednej historii nie chciałam poznać. Martwi pozostaną w ziemi, nic nie wskrzesi mojej siostry, nigdy nie zostanie aktorką i nie zamieszkamy w mansardzie z oknem na park. A ja stąd wyjadę. Wystarczy, że zacznę biec wzdłuż Wisły, a cień Rosemarie-Anny Lipiec-mojej matki szybko zostanie w tyle, zbyt słaby, by mnie dogonić.

Weszliśmy do labiryntowych ogrodów na południowym skrzydle zamku, żywopłoty były ośnieżone, ścieżki zasypane, nikt tu jeszcze nie dotarł oprócz nas. Stawianie stóp w tej nieskazitelnej bieli sprawiało przyjemność i zarazem napełniało mnie smutkiem, jak niegdyś zjadanie basi z Madrasu.

– Tam. – Pan Albert pokazał w kierunku jednego z załamań labiryntu. – Tam jest wyjście korytarza, którym można się tu dostać z polany. Fredek Ogrodnik mi je pokazał. Sprawdzałem parę lat temu, ciągle dawało się przejść. Teraz jestem już za stary na takie eskapady. Zapamiętasz?

Popatrzyłam na pana Alberta i zdałam sobie sprawę, że jego czas naprawdę dobiega końca.

– Jestem już stary, Alicjo. Wyżyłem się.

– Zapamiętam – obiecałam.

– Mogę panu zadać jedno pytanie?

Pokiwał głową.

– Niczego innego się nie spodziewałem po reporterce.

– Pan wie, gdzie on jest, prawda? Wie pan, gdzie jest skarb, którego szukał mój ojciec. Od tego więźnia, który skonał, trzymając pana za rękę?

Znów nieznacznie pokiwał głową.

– Chcesz go, Alicjo?

Patrzyłam na góry pokryte śniegiem, na zimowe niebo w kolorze pereł księżnej Daisy.

– Nie, panie Albercie. Nie.

Usiedliśmy na ławce, z której pan Albert szarmancko zgarnął śnieg, a potem rozłożył tam dla mnie chusteczkę, może tę od Daisy, bo wyglądała, jakby przeleżała kilkadziesiąt lat w bieliźniarce. Wystawiliśmy twarze do słońca, w milczeniu popijaliśmy grzane wino. Za naszymi plecami Zamek Książ trwał potężny i niewzruszony. Jakaś kobieta w turkusowym swetrze i góralskiej chustce pojawiła się z miską jedzenia i z ośnieżonego labiryntu nagle zaczęły wychodzić koty. Stado kotów czułych jak radary, które Daisy zostawiła tu na straży. Kociara popatrzyła na nas badawczo i uśmiechnęła się uspokojona.

– Jest coś – przerwał ciszę pan Albert – o czym muszę ci jeszcze powiedzieć, Alicjo.

Trzecia opowieść pana Alberta Kukułki

Nawet jeśli państwo Kukułkowie zdziwili się, że dostali poniemiecki dom z dodatkiem w postaci poniemieckiego chłopca, nie
dali tego po sobie poznać. Ich życie było jak pociąg, który wypadł
z torów i zsuwa się po górskim zboczu, gubią się bagaże pełne
ważnych rzeczy, a przez okna wpadają do środka obce sprzęty,
szyszki i pisklęta. Ja byłem takim pisklęciem.

Znalazła mnie pani Kukułka, gdy zeszła do piwnicy, by zobaczyć, co do czego może się przydać w domu, który im przydzie-
lono. Oprócz worka przegniłej cebuli, starej balli i dwóch butelek
oleju byłem tam ja. Nie przestraszyła się, zaniosła mnie do góry,
by lepiej mi się przyjrzeć, a potem wykąpać i nakarmić. Dzieliła
wszystko na użyteczne, nieprzydatne i wymagające naprawy.
Pamiętam zbliżającą się muzykę. To pan Kukułka grał w kuchni
na skrzypcach i odłożył je dopiero, gdy zobaczył żonę z workiem
cebuli w ręce i przerzuconym przez ramię chłopcem. Zdecydo-
wali, że zostawią sobie i mnie, i cebulę. Przez długi czas byłem
chory. Moje wycieńczone ciało łapało wszystkie wirusy i bakterie
jak piorunochron pioruny. Ledwo wyszedłem z ospy wietrznej,
złapałem świnkę, zaraz potem szkarlatynę i zapalenie płuc, aż
w końcu gruźlicę, w sumie półtora roku spędziłem w szpitalach.
Takich jak ja, poturbowanych, dziwnie mówiących dziczków było
więcej w okolicy i nawet mojej pilotce niespecjalnie się dziwiono,
skoro zdarzały się dzieci bez kończyn, pokręcone przez polio,

zupełnie szalone. Pielęgniarki próbowały mi odebrać czapkę od Apolonii Kitti Kitti, ale gdy zobaczyły, jak wyglądam bez niej, uznały, że nie powinienem odkrywać głowy przy innych dzieciach. Pilotka została wtedy tylko zdezynfekowana.

Państwo Kukułkowie usynowili mnie i stałem się Albertem Kukułką, po raz trzeci i ostatni zmieniając tożsamość. Jeśli jest coś z drugiej strony, Alicjo, nie mam pojęcia, jak się tam przedstawię po śmierci. Panował straszny bałagan i najwidoczniej łatwo było załatwić dokument dla syna, który zgubiono w podróży na Ziemie Odzyskane. Podobało mi się moje nowe nazwisko, chociaż na początku nie mogłem go nawet poprawnie wymówić. Państwo Kukułkowi mówili po polsku ze śpiewnym akcentem, który na początku kojarzył mi się tylko z żołnierzami Armii Czerwonej i długo nie byłem w stanie wydusić słowa w tym języku. Tylko raz zapytali mnie, skąd się wziąłem w piwnicy, ale nie wiedziałem, co powiedzieć, i więcej nie poruszaliśmy tego tematu. Oni sami nie wiedzieli, dlaczego tu są, i uznali, że nie wypada wymagać tego od innych. Mama Kukułka i tata Kukułka, tak o nich myślę.

Gdy wróciłem do zdrowia, wciąż byłem za słaby, by pójść do szkoły. Poza tym nie mówiłem wystarczająco dobrze po polsku. Przychodziła więc do mnie nauczycielka. Starsza, surowa kobieta z drewnianą nogą, dzięki której państwo Kukułkowie mogli odetchnąć, bo zapewniła ich, że pod moją oskalpowaną czaszką jest w miarę sprawny umysł. Najbardziej interesowała mnie botanika, a jeśli w ogóle przejawiałem jakiś talent, to do muzyki, i tata Kukułka nauczył mnie grać na skrzypcach. Gdy pokazał mi, na czym polega ta sztuka, okazało się, że w mojej głowie są melodie, które potrzebowały tylko instrumentu, by się wyzwolić z niepamięci. Moi przybrani rodzice słuchali ich z lekkim niepokojem. Kiedyś podsłuchałem ich rozmowę. „Żeby Niemiec po cygańsku grał?", zadumała się mama Kukułka. „Bo Niemce też różne", uspokoił ją tata Kukułka. „Ważne, że dobrze gra".

Dzięki skrzypcom tamtej wiosny, gdy dochodziłem do zdrowia, poznałem twojego ojca. Grałem w naszym ogrodzie, wciąż zachwycony tym, że potrafię, a on stał za płotem w waszym, który niedawno należał do mojej macochy Gertrud. Czułem jego obecność i mocno waliło mi serce, bo choć nie potrafiłem tego wypowiedzieć, wiedziałem, że on pojawił się w naszym dawnym domu jakby w miejsce mnie i Adalberta. Dopiero po dłuższej chwili zapytał: „Mogę posłuchać, jak grasz?". „Przecież słuchasz". „Ale grzeczniej będzie zapytać".

Taki był twój ojciec. Dobrze wychowany. Mama Kukułka mówiła, że nam się przez płot państwo trafiło, i nigdy nie czuła się do końca pewnie, gdy widziała twoją babkę w ogrodzie. Odrobinę poczucia wyższości dostarczał jej fakt, że o wiele lepiej znała się na uprawianiu ziemi, i wzdychając, mówiła: „A idź tam do nich, Albercik, i pokaż, jak się jabłoń przycina, bo podskakują jak pies do jeża".

Nigdy się nie dowiedziała, że mieszkałem kiedyś w tym bliźniaczym domu za płotem z niemiecką rodziną.

Zaprzyjaźniliśmy się z twoim ojcem. On spędzał czas na czytaniu, ja grałem na skrzypcach albo zajmowałem się ogrodem. Czytał mi na głos, a ja pieliłem albo eksperymentowałem ze swoimi roślinami. Dzięki niemu poznałem mnóstwo książek, niektóre mi się podobały, ale w żadnej nie było nic o mnie albo nie byłem dobrym słuchaczem. Chodziliśmy razem do Zamku Książ, jak inne chłopaki z okolicy, i jak oni zastanawialiśmy się, gdzie jest i co zawiera ukryty pod ziemią skarb. Pokazałem mojemu pierwszemu w życiu przyjacielowi korytarze, które znałem jak własną kieszeń, i spędzaliśmy godziny pod ziemią, zbierając sczerniałe monety, metalowe części trudnych do zidentyfikowania sprzętów, łuski, kawałki ceramiki i szkła. Oglądaliśmy nasze zdobycze i marzyliśmy, tak jak wszyscy chłopcy, o dalekich wyprawach i przygodach, ale żaden z nas nigdzie nie wyjechał stąd na dłużej. Gdy zmarł tata Kukułka, wiedziałem, że to koniec mojej edukacji, bo ktoś musiał przejąć jego rolę i przyszedł mój czas, by się odwdzięczyć za dobroć, jaką mi okazali przybrani rodzice. Gdy miałem szesnaście lat, zacząłem pracować jako ogrodnik, a twój ojciec rok później wyjechał na studia do Wrocławia.

Widywaliśmy się rzadziej, tylko gdy przyjeżdżał w odwiedziny do rodziców, a wtedy czytał mi jak na początku. Gdy uczył się do egzaminów, siedziałem z nim i w ciągu czterech lat poznałem wiele lektur z historii, którą studiował twój ojciec. Większość opowieści o wojnach i pokojach wydawała mi się zupełnie niezwiązana ze mną, nawet jeśli dotyczyły one naszych okolic. Czekałem, czy do któregoś egzaminu mój przyjaciel będzie uczył się o Cyganach, ale w jego lekturach wśród wielu wędrownych ludów ich nie było. Byli za to źli Niemcy i zwycięscy żołnierze Armii Czerwonej. Nigdy nie opowiedziałem twojemu ojcu swojej historii, nigdy nikomu aż do twojego powrotu, Alicjo. Nie żebym specjalnie ją ukrywał, po prostu niektóre historie muszą się uleżeć. Nadal chodziliśmy na Zamek. Tak się mówiło: iść na Zamek, nawet jeśli w rzeczywistości byliśmy w ciemnych korytarzach pod nim. Na studiach twój ojciec zgromadził wiedzę na temat tego miejsca, ogrom faktów i dat, który wprawiał mnie w zakłopotanie. Ale słuchałem go, opowiadał z taką pasją, a ja nie chciałem wyjść na nieuka i gbura. Sprawiało mi przyjemność, gdy twój ojciec mówił o księżnej Daisy, gdy wymawiał jej imię. Jej perły, tak bardzo chciał je znaleźć, podobnie jak wielu przed nim i po nim, a ja próbowałem odwieść go od tego planu, bo choć tyle ukryto pod Zamkiem Książ, to nie ma tam pereł księżnej Daisy. Nawet przyjacielowi nie mogłem jednak wyjawić sekretu.

Teraz przyszła pora, by o wszystkim opowiedzieć. Widziałem Daisy jeszcze raz przed jej śmiercią. Mówiłem ci o pamięci, Alicjo, i nie wiem, dlaczego po tej najważniejszej wizycie tak niewiele zostało w mojej głowie. Kilka obrazów, parę słów, kłębek światła. Daisy miała na sobie coś jasnego i do dziś, gdy widzę śnieg, przypomina mi się ona na łożu śmierci. „Weź je", powiedziała. „Weź i dobrze ukryj". Sznur pereł w moich dłoniach był zimny i ciężki. „Po co? Co mam z nimi zrobić?". „Przyjdą po nie". „Kto?". „Poznasz je. Niech każda weźmie po jednej. Aż do końca". „Dlaczego ja?". „Bo ty ich nie potrzebujesz. Uciekaj teraz, chłopczyku". Uśmiechnęła się do mnie i podała mi rękę. Byłem pewny, że znała każdą przeszłą i przyszłą tajemnicę mojego serca. Ukryłem perły, jak kazała, i nie myślałem o nich. Zaopiekowałem się nimi tylko dlatego, że prosiła mnie o to księżna Daisy. Nie wiedziałem, że jedna z nich przenaczona była dla ciebie.

Pierwsza przyszła Agnes Kociałapa, parę lat po wojnie. Była jesień i paliłem liście, a ona pojawiła się od strony lasu i gdy zobaczyłem jasną postać wśród drzew, zamarło mi serce. Wyglądała z daleka jak Rosemarie, gdy spotkałem ją po raz pierwszy. Myślałem, że wszystkie kociary są stare jak Apolonia Kitti Kitti, ale Agnes Kociałapa była młoda albo raczej pozbawiona wieku. Nosiła białą perukę ozdobioną sztucznymi kwiatami i ptakami, miała twarz spaloną słońcem, jakby wróciła z tropików. Pomieszkiwała w Zamku Książ i wynosiła stamtąd jakieś graty, które sprzedawała na mieście. Została w okolicy na długo. Wiele lat temu zjawiła się u mnie kobieta imieniem Ludmiła, poszukująca pilnie właśnie Agnes Kociejłapy, ale choć na pewno mieliśmy na myśli tę samą osobę, ona opisywała ją zupełnie inaczej. Po Agnes Kociejłapie pojawiły się inne kociary. Nieraz się wystraszyłem, gdy któraś z nich wyrastała jak spod ziemi nocą w ogrodzie albo nad ranem stukała w okno. Przychodziły zawsze wtedy, gdy byłem sam, nigdy nic nie wyjaśniały, choć zdarzało im się przedstawić: Kocińska, Malwa Makota, Babcyjka, Kokota, Szkotka. Kiedyś twój ojciec pojawił się, gdy jedna z nich, Ciotka Podkotek, właśnie znikała wśród drzew, ale nic nie zauważył.

Myślę, że po prostu nie wszyscy dostrzegają ich istnienie tak wyraźnie jak ja, Marcin czy ty, Alicjo. Powoli sznur pereł, które księżna Daisy powierzyła mi na przechowanie, zaczął się zmniejszać. Nie wiem, co działo się z nimi dalej, gdy już trafiały w ręce tych kobiet. Miałem wrażenie, że kociary pojawiały się częściej, że było ich więcej, gdy w okolicy działo się coś złego, jak ostatnio. Ale to tylko moje domysły. Została mi jeszcze jedna perła księżnej Daisy. Wiem, że gdy oddam tę ostatnią, moje życie skończy się i może wtedy przypomnę sobie twarz matki. Za sprawą księżnej Daisy kociary stały się częścią mojego życia i nigdy nie starałem się zrozumieć więcej. Te czerwone rękawiczki podarowała mi zeszłej zimy jedna z nich, Babcyjka. „Łapawiczki ci zmajstrowałam", powiedziała, i uważam, że są piękne, najpiękniejsze, jakie miałem w życiu. Tej zimy Marcin dostał od niej czapkę. Ale czasem przychodzą po coś, czego potrzebują: garnek, nóż, koc. Nigdy nie proszą o więcej, niż mogłabyś im dać.

Gdy twój ojciec wrócił po studiach i został nauczycielem historii, ja pracowałem już w palmiarni. Pozostaliśmy przyjaciółmi. Jest taki rodzaj przyjaźni, że robi się razem tylko dwie, trzy rzeczy i żadna strona nie chce więcej ani mniej, bo wiadomo, że można na siebie liczyć w razie potrzeby. Któregoś popołudnia czytał mi jak zawsze, a ja obierałem jabłka w ogrodzie. „Poznałem jedną dziewczynę", powiedział. Nie wiem, czym jest intuicja, Alicjo. Nie jestem człowiekiem wykształconym i mogę tylko powiedzieć, że coś mnie tknęło. „Jak ma na imię?", zapytałem. „Anna", odpowiedział twój ojciec. „Anna Lipiec". To imię, nic dla mnie nieznaczące, trochę mnie uspokoiło.

Mniej teraz czasu spędzaliśmy razem, bo była Anna. Brakowało mi towarzystwa mojego przyjaciela, ale w głębi serca wiedziałem, że pisana mi jest samotność. Tamtego lata umarła mama Kukułka i poznałem Annę, w tej kolejności. „Jutro przyjdę z Anną powiedział twój ojciec i czekałem". To było piękne lato, jakich od dawna już nie ma w tym kraju, a może nigdzie. Wszystkiego było za dużo, truskawek, porzeczek. Czekałem i w końcu zobaczyłem ich na drodze. Zbliżali się dziwnie powoli. Jak na filmie – pomyślałem. „To jest Anna", powiedział twój ojciec, ale to była Rosemarie. W jasnoniebieskiej sukience w białe mewy. Jej jasne włosy zostały krótko obcięte i uczesane w dorosłą fryzurę, nieruchomą jak polukrowana. Miała twardą twarz, bardzo jasną i zamkniętą twarz manekina z działu odzieżowego w wałbrzyskim pedecie. Nie mogłem wydusić słowa. „Albert zaniemówił z zachwytu", roześmiał się twój ojciec, a Rosemarie patrzyła na mnie i jej oczy mówiły, nie wiem czy po polsku, czy po niemiecku, czy w jakimś nieznanym języku: nie. Nie rozpoznajesz mnie ani ja ciebie. Widzimy się po raz pierwszy. „Miło mi cię poznać". Wyciągnęła rękę. „Jestem Anna".

Nawet jeśli twój ojciec czuł napięcie między mną a swoją narzeczoną, nigdy nic na ten temat nie wspomniał. A może po prostu był zakochany i to, co ja czułem, nie było dla niego ważne. Gdy urodziła się Ewa, twój ojciec myślał chyba, że, jak to się mówi, wszystko się ułoży. Ale nie ułożyło się. Budził mnie płacz niemowlęcia, jej krzyk i proszący głos twojego ojca. Nie wiem, jak to wyrazić, ale miałem wrażenie, że coś jeszcze zamieszkało z tą rodziną i wprawiło mnie w stan wiecznego czuwania. „Czy mogę coś dla ciebie zrobić?", zapytałem twojego ojca po roku czy dwóch, ale tylko pokręcił głową, a potem popatrzył na mnie i poprosił, bym zagrał na skrzypcach.

Mało czasu spędzaliśmy razem. Widziałem, jak niósł do domu metalowe trojaczki z obiadem ze szkolnej stołówki, widziałem, jak wychodził na spacer z wózkiem albo uciekał w popłochu w stronę Zamku Książ, by zaszyć się pod ziemią i marzyć, że skarb wszystko zmieni. Były też lepsze chwile i wtedy twoja matka pojawiała się u jego boku, wyglądali z daleka jak każda inna rodzina. Twoja siostra miała kilka lat, gdy pierwszy raz usłyszałem jej krzyk. To było coś innego niż normalny płacz dziecka i poczułem taki strach jak wtedy, gdy zobaczyłem Rosemarie otoczoną przez żołnierzy. Tego dnia pierwszy raz zastukałem do drzwi waszego domu.

Nie otworzyła mi, ale czułem jej obecność po drugiej stronie, wydawało mi się, że słyszę jej oddech. „Rosemarie", prosiłem, „pomogę ci. Otwórz. To ja, Albert". Nie otworzyła i unikała mnie potem jeszcze bardziej, ale chyba wiedziała, że czuwam. Nie rozumiałem, Alicjo. Twoja siostra wyglądała jak inne dziewczynki. Nie było żadnych śladów. Śladów bicia. Nie przyszło mi do głowy, na jak wiele sposobów można skrzywdzić dziecko. A nawet jeśli, nie pomyślałam, że może to zrobić matka. Od tej pory była dla mnie Anną, bo Rosemarie, moja siostra znaleziona w lesie, otworzyłaby mi drzwi.

Twój ojciec wtedy na dobre uciekł w poszukiwania skarbu i był przekonany, że gdy go znajdzie, potrafi uszczęśliwić nie tylko siebie, ale też swoją żonę i córkę. Ciągle gdzieś wyjeżdżał, by spotkać się z jakimiś ludźmi, od których kupował mapy i tajemnice, coraz rzadziej zdarzało nam się usiąść razem w ogrodzie. Unikał mnie, jakby się wstydził. Gdy Ewa miała sześć lat i poszła do szkoły, Anna też zaczęła znikać na całe dnie i noce. Wychodziła, gdy twojego ojca nie było, albo wymykała się nocą. Kiedyś wróciłem z palmiarni i usłyszałem płacz Ewy z ciemnego domu. Drzwi były otwarte. „Anna?!", zawołałem i wszedłem, twoja siostra była w łazience, ubrana i z tornistrem na plecach siedziała skulona w pustej wannie. „Kotojady", powiedziała i wtedy pierwszy raz usłyszałem to słowo, pierwszy raz zauważyłem, jak bardzo jest podobna do Rosemarie.

Anny nie było, wszędzie panował straszliwy bałagan, dom wyglądał zupełnie inaczej niż za czasów Gertrud, którą by szlag trafił, gdyby to zobaczyła. Szukaliśmy Anny z twoim ojcem, ale ona za każdym razem wracała tak samo, jak odchodziła, niepostrzeżenie i bez słowa wyjaśnienia. Okresy jej nieobecności były coraz dłuższe, a gdy już się pojawiała, wyglądała na sponiewieraną, ale odrobinę spokojniejszą. Tylko raz, gdy nie było jej ponad dwa tygodnie, twój ojciec zawiadomił milicję. Znaleźli ją w pociągu do Gdańska, bez biletu i bez dokumentów, w towarzystwie dwóch podejrzanych mężczyzn i z koszem grzybów. Nigdy nie dowiedzieliśmy się, jaki był cel jej podróży i dlaczego taszczyła ze sobą dziesięć kilo podgrzybków. „Pan jej lepiej pilnuje, obywatelu", milicjant mrugnął, a ja żałowałem, że jestem świadkiem upokorzenia twojego łagodnego, uprzejmego ojca. Ludzie gadali, ten ją widział tam, tamten gdzie indziej. Czasem myślę, że ona uciekała od siebie, że w chwilach trzeźwości wierzyła w ocalenie, jeśli nie siebie, to przynajmniej Ewy. Gdy była z tobą w ciąży, twój ojciec jeszcze bardziej niż zwykle wyglądał na kogoś, kto się ukrywa. „Będziemy mieć dziecko", powiedział i wiedziałem, że podejrzenia mają zostać nienazwane.

Gdy przyszłaś na świat, Anna znikła na miesiąc. Wyszła ze szpitala w koszuli położnicy i pojawiła się z powrotem po paru tygodniach w czerwonej sukience w groszki, przefarbowana na kasztanowo i tej samej nocy usiłowała podpalić wasz dom. Dziś myślę, że chciała, by ją zabrano, że bała się z wami zostać. Spędzała całe tygodnie w szpitalach. Trafiłaś do żłobka, a potem zajmowała się tobą siostra. Tak was pamiętam, Ewa taka drobniutka i chuda i ty w jej ramionach. Nosiła cię po ogrodzie od drzewa do drzewa, od krzaka do krzaka, i cały czas mówiła. Umiała mówić, a ty słuchać. Wypuścili Annę na dobre, gdy miałaś trzy lata. „Anna wraca", powiedział twój ojciec. Wyzdrowiała. Gdy ją zobaczyłem, była znów blondynką i choć zachowywała się spokojnie i normalnie, czułem, że nic się nie zmieniło.

Tylko raz przez te wszystkie lata rozmawiałem z Anną sam na sam. A może powinienem powiedzieć: z Rosemarie. Byłem w ogrodzie, a ona wyszła, chociaż nigdy wcześniej tego nie robiła, stanęła obok mnie i popatrzyła na las. Wiedziałem, że pamięta, że w tej chwili, która może się już nie powtórzyć, jest wolna od swoich kotojadów. „Kiedy znów przyjdą", powiedziała po niemiecku i był to głos małej dziewczynki „bądź i uratuj. Będziesz?". Zamarłem z grabiami w ręce. „Będę", obiecałem. „Będę, Rosemarie".

I byłem, Alicjo. Czy ty coś pamiętasz? Gdy tamtego dnia wbiegłem do was, zaalarmowany krzykiem, pierwsze, co pomyślałem, to: oby tej małej udało się zapomnieć. Byłaś w wannie, krwawiłaś i woda była czerwona. Twoja matka i Ewa walczyły i to była walka na śmierć i życie. „Oni tu są!", krzyczała Anna. „Pukają do nas spod ziemi. Nocą wchodzą tu przez wannę. Weszły wam przez tyłki! Macie je w środku. W brzuchach! Brudasy! Śmierdzące brudasy!".

Ewa wyrwała jej z dłoni Gertrud Blütchen, ale Anna zdążyła cię zranić. Próbowała zmusić cię do wypicia środka dezynfekującego i jego ostry zapach unosił się w łazience. „Nienawidzę cię!", krzyknęła Ewa i to nie był głos dziewczynki, którą znałem. Złapałem chudy dziecinny nadgarstek i nóż ześlizgnął się po ciele waszej matki, nie robiąc jej większej krzywdy. Ewa wypuściła Gertrud Blütchen, popatrzyła na mnie, jakby się obudziła, i zapytała: „Wielbłądka?".

Wyciągnęłaś do niej ręce i wyjęła cię z wanny, a ja pochyliłem się nad Anną i w ostatniej chwili uniknąłem ciosu nożem, który pamiętałem z dzieciństwa. Wiedziałem, że nie może z wami zostać, i gdy przyjechała milicja, potwierdziłem wersję Ewy. To Anna miała w dłoni Gertrud Blütchen. Sama się zraniła, ale przedtem próbowała zabić swoje dzieci, i to drugie było prawdą.

Tej nocy, gdy ją zabrano, a wy spałyście odurzone środkami uspokajającymi, przyszły kociary. Od wojny nie widziałem ich tylu naraz. Stały na granicy lasu i patrzyły w wasze okno: Kocińska, Kokota, Ciotka Podkotek, Babcyjka, Szkotka, Malwa

Makota i inne, których nie znałem z imienia. Mówiły coś, nie mogłem usłyszeć słów, ale czułem płynącą z ich strony energię i siłę jak wtedy, gdy zajęły się mną na polanie. Anna trafiła na oddział zamknięty szpitala psychiatrycznego, skąpe wiadomości na temat jej stanu miałem od twojego ojca, który ją regularnie odwiedzał w małym górskim miasteczku. Ciągle wierzył, że ona wyzdrowieje.

Rosłyście jak dziczki, ale radziłyście sobie, wy dwie i ten rudy miś, którego nadal nie wyrzuciłaś. Myślałem, że tak zostanie, bo bez matki byłyście bezpieczne, ale któregoś dnia zobaczyłem, jak twój ojciec robi porządki. Nieporadnie i bez planu biegał między domem a ogrodem i porzucał w połowie zaczęte czynności. Zapytałem, czy mu pomóc. I co się dzieje? Anna wyzdrowiała, za tydzień wraca do domu. Powiem to najprościej, jak mogę, Alicjo. Ewa była sprytna i zdeterminowana. Wiedziała, że nie może dopuścić, by Anna tu wróciła, bo razem z nią wrócą kotojady. To były silne środki nasenne. Nafaszerowała tym basie z Madrasu, wsiadła w pekaes i pojechała do Stronia Śląskiego. Co czuły, gdy na siebie patrzyły, matka i córka? Czy Anna wiedziała, że je zatrute ciastka? Nie wiem i przykro mi, że zostawiam cię z tymi pytaniami. Anna zasnęła, a Ewa wróciła do Wałbrzycha. Nikt nic nie zauważył, nikt jej nie podejrzewał. Wieczorem zadzwonił ktoś ze szpitala: Anna umierała, nie było nadziei, i wasz ojciec tam pojechał. To był znak, na który czekała Ewa, i wtedy napisała listy. Listy, bo, widzisz, Alicjo, w innej książce, specjalistycznej pozycji na temat filodendronów, przechowanej w Bibliotece pod Atlantami, była koperta zaadresowana do mnie. Ewa napisała mi, że musiała zgładzić matkę, takich słów użyła. Nie zabić, tylko zgładzić. I że po tym, co zrobiła, straciła prawo do bycia tutaj, do ciebie, do Dawida. „Niech pan dba o moją Wielbłądkę", tak napisała. „Jak urośnie, pan sam zdecyduje, co jej powiedzieć i kiedy". Alicjo. Twoja siostra pośpieszyła się, niestety.

Ona się nie obudziła, ale Anna tak. Przez trzy miesiące była w śpiączce i lekarze mówili, że pewnego dnia jej serce po prostu się zatrzyma, ale na wiosnę otworzyła oczy. Twoja matka żyje, Alicjo. Mieszka nadal w tym samym zakładzie. Twój ojciec nie pozwolił mi o niej mówić i dlatego pokłóciliśmy się. Po jego śmierci przejąłem obowiązek odwiedzin. Jest spokojna i zupełnie cicha, Ewa nie zgładziła matki, ale udało jej się zgładzić to coś, co żyło w jej wnętrzu. Gram Rosemarie na skrzypcach i opowiadam o księżnej Daisy. Czasem mówię jej też o tobie, ale nie wiem, czy mnie słyszy.

Morze

Siedziała w ogrodzie, obca. Pamiętałam kogoś ogromnego, a postać na wózku wydawała się nie większa od dziewczynki. Miała białe włosy i bardzo jasne oczy, twarz pozbawioną wieku, dopiero z bliska widać było nieruchomą sieć zmarszczek. Jak wyschnięte morze. Patrzyła prosto przed siebie, jej palce splecione na podołku miały zbyt długie paznokcie. Trzeba je przyciąć – pomyślałam i przypomniała mi się Gertrud Blütchen, którą mnie kiedyś zraniła. Te dwa obrazy nie miały ze sobą związku. Nie czułam nienawiści ani żalu, tylko smutek z powodu tego wszystkiego, co się zmarnowało.

Obok nas ogrodniczka w szarym fartuchu podlewała krzaczki róż.

– Sama je i oddycha – powiedziała. – Pod siebie nie robi, ale zgadnąć trzeba kiedy, żeby wysadzić. Pani tu pierwszy raz?

Pokiwałam głową. Usiadłam na ławce obok Rosemarie-Anny-mojej matki. Ogrodniczka nie odchodziła.

– Czasem się zastanawiam, myśli o czymś? Mnie by się przykrzyło tak siedzieć. Bez roboty głupieję.

– Nie wiem – przyznałam.

– Bo po człowieku trudno zgadnąć, czy myśli, czy nie – westchnęła filozoficznie ogrodniczka i poszła z konewką w drugą część ogrodu, pod jej stopami zazgrzytał żwir.

Zostałyśmy same. Pachniała świeża ziemia, na trawie lśniły krople wilgoci, krzaki róż wypuszczały delikatne pączki i nie było właściwych pytań, które mogłabym zadać, Rosemarie-Anna- -moja matka nie opowie mi swojej historii. Dotknęłam jej dłoni, były suche i chłodne. Nachyliłam się i powąchałam białą głowę, pachniała jak świeżo wyprana sierść rudego Hansa z NRD. Słyszałam jej oddech, cichy i spokojny.

– Mam na imię Alicja. Jestem reporterką i mówią na mnie Alicja Pancernik – zaczęłam.

Nie drgnęła, jej oczy patrzyły przeze mnie gdzieś, gdzie nie miałam dostępu.

– Jestem twoją córką. Pierwsze, co pamiętam, to twój głos w ciemności i będę mówić do ciebie tak długo, aż ty też mnie sobie przypomnisz.

Mam czas, mnóstwo nowego czasu.

Potem, gdy wiosenne słońce zaczęło zapadać się za wierzchołki gór, pocałowałam ją w nieruchome usta i wsiadłam do samochodu. Długo czułam na wargach ten dotyk. Nocą ruszyłam na północ, bo tam było najbliższe morze. Jechałam siedem godzin przez uśpione wsie i miasteczka, w świetle reflektorów lśniły oczy zwierząt. Czasem widziałam ciemne sylwetki tych, którzy mimo późnej pory dokądś szli albo skądś wracali, i wydawało mi się, że jakiś rodzaj więzi łączy mnie z tymi nocnymi ludźmi, nocnymi zwierzętami. Zatrzymałam się na parkingu wśród pól i w sklepie, oświetlonym tak jaskrawo, jakby pracujący w nim ludzie bali się, że zeżre go mrok napierający znad świeżo zaoranej ziemi, kupiłam butelkę wody i wafelek prince polo. Ewa uważała, że w prince polo jest ukryty smak basi z Madrasu, ale trzeba jeść go bardzo powoli, by to poczuć.

– Daleko? – zapytał nieznajomy mężczyzna i usiadł przy mnie z papierosem i kubkiem kawy. Miał podpuchnięte, zmęczone oczy, piwny brzuch i ładne młode uszy nie od kompletu. Podobne do uszu Patryka Miłki.

– Nad morze.

– *Morze, nasze morze, będziem ciebie wiernie strzec.* Taką piosenkę śpiewaliśmy na kolonii w Kołobrzegu. Zna pani?

– Jak to szło? *Morze, nasze morze, będziem ciebie wiernie strzec,* coś tam, coś tam, postrzeżemy, *by na dnie z honorem lec* – zanuciłam.

– Dokładnie! – ucieszył się.

– *By na dnie z honorem lec, z honorem lec* – zaśpiewaliśmy na dwa głosy, a potem odjechaliśmy w przeciwnych kierunkach.

Zanim je zobaczyłam, poczułam przez otwarte okno samochodu zapach wodorostów i soli. Nigdy nie przyzwyczaiłam się do klimatyzacji i wolę po prostu odkręcić szybę, by wpuścić do środka świat. Latem bywa za gorąco, zimą za zimno i to mi odpowiada. Byłam w nadmorskiej wsi, której nazwy przedtem nie znałam, ale wydała mi się dobrym miejscem. Tak właśnie pomyślałam: to dobre miejsce, gdy odbiłam tu z głównej drogi. W szarym świetle wstającego dnia widać było napisy: „smażona rybka", „frytki i placki", „ryba prosto od rybaka", „pokoje do wynajęcia z łazienką i widokiem", „obiady domowe", „lody włoskie", „Zimmer frei".

Zaparkowałam na zupełnie pustym parkingu przy plaży. Wiatr nawiał tu piasku i utworzyły się miniaturki wydm. Ruszyłam w kierunku szumu fal. Morze było jeszcze nasączone ciemnością, ale po chwili na linii horyzontu pojawiła się jaskrawa kreska, jakby ktoś wbił tam Gertę Blütchen i przeciągnął ostrze. Mewy obudziły się i nadleciały całym stadem, zapiekły mnie oczy. Zapragnęłam podzielić się tym widokiem, nagle zbyt pięknym dla jednej osoby. Usiądziemy razem na wydmie i opowiem jej dalszą część historii o Zamku Książ, księżnej Daisy i jej perłach. Wróciłam do samochodu, by obudzić dziewczynkę, która całą drogę przespała na tylnym siedzeniu, tuląc do policzka pluszowego kota.

– Nas wicher jest – przypomniałam sobie słowa Dzikiej Baśki i Babcyjki. – Nas wicher jest – powtórzyłam.

Od autorki

Wałbrzych i Zamek Książ, którego ostatnią panią była księżna Daisy, istnieją naprawdę. Cała reszta jest dziełem mojej wyobraźni. Nie szukajcie tych miejsc i ludzi poza tekstem. Nie ma ich tam.

Joanna Bator

Spis rzeczy

Redaktor inicjujący: Filip Modrzejewski
Redaktorka prowadząca: Ida Świerkocka

Redakcja: Dariusz Sośnicki
Korekta: Marianna Sokołowska, Małgorzata Denys

Projekt typograficzny: Robert Oleś / d2d.pl
Łamanie: Alicja Listwan / d2d.pl

Fotografia Magdaleny Cieleckiej na okładce: © Adam Golec
Projekt okładki i stron tytułowych: Joanna Strękowska

Druk i oprawa: CPI Moravia Books

Grupa Wydawnicza Foksal Sp. z o.o.
02-672 Warszawa, ul. Domaniewska 48
tel. 22 826 08 82, 22 828 98 08
biuro@gwfoksal.pl
gwfoksal.pl

ISBN 978-83-280-6096-8